Stephen Fry
Ich bin so *fry*

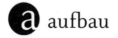 aufbau

Für M'Coll

Arbeit macht mehr Spaß als Spaß
Noël Coward

*I*ch muss endlich damit aufhören, mich ständig zu entschuldigen: Dadurch wird nichts besser und nichts
schlechter. Wenn es mir nur gegeben wäre, fuchtig,
furchtlos und frei heraus zu sein, statt meine Ausfüh-
rungen ständig mit jämmerlichen Dementis, Entschul-
digungen und Ausflüchten zu garnieren. Das ist einer
der Gründe, weswegen ich nie ein Künstler hätte gewesen sein können, weder auf literarischem Gebiet
noch auf einem anderen. Alle wahren Künstler, die
ich kenne, hegen nicht das geringste Interesse an der
Meinung ihrer Mitmenschen, und ihnen liegt absolut
nichts daran, sich selbst zu erklären. Selbstdarstellung,
ja und oft, Selbsterklärung aber nie. Künstler sind stark,
stur, schwierig und gefährlich. Schicksal, Faulheit oder
Feigheit hatten mich schon vor langer Zeit auf die Rolle
des Entertainers festgelegt, und zu einem solchen sah
ich mich während meines dritten Lebensjahrzehnts
heranreifen, wenngleich auch zeitweise zu einem fatal
oberernsthaften und oberkonzilianten Entertainer,
der natürlich schon deswegen keiner war. Der Wunsch,
gemocht zu werden, ist eine Charaktereigenschaft, die
nicht sonderlich gemocht wird. An mir mag ich sie jedenfalls gar nicht. Aber an mir gibt es sowieso sehr viel,
was ich nicht mag.

Vor zwölf Jahren habe ich die Erinnerungen an meine Kindheit und Jugend veröffentlicht, und zwar unter
dem Titel »*Columbus war ein Engländer*«*, der nieman-

---

* Im Original: »Moab is My Washpot«

den verwirrte, weil er in seiner Bedeutung und Anspielung so klar, einleuchtend und offensichtlich war. Oder vielleicht auch nicht. Der Ablauf der darin geschilderten Ereignisse reichte bis zu dem Zeitpunkt, als ich aus dem Gefängnis kam und es mir irgendwie gelang, zum Universitätsstudium zugelassen zu werden. Hier nimmt dieses Buch die Geschichte wieder auf. Aus Rücksicht auf diejenigen, die »Columbus« gelesen haben, möchte ich dasselbe Feld möglichst nicht nochmals beackern. Wenn ich also Ereignisse aus meiner Vergangenheit erwähne, von denen ich bereits berichtet habe, werde ich ein hochgestelltes Kreuz ([†]) hinzufügen.

Dieses Buch nimmt die Fäden auf und schildert die anschließenden acht Jahre meines Lebens. Warum so viele Seiten für so wenige Jahre? Eine Antwort lautet, dass es sich um eine späte Phase des Heranwachsens und ein frühes Mannesalter handelt, die höchst ereignisreich waren. Eine andere lautet, dass ich ein völliger Versager bin, was die Befolgung von Strunks »Elements of Style« oder sonstiger Handbücher betrifft, in denen die »Kunst des guten Schreibens« propagiert wird. Wenn sich etwas in zehn Wörtern sagen ließe, kann man sich darauf verlassen, dass ich hundert verwende. Eigentlich sollte ich mich dafür entschuldigen. Ich sollte noch mal von vorne anfangen und die verbalen Auswüchse rücksichtslos beschneiden, trimmen oder ganz ausmerzen. Aber das werde ich nicht tun. Ich mag Wörter – »mag« gestrichen: Ich *liebe* Wörter –, und während ich ihren eingeschränkten und sparsamen Gebrauch in der Poesie, in Songtexten, bei Twitter, in guten journalistischen Texten und bei cleverer Werbung durchaus schätze, liebe ich es doch, in ihrer üppigen Vielfalt zu schwelgen oder wild mit ihnen um mich zu werfen. Wie Sie bereits bemerkt haben dürften, zähle ich zu den Exemplaren Mensch, die es fertigbringen, Sachen zu schreiben wie: »Ich werde ein hochgestelltes Kreuz hinzufügen.« Wenn mein Schreibstil wie eine persönliche Marotte wirkt, die zum Zähneknirschen provoziert, tut es mir leid, aber ich bin ein zu alter Hund, um noch neues Gebell anzustimmen.

Ich hoffe, Sie vergeben mir die unerquickliche Erfahrung, miterleben zu müssen, welche Mühe es mich kostet, einige meiner inneren Wahrheiten zum Ausdruck zu bringen und die Distanz zwischen der Maske aus Selbstgewissheit, Ungezwungenheit, Vertrauen und Sicherheit (die ich so spielend trage, dass sich ihre Züge oft in ein spöttisches Feixen verwandeln, das an selbstgefällige Hochnäsigkeit gemahnt) und dem wahren Zustand der Beklemmung, des Selbstzweifels, Selbstekels und der Angst abzumessen, in dem ich einen großen Teil meines Lebens damals wie heute verbracht habe und verbringe. Ich nehme an, es handelt sich um ein Leben, das so interessant oder uninteressant ist wie jedes andere. Es gehört mir, und ich kann damit tun, was ich will, sowohl in der Welt auf der realen Ebene der Fakten und Objekte als auch auf den Buchseiten und damit auf der noch realeren Ebene der Wörter und Subjekte. Mir liegt es jedoch nicht, mit den Leben anderer ebenso ungeniert umzugehen. Zwischen 1977 und 1987 hatte ich mit Menschen Umgang, die der Öffentlichkeit bekannt sind und denen ich keine überzeugenden Pseudonyme geben kann. Wenn ich Ihnen zum Beispiel erzählen würde, dass ich mich an der Universität mit einem Mann namens Lew Horrie anfreundete und wir gemeinsam die Komikerlaufbahn beschritten, bedarf es wohl weder großen Durchblicks noch allzu vielen Gegoogles Ihrerseits, um herauszufinden, dass von einer realen Person die Rede ist. Es ist nicht an mir, über sein Leben und seine Lieben zu plappern, über seine persönlichen Gewohnheiten, seine Manierismen und seine Lebensweise, oder? Wollte ich andererseits über jeden, dem ich auf meiner Lebensreise begegnet bin, einfach sagen, er oder sie sei ein Schatz gewesen und hinreißend und super und liebreizend und talentiert und atemberaubend und süß, würden Sie schon bald in höchstem Bogen kotzen und mit hoher Wahrscheinlichkeit Ihrem eBook-Reader einen Kurzschlag verpassen. Ich zweifle nicht eine Minute daran, dass meine Verleger bereits im Kleingedruckten des Vertrages, den ich bei ihnen unterschrieben habe, darauf hinweisen, dass ich, der Autor, für alle gerichtlichen Auseinandersetzungen verantwortlich zu machen bin, bei denen es, wenn auch nicht ausschließlich, um jene Schäden geht, die elektronischen Lesegeräten hierorts und in allen Territorien durch Ausgespienes und andere Körperflüssigkeiten zugefügt wurden. Daher segele ich mitten hindurch zwischen der Skylla des Schützens der Intimsphäre meiner Freunde und Kollegen und der Charybdis, bei Ihnen, den Lesern, einen Brechreiz auszulösen. Eine schmale Passage, doch ich werde mein Bestes tun, sicher hindurchzumanövrieren.

Die folgenden Seiten werden sich mit einigen der C-Wörter beschäftigen, die mein Leben beherrscht haben. Aber bevor jetzt die Chronologie der Chronik kommt, lassen Sie mich Ihnen noch ein paar Cs aus meinem Katalog kredenzen. Um Sie gewissermaßen in Stimmung zu bringen …

C steht für $C_{12}H_{22}O_{11}$

... für Cereal – Müsli
... für Candy – Naschwerk
... für Caries – Karies
... für Cavities – Löcher in den Zähnen
... für Carbohydrate – Kohlenhydrate
... für Calories – Kalorien

Die Schatten des Gefängnisses sich langsam schließen,
sobald der Junge wächst heran.
William Wordsworth, »Hinweis auf
die Unsterblichkeit«

*M*einem Körper Aufmerksamkeit zu schenken hieße zu unterstellen, dass ich einen Körper besäße, der Aufmerksamkeit verdient hätte. Seit frühester Jugend habe ich mich für das nichtsnutzige Fleischgehäuse, das ich bewohne, immer geschämt. Ich konnte nicht bowlen, nicht Schlagmann sein und auch nicht fangen. Ich konnte nicht tanzen. Konnte nicht Ski laufen, nicht kopfüber ins Wasser hechten und nicht springen. Wenn das Gehäuse eine Bar betrat oder einen Club, zog es keine lüsternen Blicke der Begierde auf sich oder auch nur flüchtige Anzeichen von Interesse. Nichts Anerkennenswertes war an ihm, bis auf seine Funktion als Brennstoffzelle fürs Gehirn und Müllhalde für die Toxine, die mich eventuell mit kurzzeitigen Höhenflügen belohnen oder mir Gründe liefern könnten, dem Frohsinn zu frönen. Vielleicht geht es nur um Brüste. Oder deren Nichtvorhandensein.

Obwohl es durchaus stimmt, dass ich früher mal ein Baby war, bin ich doch, soweit ich weiß, nie ein Säugling gewesen. Ich kann mich nicht entsinnen, je an einen Nippel angedockt zu haben, und glaube, von Anfang an Flaschenkind gewesen zu sein. Es gibt Psychologen dieser und jener Tradition, ob Kleinianer, Freudianer, Adlerianer, Jungianer oder Einfachdennamenhiereinsetzenianer, und sie alle teilen die Ansicht, dass die Entscheidung für Mutternippel oder Gummisauger von relevanter, wenn nicht gar ausschlaggebender Bedeutung für die Entwicklung des Menschen sei. Ich weiß nicht mehr, ob die Theorie annimmt, dass der Entzug der Muttermilch oder deren nicht versiegender Quell den Problemvorrat fürs spätere Leben anlegt. Möglicherweise stimmt beides. Wer im zarten Kindesalter einen Busenberg aufs Gesicht gedrückt kriegt, der ist als Erwachsener vielleicht auf Brüste fixiert wie Russ Meyer oder Jonathan Ross. Ist außer dem Fläschchen nichts Aussaugbares vorhanden, stellt sich später womöglich eine Busenphobie ein. Oder eine allgemeine Trinkfreudigkeit. Oder vielleicht auch umgekehrt. Alles natürlich absoluter Bockmist. Falscher Brustton. Es gibt jede Menge Brüder und Schwestern, sogar eineiige Zwillinge, die mit derselben Kleinkindkost aufgepäppelt wurden und sich letztlich als verschieden in jeder Hinsicht erwiesen bis auf die – irrelevante – physische Erscheinung. Mein Bruder und meine Schwester wurden als Kleinkinder nicht anders behandelt als ich, und wir könnten, zum Glück für sie und die Menschheit, einander nicht unähnlicher sein. Gehen wir also davon aus, dass die Laster und Schwächen, von den ich Ihnen jetzt erzählen werde, meine ureigenen sind und mir bereits zur Geburt beigegeben wurden wie die Muttermale auf der Rückseite meiner Beine und die Windungen auf meinen Fingerkuppen. Womit nicht gesagt sein soll, dass einzig und allein ich im Besitz dieser Schwächen bin. Weit gefehlt. Man kann sie fast schon als das Manko meiner Generation bezeichnen.

Sobald wir die Milch hinter uns gelassen haben, ob Mutter- oder Kunstmilch, kommen wir zu den härteren Sachen. Zu fester Kost. Apfelbrei und Eintopf werden löffelweise in uns hineingestopft, bis wir selbst mit Messer und Gabel umgehen können. Zu den frühesten und heftigsten Formen, mit Hilfe derer sich der Charakter eines Kindes Ausdruck zu verschaffen anschickt, gehört dessen Reaktion auf Nahrungsmittel. In den späten 1950ern und frühen 1960ern waren Frühstückszerealien und Süßigkeiten die Nahrungsmittel der Wahl. Ich zählte zur ersten Welle Kleinkinder, die zielgruppenorientierter Werbung ausgesetzt wurden. Die Sugar Puffs erblickten wie ich 1957 das Licht der Welt. Diese Zerealie, von der niemand hätte behaupten können, dass sie den Ehrgeiz hätte, von Erwachsenen verspeist zu werden, wurde, ein Jahrzehnt vor der Ankunft des Honey Monster, von einem tatsächlich existierenden Bären namens Jeremy repräsentiert. Er führte ein arbeitsreiches Leben zwischen Fotosessions für den Verpackungskarton und Filmaufnahmen für die Werbespots im Fernsehen, bis er sich ins Privatleben zurückziehen durfte und nach einer kurzen Zeitspanne im Cromer Zoo schließlich in Campertown, Dundee, 1990 friedlich einschlief. Ich besuchte ihn in Cromer, den ersten Promi, den ich leibhaftig und im Naturpelz zu sehen bekam, und glauben Sie mir, was einem Kind von heute das höchstrangige A-Listen-Babe oder Popidol bedeutet, war für mich damals Jeremy der Bär. Man muss sie nachvollziehen: die Leidenschaft und Liebe, den Bärenhunger.

Sugar Puffs waren Weizenkörner, die unter Hitze aufgepufft und anschließend mit einer sirupartigen und leicht klebrigen Fruktose/Glukose-Glasur überzogen wurden. Um sie in ihrer ganzen Herrlichkeit zu genießen, brauchte man nur kalte Milch dazuzugießen. An Wintertagen war auch heiße Milch gestattet, aber die ließ in der Schüssel einen Suppenmatsch entstehen, der kaum mehr Zerealien erkennen ließ. Außerdem konnte Milch, die zum Kochen gebracht wurde, auf der Oberfläche eine Haut bilden, und Haut auf der Milch regte mich zum Erbrechen an. Bis zum heutigen Tag lassen mich Anblick und Geruch heißer Milch würgen und reihern. Mir kommen die pikanten Possen in den Sinn, die sich auf Cocteaus Cocktailpartys zugetragen haben sollen. Es heißt, dass sich Jean Cocteau zum Amüsement seiner Freunde nackt und rücklings auf einen Tisch zu legen pflegte und sich dann, ohne Hand anzulegen, zum Orgasmus stimulierte und ausschließlich kraft seiner Phantasievorstellungen ejakulieren konnte. Ich besitze ein vergleichbares Talent. Ich kann mich allein durch die Vorstellung von Haut auf heißer Milch, Vanillepudding oder Kaffee zum Erbrechen bringen. Wir beide vermögen also warme Flüssigkeiten aus unseren Körpern zu speien und sprühen zu lassen. Ich kann mich jedoch des Gefühls nicht erwehren, dass Cocteaus spritziger Partytrick gefragter sein dürfte als meiner.

Der Frühstückstisch war das Feld, auf dem die Saat meiner Seelenqualen ausgesät wurde. Ich bin sicher, dass ich meine erste Sucht zu Recht dort orte. Die Sugar Puffs waren das Anfangsglied einer Kette, die mich den größten Teil meines Lebens fesseln sollte. Zu Beginn waren sie noch, wie Sie sich denken können, eine reine Frühstückssitte. Aber schon bald naschte ich den lieben langen Tag von ihnen, bis meine Mutter angesichts der Unzahl von Packungen, die sie zu kaufen gezwungen war, erste Seufzer ausstieß. Ich aß die aufgepufften Klümpchen direkt aus der Packung. Eines nach dem anderen, ohne Unterlass, fanden sie den Weg in meinen Mund. Ich glich einem Amerikaner, der im Kino Popcorn vertilgt: glasiger Blick, die Hand hebt sich und fällt, Packung zum Mund, Packung zum Mund, Packung zum Mund, wie bei einer Maschine.

»Glasiger Blick«. Ist das von Bedeutung? Kinder an der Brust oder an der Flasche haben diesen Blick. Es ist etwas Sexuelles an derart ungerichteter Konzentration. Bis ich acht oder neun wurde, lutschte ich die ersten beiden Finger meiner linken Hand. So gut wie immer. Während ich mit den Fingern der rechten Hand mein Haupthaar zwirbelte. Und das stets mit diesem glasigen, sich in der Ferne verlierenden Blick, mit geöffneten Lippen und schwer atmend. Schenkte ich mir selbst jene Brustlust, die mir verweigert worden war? Dies sind dunkle Wasser, Watson.

Auf Zerealienpackungen abgedruckte Listen der Inhaltsstoffe und Serviervorschläge waren mein Lesestoff, Thiamin, Riboflavin und Niacin meine mysteriösen unsichtbaren Freunde. Stets nach Gewicht gehandelt, nicht nach Volumen. Der Inhalt hat sich möglicherweise beim Transport unten abgelagert. Einen Finger unter die Lasche schieben und hin und her bewegen. Die sind Kl-a-s-s-s-s-se! Wir mögen Ricicles, die sind Zweicicles so gut wie Neicicles. Und wie das stimmte! Sie waren sogar, wie ich gern verkündete, Dreicicles so gut wie Neicicles. Auf jeden Fall aber viel neicicler als ihre biederen ungesüßten Eltern, die Rice Krispies, die Zerealien, die, wenn man genau hinhörte, Snot, Pickle and Crap – Rotze, Beize und Scheiße sagten. Sich mit Rice Krispies zufriedenzugeben, wenn man Ricicles haben konnte, Cornflakes zu essen, wenn man Frosties haben konnte – wer könnte sich ein so langweiliges Leben ausmalen? Als entschiede man sich bewusst dafür, die Fernsehnachrichten anzusehen oder ungesüßten Tee zu trinken. Ich lebte für das Eine und Einzige: $C_{12} H_{22} O_{11}$. Vielleicht ist das der Grund, warum ich Amerikaner hätte sein sollen, denn drüben in den Vereinigten Staaten verwenden sie überall Zucker. Im Brot, in abgefülltem Wasser, im Beef Jerky, in Mixed Pickles und Mayonnaise, in Senf und Salsa. Zucker, Zucker, Zucker.

Meine Beziehung zu dieser betörenden und im Dunkeln wirkenden Substanz ist kompliziert. Zucker ist mein Lebenszweck, allein um seinetwillen wurde ich geboren. Doch beinahe hätte er mich auch umgebracht.

An anderer Stelle[†] habe ich davon erzählt, welche Rolle der Vater meiner Mutter beim Import von Zucker nach Großbritannien spielte. Durch die Teilnahme an *Who Do You Think You Are?*, dem BBC-Programm zur Familienforschung, habe ich später noch mehr herausgefunden. Mein Großvater Martin Neumann kam von weither nach Bury St. Edmunds. Ursprünglich in Ungarn geboren, wurde seine Heimatstadt Nagysurány durch den Vertrag von Trianon 1920 in die sich erweiternde Tschechoslowakei eingegliedert. In historischem Sinn stammte er jedoch aus Ungarn, und er wies immer wieder gern darauf hin, dass ein ungarischer Jude der einzige Mensch sei, der jemanden in einer Drehtür überholen könne.

Nach Großbritannien kam er auf Einladung des Landwirtschaftsministeriums in Whitehall, in dem besonders vorausschauende Beamte erkannten, dass im Fall eines zunehmend wahrscheinlichen neuen Weltkriegs der Atlantik wohl kaum mehr passierbar sein würde, wie auf dem Höhepunkt der Bedrohung durch die deutschen U-Boote 1917 fast schon geschehen. Die Westindischen Inseln und Australien wären nicht mehr erreichbar, und es gäbe keinen Zucker mehr für die britische »Tasse Tee« – eine Katastrophe, zu grausig, um sie sich auszumalen. Großbritannien verfügte über keine eigene Zuckerkapazität, denn die Landwirte hatten noch nie auch nur eine einzige Zuckerrübe angebaut und die Industriellen hatten noch keine Unze raffiniert. In Nagysurány jedoch, inzwischen Šurany, war mein Großvater der Manager der damals größten Zuckerraffinerie der Welt gewesen und schien daher ein natürlicher Kandidat für die britische Anwerbung zu sein. 1925 trafen er und sein Schwager Robert Jorisch ein, um die erste Zuckerrübenraffinerie für Großbritannien aufzubauen, und zwar in Bury St. Edmunds, wo sie bis heute steht und einen satten und bitteren Mief verbreitet, der entfernt an verbrannte Erdnussbutter erinnert. Wäre Martin mit seiner Frau und Familie in Šurany geblieben, wären sie als Juden ebenso in den Vernichtungslagern der Nazis umgebracht worden wie seine Mutter, seine Schwester, seine Schwiegereltern und Dutzende weiterer Familienangehöriger, die auf dem Kontinent geblieben waren. Ich wäre nie geboren worden, und das Papier oder die digitale Darstellungstechnologie, die zur Produktion und Rezeption des Buchs benötigt wurden, das Sie jetzt mit so ungetrübter Freude lesen, hätten anderweitig genutzt werden können.

Dem Zucker verdanke ich also mein Leben, aber er verlangte auch seinen Preis – sklavische Hörigkeit. Abhängigkeit von ihm und eine Abhängigkeit von der Abhängigkeit noch obendrein.

Aber die gesüßten Frühstückszerealien waren noch relativ harmlos. Packungen von Sugar Puffs, Ricicles und Frosties wurden von meiner Mutter telefonisch bestellt und zusammen mit den restlichen Lebensmitteln von Mr Neil geliefert, der mich immerfort »junger Mann« nannte und den Lieferwagen von Riches fuhr, dem kleinen Laden im Dorf Reepham, das zwei oder drei Meilen von unserem Heimatflecken Booton entfernt lag. Männer wie Mr Neil gibt es nicht mehr; kleine Läden wie Riches gibt es nicht mehr.

Dank Mr Neils wöchentlicher Lieferungen konnte ich fast so viel Frühstückszerealien essen, wie ich wollte, ohne dafür Geld auszugeben. Mein Zuckerkick war kostenlos. Natürlich doch. Warum sollte es anders sein? Ich war ein Kind, das in einem Haus wohnte, in dem stets Sugar Puffs im Schrank standen. Total normal. Aber alles wurde anders, als ich im Alter von sieben Jahren auf eine Vorbereitungsschule in Gloucestershire geschickt wurde, die fast genau 200 Meilen von unserem Heim in Norfolk entfernt war.

Der Einführungsmorgen in Stouts Hill, denn so hieß die Schule, wartete mit der ersten Enttäuschung auf, von denen noch eine lange Reihe folgen sollte. Nach einer Nacht vieler Heimwehtränen und einsamer Schluchzer war ich vom selbstherrlichen Lärm einer fremdartigen, verstörenden und mysteriösen Institution erwacht, die ihre Alltagsriten zu vollziehen begann.

»Du da! Was machst du? Du solltest schon im Refektorium sein«, schrie mich ein Aufsichtsschüler an, als ich panisch und ziellos durch die Flure irrte.

»Bitte, was ist denn ein Refektorium?« Das Bild einer mittelalterlichen Folterkammer kam mir in den bangen Sinn.

Der Aufsichtsschüler packte mich an den Schultern und steuerte mich durch einen Korridor und einen weiteren Gang, bis wir schließlich durch eine Tür in einen langen, niedrigen Speisesaal kamen, in dem lärmend frühstückende Jungen auf langen, blitzenden Eichenbänken saßen. Er marschierte mit mir zu einer dieser Bänke, schob zwei Jungen auseinander, stemmte mich in die Höhe und klemmte mich in die Lücke zwischen ihnen. Ich saß da und blinzelte ebenso verzagt wie verlegen. Als ich schüchtern den Kopf hob, bemerkte ich, dass es tatsächlich Zerealien gab. Cornflakes oder klumpigen Porridge. Von Sugar Puffs, Frosties oder Ricicles keine Spur. Ich könnte jetzt behaupten, dass mein Leben nie wieder dasselbe sein sollte, dass Vertrauen, Glaube, Hoffnung, Zutrauen und Zuversicht an jenem Tag in mir erstarben und mich hinfort die Melancholie in ihren Beschlag nahm, aber vielleicht wäre das ein wenig zu hoch gegriffen. Nichtsdestoweniger war ich schockiert. Sollte von nun an etwa alles Süße aus meinem Leben verbannt sein?

Die Schule besaß eine Institution, die sämtliche bekümmernden Unzulänglichkeiten des Refektoriums ausglich. »Tuck« ist, wie Sie vielleicht wissen, altmodischer englischer Schülerslang für Süßwaren. Das, was Amerikaner »candy« nennen. Natürlich war ich mit derlei Naschwerk bereits in Kontakt gekommen, und zwar in Viertelpfundtüten, die im Riches oder im Reepham Post Office aus großen Glasbehältern hervorgeschaufelt

wurden. Pear Drops, Brausebonbons mit Zitronenge-
schmack, Toffee Eclairs, Pfefferminz- und Fruchtbon-
bons: allesamt jedoch recht reizlos, rechtschaffen und
Vorkriegsware. Im anbrechenden goldenen Zeitalter der
Leckereien hatte der »Tuck Shop« der Stouts Hill School
Aufregenderes im Angebot. Cadbury's, Fry's (hurra!),
Rowntree's, Nestlé's, Mackintosh's, Mars und Terry's
waren immer noch individuelle und unabhängige Her-
steller. Von Mackintosh's kamen Rolos, Caramac und
Toffee Crisp, von Fry's (hurra!) Turkish Delight, Crun-
chie-Riegel und Chocolate Cream. Cadbury's beschenk-
te uns mit Picnic und Flake sowie seinem Markenpro-
dukt, dem Milchschokoladenriegel Dairy Milk, der von
zarter lila Folie umhüllt war. Die Schokogiganten aus
Bournville rüsteten sich bereits, im Abstand von einem
Jahr den legendären Curly Wurly herauszubringen und
den Greatest Chocolate Bar in the History of the World,
den Aztec. Nestlé's bot uns den Milky Bar an und KitKat,
Rowntree's hatte den Aero, Fruit Pastilles, Fruit Gums,
Smarties und Jelly Tots, Mars hatte den Milky Way, den
Mars-Riegel, Maltesers und Marathon. Du meine Güte!
Erst jetzt ist mir aufgefallen, dass die Produkte von Mars
alle mit dem Buchstaben M begannen. Natürlich, Marathon sollte viele Jahre später in Snickers umgetauft
werden (und ich sollte dabei helfen, den neuen Namen
ins Gespräch zu bringen, indem ich für die Werbespots
den Kommentar sprach: Wenn ich damals gewusst hätte, dass so etwas geschehen könnte, wäre ich vielleicht
explodiert), so wie die Opal Fruits von Mars eines Tages
zu Starburst werden sollten. Zweifellos hatte man seine Gründe. Sie produzierten auch Spangles, den qua-
dratischen Fruchtbonbon, der zum Kürzel für eben die
Art erschöpfter und denkfauler Nostalgie wurde, in der

ich mich jetzt gerade suhle. Aber halten Sie durch; all dies läuft auf etwas hinaus, das jenseits der hektischen Deklamation von Markennamen wartet.

Der Stouts Hill Tuck Shop war an verschiedenen Tagen für jeweils eines der vier Häuser geöffnet, in die man die Schule aufgeteilt hatte: Kingfishers, Otters, Wasps and Panthers. Ich war ein Otter, und unser Tuck-Tag war der Donnerstag. Zuerst stellte man sich in die Schlange, um Geld zu holen. Was die Eltern uns an Taschengeld zugeteilt hatten, wurde verwaltet und in Raten vom diensthabenden Lehrer ausgeteilt, der die abgehobene Summe auf der jeweils individuellen Seite im Taschengeld-Kontobuch vermerkte. Je weiter das Halbjahr voranschritt, desto größer war meine Bestürzung über das Dahinschwinden meines Kapitals. Verzweifelte Briefe mit der flehentlichen Bitte, so schnell wie möglich einen Zehnshillingschein zu schicken, wurden nach Hause geschickt. »Bitte, Mami, bitte. All die anderen Jungen haben so viel Geld, dass es für *immer* reicht, Ach, *bitte, bitte, bitte* ...«

Und so nahm es seinen Anfang.

So herrlich der Stouts Hill Tuck Shop auch gewesen sein mag, er war höchstens ein Johannes der Täufer gegenüber dem messianischen Glorienschein des Dorfladens von Uley, nicht wert, dessen rote Schnürbänder aus Lakritz zu knoten oder dessen Brausepulver aufzulecken. Das kleine Postamt und die Gemischtwarenhandlung waren nur eine halbe Meile von unserem Schultor entfernt, und wenn wir bei beaufsichtigten Spaziergängen in Zweierreihen an ihnen vorbeikamen, wandten wir gleichzeitig den Kopf zu den einladenden Schaufenstern wie Kadetten, die ihren Monarchen mit einem »Augen rechts!« grüßen. Auf den Regalen dieses Ladens glänzte, schimmerte und funkelte der exotischste, bunteste und zuckersüßeste Schatz, den ich je gesehen oder erträumt hatte: Jamboree-Wundertüten. Trebor Refreshers. Fruit Salads und Blackjacks, jeweils für einen Farthing (also vier für einen alten Penny). Schaumshrimps. Fliegende Untertassen aus Reispapier, gefüllt mit Brausepulver. Swizzels Matlow Twizzlers, die im Mund brodelten und barsten wie Feuerwerk. Love Hearts. Zähe saure Colaflaschen und gummiähnliche weiße Milchflaschen. Schokoladenplätzchen mit Hunderten und Tausenden Streuseln. Kaugummistreifen von Wrigley's, Juicy Fruit und Spearmint, Behälter mit Chiclets und Pez, lose Bazooka-Joe-Würfel und Packungen mit Beatles-Bubblegum mit eingesteckten Foto-Kärtchen, dic mit biografischen Informationen von unschätzbarem Wert aufwarteten: »John hasst Marmelade, aber Ringo mag Zitronencreme besonders gerne!«, »George ist der größte Beatle, aber nur um gut einen Zentimeter!« sowie weitere umwerfende und wertvolle Geheimnisse, die sämtlich mit Ausrufezeichen endeten, was bis heute charakteristisch für Ergüsse der Fanliteratur geblieben ist. Auf anderen Regalen lagerten die harten Gobstoppers, Anisbonbons und Everlasting Strips. Sherbet Fountains mit Tupfern und Stäbchen. Weingummi, Wagon Wheels und Walnut Whips. Man verzeihe mir die unbeabsichtigten Alliterationen. Da gab es das heißbegehrte Spanish Gold in Beuteln aus gelbem Wachspapier mit dem Bild einer roten Galeone und gefüllt mit Kokosnussfasern, die mit Kakaopulver gebräunt worden waren, damit sie wie Drehtabak aussahen. Lakritz, zu Sherlock-Holmes-Pfeifen geformt, komplett mit Pfeifenstiel und Pfeifenkopf. Weiße Candy-Zigaretten mit roten Spitzen und in Reispapier gehüllte Schokoladenzigaretten, die in einem imitierten Chesterfield-Karton angeboten wurden.

Sämtliche wichtigen Elemente waren jetzt versammelt: Zucker. Weißes Pulver. Tabak. Verlangen. Geldmangel. Das Verbotene.

Ja, verboten. Der Dorfladen war allen Jungen verboten. Die Extrazuckersüße aller Naschwaren, die grelle Heiterkeit der Verpackungen und die rüpelhafte amerikanische Ungezwungenheit, die dem Kaugummi und den Gobstoppers eigen war, beleidigten die eher militärisch geprägten Empfindungen der Lehrer. Die Produkte waren allesamt ein klein wenig vulgär, ein ganz klein wenig ... ja, ehrlich gesagt, ein bisschen arbeiterklassig. Der Himmel weiß, was jene armen Schulmeister zu Haribo-Starmix oder Kinder-Happy-Hippo gesagt hätten. Vielleicht ist es besser, dass sie weggestorben sind, bevor sie derartige Unerfreulichkeiten hätten miterleben müssen. Ich bin sicher, ihre Herzen hätten zu schlagen aufgehört.

Sieben Jahre alt, 200 Meilen entfernt von zu Hause und dazu ein unterversorgter Suchtkranker. Es gibt jede Menge Geschichten von Kindern, die noch keine sieben sind, aber bereits Alkoholiker oder schon bei der Geburt süchtig nach Crack, Crystal Meth oder Red Bull, und mir ist völlig klar, dass meine Zuckerabhängigkeit im Vergleich dazu ein Kinkerlitzchen ist. Damit geht keinerlei Anklageerhebung einher, noch ist sie als Lektion für irgendjemanden zu verstehen. Zufriedenstellend erklärbar ist sie ebenfalls nicht. Ich habe Ihnen ihre Grundzüge geschildert, aber damit weder einleuchtende noch hinreichende Gründe für eine so zwanghafte und verzehrende Sucht angerissen. Schließlich waren meine Zeitgenossen denselben Anzeigenkampagnen ausgesetzt, hatten Zugang zu denselben Zerealien, Zuckerwaren und Viktualien und bestanden doch aus denselben Organen, hatten dieselben Sinne und waren von vergleichbaren Ausmaßen. Seit den frühesten Tagen bewusster Wahrnehmung trieb mich die ingrimmige Gewissheit, dass andere Menschen sich nicht in den Fängen derselben heißhungrigen Gier wanden, nicht den unersättlichen Hunger und das alles überwältigende Verlangen spürten, nicht unter dem Begehren bebten und unter dem peinigenden Bedürfnis ächzten, das mich zu fast jeder Stunde jeden Tages heimsuchte. Taten sie es doch, besaßen sie andere Mittel der Selbstkontrolle, die mich nur beschämen konnten. Vielleicht, überlegte ich, vielleicht waren ja alle anderen Menschen außer mir willensstark, charakterfest und moralisch standhaft. Vielleicht war ich allein so schwach, dass ich den Gelüsten erlag, die andere zu kontrollieren wussten. Vielleicht nagten an allen anderen gleichermaßen wüste Gelüste, aber ihnen hatten die Natur oder der Allmächtige die Fähigkeit mitgegeben, ihre Gefühle zu beherrschen. Und mir, dem einsam Zitternden, war diese Gabe verweigert worden. Wir sollten in Betracht ziehen, dass die Atmosphäre an meiner Schule wie die an jeder beliebigen Privatschule zu jener Zeit (und dieser Tage noch immer an vielen Schulen) von selbstgerechter Religiosität gesättigt war (heute sind die Schulen nur noch von Rechtschaffenheit ohne die Religiosität gesättigt, was nur ein geringer Fortschritt ist). Sie können sich vielleicht vorstellen, in welchem Ausmaß spirituelle Folterqualen meine eher körperlichen Peinigungen begleiteten. Die Bibel ist von vorne bis hinten vollgestopft mit Geschichten von Versuchungen, Verboten und Vergeltung.

Schon auf der ersten Seite hängt eine verbotene Frucht an einem Baum, und wenn wir uns weiter durchschlagen, werden uns immer neue schreckliche Lektionen zuteil, wie sehr Gier bestraft und die Lust verdammt wird, bis wir die uneingeschränkten, endgültigen und irrwitzigen Verdammnisse und Ekstasen in der Offenbarung des Johannes erreichen, nachdem wir Versuchungen in der Wildnis und in der Wüste durchgestanden haben, Heuschrecken, Honig, Manna, Raben, Wunden, Eiterbeulen, Seuchen, Plagen, Leiden und Opfer. Führe uns nicht in Versuchung. Weg mit dir, Satan, geh mir aus den Augen. Die Rache ist mein, spricht der Herr, ich will vergelten.

In einer solchen Atmosphäre und angesichts des bereits bestehenden physiologischen Verlangens ist es kein großes Wunder, dass sich von Schuldgefühlen getränkte Verknüpfungen aus Zucker und Begehren in meinen Kopf stahlen, eine Mischung aus Befriedigung und Begehren und Befriedigung und Scham. Und all das, Jahre bevor sich die noch weitaus grausameren Schrecken und Qualen der Sexualität bei mir vorstellen und dasselbe Muster in mein Herz und meinen Unterleib kerben sollten; natürlich mit tieferen und grausameren Schnitten. Also, ich *bin* aber auch ein Drama-King, oder?

Da neunzig Prozent meiner Schulkameraden anscheinend gegen diese traumatischen Heimsuchungen immun waren, gegen so viel Selbstanalyse, Scham und Versuchung, frage ich mich, im Rückblick, immer noch, ob ich etwa besonders schwach war, besonders empfindlich oder besonders sinnenfreudig.

Um die Süßigkeiten zu bezahlen, bestahl ich Läden, die Schule und, besonders schändlich, die anderen Jungen. Diese Diebstähle liefen, der Nahrungsaufnahme gleich, in einer Art Trancezustand ab. Flach atmend und mit glasigen Augen durchwühlte ich Zimmer und Schreibtische, während in meinem Inneren Angst, erregte Vorfreude, das Grausen und leidenschaftliche Abscheu vor mir selbst tobten. Des Nachts fiel ich in die Schulküche ein und stürzte mich auf einen Schrank, in dem große Blöcke Aspik lagerten, in das ich meine Zähne schlug wie ein Löwe in eine erjagte Antilope.

Ich habe im »*Columbus*« die Situation geschildert, in der ich von einem Aufsichtsschüler mit Süßigkeiten, Bubblegum und Brausepulver ertappt wurde, die nur aus dem Dorfladen stammen konnten.[†] Ich überredete einen gutmütigen kleinen Burschen namens Bunce, bei dem ich in stiller Heldenverehrung stand, die Schuld auf sich zu nehmen. Ich hatte mich bereits so vieler Übertretungen schuldig gemacht, dass ich bei der nächsten mit einer gehörigen Züchtigung zu rechnen hatte, während Bunce, der ohne Vorstrafe oder aktenkundige Vergehen war, mit einer Verwarnung davonkommen würde. Die Sache erwies sich natürlich als Fehlschlag, denn der Direktor durchschaute unsere List. Meine Belohnung war eine Extratracht Prügel, weil ich so niederträchtig gewesen war, den unschuldigen Bunce in mein Lügennetz einzuspinnen.

Der echte *erwachsene* und ich stehen seit der Veröffentlichung von »*Columbus*« in Kontakt. Er reagierte ganz und gar nicht nachtragend und erinnerte mich an eine Begebenheit, die ich völlig vergessen hatte.

Ganz zu Anfang meiner Schulzeit hatte ich Bunce erzählt, dass meine Eltern tot seien.

»Wie furchtbar für dich!« Bunce, immer mitfühlend, war tief bewegt.

»Ja. Ein Autounfall. Ich habe drei Tanten, bei denen ich in den Schulferien abwechselnd unterkomme. Du musst aber schwören, niemandem davon zu erzählen. Es ist ein Geheimnis.«

Bunce nickte. Seinen milchbärtigen Zügen war mannhafte Entschlossenheit abzulesen. Ich wusste, dass er sich eher die Zunge herausreißen würde, als auch nur ein Wort fallenzulassen.

Gegen Ende des Halbjahres fragte ich Bunce, welche Pläne er für Weihnachten habe. Es schien ihm unangenehm zu sein, eingestehen zu müssen, dass er mit seiner Familie in die Karibik reisen sollte.

»Und was ist mit dir?«, fragte er.

»Blödmann … natürlich bin ich in Norfolk bei meinen Eltern. Wo sonst?«

»A-a-aber … ich dachte, deine Eltern sind tot und du lebst bei deinen Tanten?«

»Äh. Hm. Ja.«

Verdammt. Erwischt.

Bunce schaute gekränkt und verwirrt drein.

»Du darfst das nicht so ernst nehmen«, sagte ich und sah ihn durchdringend an. »Verstehst du … ich …«

»Ja?«

»*Solche Sachen sage ich eben.*«

Wir haben nie wieder darüber gesprochen. Bis Bunce mich fünfundvierzig Jahre später daran erinnerte. Er entsann sich ganz genau an die Situation und ließ sich nicht davon abbringen, dass der exakte Wortlaut »Solche Sachen sage ich eben« gewesen war.

Regelmäßig mit dem Stock geprügelt, immer in Schwierigkeiten, niemals ausgeglichen, niemals eingewöhnt oder geborgen, verließ ich die Vorbereitungsschule als Zuckerjunkie, Dieb, Phantast und Lügner.

Dasselbe Muster wiederholte sich an meiner nächsten Schule: Uppingham in Rutland. Weitere Diebstähle, noch mehr Naschwerk. Inzwischen forderte allein schon die Menge zuckerhaltiger Nahrungsmittel, mit denen ich mich vollstopfte, allmählich ihren nicht zu leugnenden und schmerzhaften physischen Tribut. Nicht von meiner Taille, denn ich blieb dünn wie ein Bleistift, sondern dem Mund: Karies, Löcher in den Zähnen und entzündete Geschwüre waren meine ständigen Begleiter. Bis zu meinem vierzehnten Geburtstag hatte ich bereits fünf meiner Backenzähne für immer verloren. Der Hunger nach Zucker ruinierte mich. Das Hochgefühl bei der Klauerei und das Hochgefühl durch den Zuckergenuss, wenn ich dasaß und mich an meiner Beute delektierte, mündeten wie jede andere Leidenschaft unweigerlich in einen Absturz in Schuldgefühle, Trübsinn, Ekel und Abscheu vor mir selbst. So wie es mit allen Süchten ist … ob sie dem Zucker gelten, dem Shopping, dem Alkohol, dem Sex, was auch immer.

Weitere Diebstähle führten zur »Rustication«, wie man im Vokabular der Public Schools sagte, wenn jemand für ein paar Wochen nach Hause geschickt wurde: Heutzutage würde man vermutlich »Suspendierung« dazu sagen. Schließlich konnte die Schule sich mein Verhalten nicht mehr bieten lassen, und ich wurde ihrer verwiesen.[†] Ich war mit offizieller Erlaubnis für ein Wochenende nach London gefahren, um ein Treffen der Sherlock Holmes Society of London zu besuchen, deren enthusiastisches Mitglied ich war. Statt jedoch, wie vereinbart, nur zwei Nächte in London zu verbringen, blieb ich eine ganze Woche und vergrub mich glückselig in Kinosälen, um Film auf Film auf Film zu genießen. Genug, wie Eltern und Lehrer zu sagen nicht müde wurden, war genug.

Die bitteren Säfte des Tabaks werden schon bald meine Erzählung bestimmen. Nachdem das betörende Blatt mich bezirzt hatte, war die Macht des Zuckers über mich ein für alle Mal gebrochen. Aber es gibt noch ein wenig über meine problematische Beziehung zu $C_{12} H_{22} O_{11}$ zu erzählen.

Als ich vom Jugendlichen zum jungen Erwachsenen heranwuchs, wich meine Treue zu Sugar Puffs Schritt für Schritt der Leidenschaft für Scott's Porage Oats, mit kalter Milch serviert, aber mit Löffeln granulierten Zuckers großzügig bestreut. Zur selben Zeit machte meine Kindheitspassion für Brausepulver und schäumende Kaubonbons allmählich einer erwachseneren Vorliebe für eine kultiviertere Leckerei Platz – Schokolade. Und natürlich war da auch noch der Kaffee.

Wir schreiben das Jahr 1982, und ich befinde mich in einer schäbigen Zimmerflucht, die Granada Television gehört. Ben Elton, Paul Shearer, Emma Thompson, Hugh Laurie und ich haben uns dort versammelt, um für die erste Folge dessen zu proben, was später zu einer TV-Show mit dem Titel *Alfresco* werden soll. Der Titel dieser ersten Folge ist *There Is Nothing to Worry About*. Ich wollte sie *Trouser, Trouser, Trouser* nennen, wurde aber, vielleicht zu Recht, überstimmt.

Wir sind allesamt Anfang zwanzig und haben acht Monate zuvor die Universität abgeschlossen. Unser Leben müsste herrlich sein, und ich nehme an, das ist es auch. Hugh, Emma, Paul und ich haben beim Edinburgh Festival den ersten Perrier Award für unsere Universitätsrevue gewonnen und waren anschließend auf Tournee in Australien. Wir haben gerade die Revue für die BBC gedreht und sind jetzt dabei, unsere ureigene Fernsehshow zu entwickeln.

Große Dosen Nescafé und Schachteln mit PG-Tips-Teebeuteln stehen auf einem Tapeziertisch am anderen Ende des Raums. Proben haben etwas an sich, das den Konsum großer Mengen Tees und Kaffees fördert. An diesem Morgen wird ein Sketch geprobt, an dem alle außer mir beteiligt sind (es kommen Musik und eine Tanzeinlage darin vor), und ich mache für uns Kaffee. Als meine Hand nach dem Löffel greift, wird mir schlagartig bewusst, dass ich der Einzige bin, der Zucker nimmt.

Da stehe ich und halte den Löffel über einer offenen Tüte Tate and Lyle. Angenommen, ich müsste darauf verzichten? Man hat mir schon immer gesagt, dass Tee und Kaffee unendlich viel besser ohne schmecken. Ich sehe zu den anderen hinüber und gelobe an Ort und Stelle, zwei Wochen lang zuckerfrei zu bleiben. Sollte ich nach vierzehn Tagen ungesüßten Kaffees keinen Geschmack an ihm gefunden haben, werde ich zu meiner Gewohnheit von zweieinhalb Löffeln pro Tasse zurückkehren, ohne großen Schaden genommen zu haben.

Ich zünde mir eine Zigarette an und beobachte die anderen. Ein himmlisches Gefühl stolzen Überschwangs wallt in mir auf. Vielleicht kann ich es schaffen.

Und ich schaffe es. Zehn Tage später bietet mir jemand einen Kaffee an, dem Zucker beigefügt wurde. Ich fahre zusammen und erstarre beim ersten Schluck, als sei ich vom elektrischen Schlag getroffen. Es ist der wunderbarste Schlag meines Lebens, denn er beweist, dass es mir gelungen ist, etwas aufzugeben. Bestimmt haben Sie grandiosere Geschichten darüber gehört, wie jemand über die Widrigkeiten des Lebens triumphiert, aber die Erinnerung daran, wie ich auf die Zuckertüte starrte und mich fragte, ob ich je davon loskommen konnte, ist nie verloschen. Es sollte das leise Flüstern der Hoffnung sein, das tief in der Büchse der Pandora wartete. Ich kann immer noch den Probenraum riechen und das Klavier hören. Ich sehe noch immer die Kekspackungen auf dem Tapeziertisch und die Tüte von Tate and Lyle, in der etwas Zucker dank des immer wiederkehrenden Kontakts mit einem feuchten Teelöffel zu durchsichtigen Kristallklumpen verschmolzen war.

Ich sah und roch und durchlebte diese selbe Szene siebenundzwanzig Jahre später noch einmal in einem Zimmer des Hotel Colbert in Antananarivo auf Madagaskar. Es war sehr, sehr heiß und sehr, sehr feucht, und ich trug nur Boxershorts. Ein Gewitter näherte sich und grollte bereits bedrohlich, und die Internetverbindung des Hotels, eh schon bestenfalls wankelmütig, fiel ganz aus. Als ich vom Schreibtisch aufstand, um auf die Toilette zu gehen, bot sich mir plötzlich ein grausiger Anblick.

Ein ungeheuer fetter Mann mit gigantischen Hängebrüsten und einer riesigen Bauchschürze durchquerte das Zimmer. Ich stockte, drehte mich um und sah in ungläubigem Schrecken wieder hin. Da stand er und füllte den Garderobenspiegel aus, ein lächerlich wirkender übergewichtiger Mann mittleren Alters, auf so groteske Weise adipös wie niemand sonst, der mir seit den Dreharbeiten vor einem Jahr im Mittleren Westen der USA vor Augen gekommen war. Ich musterte diesen widerwärtigen Schwabbelberg von Kopf bis Fuß. Und dann kamen mir die Tränen.

Während des vergangenen Vierteljahrhunderts hatte ich mich immer wieder auf kleinen und großen Leinwänden und auf Fotos in Zeitungen gesehen und mir nie

Illusionen gemacht, was meine physische Erscheinung betraf. Aber in jenem Zimmer an jenem Abend sah ich mich aus irgendwelchen Gründen so, wie ich war. Es war nicht so, dass ich erschauderte, mich schnell bedeckte und es ignorierte. Ich machte mir nicht vor, dass alles in Ordnung sei. Ich sagte mir nicht, dass ich von der Körpergröße her durchaus ein paar Extrapfunde mitschleppen konnte. Nein, ich weinte über das schreckliche Etwas, zu dem ich geworden war.

Im Bad gab es eine Waage. 139 Kilogramm. Was bedeutete das in altmodischem Englisch? Für die Umrechnung hatte ich ein App auf meinem Handy. 21 Stone und 12 Pounds. Heiliger Strohsack. 21 Stone. 306 Pounds.

Ich erinnerte mich an unseren Probenraum 1982. Ich hatte es geschafft, auf Zucker im Tee und Kaffee zu verzichten. Jetzt war die Zeit gekommen, auf alle anderen Manifestationen dieser Substanz zu verzichten: Pudding, Schokolade, Toffees, Karamell, Pfefferminz, Doughnuts, Kuchen, Korinthenbrötchen, Törtchen, Flans, Pfannkuchen, Götterspeisen und Konfitüren. Und ich würde Körperertüchtigung betreiben müssen. Eine Diät würde nicht reichen, sondern ich müsste Ernährung und Lebensweise vollkommen umstellen.

Ich werde nicht behaupten, dass seit jenem Moment erleuchtenden Horrors auf Madagaskar kein Gramm Zucker mehr über meine Lippen gekommen ist, aber es ist mir gelungen, verführerische Patisserien, Pudding, kandierte Früchte, Schokoladenkonfekt, Eiscreme, *petits fours* und *friandises* zu meiden, wie Kellner sie in Restaurants anpreisen, die ich und meine verwöhnten Freunde frequentieren. Kombiniert mit täglichen Spaziergängen, wöchentlich dreimaligen Besuchen im Gym und dem generellen Verzicht auf stärkehaltige und fette

Speisen hat diese standhafte Entsagung es meinem Gewicht ermöglicht, unter 16 Stone zu sinken.

Ich hege nicht den geringsten Zweifel, mich ohne Schwierigkeiten wieder aufblähen zu können und wie eine Zeichentrickfigur im Expresslift schnell am einundzwanzigsten Stockwerk, am zweiundzwanzigsten, am dreiundzwanzigsten und am vierundzwanzigsten vorbei bis zum fünfundzwanzigsten zu sausen. Ständige Achtsamkeit ist die Parole. Unsere Beziehung erfordert es nicht, Ihnen beteuern zu müssen, dass ich mich jetzt hundertprozentig kenne, aber ich glaube, dass ich überzeugend eingestehen kann, mich zumindest gut genug zu kennen, um unbedingt skeptisch und misstrauisch zu sein, wenn es um Behauptungen geht, Lösungen und Heilmittel gefunden oder Ziele endgültig erreicht zu haben.

Nehmen wir zum Beispiel das Rauchen …

C steht für Cigarettes

... für Convict – *Sträfling*
... für Cundall
... Corporal Punishment – *Prügelstrafe*
... Common Pursuit – *Verlorenes Glück*
... Cessation – *Entwöhnung*

Narren sind alle die, die Tabak nicht lieben und Jungen.
Christopher Marlowe

Angesichts der Tatsache, dass ich als Schuljunge gern den Unterricht störte, unfreundlich war und ungehorsam, mag es überraschen, dass ich bereits fünfzehn war, als ich meine erste Zigarette rauchte. Wie um auszugleichen, dass ich in Dingen des Geistes frühreif war, blieb ich in Angelegenheiten des Körpers stets ein Spätentwickler. Mein erster Orgasmus und meine erste Zigarette fanden später zu mir als zu meinen Schulkameraden, und im Rückblick kommt es mir vor, als hätte ich Jahrzehnte damit verbracht, Versäumtes nachzuholen. Ich glaube, dass ich Rauchen und Sex immer in Zusammenhang gebracht habe. Vielleicht ist das der Fehler, dem ich mein Leben lang angehangen habe.

1979, gegen Ende meines ersten Jahres in Cambridge, schrieb ich ein Stück mit dem Titel *Latein! oder Tabak und Knaben**. Dominic Clarke, der Held – wenn man eine solche Titulierung für eine so abartige Person wählen darf – schildert im zweiten Akt seine erste sexu-

---

* Im Original: *Latin! or Tobacco and Boys*

elle Erfahrung, die er mit dem Bericht über seine erste Zigarette verknüpft.

»Einer jener schmerzvollen Schritte auf dem Weg ins Mannesalter war meine erste Zigarette. Es geschah hinter den Fives Courts meines Schulgebäudes, zusammen mit einem Jungen namens Prestwick-Agutter. Ich entsinne mich daran, als sei es vor fünf Minuten gewesen. Prestwick-Agutter öffnete sein Päckchen Carlton Premium und zog eine kurze, dünne … Zigarette hervor. Als sich meine Lippen um den Filter schlossen, ergriff mich Panik. Ich erlauschte in mir, wie die Kindheit erdrosselt wurde, und spürte, dass eine neue Flamme aufloderte. Prestwick-Agutter zündete das Ende an, ich saugte und inhalierte. In meinen Ohren sauste es, das Blut geriet in Brand, und irgendwo in der Ferne hörte ich meine Kindheit aufstöhnen. Ich achtete nicht darauf, sondern sog ein weiteres Mal. Aber diesmal widersetzte sich mein Körper. Ich hustete und spuckte. Meine jungen Lungen konnten den Schmutzwirbel aus Rußflocken nicht ertragen, mit denen sie bekannt zu machen ich so erpicht war, und ich hustete und wollte nicht aufhören zu husten. Trotz meiner Aufregung und meines heftigen Hustenanfalls gelang es mir, eine coole und passive Fassade aufrechtzuerhalten, um Prestwick-Agutter zu beeindrucken, der sich amüsiert über meine Coolness und meinen Schneid zeigte. Mit großer Gemütsruhe hustete ich britischen Schleim aus und bewies gleichzeitig britische Beherrschung − der Geist der Public School erblickte das Licht der Welt. Nach ungefähr einer Stunde setzte Regen ein, und wir hasteten in den nächsten Court, wo wir unter den Pfeilern Schutz suchten. Es wurde ein langer Nachmittag der Seelenqual. Später am Abend, als eine Horde grober Banausen mein Zimmer stürmte, Preswick-Agutter darunter, brach meine Stimme. Mit einem Mal. Ich war fast siebzehn, also eigentlich peinlich spät.«

Während diese Darstellung, was mich betrifft, nichts Biographisches hat (das sei versichert), lässt sich Dominics Reaktion auf Sex und Zigaretten sehr wohl mit meiner vergleichen. Ich hustete und erbrach mich heftig. Nicht nach dem Sex, das sei gesagt, sondern nach meiner ersten Zigarette. Und nach meiner zweiten und nach meiner dritten. Die Natur warnte mich mit eindringlichen Fingerzeigen, die ich zu ignorieren vorzog.

Ich war daheim, fünfzehn Jahre alt, mit Schmach und Schande von der Schule verwiesen[†], als ich zu rauchen begann. Meine Eltern hatten für mich die Paston School in North Walsham, Norfolk, ausgesucht, eine staatlich subventionierte Grammar School, die ihren Ruhm darauf stützte, dass Horatio Nelson dort unglückliche Schulstunden abgesessen hatte. Um jeden Morgen in der Schule zur Stelle zu sein, bedurfte es einer Fahrt mit dem Bus, der die Marktstadt Aylsham durchquerte. Nach einigen wenigen Wochen auf der Paston School machte ich es mir zur Gewohnheit, in Aylsham aus dem Bus zu steigen und den Tag in einem kleinen Café zu verbringen, wo ich rauchen, Kaffee mit aufgeschäumter Milch trinken und am Flipper spielen konnte, bis der Bus auf seiner Rückfahrt wieder durch den Ort kam. Dieses chronische Schwänzen zog natürlich einen weiteren Schulverweis nach sich. Als Nächstes schickte man mich nach NORCAT, ins Norfolk College of Art and Technology in King's Lynn. Jeder Penny, den ich erbetteln, borgen oder aus der Handtasche meiner Mutter stehlen konnte, ging für Zigaretten drauf. Diese Sucht war teurer als Sugar Puffs oder Süßigkeiten und für die Zähne von beinahe derselben katastrophalen Wirkung, gesellschaftlich jedoch ungleich akzeptierter.

Die durchschnittlichen »Tuck«-Shops führten für arme Schüler die Zigarettenmarken Players Number Six, Embassy, Carlton und Sovereign. Wenn ich beim Kartenspiel genug gewonnen hatte, gönnte ich mir Rothmans, Dunhill oder Benson and Hedges, aber wenn ich so richtig im Geld schwamm, lockte der Tabak, dessen Qualität der Exklusivität des Dorfladens von Uley entsprach. Meine Besessenheit von Oscar Wilde, Baron Corvo und der hinreißend verderblichen Welt der Dekadenz des späten 19. Jahrhunderts lief auf eine hochgestochene Vorliebe für exotische Marken hinaus. Sobranie Cocktails, Passing Cloud, Sweet Afton, Carroll's Major, Fribourg & Treyer und Sullivan Powell Private Stock waren darunter die begehrenswertesten, besonders die letzteren beiden, die in ganz Norfolk bei einem einzigen Spezialhändler und ansonsten nur in ihren Londoner Stammhäusern am Haymarket und in der Burlington Arcade zu erstehen waren.

Und nach London begab ich mich auch, als ich schließlich aus King's Lynn davonlief. Die bedrohlich bevorstehenden Examen und die Wahrscheinlichkeit, durchzufallen, hatten sich mit der leidigen jugendlichen »Bildung brauch ich nicht«-Attitüde verbündet, und all das veranlasste mich, einen Schlussstrich zu ziehen und wegzulaufen. Wie Dr. Watson in der ersten Sherlock-Holmes-Geschichte fühlte ich mich zum Piccadilly gelockt, »jenem schlimmen Sumpf, in dem alle Nichtstuer und Müßiggänger so hilflos versinken«. Jetzt standen mir die Kreditkarten[†] einer anderen Person zur Verfügung und gestatteten den Genuss der exquisitesten Zigarettenmarken. Hoch zu Hocker an der American Bar des Ritz Hotel, nippte ich an Cocktails, paffte Sobranies und kam mir vor wie ein Mann von Welt. Irgendwann hatte ich die alten Kragen meines Großvaters aufgestöbert und zusammen mit dem hufeisenförmigen Lederetui, in dem sie aufbewahrt lagen, stibitzt. Ich war nicht nur ein Siebzehnjähriger, der wie eine Cuvée aus Wilde, Coward, Fitzgerald und Firbank wirken wollte, sondern ich war ein Siebzehnjähriger in einem Anzug à la Gatsby mit gestärktem Eckenkragen, der farbige Zigaretten durch eine Bernsteinspitze rauchte. Es ist kaum zu glauben, dass ich mir nie eine böse Tracht Prügel einfing.

Dem Arrest entging ich jedoch nicht. Die Polizei erwischte mich in Swindon, und nach einer Nacht in der Zelle fand ich mich in einer Einrichtung für junge Missetäter wieder, die den liebenswert skurrilen Cotswold-Namen »Pucklechurch« trug.

Tabak ist, wie man sehr wohl weiß, hinter Gittern eine geschätzte Währung. Relativer Frieden, Kontrolle und Stabilität werden hinter Gefängnismauern durch geregelte Arbeit sichergestellt, aber bei keinem Insassen würde man sich je darauf verlassen können, dass er seine Arbeit täte, wenn die Entlohnung für seine Fron nicht das einzige Mittel wäre, sich seinen Tabak, seinen Knaster, sein Kraut zu verschaffen. Derjenige mit dem meisten Tabak besitzt den höchsten Status, den größten Einfluss, genießt den meisten Respekt und erfreut sich des größten Wohlbehagens. Zu meiner Zeit war es unbestreitbar so, wenngleich es sich seither geändert haben mag.

Sie mögen jetzt vielleicht denken, dass der wahrhaft smarte Knastbruder Nichtraucher gewesen sein müsste oder zumindest die Cleverness bewiesen hätte, das Rauchen aufzugeben. Aber so klug ist natürlich kaum jemand. Es gibt eine Menge höchst gewiefter Knastbrüder, aber nur sehr wenige erweisen sich in dieser Hinsicht als ausgefuchst. Man kann einen Strafgefangenen fast schon definieren als einen Menschen, dem gerade die Klugheit und Selbstkontrolle abgehen, die vonnöten sind, um aus einem kurzfristigen Ungemach einen langfristigen Vorteil zu schöpfen. Diese Unzulänglichkeit ist es, die ihn überhaupt erst zum Verbrechen hingezogen und dann bewirkt hat, sich darin so ungeschickt anzustellen, dass er bald geschnappt und eingesperrt wurde. Von einem Gefängnisinsassen zu erwarten, dass er zu rauchen aufhört, entspräche der Annahme, ein Leopard könne sein geflecktes Fell austauschen, zum Vegetarier werden und strickenlernen, und zwar innerhalb eines einzigen Tages.

Ich war zum Kriminellen geboren, denn mir fehlte genau die Fähigkeit, einer Versuchung zu widerstehen oder eine Vergnügung auch nur um eine einzige Sekunde aufzuschieben. Welcher Wachhabende auch immer in den grauen Zellen und im Moralkostüm der Mehrheit Dienst schiebt, er hat sich in den Kasernen meines Kopfs vom Posten absentiert. Ich denke an jenen Wärter, der die Schranke zwischen Exzess und Fülle hütet, zwischen richtig und falsch. »Das waren jetzt genügend Sugar Puffs, noch eine Schüssel brauchen wir nicht«, würde er in den Köpfen meiner Freunde sagen oder: »Ein Schokoriegel ist mehr als genug.« Oder auch: »Mensch, sieh mal, da liegt Geld. Verlockend, aber es gehört nicht uns.« Ein solcher Wächter stand mir nie zur Seite.

Eigentlich stimmt das nicht so ganz. Was Pinocchio an Jiminy Cricket hatte, besaß ich in meinem ungarischen Großvater. Er war gestorben, als ich zehn war, und seit dem Tag seines Dahinscheidens war mir auf unbehagliche Weise bewusst, dass er mich von oben im Auge behielt und sich über all das grämte, was im Book of Common Prayer als die vielfältigen Sünden und Schändlichkeiten verzeichnet stand, deren ich mich schuldig gemacht hatte. Ich war vom rechten Weg abgekommen wie ein verlorenes Schaf, und es fand sich keine Vernunft in mir. Opa sah mich stehlen, lügen und betrügen; er erwischte mich dabei, wie ich verbotene Bilder in Magazinen betrachtete, und sah, wie ich an mir herumspielte; er wurde Zeuge meiner Gier, meiner Lüsternheit und meiner Schande. Aber trotz all seiner achtsamen Gegenwärtigkeit vermochte er mich nicht daran zu hindern, meinen ganz persönlichen Weg zur Hölle zu finden. Wäre ich hinreichend psychopathisch gewesen, um keine Reue zu verspüren, oder religiös genug, um an Erlösung durch eine äußerliche göttliche Kraft zu glauben, hätte ich wohl glücklicher sein können. Wie es aussah, blieb mir weder der Trost, frei von Schuld zu sein, noch die Überzeugung, jemals Vergebung zu erfahren.

Im Gefängnis rollte sich jeder seine eigenen Zigaretten. Von einem Wochenlohn konnte man sich *fast* genügend Old-Holborn-Tabak oder Golden Virginia kaufen, um damit die sieben Tage bis zum nächsten Zahltag auszukommen. Das Zigarettenpapier war von der verbreiteten Rizla-Sorte, aber aus mir unerfindlichen Gründen mit dem Aufdruck »H M Prisons Only« quer auf der Packung versehen. Ich hortete so viele davon, wie ich konnte, und schaffte es, sie bei meiner Entlassung hinauszuschmuggeln. Noch Jahre später füllte ich sie aus den normalen roten, grünen und blauen Rizla-Päckchen nach, die draußen im Handel waren, und fand mein Vergnügen daran, mit dem Spezialzigarettenpapier aus dem Knast gesehen zu werden und damit anzugeben. Wie peinlich. Ich würde manchmal gern zurückkehren können, um mir ein paar Ohrfeigen zu verabreichen. Nicht dass ich dem die geringste Aufmerksamkeit geschenkt hätte.

Wenn sich die Gefängniswoche dem Ende näherte und den weniger besonnenen Insassen allmählich das Rauchwerk ausging, verlegten sie sich auf ein eigenartiges Schnorrerritual, das ich, der ebenfalls nie mit meinen Vorräten hauszuhalten wusste, mir schnell aneignete. »Lass doch mal den Nächsten ran, Kumpel«, versuchte man den anderen zu umgarnen, und wenn man als Erster mit diesem Ansinnen kam, wurde man mit einer Kippe belohnt. Diese ausgelutschten Zigarettenstummel aus zweiter Hand, deren karger Rest aus kostbaren Tabakfasern bitter schmeckte und von dem Rauch geteert war, der sie durchwabert hatte, waren wie Dattelpalmen in der Wüste, und ich paffte sie, bis Brandblasen auf meinen Lippen aufquollen. Wir alle kennen die Demütigungen, denen sich hörige Menschen aussetzen, nur um ihre Süchte zu befriedigen, ob es sich um Drogen, Alkohol, Tabak, Zucker oder Sex handelt. Die Verzweiflung, die ungehemmte Gier und das Bild der Erniedrigung, das sie öffentlich abgeben, lassen im Vergleich ein Trüffelschwein als gelassen und in sich ruhend erscheinen. Das Bild, das ich bot, wenn ich begehrlich den letzten Zug zischend inhalierte und mir dabei Mund und Fingerspitzen verbrannte, hätte ausreichen müssen, mir alles über mich zu verraten, was ich hätte wissen müssen. Das tat es natürlich nicht. Als ich während der Schulzeit einsehen musste, dass ich im Sport eine absolute Niete war, hatte ich mich ent-

schlossen, ein brauchbares Hirn auf einem unbrauch-
baren Körper zu sein. Ich war der Inbegriff von Verstand
und Geist, während alle anderen um mich herum nichts
waren als Lehm und Blut. Die Wahrheit, dass ich nämlich ein *weitaus* größeres Opfer physischer Bedürfnisse
war als sie, hätte ich zornig von mir gewiesen. Was nur
beweist, was für ein ausgemachter Idiot ich war.

Nach ungefähr einem Monat Haft in Pucklechurch wurde ich schließlich vom Gericht zu zwei Jahren Bewährung
verurteilt und wieder in die Obhut meiner Eltern entlassen. Diesmal schaffte ich es, mich an einem College
einzuschreiben und die Prüfungen mit so guten Zensu-
ren zu bestehen, dass ich in Cambridge aufgenommen
wurde.[†]

Die Gefängniszeit muss wohl der Nadir meines
Lebens gewesen sein. Die Selbstmordversuche[†], die
Trotzanfälle und der Wahnsinn mitten in meinen Teenagerjahren schienen überstanden zu sein. Daheim in
Norfolk konzentrierte ich mich auf akademische Aufgaben, erreichte erstklassige Abschlussnoten und verdiente mir ein Stipendium für das Englischstudium am
Queens College in Cambridge. Mit der guten Nachricht,
angenommen worden zu sein, ging aber das Problem
einher, wie die Monate bis zum Beginn des ersten Trimesters verbracht werden sollten. Im Gegensatz zu den
unerschrockenen und mit Armbändern aus Elefanten-
haar bewehrten Abenteurerstudenten heutiger Zeit sowie den Ökokriegern, die ihr Zwischenjahr damit verbringen, den Inkapfad entlangzuwandern, Hilfsdienste
bei Leprakranken in Bangladesch zu leisten oder sich
tauchend, Ski laufend, surfend, Drachen fliegend und
per Facebook in ausgebeulten Shorts auf der Suche nach

Sex durch die Welt treiben zu lassen, entschied ich mich für die bereits damals furchtbar altmodische Herausforderung, an einer Private School zu unterrichten. Ich habe immer geglaubt, zum Lehrer geboren zu sein, und die Welt der englischen Prep Schools mit ihrem Kodex und ihren Sitten war mir durch und durch vertraut. Vermutlich umso mehr Anlass für einen Menschen mit Stil, einen solchen Ort zu meiden und sich stattdessen neuen Welten und Herausforderungen zu stellen, aber bei mir waren Systole und Diastole der Verstoßung und der Zugehörigkeit, der Ablehnung und des Bedürfnisses, der Flucht und der Wiederkehr gut aufeinander abgestimmt. Ich verschmähe das England, das mich hervorgebracht hat, und widersetze mich ihm mit derselben Intensität, mit der ich es in die Arme schließe und verehre. Vielleicht bewog mich auch das Gefühl, es mir selbst zu schulden, die Mängel meiner Schulbildung auszugleichen, indem ich anderen zu Bildung verhalf. Hinzu kam das Beispiel, das zwei meiner literarischen Helden, Evelyn Waugh und W. H. Auden, abgaben, die ebenfalls diesen Weg gegangen waren. Waugh hatte dieser Erfahrung sogar den Stoff seines ersten Romans zu verdanken. Vielleicht würde es mir ja auch so ergehen.

Ich hatte meinen Namen auf die Liste angehender Lehrer gesetzt, eine Liste, die, in schönster Schrift ausgefertigt, irgendwo im behaglichen Schneckenhaus der Büros von Gabbitas-Thring in der Sackville Street, Piccadilly, auf den Schreibtischen mit Rollverschluss, in einem Register mit Büttenrand oder in einem Eastfile-Aktenkarton aufbewahrt lag. Schon zwei Tage nachdem ich mich bei dieser auf schulische Vermittlungen spezialisierten Agentur hatte registrieren lassen, meldete sich oben bei mir in Norfolk eine dünne Piepsstimme:

»Wir haben eine freie Stelle in einer prima Prep School in North Yorkshire. Cundall Manor. Latein, Griechisch, Französisch und hier und da ein wenig beim Rugby und Fußball den Schiedsrichter spielen. Dazu natürlich die ganz normalen Pflichten. Sagt Ihnen das zu?«

»Meine Güte! Das hört sich großartig an. Muss ich zu einem Bewerbungsgespräch da rauf?«

»Na ja, wie das Glück es will, lebt der Vater von Jeremy Valentine, Cundalls Rektor, ganz in der Nähe von Ihnen in Norfolk. Er wird Sie empfangen.«

Mr Valentine in seiner Strickjacke war freundlich und sehr interessiert an meiner Sachkenntnis, was Cricket betraf. Er füllte mein Sherryglas bis an den Rand mit Amontillado und räumte zwar ein, dass der junge Botham unbestreitbar gut werfen konnte, Linie und Länge der Würfe aber so unbeständig seien, dass ein technisch versierter Schlagmann damit keine Probleme hätte. Von Latein und Griechisch war keine Rede. Gott sei Dank auch nicht von Rugby oder Fußball.

»›Queens‹ hatte zu meiner Zeit eine recht annehmbare Cuppers-Mannschaft. Oliver Popplewell war der Wicket Keeper. Erstklassig.«

Ich verzichtete auf den Hinweis, dass derselbe Oliver Popplewell, ein Freund der Familie und inzwischen angesehener Queen's Counsel, sich noch vor ein paar Monaten in seiner Robe und mit Perücke auf dem Kopf erhoben hatte, um bei einer gerichtlichen Anhörung in Swindon zu meiner Verteidigung das Wort zu ergreifen.[†] Für diese Erwähnung schien es nicht der richtige Zeitpunkt zu sein.

Valentine senior erhob sich und schüttelte mir die Hand.

»Ich nehme an, man will Sie so bald wie möglich

sehen«, sagte er. »Sie können in Peterborough den Schnellzug nach York nehmen.«

»Ich bin also ... Sie haben ...«

»Aber ja doch, um Himmels willen. Genau der richtige Bursche, den Jeremy begeistert in sein Kollegium aufnehmen wird.«

Ich erwischte den Zug und traf in Cundall als Lehrer und »genau der richtige Bursche« ein.

War ich jetzt ein so viel anderer Mensch als der diebische und betrügerische kleine Scheißer, der während der vergangenen zehn Jahre seiner Familie nichts als Qualen bereitet hatte? Waren die Wutanfälle, die Verlogenheit und die Begierde verflogen? Die Leidenschaft verpufft, die Gier gesättigt? Ich nahm an, dass ich wahrscheinlich nie wieder stehlen würde. Ich war inzwischen erwachsen genug, um zu wissen, worauf es ankam – zu arbeiten und Verantwortung für mich zu übernehmen. All die erwachsenen Stimmen, die mir ins Ohr gebrüllt hatten (Denk nach, Stephen. Gebrauch doch mal deinen gesunden Menschenverstand. Arbeite. Konzentriere dich. Nimm Rücksicht auf andere Menschen. Denk nach, Denk, denk, *denk!*), schienen endlich Gehör gefunden zu haben. Mir stand ein ehrliches, geordnetes, achtbares und langweiliges Leben bevor. Ich hatte mir die Hörner abgestoßen, und es wurde Zeit, weise zu werden.

So stellte ich es mir jedenfalls vor.

Ich blieb immer noch Raucher. Aber um meiner neuen Rolle als Lehrer zu entsprechen, hatte ich mich von selbstgedrehten Zigaretten auf Pfeife umgestellt. Mein Vater hatte während meiner gesamten Kindheit Pfeife geraucht. Sherlock Holmes, den ich so verehrte, dass er zum direkten Grund meiner Relegation von Uppingham wurde†, war der prominenteste Pfeifenraucher von allen. Für mich war eine Pfeife Symbol für Arbeit, Nachdenken, Vernunft, Selbstkontrolle, Konzentration (»Dies ist durchaus ein Drei-Pfeifen-Problem, Watson.«), Reife, Verständnis, Einsicht, intellektuelle Stärke, Männlichkeit und moralische Integrität. Mein Vater und Holmes besaßen all diese Eigenschaften, und ich wollte mir und meiner Umgebung beweisen, dass ich sie ebenfalls mein Eigen nannte. Ein weiterer Grund, sich für die Pfeife zu entscheiden, bestand vermutlich darin, dass ich in Cundall Manor, der Prep School in Yorkshire, in der mir eine Stelle als Assistenzlehrer angeboten worden war, altersmäßig den Jungen näher stand als den anderen Mitgliedern des Kollegiums und daher das Gefühl hatte, ich müsse meine äußere Erscheinung so gestalten, dass ich zweifelsfrei als Erwachsener wahrgenommen wurde: Eine Briar-Pfeife und ein Tweedjackett mit Lederbesatz auf den Ellenbogen schienen diesem Anliegen perfekt entgegenzukommen. Die Tatsache, dass ein schlaksiger, Pfeife rauchender Jüngling in der Spätphase seiner Adoleszenz wie ein aufgeblasener und wichtigtuerischer Vollidiot aussieht, kam mir nicht in den Sinn, und die Menschen um mich herum waren zu höflich, um mich darauf hinzuweisen. Die Jungs nannten mich »Towering Inferno«, aber mein Habitus wurde nicht in Frage gestellt, vielleicht auch deswegen, weil der Schulrektor ebenfalls Pfeifenraucher war.

Ich brauchte mich immer noch nicht zu rasieren, und die Haartolle, die ich bis zum heutigen Tag nicht habe bändigen können, unterminierte anhaltend mein Bedürfnis, Reife auszustrahlen. Eher Schlaffi als Schulmeister und eher Milchbubi als Machomann, wandelte ich schmauchend und milde gesonnen übers Schulgelände und fühlte mich glücklicher als je zuvor in meinem jungen Leben.

Abgesehen davon war die erste Woche die reine Hölle gewesen. Es war mir nie in den Sinn gekommen, dass die Lehrtätigkeit so aufreibend sein könnte. Meine Pflichten, wie ein Diener es vielleicht ausdrücken würde, waren umfangreich: Ich musste nicht nur lehren und im Klassenraum Ordnung halten, sondern auch den Unterricht vorbereiten, schriftliche Arbeiten korrigieren und zensieren, Nachhilfeunterricht geben, andere Lehrer vertreten und für jeden und alles vom Morgenläuten vor dem Frühstück bis zum abendlichen Löschen des Lichts ständig auf Abruf zur Verfügung stehen. Da ich in der Schule wohnte und keine ehelichen Bindungen in die Außenwelt hatte, konnten der Rektor und andere leitende Kollegiumsmitglieder mich ganz nach Gutdünken zum Eigengebrauch nutzen. Ich war augenscheinlich als Vertretung für Noel Kemp-Welch eingestellt worden, einen netten und sanftmütigen alten Kollegen, der zu Anfang des Semesters auf dem Eis ausgeglitten war und sich das Becken gebrochen hatte. Daher bestand meine Arbeit hauptsächlich darin, seine Unterrichtsstunden in Latein, Griechisch und Französisch zu übernehmen, aber schon sehr bald musste ich erleben, dass von mir verlangt wurde, den Rektor und andere Mitglieder des Kollegiums in den Fächern Geschichte, Geographie, Mathematik und anderen Naturwissenschaften zu vertreten. Bereits an meinem dritten Tag wurde mir aufgetragen, in der Upper Fifth Biologieunterricht zu geben.

»Welcher Stoff wird im Moment durchgenommen?«, fragte ich. Meine Kenntnisse in diesem Unterrichtsfach waren lückenhaft.

»Die menschliche Fortpflanzung.«

An jenem Morgen lernte ich eine Menge, übers Lehren und dazu noch über die menschliche Fortpflanzung.

»Also«, hatte ich die ganze Klasse angesprochen. »Erzählt mir, was ihr wisst ...«

Es sollte sich so anhören, als wolle ich sie prüfen, und ich nickte bedeutsam, als sie antworteten. Tatsächlich improvisierte ich natürlich hemmungslos. Ich hörte ihnen fasziniert zu, abgestoßen und ungläubig, als sie die Einzelheiten diverser Röhren und Drüsen und Klappen und Protuberanzen schilderten, von denen ich zwar schon gehört hatte, mit deren Formen, Eigenschaften und Funktionen ich jedoch absolut nicht vertraut war. Der *vas deferense*, die fallopischen Röhren, die Epididymis, die Klitoris und das Frenulum ... es war fesselnd fies. Zutiefst beeindruckt davon, wie erschöpfend und umfangreich das Wissen der Upper Fifth war, verließ ich den Biologieraum.

Wenn kein Unterricht stattfand, war der Stundenplan in Cundall Manor mannhaften Betätigungen gewidmet. Ohne im Geringsten mit dem Regelwerk der beiden Sportarten vertraut zu sein, fand ich mich auf den Rugby- und Fußballspielfeldern wieder, die Schiedsrichterpfeife zwischen den Lippen. Ich stellte fest, dass ich nur alle fünf oder zehn Minuten pfeifen, meine Fersen willkürlich in den Matsch stemmen, in Richtung Tor zeigen und einen »Scrum-Down« oder indirekten Freistoß geben musste, um mich durchzumogeln.

»Aber, Sir! Was für ein Verstoß soll das gewesen sein?«

»Glauben Sie nur nicht, Heydon-Jones, dass ich es nicht gesehen habe.«

»Das müsste doch ganz klar einen direkten Freistoß gegeben haben, Sir?«

»Wenn es einen direkten Freistoß hätte geben müssen, hätte ich einen direkten Freistoß gegeben, oder?«

Wenn es aberwitzig war, dass ich, ein Sport hassender Störenfried, ein unsozialer, aufmüpfiger, dreimal der Schule verwiesener Krimineller auf Bewährung, jetzt tatsächlich Strafen verteilte, die Schiedsrichterpfeife schrillen ließ und beim Morgengebet zur Ruhe ermahnte, dann handelte es sich um keinen Aberwitz, über den ich je eingehender nachdachte oder gar schmunzelte. Was mich betraf, war meine Neuerfindung vollständig abgeschlossen, und der verschlagene Heimlichtuer Stephen, der sich außerhalb der gesunden und gesitteten Welt herumgetrieben hatte, lebte nicht mehr. Ihn hätte ohnehin nicht das Geringste mit dem umgänglichen jungen Sonderling verbunden, dem Wortspiele auf Latein gelangen und der drohte, die Schüler der Fourth Form nach Strich und Faden zu vermöbeln, wenn sie nicht eine Sekunde lang zu schwatzen aufhören konnten: »Kruzifix noch mal … und sehen Sie endlich nach vorn, Halliday, oder ich verabreiche Ihnen eine Tracht, dass Sie die Engel singen hören. Worauf Sie sich verlassen können.«

Solche Drohungen waren natürlich scherzhaft übertrieben, aber die Prügelstrafe war damals noch gang und gäbe, auch an unserer Schule. Ob ich je eine Hand erhoben habe, um ein Kind im Namen von Ordnung und Disziplin zu züchtigen? Ja, ich gestehe es ein. Ich war in der Schule ebenfalls geschlagen worden und hatte die Rolle des Rohrstocks, des Lineals und der Schuhsohle im Schulalltag nie in Frage gestellt. Bevor Sie die Hände ringen oder mich zur Selbstkasteiung zwingen, lassen Sie mich erklären.

Es trug sich folgendermaßen zu …

49

Nach ungefähr einem Monat meines ersten Semesters habe ich eines Abends Aufsichtsdienst. Nachdem ich dafür gesorgt habe, dass die Knaben ins Bett gestiegen sind, muss ich das Licht löschen und danach für etwaige Notfälle und unerwartete Krisen dienstbereit bleiben. In Cundall sind die Schlafsäle nach Seevögeln benannt: Säbelschnäbler, Lumme, Austernfischer und dergleichen. In meiner Prep School trugen sie die Namen von Bäumen – Buche, Ulme, Eiche, Platane. Ich kann mir vorstellen, dass im 21. Jahrhundert die schulischen Schlafquartiere weltläufigerer, kinderfreundlicher Lehranstalten Ferrari heißen, Aston Martin, Porsche und Lamborghini, Chardonnay, Merlot, Pinot Noir und Shiraz oder gar Beyoncé, Britney, Jay-Z und Gaga, aber zu meiner Zeit, der von Peter Scott, Gerald Durrell und dem Tufty Club, hielt man die Natur und die Tiere des Waldes für geziemende und schickliche Inspirationsquellen heranwachsender Knaben.

Ich schalte das Licht in Meerschwalbe und Papageientaucher aus und gehe auf dem Treppenflur in Richtung Kormoran, aus dem ein ungehöriges Maß an Lärm nach außen dringt.

»Schon gut, beruhigt euch hier drinnen. Warum muss es immer bei euch im Kormoran sein?«

»Sir, Sir, mein Kissen ist kaputt.«

»Sir, hier drinnen zieht es ganz furchtbar.«

»Sir, ich habe einen Geist gesehen, ganz ehrlich.«

»Wir haben Angst, Sir.«

»Hört zu. Es reicht. Ich lösche das Licht. Und keinen Mucks mehr. Keinen. Einzigen. Mucks. Und ja, Philips, das gilt auch für dich.«

Ich gehe nach unten ins Lehrerzimmer. Das Kaminfeuer lodert, und ich setze mich mit einem Stapel Hefte, um sie zu zensieren. Bevor ich mit den Korrekturen anfange, fische ich meine Pfeife aus der Tasche meines Tweedjacketts. Zusammen mit ihr hole ich mein Pfeifenwerkzeug hervor – eine Kombination von Taschenmesser, Löffel, Stopfer und Dorn. Ich fummle, kratze und bohre eine Weile, schlage den Tabakrest der letzten Füllung in einen Aschenbecher und puste ins Mundstück wie ein Trompeter, der sein Instrument anwärmt. Als Nächstes hebele ich eine Blechdose Player's Whisky Flake auf und schäle eine einzige Schicht des festen und leicht feuchten Tabaks ab. Der süß-holzige Geruch, der durchaus mit Whisky angereichert sein könnte, wie der Markenname verheißt, steigt mir zum Gruß in die Nase wie Balsamduft. Ich lege den Tabak in die linke Hand und massiere ihn mit festem Kreisen der rechten Fingerspitzen in die Handfläche. Die meisten Pfeifenraucher bevorzugen einen Beutel mit zerriebenem Tabak, für mich hingegen ist das Ritual, ein gepresstes Tabakplättchen aufzulockern und zu zerpflücken, fast so wichtig wie das Inhalieren des Rauchs.

Es gibt einen hervorragenden Ausspruch in Ian Flemings letztem Bond-Roman *Der Mann mit dem goldenen Colt*: »Der beste Drink des Tages«, bemerkt Bond, »ist der kurz vor dem ersten.« So geht es mir auch mit dem Rauchen. Nichts ist schöner als die Vorfreude, während ich die Pfeife säubere und stopfe und mich bereitmache für die ersten Züge.

Gerade als ich den Kopf stopfe und mir die Pfeife anzünden will, höre ich über mir das Stampfen bloßer Füße auf den Dielenbrettern.

Kormoran.

Mit einem Stoßseufzer lege ich die Pfeife zusammen mit einem kleinen Knäuel frisch geriebenen Tabaks beiseite. Als ich die Treppe hinaufsteige, höre ich bereits unterdrücktes Kichern, Klatschen, Knallen und Geflüster. Ich marschiere hinein und schalte das Licht an. Eine rituelle Rauferei ist im Gang – Schulkrawatten werden geschwungen und knallen wie Peitschen – und erstarrt im plötzlichen Lichtschein. Ich erinnere mich aus meiner Schlafsaalzeit an solche Kämpfe.

»Ruhe! Alle zurück in die Betten! Und zwar auf der Stelle!«

Ein scharrendes Durcheinander, als sie in die Betten springen und sofort so tun, als schliefen sie.

Ich schalte das Licht aus. »Noch ein Ton aus diesem Schlafsaal, und wer auch immer dafür verantwortlich ist, bekommt eine Tracht. Habt ihr verstanden? Eine Tracht. Ich spaße nicht.«

In meinem Arbeitszimmer muss ich enttäuscht feststellen, dass die zwei oder drei Minuten, die das Tabakhäufchen auf meinem Schreibtisch verbringen musste, gereicht haben, die aufgelockerten Fasern ein wenig trocknen zu lassen. Ich fülle den Pfeifenkopf und drücke den Tabak mit dem Daumen fest. Immer noch feucht genug, um sich gut stopfen zu lassen. Fest, aber dennoch eine Spur geschmeidig.

Jetzt beginnt der Augenblick, nach dem sich mein Kopf und meine Lungen verzehrt haben.

Nur Swan Vestas kommen jetzt in Frage, kein anderes brandstiftendes Werkzeug kann mit ihnen konkurrieren: keines der Spezialfeuerzeuge für Pfeifenraucher, mögen sie noch so clever konstruiert und ausgeklügelt sein, keine Zündhölzer von Bryant and May, kein Bic, Clipper, Zippo, Ronson, Calibri, Dupont oder Dunhill, so exzellent sie alle auf ihre Weise sein mögen. Swan Vestas sind die wahren Zündhölzer, womit gesagt sein soll, dass man ihre magentafarbenen Köpfe an jeder rauen Oberfläche reiben kann und nicht nur an dem schimmernd braunen Streifen, auf den sich Sicherheitshölzchen beschränken müssen. Man kann einen Mauerstein benutzen oder, wie ein Cowboy, die Stiefelhacke. Das Sandpapier an der gelben Swan-Vesta-Schachtel ist goldfarben, und keine Reibefläche funktioniert besser. Ich reibe das Hölzchen in meine Richtung. Ich weiß, dass man es eigentlich von sich weg reiben soll, damit einem keine winzigen Splitter des brennenden Streichholzkopfs ins Gesicht fliegen, aber ich ziehe die schwungvolle Schöpfbewegung nach innen vor, die einem am Ende das flackernde Streichholz direkt vor die Augen bringt.

Der schweflige Weihrauch kitzelt mir in der Nase, als ich das brennende Zündholz im Winkel über den Pfeifenkopf senke und es dann langsam in die Waagerechte bringe. Jeder Zug saugt die Flamme über den sorgsam vorbereiteten Tabak, der sie mit Zischeln und Köcheln willkommen heißt. Seine feuchte Frische verleiht dem Rauch eine schwere Süße. Wenn schließlich die gesamte Oberfläche glüht und kurz bevor meine Finger angesengt werden, lösche ich mit drei kurzen Drehungen des Handgelenks die Streichholzflamme. Das Hölzchen verursacht ein leises Geräusch, als es auf den Glasaschenbecher trifft. Fast ganz verkohlte Zündhölzer haben sich von jeher als enthüllende Indizien für Columbo und Sherlock erwiesen. »Ein Pfeifenraucher hat diese Tat begangen, Watson, denken Sie an meine Worte …«

Jetzt paffe ich. Ein, zwei, drei, vier, fünf Züge an der Pfeife, bei denen die Lippen an den Mundwinkeln schmatzen. Jedes tiefe Ansaugen heizt den Kocher weiter auf, so dass ich mir beim sechsten oder siebten Zug die Lunge ganz füllen kann. Der heiße Rauch durchdringt sofort die Bronchiolen und die Alveolen der Lungen und lässt sein Nikotingeschenk durchs Blut ins Gehirn rauschen. Ein so heftiger Zug kann selbst beim härtestgesottenen Pfeifenraucher zu Schwindelanfällen und Schweißausbrüchen führen. Aber die Wucht tief drinnen, die so wohltuende Anbrandung von Encephalinen und Endorphinen, der dumpfe Schlag, von dem das Nervensystem getroffen wird und auf den betörend elektrisierendes Summen und Surren folgen, wenn der Körper sein Füllhorn an wohltuenden Stoffen in einer konzentrierten Flut ausschüttet – was sind schon Hustenanfälle, Übelkeit, Brennen auf der Zunge und im Mund, bitterer Teer im Speichel und die allmähliche Degeneration der Lungenkapazität gemessen an dieser schwirrend pulsierenden Eruption von Liebe, diesem erderschütternden Freudenausbruch.

Diese erste Dosis schenkt das Erlebnis, um das es letztlich geht. Von da an besteht die Kunst darin, die Pfeife mit vereinzelten kleinen und sanften Zügen am Erlöschen zu hindern; kleinere Inhalationen wie beim Zigarettenrauchen folgen, bis der zurückgebliebene Pfropfen, der bis dahin als Filter für den darüber gehäuften Tabak gedient hat, von Teer so verschmutzt und kontaminiert ist, dass die Pfeife für tot erklärt werden muss und darauf vorbereitet wird, sich ein weiteres Mal der routinemäßigen Säuberung durch Kratzen und Aufreiben aussetzen zu lassen.

Ich befinde mich jetzt in der Phase des Schmauchens, zufriedener, als sonst ein Mensch auf diesem Planeten sein kann – geborgen in jener sich selbst genügenden Zufriedenheit, die nur das Rauchen einer Pfeife hervorrufen kann: Pfeifenraucher wirken zufrieden, wissen, dass sie als Verkörperung altmodischer Zufriedenheit wahrgenommen werden, und sind daher auch zufrieden – als mich ein Getrappel über meinem Kopf aufschreckt und aus der Korrektur eines Schulhefts reißt.

Verdammt noch mal.

Es war ein Geräusch wie von einer Maus, die sich hinter die Wandtäfelung verirrt hat. Ignorieren kann ich es jedoch nicht.

Aber nein, ein neues Geräusch, das zweifellos von bloßen Füßen auf den Bodendielen hervorgerufen wird.

Zorn überflutet mich. Ich bin so erbost wie vorher zufrieden. Wäre ich ein wenig gelassener und durchs Pfeiferauchen selig abgeklärter gewesen, würde ich jetzt nicht derartig wutentbrannt die Treppe hinaufstürmen.

»Philips! Klar. Wer denn sonst? Genau. Also, was habe ich gesagt? Ich habe gesagt, der nächste Störenfried kann sich auf eine Tracht gefasst machen, und das habe ich auch so gemeint. Nachthemd und Hausschuhe, vor dem Lehrerzimmer. *Sofort!*«

Als ich nach unten vorausgehe, wird mir langsam die Bedeutung dessen bewusst, was in Kürze geschehen soll. Ich hatte mit einer Tracht gedroht, die in Cundall nicht mit dem Rohrstock verabreicht wurde, nicht mit einem Lineal oder einem Hausschuh, sondern mit einem Tennisschuh. Ich gehe ins Lehrerzimmer. Auf völlig andere Weise als Zigarettenrauch hängt in allen Zimmern Pfeifenrauch in der Luft. Schwere Schwaden riffeln sich zu Wellen, bewegt von der Zugluft bei meinem Eintritt. Ich schließe die Tür. In einem Schrank unter den Ablagefächern der Lehrer finde ich den offiziellen schwarzen Turnschuh. Ich nehme ihn zur Hand, biege ihn nach hinten und lasse die Sohle wieder zurückspringen.

Was habe ich getan? Wenn ich die angedrohte Tracht Prügel nicht verabreiche, ist die Autorität, die ich bisher erworben habe, untergraben, und ich werde die Jungs nie wieder unter Kontrolle bekommen. Aber wie hart schlägt man zu? Angenommen, ich bringe ihn zum Weinen? Gütiger Gott.

Ich gehe auf und ab, klatschte die Schuhsohle in meine Handfläche, härter und härter, bis es heftig brennt.

Ein zaghaftes Klopfen an der Tür.

Ich räuspere mich. »Herein.«

Philips schlurft herein. Seine Miene ist gefasst und ernst. Er hat Angst. Es ist bekannt, dass ich die Tracht bisher noch nie verabreicht habe, und ich nehme an, dass er nicht sicher sein kann, ob ich nicht eventuell brutal zuschlagen werde. Er scheint die Prozedur besser zu kennen als ich, denn er zieht seinen Morgenmantel aus und hängt ihn auf eine Weise, die darauf deutet, dass er es bereits oft getan hat, an einen Haken auf der Rückseite der Tür.

»Ich habe euch gesagt, dass ich jeden, den ich als Nächsten beim Randalieren erwische, eine Tracht verabreiche, oder, Philips?«

»Ja, Sir.«

Warum fleht er nicht um Gnade? Dann wäre ich wenigstens in der Lage, einzulenken. Stattdessen steht er da, angstvoll zwar, aber herausfordernd gefasst, und lässt mir kaum eine andere Wahl.

»In Ordnung. Gut. Bringen wir es hinter uns.«

Ich habe nicht die geringste Ahnung, wie es jetzt weitergehen soll, aber wieder hilft mir Philips. Er geht zum Ledersessel vor dem Kamin und beugt sich über die Lehne, um sein Hinterteil in die bewährte Stellung zu bringen.

O Gott. Ach, zum Teufel.

Ich schwinge meinen Arm in die Höhe und lasse den Turnschuh niedersausen.

Er trifft.

Schweigen.

»So. Okay. Gut.«

Philips dreht den Kopf und wirft einen Blick zu mir hinauf. Schock steht ihm im Gesicht. Er ist verblüfft.

»Ist das … ist es das, Sir?«

»Und lass dir es eine Lehre sein! Wenn ich sage, kein Herumalbern, dann *meine* ich kein Herumalbern! Und jetzt ab mit dir, zurück ins Bett!«

»Sir.«

Mit kaum verhohlenem Feixen steht Philips auf, nimmt sich seinen Morgenmantel und geht.

Die Wucht, mit der die Gummisohle auf seinen Hintern prallte, hätte nicht einmal eine Mücke gejuckt. Wenn ich den Schuh einfach auf ihn hätte fallenlassen, statt zuzuschlagen, wäre der Schmerz mit Gewissheit stärker gewesen. Ich hätte ihn genauso mit einem Papiertaschentuch vertrimmen können. Es war keine Tracht gewesen, sondern ein mattes Tatschen.

Ich lasse mich, am ganzen Körper zitternd, in meinen Sessel fallen. Nie wieder. Nie wieder würde ich mit Prügelstrafe drohen.

Und ich tat es auch nie wieder.

Der hochgewachsene, meist gutgelaunte, Pfeife rauchende Sonderling, der in allen möglichen Fächern unterrichtete, als Schiedsrichter Spiele der jüngeren Schüler betreute und sich bei Kollegium und Jungen nützlich machte, so gut er konnte, fühlte sich in Cundall wohl. Und Cundall schien ihn zu mögen, denn als er sich zum

Ende des Sommersemesters verabschiedete, fragte ihn der Schulrektor, ob er vielleicht zum nächsten Semester wiederkomme könne.

»Aber dann fange ich mein Studium in Cambridge an.«

»Das Michaelmas-Trimester fängt in Cambridge doch erst im Oktober an. Wir beginnen einen Monat vorher.«

Und so kehrte ich in den nächsten beiden Jahren immer wieder nach Cundall zurück und unterrichtete jeweils vor und nach den kurzen Cambridge-Trimestern. Im Sommer fuhr ich den Trecker, der den Mäher ums Cricket-Feld zog, und fungierte als Schiedsrichter. In den Wintermonaten machte ich Spaziergänge mit den Jungs, und an verregneten Sonntagen dachte ich mir Ratespiele und Wettkämpfe aus, um sie zu beschäftigen.

Es gab für mich nicht die geringsten Zweifel, dass ich Lehrer werden würde. Darin bestand meine wahre Berufung, deren Echo mir im Kopf widerhallte wie das Läuten einer Pausenglocke. Ob ich später an einem Ort wie Cundall lehrte, auf Universitätsniveau oder irgendwo dazwischen, würde allein meine Zeit in Cambridge entscheiden. Wenn ich das intellektuelle Format besaß, die Laufbahn eines Akademikers einzuschlagen, würde ich vielleicht die Gelehrsamkeit zu meinem Lebensinhalt machen. Ich stellte mir vor, dass Studien über Shakespeare mein Metier sein könnten und Tweed wie Briar zu meinen ständigen Requisiten würden.

Das war eine durchaus angenehme Zukunftsperspektive. Ich hatte die schreckliche Zuckersucht überwunden und damit auch den Wahnsinn und die Verstörungen, die mit ihr einhergingen. Jene Sucht war abgelöst worden von einer in Tweed gehüllten und altmodischen maskulinen Abhängigkeit, die, solange der Vorrat hielt, weder die Stimmung noch das Verhalten veränderte und zudem dienlich war, mir ins Gedächtnis zu rufen, dass ich inzwischen ein gereifter, nüchterner und rationaler Erwachsener war. Liebe, Sex oder meinem Körper schenkte ich keine Aufmerksamkeit mehr. Ganz Feuer und Luft – mit anderen Worten: Rauch – gab ich wie Kleopatra dem niedern Leben die andern Elemente.

Zehn Jahre später, 1988, lernte ich einen von Großbritanniens größten Rauchern kennen. Er war zu der Zeit auch ein bedeutender Trinker.

»Ich stamme«, sagte er zu Rik Mayall, John Gordon Sinclair, John Sessions, Sarah Berger, Paul Mooney und mir, als wir uns zur ersten Probe seines Stücks *Verlorenes Glück* trafen, »aus der Saufen-und-Schmöken-Generation.« Er ließ reumütig die Schultern sinken, um zu betonen, dass es sich um eine unentrinnbare Tatsache handelte, angesichts deren Erbarmungslosigkeit er machtlos war.

Simon Gray war damals, und das macht mich leicht schaudern, exakt so alt, wie ich bin, da ich dies niederschreibe. Er besaß wie sein Lieblingsschauspieler Alan Bates volles schwarzes Haar, aber sein Körper war weniger gut in Schuss. Jahrelanges Trinken hatte seinen Bauch zu einer sanft gerundeten Wampe anschwellen lassen, aber gleichzeitig seine untere Körperhälfte ausgezehrt, so dass er spindeldürre Flanken und so gut wie keinen Hintern vorwies. Ich habe ihn nie ohne eine Zigarette in der einen und ein Trinkgefäß in der anderen Hand erlebt. Morgens schüttete er Champagner in sich hinein, der seinem Dafürhalten nach als Alkohol kaum zählte. Nach dem Lunch schlürfte er ohne Unterlass Glenfiddich aus Kaffeebechern oder Plastikbechern. Es war das erste Mal, dass ich so eng mit einem echten Alkoholiker in Berührung kam. Manche aus meiner Generation tranken mehr, als gut für sie war, und machten so lange weiter, bis sie ihr Ziel erreicht hatten, aber im Augenblick stand ihnen noch ihre Jugend zur Seite.

Die Proben für *The Common Pursuit* begannen erst nach dem Lunch, ungewöhnlich im professionellen Theaterbetrieb. Wir alle kamen schon früh zu der Überzeugung, dass dies Simons wegen so arrangiert worden war, der Regie führte und vor diesem Zeitpunkt nicht zu gebrauchen war. Wie ich herausfand, lag es aber tatsächlich daran, dass er den Morgen an seinem Schreibtisch verbrachte. Unabhängig davon, wie viel er trank, schien er doch in der Lage zu sein, als Stückeschreiber und Tagebuchautor viele Stunden täglich kreativ zu arbeiten. Nur gelegentlich bekam ich ihn frühmorgens vor seinem ersten Champagner zu Gesicht. Er bot einen gespenstischen Anblick. Sein Gesicht war in sich zusammengefallen, seine Augen schauten trübe und wässrig, seine Stimme krächzte heiser, und seine gesamte Erscheinung vermittelte den Eindruck, dass er völlig erledigt und unfähig war, zu denken, zu handeln oder irgendeine Absicht zu verfolgen. Ein Schluck Alkohol jedoch, und er erblühte wie eine Wüstenblume im Regen. Er schien um Zentimeter zu wachsen, Funkeln erleuchtete seine Augen, seine Gesichtshaut glättete sich und schimmerte, seine Stimme wurde kräftiger und klarer. Simon Gray, zu dem Schluss kam ich, als ich zum ersten Mal Zeuge seiner Verwandlung vom Frosch zum Prinzen wurde, hatte kein Problem mit dem Alkohol. Für ihn war der Alkohol die Lösung.

Rik Mayall nannte ihn nur »Mr Drinky«. Wir verehrten ihn, und er schien uns zu schätzen. »Ich weiß nichts über eure Generation«, sagte er. »Ich sehe nicht fern und kenne daher nicht die Serie *The Young Ones* oder *Blackadder* oder wie die Sachen heißen, die ihr macht. Man hat mir geraten, euch vorsprechen zu lassen, und danach habe ich mich gerichtet. Ihr wirkt allesamt so absurd jung und selbstbewusst, und ich bin überzeugt, dass ihr ein Publikum ins Theater holen werdet.«

Dass wir ihm jung erschienen, kann ich mir vorstellen, aber dass wir bei ihm den Eindruck von Selbstbewusstsein erweckten, hielten wir bei uns allen, natürlich mit Ausnahme von Rik Mayall, für merkwürdig. Rik war eine Naturgewalt, wirkte vor lauter Charisma unschlagbar und hatte unerschrocken hemmungslos Anfang der Achtziger zusammen mit seinem Freund Ade Edmondson die Comedy-Szene gestürmt. Ich nehme an, dass ich ebenfalls, wie immer, Selbstvertrauen verbreitete, ohne es in mir zu spüren.

Der Titel von Simons Stück beruht auf einer Redewendung, die geprägt und benutzt wurde als Titel einer Sammlung von Essays des Kritikers und Gelehrten F. R. Leavis, der eine Richtung der englischen Literaturwissenschaft begründet hatte, deren große Ernsthaftigkeit, ausdrückliche Berücksichtigung von Einzelheiten und betont moralische Anliegen legendär waren. Simon Gray hatte bei Leavis in Cambridge studiert und blieb stark von ihm beeinflusst. Ich selbst hielt Leavis immer für einen pharisäerhaften Mistkerl von höchstens provinzieller Bedeutung (da spielt wohl meine eigene Pharisäerhaftigkeit als Studienanfänger eine Rolle, wie ich jetzt einsehe), und bei meiner Ankunft in Cambridge war sein Einfluss bereits geschwunden, denn er und seinesgleichen waren beinahe total in den Schatten der Pariser Poststrukturalisten und ihrer Karawanserei aus weitschweifigen und unergründlichen Evangelisten und glühend dogmatischen Akolythen geraten. Geschichten darüber, wie Frank Leavis und Queenie, seine Xanthippe von Ehefrau, jeden, der ihnen gegen den Strich ging, brüskierten, ächteten, ausstießen und verleumdeten, machten die Runde, und jene englischen Gelehrten an der Universität, die sich in ihrem Dunstkreis befunden hatten, wurden von der akademischen Elite herzlos als verblichene Leavisiten abgeschrieben.

Leavis' ausgeprägte und suspekte Neigung, vor Zorn zu explodieren und jeden, der es wagte, anderer Meinung zu sein, mit einem Bann zu belegen, erlebte ich auch bei Harold Pinter, dessen enge, aber schnell spannungsgeladene Freundschaft mit Simon Gray und Simons Frau Beryl für mich und besonders für John Sessions, die wir beide glühende Verehrer und Kenner literarischer Exzentrizität waren, zur ewigen Quelle des Vergnügens wurde. Ich erinnere mich, wie John und ich im Hinterzimmer der Brasserie des Groucho Club saßen und Harold, seine Frau, Lady Antonia, Beryl und Simon an einem Ecktisch Platz genommen hatten. Plötzlich erscholl Harolds dröhnende Stimme: »Wenn du in der Lage bist, dergleichen zu sagen, Simon Gray, ist absolut klar, dass unserer Freundschaft jede Basis genommen ist. Wir gehen.«

Wir linsten um die Ecke und sahen, wie sich Harold mit wuchtiger Schwarzer-Rollkragen-Würde erhob, eine Zigarette ausdrückte, den letzten Schluck Whisky hinunterkippte und dann knurrend an uns vorbeirauschte. Seine wuchtige Würde erschlaffte, als er feststellen musste, dass die getreue Pakenham-Hündin ihm nicht auf dem Fuß folgte. Er drehte sich um und bellte durch den Raum: »Antonia!«

Lady Magnesia Fridge-Freezer, wie Richard Ingrams sie mit Vorliebe nannte, riss sich aus dem Schlaf. (Sie wehrte sich gegen Harolds irrwitzige Wutanfälle, indem sie einfach einschlief. Das brachte sie während des Essens genauso fertig wie mitten in einem Satz. Es handelte sich wohl um eine traumatische Symplegie, ein Leiden, das nur den Katzen bei P. G. Wodehouse bekannt ist, meiner Ansicht nach aber das meint, was wir heute als Narkolepsie bezeichnen.) und griff in aller Ruhe zu ihrem Mantel. Inzwischen beobachteten sämtliche Gäste im Hinterzimmer neugierig die Szene und hatten großes Vergnügen an den peinlichen Textaussetzern, den gefühlsgeladenen Blicken und den aggressiven Wortwechseln, die man mit dem authentisch Pint=resken assoziiert. Antonia lächelte den Grays engelhaft zu und ging, um sich ihrem Mann anzuschließen. Als sie an unserem Tisch vorbeikam, blieb sie stehen und zupfte an loser Wolle auf der Schulter meines Pullovers.

»Oh, was für ein hübscher Pulli«, sagte sie und nestelte noch einen Moment daran.

»Antonia!«

Und sie schwebte davon. Ich könnte mir die Überzeugung einreden, dass im Raum lauter Applaus ausbrach, aber ich glaube, da wäre doch wohl der Wunsch der Vater des Gedankens.

Ich greife das Thema Leavis auf, weil die moralische Ernsthaftigkeit, die er dem Literaturstudium aufpfropfte, bei Simon Gray auf eigenartige Weise ihre Spuren hinterlassen hatte. Ich erinnere mich an einen Abend in der Bar des Watford Palace Theatre. Wir hatten das Stück ungefähr eine Woche lang gespielt und waren auf dem Weg, es auf eine Westend-Bühne zu bringen. Die Aufführung an jenem Abend war ein großer Erfolg gewesen, und hinterher präsentierte Simon einige Anmerkungen, die er auf Eintrittskarten und Taxiquittungen gekritzelt hatte, während er hinter der Bühne stand und seinen Glenfiddich schlürfte. Wir waren guter Stimmung. Mit einem Seufzen erwähnte er, wie jung wir doch alle seien.

»Erinnern Sie sich eigentlich«, fragte John Gordon Sinclair, »dass Sie mich bei meinem Vorsprechen gefragt haben, wie alt ich sei?«

»Ja«, sagte Simon. »Und?«

»Na ja, ich sagte, ich sei achtundzwanzig, aber tatsächlich bin ich erst fünfundzwanzig.«

»Was? *Was*? Warum?«

»Nun, ich wusste, dass Sie Stephen und Rik und Johnnie besetzt hatten. Die waren neunundzwanzig, dreißig und zweiunddreißig, was auch immer, und ich wollte nicht, dass Sie mich für zu jung hielten …«

»Du hast mich *belogen*?« Simon sah ihn entgeistert an.

»Ja, aber …« Gordie hatte angenommen, dass Simon belustigt reagieren würde. Es war alles überstanden; er hatte seinen festen Platz in der Besetzung, und wir alle sympathisierten damit, dass er damals in seiner angstvollen Hoffnung, besetzt zu werden, zu der kleinen Notlüge gegriffen hatte, weil er sich dadurch eine bessere Chance versprach. Die Geschichte war letztlich doch ein Kompliment für das Stück, weil sie seinen inständigen Wunsch bezeugte, darin mitzuwirken. Gordies Lächeln verflog, als er merkte, dass Simon ganz und gar nicht amüsiert war.

»Du hast *gelogen*.« Simon schien in sich zusammenzufallen, wie es charakteristisch für ihn war, und er wand sich in Schmerz und Verzweiflung. »Du hast *gelogen?*«

Der arme Gordie hatte einen hochroten Kopf bekommen und wäre wohl am liebsten im Erdboden versunken.

»Ich dachte eben ...«

»Aber zu *lügen* ...«

Sosehr ich Simon mochte, hielt ich diese Reaktion doch für höchst bedenkenswert. Lügen zu missbilligen ist eine Sache, aber an einer so harmlosen Notlüge Anstoß zu nehmen und dann dem Übeltäter so unerbittlich zuzusetzen kam mir tyrannisch vor, selbstgefällig, schäbig und geradezu grotesk übertrieben. Wir versuchten auf unsere Weise, die Situation zu entschärfen, aber Gordie fühlte sich für den Rest der Woche mies und war überzeugt, dass Simon ihn entweder feuern oder zumindest bis in alle Ewigkeit hassen würde. Ich machte mir Gedanken, ob die Ursache dieser Boshaftigkeit der Whisky war oder Leavis.

Das Stück, das wir auf die Bühne brachten, schilderte das Leben einer Gruppe von Freunden, die als Studenten gemeinsam eine Literaturzeitschrift mit Namen *The Common Pursuit* gründen. Im Laufe der Handlung kratzt das harte Alltagsleben mit Liebesaffären, Untreue, Kompromissen und Vertrauensbrüchen am Lack und Glanz der hehren Ambitionen und den noblen leavisischen Idealen. John Sessions übernahm die Hauptrolle des Stuart, des Herausgebers der Zeitschrift, während Sarah Berger seine Freundin Marigold verkörperte. Paul Mooney war Martin, der beste Freund, der über ausreichend private Finanzmittel verfügte, um die Zeitschrift am Leben zu erhalten, und John Gordon Sinclair spielte Peter, einen sympathischen unverbesserlichen Schürzenjäger, der sich bei dem chaotischen Versuch, seinen Harem von Mätressen unter Kontrolle zu behalten, unentwegt in ein Gewirr von Lügen und Ausflüchten verheddert. Meine Rolle war die eines grüblerisch intelligenten, sexuell verklemmten, bissigen und schwierigen Philosophiedozenten namens Humphrey Taylor, der schließlich von einem gewalttätigen Stricher ermordet wird, ähnlich wie wohl James Pope-Hennessy und (vielleicht) auch Richard Lancelyn Green. Rik übernahm den Part des Nick Finchling, eines brillanten, schludrigen und unterhaltsamen Historikers, der seine akademischen Aussichten gegen eine schnelle Medienkarriere eintauscht. Nick entwickelt als starker Raucher gegen Ende des Stücks ein Lungenemphysem. An einer Stelle mache ich ihm in meiner Rolle als Humphrey Vorwürfe, als ich mit ansehe, wie er sich eine ansteckt und sogleich zum zigsten Mal einen schrecklichen Hustenanfall bekommt.

»Du solltest aufhören.«

»Warum?«

»Erstens einmal würdest du länger leben.«

»Ach, man lebt nicht länger. Es kommt einem nur so vor.«

Das war Mr Drinkys Weise, seine Süchte zu sehen, und jetzt wurde es auch die meine. Im vergangenen Jahr hatte ich allen erzählt, ich würde am 24. August, meinem dreißigsten Geburtstag, mit dem Rauchen aufhören. Ich brachte es auf zehn nikotinfreie Tage in meinem Haus in Norfolk, bis eine Gruppe von Freunden, die sämtlich passionierte Raucher waren, zu Besuch kam und eine Weile blieb. Ihre Anwesenheit stellte meinen schwachen Willen auf eine harte Probe, bis er schließlich brach. Fast zwanzig Jahre lang machte ich daraufhin keinen Versuch mehr, das Rauchen aufzugeben. Stattdessen bediente ich mich Simon Grays von Schuldgefühlen freier Hinnahme dieser Sucht. Nein, es war mehr als nur von Schuldgefühlen freie Akzeptanz: Zigaretten waren wie Banner, die man stolz hisste. Einwände gegen das Rauchen waren in Simons Sicht verachtenswert und bürgerlich. Wir wurden ständig in heftige Auseinandersetzungen verwickelt, wenn er sich in Minitaxis eine ansteckte oder gar in den Bereichen von Theatern oder öffentlichen Räumen, die schon in jenen Tagen den Nichtrauchern zugestanden wurden. Die Tagebücher, die er schrieb und in den Achtzigern, Neunzigern und bis hinein in die Nuller veröffentlichte, offenbaren ihn als fatalen Fürsprecher des Tabakgenusses, der sich streitlustig durch eine zunehmend intolerante und feindselige Welt boxt. Die Titel seiner letzten Tagebücher drücken das deutlich aus – *The Smoking Diaries Vol. 1*, *The Smoking Diaries 2: The Year of the Jouncer* und *The Last Cigarette: Smoking Diaries 3*.

Natürlich kann sich der Körper chronischer Angriffe durch Alkohol und Tabak nur eine gewisse Zeitlang erwehren. Für Simon kam die Zeit, zuerst das eine und dann das andere aufzugeben.

Wir schreiben das Jahr 2006, und ich befinde mich in einer ruhigen Straße im Wohngebiet von Notting Hill. Wir drehen einen Dokumentarfilm über die manischdepressive Krankheit. Der Regisseur Ross Wilson stellt die Kamera am Ende eines langen geraden Gehsteigs auf. Ich gehe zum anderen Ende, drehe mich um und warte auf sein Stichwort. Ich habe nichts anderes zu tun, als der Kamera entgegenzugehen. Ich brauche weder zu schauspielern noch etwas zu sagen. Es handelt sich um eine von Aberdutzenden dieser Einstellungen, die immer wieder für Dokumentationen gefilmt werden. Mit ihnen füllt man die Leinwand für den Kommentar aus dem Off, der später darübergelegt wird: »Und so kam ich zu der Überzeugung, dass ein Besuch im Royal College of Psychiatry sich doch als nützlich erweisen könnte…« So was in der Art.

Ross winkt, und ich gehe los. Aus einem der Häuser schlurft uns ein alter Mann im Hausmantel direkt ins Bild. Ich bleibe stehen und gehe dann zu meiner Markierung zurück. So was passiert andauernd, wenn man auf der Straße filmt, und wir haben uns daran gewöhnt. Nun, nicht so sehr an alte Männer im Hausmantel als vielmehr an normale Passanten oder Zivilpersonen, wie einige Leute im Film- und Fernsehgeschäft sie nennen, beziehungsweise auch »Muggles«, wie es heutzutage heißt und zum Zusammenzucken veranlasst. Das Drehen von Fernsehdokumentationen ist nicht zu vergleichen mit der Arbeit an großen Spielfilmen, bei der man von Polizisten und Regieassistenten unterstützt wird, die helfen, die Normalbürger im Zaum zu halten. In diesen Situationen warten wir geduldig und grinsen albern. Der Mann im Hausmantel nähert sich langsam und beschwerlich, und ich erkenne, dass es Simon Gray ist. Sein Haar ist fast weiß und sein Gesicht eingefallen. Er sieht furchtbar krank aus und viel älter als seine siebzig Jahre.

»Hallo, Simon.«

»Oh, hallo.«

Wir hatten nur einmal miteinander gesprochen, seit es 1995 zu jenen traumatischen Ereignissen gekommen war, wegen deren ich aus seinem Stück *Cell Mates* ausgestiegen und nach Europa geflohen war. Wie es der Zufall will, soll der Dokumentarfilm, den ich genau an diesem Tag drehe, unter anderem herauszufinden helfen, was mich zu jener Flucht getrieben hatte.

»Und? Was treibst du so?«, fragt Simon.

»Na ja, ich mache einen Film.« Ich deute auf die Kamera hinter mir. Ich halte es für klug, nicht zu erwähnen, dass die Ereignisse von 1995 im Film von zentraler Bedeutung sind.

Er dreht sich langsam um, betrachtet die Kamera und wendet sich dann wieder mir zu. »Aha. Na ja. So ist das also, nicht wahr? So eine Art Comedy, kann ich mir vorstellen. Nun denn.« Nie hat das Wort »Comedy« so geringschätzig geklungen, so vulgär und so armselig. Simon hatte mir nie vergeben, dass ich *Cell Mates* verlassen hatte. Die anfängliche Besorgnis um mein Wohlergehen zum Zeitpunkt meines Weggangs war sehr schnell Groll, Wut und Verachtung gewichen. All das war durchaus verständlich. Die Show hätte weitergehen müssen.

Ich sehe ihn nur noch ein einziges Mal. Im Juli 2008, und ich sitze in einer Loge im Lord's Cricket Ground und sehe mit an, wie Pietersen und Bell beim vierten Wicket gegen Südafrika fast 300 Runs schaffen. Die Loge nebenan ist besetzt mit prominenten Stückeschreibern: Tom Stoppard, Ronald Harwood, David Hare, Harold Pinter und, ganz still in einer Ecke, Simon Gray. Stückeschreiben und Cricket haben schon immer gut zusammengepasst. Ich glaube mich nicht zu irren, wenn ich sage, dass keinem anderen Nobelpreisträger als Samuel Beckett ein Eintrag in *Wisden*, dem Almanach der Cricketspieler, gewidmet ist.

Zur Teestunde besucht das ketterauchende Gespann Tom Stoppard und Ronnie Harwood in Qualmwolken gehüllt unsere Showbiz-Loge. David Frost ist Gastgeber und fragt sich laut, ob es wohl einen Sammelbegriff für eine Gruppe von Stückeschreibern gibt. Stoppard schlägt das Wort »snarl*« vor. Diese besondere »snarl« an Stückeschreibern, die nebenan versammelt ist, hat insgesamt zwei Oscars eingeheimst, ein Dutzend BAFTA-Preise und Olivier Awards, einen CH, drei CBE-Orden. Zwei Männer sind geadelt worden und einer gewann den Nobelpreis für Literatur. Ich freute mich, mit Stoppard und Harwood sprechen zu können, die beide so einnehmend, charmant und freundlich waren wie Pinter und Gray widerborstig, streitlustig und launisch. Pinters Neigung zu hitziger Feindseligkeit und mürrischem Missmut wegen der geringsten Kleinigkeit ist legendär, und obwohl er mir gegenüber niemals Animosität gezeigt hat, bin ich doch immer argwöhnisch darauf bedacht gewesen, lieber nicht länger als ein paar Minuten mit ihm zu sprechen. Nur für den Fall.

Als das Spiel endet, bahne ich mir den Weg aus der Loge und laufe Simon in die Arme, den ich seit jenem Nachmittag in Notting Hill nicht mehr getroffen hatte.

»Hallo, Simon«, sagte ich. »Meine Güte, sehen Sie wohl aus.«

Was sich im Vergleich zu seinem Aussehen vor zwei Jahren sagen lässt.

»Tue ich das?«, sagt er. »Nun, das ist Krebs im Endstadium. Tatsache ist, dass ich sterbe. Das hier war mein letztes Cricket-Match. Nun, so ist es. Goodbye.«

Er starb drei Wochen später. Ich habe keine Ahnung, ob der Prostatakrebs, der ihn umbrachte, auf irgendeine Weise mit seinem Rauchen zusammenhing. Ich vermute aber, dass der Alkoholismus und die fünfundsechzig am Tag nicht die Todesursache waren. Jedenfalls starb

* dt.: Filz, Gewirr, Knoten

Simon Gray und wurde zu Recht als eine der eigenwilligsten, intelligentesten und auf komische Weise hoffnungslosesten Stimmen seiner Zeit betrauert. Ich war zur Beerdigung nicht eingeladen.

Zurückspulen ins Jahr 2006. Ich hatte entschieden – warum, kann ich nicht so recht sagen –, dass es an der Zeit sei, mit dem Rauchen aufzuhören. Eigentlich weiß ich *doch*, warum. Mir war es endlich gelungen, die große Sache aufzugeben, die Sache, der wir uns zu anderer Zeit zuwenden werden, und es wurmte mich, dass es mir so schwerfiel, dasselbe mit den Zigaretten zu tun. Wenn ich den systematischen und starken Gebrauch einer verbotenen Substanz der Klasse A aufgeben konnte, müsste ich da nicht die Nikotinsucht mit einem Fingerschnippen zu vertreiben in der Lage sein?

Auf dem Regal neben meinem Schreibtisch in meinem Londoner Haus stand ein seltsamer Gegenstand. Entworfen und gefertigt von der Firma Dunhill, sah er aus wie ein altmodisches BBC-Rundfunkmikrofon. Wenn man ihn jedoch auseinandernahm und neu zusammensetzte, wie es Scaramanga mit seinem goldenen Colt zu tun pflegte, wurde er zu einer Pfeife. Diese schöne Trophäe war mir ein paar Jahre zuvor überreicht worden, als man mich zum Pfeifenraucher des Jahres ernannte. Angesichts dessen plagte mich jetzt bei dem Gedanken, das Rauchen aufzugeben, der Anflug eines Schuldgefühls. Ich nahm den Preis zur Hand, und wie ein Kind es mit einem Transformer-Spielzeug tut, verdrehte, drückte und presste ich so lange an dem Ding herum, bis es in seine Alternativform schnappte.

Es begab sich, dass meine Krönung im Jahr 2003 zur letzten dieser spaßigen kleinen »Pfeifenraucher des

Jahres«-Zeremonien wurde. Die Auszeichnung wurde von den Gesundheitsbehörden als Tabakwerbung durch die Hintertür angesehen und von jenem Jahr an gnadenlos geächtet. In ihrer Blütezeit hatte sie die großen Ikonen der Zeit gefeiert, von denen die meisten vielleicht etwas strickwestenhaft und spießig gewesen sein mochten, aber von Harold Wilson bis Eric Morecambe über Tony Benn und Fred Trueman hatten sie etwas Vortreffliches verkörpert, das inzwischen aus dem englischen Leben verschwunden ist. Weder smart noch weltmännisch und stilvoll, waren sie Mitmenschen, die ihre Sonntage damit verbrachten, den Gartenschlauch zu schwingen und den Wolseley einzuwachsen oder forschen Schrittes durch die Natur zu wandern, einen Brotbeutel aus Leinen auf dem Rücken und die langen Wollsocken hinaufgezogen bis zum Knie.

Dunhill und die Organisatoren der Veranstaltung gaben sich größte Mühe, mir diese Spezialpfeife anfertigen zu lassen, einen ganz besonderen Verschnitt zu präparieren und mich als einen der Ihren mit offenen Armen aufzunehmen. Und jetzt, knapp drei Jahre später, hatte ich vor, aus der Gemeinde auszutreten. Das roch nach Verrat. Aber ohnehin rauchte ich in der Öffentlichkeit so gut wie nie eine Pfeife. In erster Linie war ich ein Marlboro-Mann. Nicht voll drauf auf den roten und auch nicht anämischen Lights, sondern Mamabär Marlboro Mediums – für den Kompromissler des Lebens. Mittleres Alter, mittleres Köpfchen, mittlere Klasse, mittlerer Teergehalt – das bin ich. Ich hob mir die alten Briar-Pfeifen für die Wintermonate auf und die einsamen Stunden am Schreibtisch. Obwohl es kürzlich doch eine Situation gegeben hatte, bei der ich mit einer Pfeife in die Welt hinausgetreten war ...

Im Sommer 2003 wollte die Zeitung *Independent* ein Porträt von mir veröffentlichen. Weswegen es sein sollte, ist mir entgangen; vielleicht bestand ein Zusammenhang mit der Ausstrahlung der ersten Folge des TV-Programms *QI*. Ohne guten Grund tauchte ich am verabredeten Ort mit einer Pfeife in der Tasche auf. Irgendwann mussten mir wohl die Zigaretten ausgegangen sein, und ich hatte mich wieder darauf besonnen. Eine Woche später erschien als Illustration für das Interview ein Bild von mir auf der Titelseite der Zeitung: Die Pfeife ragte mir schräg aus dem Gesicht, und eine dicke und kunstvoll platzierte Rauchwolke verbirgt halbwegs meine selbstgefälligen Züge. Traurigerweise wissen sich meine Gesichtszüge leider nicht anders zu arrangieren als selbstgefällig. Warum hatte ich die Pfeife mitgenommen, und warum hatte ich sie im Beisein eines Fotografen geraucht? Rückblickend frage ich mich, ob ich nicht irgendwo im Unterbewusstsein erkannt hatte, dass eine Pfeife besser zu der ziemlich professoralen Seite meines Charakter passte, die in *QI* betont wurde, und vielleicht hatte ich ja deswegen die Pfeife eingesteckt, als ich mich auf den Weg machte, den Journalisten zu treffen. Interessant oder zumindest erhellend an der Art, wie im 21. Jahrhundert Prominenz wahrgenommen wird, ist, dass nur wenige Tage nach der Publikation jenes Interviews ein Brief vom British Pipesmoker's Council eintraf, der mich informierte, dass ich zum Pfeifenraucher des Jahres gewählt worden sei. Diese freundliche Absurdität folgte dem Artikel derart schnell auf dem Fuß, dass ich mich des Gefühls nicht erwehren konnte, wäre ich ein Bonobo gewesen, den *Independent* in der Woche auf der Titelseite als Pfeifenraucher präsentiert hätte, wäre ihm die Anerkennung sicher gewesen … ich nehme an, desperat ist das angemessene Wort, um die Stimmung in der Worshipful Company der Pfeifenraucher und Tabakmischer zu beschreiben. Und angesichts des bevorstehenden Endes der Preisvergabe waren sie vielleicht aus gutem Grund desperater Stimmung.

Jetzt sitze ich hier, drei Jahre später, spiele an meiner Preispfeife herum und trage mich mit dem Gedanken, am Lebenszweck des Rauchens Verrat zu begehen. Die Wörter »Verrat« und »Lebenszweck« zu benutzen mag vielleicht hysterisch und überheblich klingen, aber für *mich* war das Rauchen ein Lebenszweck; in meiner Vorstellung hat das Rauchen stets etwas ungeheuer Beeindruckendes symbolisiert. Sherlock Holmes habe ich erwähnt, aber Tatsache ist, dass fast alle meine Heroen nicht einfach nur Menschen waren, die rauchten, sondern mehr als das: aktive, stolze und positive Raucher. Sie rauchten nicht einfach nur in der Welt, sie rauchten *in die* Welt. Oscar Wilde war einer der Pioniere der Zigarette. Als er Victor Hugo begegnete, galt die Passion des *cher maître* nicht minder Wildes üppigem Vorrat an frischen Qualitätszigaretten als seinem gleichermaßen üppigen Vorrat an frischen Epigrammen hoher Qualität. Die erste Episode, die Wilde einen schlechten Ruf bescherte, war sein Auftritt nach der ersten Vorstellung von *Lady Windermere's Fan*, als er sich auf der Bühne verbeugte und den Beifall mit einer Zigarette zwischen den Fingern entgegennahm – eine unbekümmerte Nebensächlichkeit, die viele Theaterbesucher erzürnte und für wert gehalten wurde, in so gut wie jedem Pressebericht sowie den Briefen und Tagebüchern derer erwähnt zu werden, die dabei gewesen waren.

»Eine Zigarette ist das vollkommene Musterbeispiel

eines vollkommenen Genusses«, sagt Lord Henry Wotton in *Das Bildnis Dorian Gray.* »Sie ist köstlich und lässt einen unbefriedigt.« Wie bei vielen von Wildes Aussprüchen brauchte ich lange, bis ich begriffen hatte, dass dies tatsächlich eine tiefsinnigere Einsicht war, als es auf den ersten Blick schien. Der springende Punkt ist, dass ein Genuss, der befriedigt, in dem Augenblick aufhört, ein Genuss zu sein, in dem er genossen worden ist. Man ist gesättigt, es ist nichts mehr daraus zu schöpfen. Sex und Speisen sind Genüsse dieser Art. Was folgt? Ein Anflug wohligen Nachgefühls, wenn man zu den Menschen zählt, denen dies gewährt ist, aber meistens doch Schuldgefühle, Flatulenz und Selbstekel. Von diesem Genuss möchte man für eine ganze Weile nichts mehr wissen. Von Substanzen, die das Verhalten verändern, wie Alkohol und Drogen, möchte man mehr und mehr konsumieren, aber sie beeinflussen Laune und Art des Auftretens, und Absturz und Katerstimmung, die folgen, können höchst unangenehm sein und jede gute Laune vergällen. Aber eine Zigarette – eine Zigarette bietet reine Freude, sie ist Liebkosung und Erfüllung und dann nur noch das Verlangen, das Erlebnis von neuem zu genießen. Und so weiter. Auch nicht einen Moment lang das widerwärtige Völlegefühl, das Empfinden, aufgebläht zu sein, keine beschämende Übelkeit, kein Kater und keine Depression. Eine Zigarette ist perfekt, denn wie ein hochentwickeltes Virus nistet sich ihre Wirkung im Gehirn des Rauchers ein und verfolgt nur ein einziges Ziel: ihn zu veranlassen, zur nächsten Zigarette zu greifen. Die Belohnung ist der Genuss, dieser ist aber zu kurzlebig, um Befriedigung genannt zu werden.

Ich hatte Holmes und Wilde auf meiner Seite. Ich hatte Wodehouse und Churchill, Bogart und Bette Davis,

Noël Coward und Tom Stoppard, Simon Gray und Harold Pinter. Und wer war gegen uns aufmarschiert? Spießbürgerliche Nasenrümpfer, sauertöpfische Gesundheitsapostel. Hitler, Goebbels und Bernard Shaw, miesepetrige Sonderlinge, Puritaner und Besserwisser, die ihre Nase überall hineinstecken. Das Rauchen war ein Banner der Boheme, ein Symbol für die Ablehnung der Mittelklassenprüderie und Schicklichkeit, und dafür machte ich mich stark, wenngleich ich niemanden kannte, der zuinnerst so mittelklassig, bieder und respektierlich war wie ich. Man muss schließlich, wenn es um diese Dinge geht, mit niemandem ins Reine kommen als mit sich selbst. Wollte ich mich mit Außenseitern, Künstlern, Radikalen und Revolutionären verbünden, war es selbstverständlich, dass ich rauchte. Und zwar mit Stolz. Ich weiß. Erbärmlich, nicht wahr?

Ich habe hier kein Wort über den Tod verloren, nicht den verheerende Schaden an Teint, Hals, Herz und Lungen erwähnt, den Zigaretten anrichten. Oscar wusste nicht, dass die exquisiteste von allen Eigenschaften dieser verführerischen Räucherstäbchen ihre allmählich wirkende Toxizität ist, die Art, wie sie ihr Gift in dezentester Dosierung einschleusen. Die ihnen eigene wohltuende Wirkung (die einsetzt nach der ersten Benommenheit, dem schweißigen Schwindel und der Übelkeit, von denen Anfänger heimgesucht werden, wie ich bereits angedeutet habe), die nervenzerreißende Langsamkeit und das Feingefühl, die sie bei ihrem todbringenden Unterfangen einsetzen, die unwiderstehlich verlockende Kreditlaufzeit, die sie anbieten und die eine scheinbar unüberbrückbare Distanz zwischen gegenwärtigem Genuss und zukünftiger Begleichung verspricht … eine so uneilig angewandte, beharrliche und diabolische Raffinesse beschert das, was ein wahrer Sadist und Connaisseur der Pein als höchsten Grad exquisiten Erlebens ansehen würde.

Ich war ein besonders lautstarker Apologet des Rauchens gewesen und dazu ein lärmend streitlustiger Feind der Antiraucherlobby, aber als ich an jenem Tag dasaß und mit der Mikrofonpfeife von Dunhill spielte, wurde mir bewusst, dass ich mich verändert hatte. Insofern Erfahrungen nur selten bereut werden sollten, war mir bei dem Gedanken, mein zukünftiges Leben als Nichtraucher zu verbringen, durchaus wohl. Ich hatte mehr als dreißig Jahre lang meine Freude am Tabakgenuss gehabt und würde jetzt erleben, wie sich das Leben ohne ihn leben ließ. Ich war beinahe gespannt darauf, mich dieser Probe zu unterwerfen. Solange ich mir gelobte, absolut niemals jenen Rauchergenossen, die ich zurückgelassen hatte, mit Intoleranz zu begegnen.

Bekämpfe Feuer mit Feuer, bekämpfe Drogen mit Drogen. Ich hatte von einer Pille gehört, die Zyban hieß. Das war der Markenname für Amfebutamon, in Amerika besser bekannt als Welbutrin, eines der meistverschriebenen Antidepressiva der Welt. Ich hatte irgendwo gelesen, dass es in fast dreißig Prozent aller Fälle auch als »Entwöhnungshilfe für Raucher« wirkt. Ich rief bei der Sekretärin meines Arztes an und machte einen Termin. Er schrieb mir ein Rezept für eine dreiwöchige Anwendung. So wie diese Pillen, um eine Depression zu bekämpfen, auf das gehirneigene Depot an Stimmungsaufhellern – Noradrenalin und Dopamin usw. – wirkten, so konnten sie auch bewirken, wie behauptet wurde, dass die Ängste und Schrecken des Nikotinentzugs beruhigt, gedämmt und sogar gestillt wurden. Ungewöhnlich und reizvoll war, dass man die Pille nehmen, aber gleichzeitig weiterrauchen sollte. Aus irgendeinem Grund würde das Verlangen verschwinden, wenn man zu den 27 Prozent gehörte, die auf diese Behandlung ansprachen.

Und wissen Sie was? Es stellte sich heraus, dass ich zu ihnen gehörte.

Es war ein Wunder. Ich stellte fest, dass ich aufhörte, ohne dass es mir etwas ausmachte.

Ich fliege nach Amerika, zum ersten Mal in meinem Leben glücklich, zwölfeinhalb Stunden in einem Flugzeug zu verbringen, ohne der Würdelosigkeit anheimzufallen, Nikotinpflaster, Nikotinkaugummi oder Inhalatoren benutzen zu müssen – in den schlimmen alten Tagen manchmal alle drei gleichzeitig.

Am vierten Donnerstag im November, dem Thanksgiving Day in den Vereinigten Staaten, treffe ich mich mit dem Filmemacher Peter Jackson, für den ich ein Drehbuch schreiben soll, das sich mit den Luftangriffen auf die deutschen Staudämme im Ruhrgebiet 1943 beschäftigt. Ein Meisterwerk des britischen Kinos war, natürlich, bereits über die Zerstörung der Talsperren gedreht worden, aber wir hofften, die Geschichte nochmals erzählen zu können und dabei Details bekanntzumachen, die 1954 zu prekär oder geheim gewesen waren.

Ich fahre zum Bungalow des Beverly Hills Hotel, den Peter für die Dauer seines Aufenthalts gemietet hat, um Einzelheiten zu besprechen. Fran, Peters Frau, ist zusammen mit anderen Mitgliedern der Produktionsfirma Wingnut ebenfalls anwesend. Thanksgiving Day ist für Nichtamerikaner wie uns der perfekte Zeitpunkt für eine ungestörte Besprechung.

Nach Ende der Besprechung lädt ein Assistent einen Riesenkarton mit Recherchematerial, das Wingnut für mich zusammengetragen hat, in den Kofferraum meines Mietwagens. Jede erdenkliche Archivquelle zum Thema der Dammbrecher-Angriffe, ob in Textform, als Video, als Tondokument oder Fotomaterial, ist zu meiner Unterstützung zusammengetragen worden. Zur Verfügung steht sogar ein Faksimile des Drehbuchs von R. C. Sherriff für Michael Andersons Film *The Dambusters (Mai 1943 – Die Zerstörung der Talsperren)* von 1954. Ich fahre auf dem Sunset Boulevard nach West Hollywood zum Chateau Marmont, dem Hotel, in dem ich für ungefähr einen Monat, der mir zur Fertigstellung des Drehbuchs eingeräumt wurde, eine Suite gemietet habe.

Ich verbringe einen angenehmen Abend damit, die Dokumente zu sichten und die morgige Arbeit zu planen. Wie erfreulich alles ist. Welches Glück ich doch habe. Was soll noch schiefgehen?

Nebenan herrscht plötzlich Unruhe, und als ich in den Flur schaue, sehe ich, dass die Schauspielerin Lindsay Lohan auf einer Krankenbahre weggebracht wird. Es scheint so, als sei ihr das viele Partyfeiern nicht bekommen. Das Chateau Marmont wird wohl auf alle Zeiten als der Ort berüchtigt bleiben, wo John Belushi sich mit einem letzten Speedball ums Leben brachte. Es ist immer noch ein beliebter Treffpunkt für Hollywoods besonders extravagante Partygänger, und Lindsay Lohans bedauerliche Überdosis erwies sich zwar nicht als tödlich, erregte aber viel Aufmerksamkeit. Aber diese Dinge müssen mich nicht kümmern.

Am nächsten Morgen stehe ich früh auf, schwimme ein paar Runden im Pool und kann es kaum abwarten, mit dem Skript anzufangen. Ich bereite mir ein Omelett, mache mir eine Riesenkanne Kaffee – die Suiten im Chateau sind mit großartigen Küchen ausgestattet –

und setze mich an meinen Schreibtisch. Zur Inspiration habe ich Fotos von Guy Gibson, Barnes Wallis und einem Lancaster-Bomber mit Haftkleber an die Wand geheftet. Was könnte der Arbeit dienlicher sein?

Aber es gibt ein Problem.

Ein furchtbares Problem.

Ich kann nicht schreiben.

Meine Finger berühren die Tastatur, und ich zwinge sie, zu tippen.

AUFBLENDE:

INNEN. DAS LUFTFAHRTMINISTERIUM – ABEND, 1940

Weiter komme ich nicht.

Lachhaft.

Ich stehe auf und gehe im Zimmer hin und her. Das kann nur die Anfangsnervosität sein. Es handelt sich um ein Projekt von womöglich großem Stellenwert. Das Original gehört zu meinen Lieblingsfilmen. Ich bin unschlüssig, inwieweit ich das Recht habe, an dieser großartigen Geschichte herumzupfuschen. Setz dich wieder hin, und leg endlich los, Stephen.

Doch es ist mehr als das. Als ich auf den Bildschirm starre, spüre ich eine Leere in mir, einen dunklen Raum. Was mag es sein, dieses in die Tiefe ziehende schwarze Loch, das da irgendwo zwischen Angst und Hunger gähnt, zwischen Qual und Furcht?

Ich schüttle den Kopf und dann den ganzen Körper wie ein Hund, der gerade gebadet hat.

Es wird vorübergehen.

Ich verlasse das Zimmer, fahre im Lift hinunter und höre mit an, wie ein Paar darüber tratscht, unter welch dramatischen Umständen Lindsay Lohan am Abend das Hotel verlassen hatte.

Ich laufe um den Pool herum. Jerry Stiller, Comedian und Vater des Schauspielers Ben, schwimmt ein paar gemächliche Bahnen.

»Hiya, Kid«, ruft er. Ich bin begeistert, mit neunundvierzig noch Kid genannt zu werden.

Nach zehn oder zwanzig Runden kehre ich in mein Zimmer zurück und setze mich wieder an den Bildschirm.

Das schwarze Loch ist immer noch da.

Hier läuft etwas ganz, ganz furchtbar falsch.

Was mag es sein? Was *könnte* es sein? Bin ich krank?

Und dann überkommt mich so blitzartig die Gewissheit, dass ich fast vom Stuhl falle.

Ich brauche eine Zigarette. *Ohne Zigarette kann ich nicht schreiben.*

Das darf doch nicht wahr sein. Oder?

Die nächsten drei Stunden tue ich, was ich kann, um den Schreibmotor anzukurbeln, aber mittags ist mir klar, dass es sinnlos ist. Entweder gebe ich das Drehbuch auf oder ich rauche. Ich hebe den Telefonhörer ab.

»Hallo, hier ist Stephen. Könnten Sie bitte eine Stange Marlboro raufschicken? Ja, eine ganze Stange. Zehn Schachteln. Danke. Bye.«

Schneller Vorlauf bis zum April des folgenden Jahres 2007. Im Juli wird das Rauchverbot in der Öffentlichkeit im gesamten Vereinigten Königreich inkrafttreten, und im Monat darauf werde ich fünfzig. Jetzt ist auf jeden Fall die Zeit gekommen, das Rauchen ein für alle Mal aufzugeben. Paul McKenna hat mich hypnotisiert, um die Verdrahtung in meinem Gehirn zu lösen, die das Schreiben mit Tabakgenuss verbindet. In der Allan Carr »Easy Way«-Klinik in London hatte ich eine Sitzung. Keines von beiden scheint von Nutzen gewesen zu sein, aber ich bin ihnen dankbar, dass sie Hilfe angeboten haben. Doch es gibt gute Nachrichten …

Ein neues Medikament ist auf den Markt gekommen. Adieu Zyban, willkommen Champix. So lautet Pfizers Name für den neuen Arzneistoff Vareniclin, der kein Antidepressivum ist, sondern als »partieller Agonist die Nikotin-Rezeptoren blockt«. Soso. Klingt ja einleuchtend.

Ich lasse mir eine Tablettenkur verschreiben, und wie beim Zyban rauche ich weiter, als sei nichts geschehen. So ungefähr am zehnten Tag fällt mir auf, dass mein Aschenbecher mit absurd langen Kippen gefüllt ist. Anscheinend hab ich an jeder Zigarette nur einmal gezogen. Am Ende der zweiten Woche merke ich, dass ich die Zigaretten aus der Schachtel nehme, sie betrachte, als seien sie Fremdlinge, und sie wieder zurückstecke. Zu dieser Zeit zeichnen wir zwei- oder dreimal die Woche *QI* auf. Als wir damit fertig sind, stelle ich fest, dass ich mir keine Zigaretten mehr kaufe. Ich habe zu rauchen aufgehört.

Ich fahre nach Norfolk und drehe eine neue Folge von *Kingdom*. Als die Arbeit im September abgeschlossen ist, fliege ich nach Amerika, um mit der Arbeit an einer Reiseserie zu beginnen.

Die Feuerprobe kommt jedoch später. Im Mai kehre ich aus Hawaii, dem letzten Staat, der für die Dokumentarfilmreise zu besuchen war, nach Großbritannien zurück und muss mich daranmachen, das Buch über die Serie zu schreiben. Erst jetzt werde ich zum ersten Mal in meinem Leben erfahren, ob ich mehr als nur journalistische Texte, Briefe und gelegentliche Blogs verfassen kann, ohne beim Schreiben eine Zigarette nach der anderen zu rauchen.

Bei Tagesanbruch hat es den Anschein, als sei meine fünfunddreißig Jahre lange Affäre mit dem Tabak tatsächlich zu Ende.

Als ich am Computer saß, das hier schrieb und mich an die Vergangenheit erinnerte, ist da das alte Verlangen zurückgekehrt? Diese Erfahrung hat das schwarze Loch nicht wieder aufgerissen, aber irgendwo tief in mir zucken Erinnerungsfetzen wie ein Drache in seiner Höhle, der im Schlaf nicht die rechte Ruhe findet.

Habe ich eine Weltanschauung verraten? Habe ich der Freiheit, der Uneinsichtigkeit und dem Outsidertum den Rücken gekehrt? Bin ich verbürgerlicht und habe Ausverkauf betrieben? Die meisten würden diese Fragen für absurd halten. Doch ich tue das nicht. Während sich die Nikotinsucht zu Recht als schmutzig, gefährlich, antisozial, ontologisch sinnlos und physisch schädlich charakterisieren ließe und man diejenigen, die sie in ihren Bann geschlagen hat, für unbesonnen, töricht, genusssüchtig, schwach und pervers halten könnte, fühle ich mich weiterhin von Rauchern angezogen und ärgere mich über diejenigen, die an ihnen herummäkeln und sie tyrannisieren.

Vor vielen Jahren war ich auf einer Dinnerparty und saß in der Nähe von Tom Stoppard, der damals nicht nur zwischen den einzelnen Gängen rauchte, sondern sich eine ansteckte, kaum dass er den Mund leer hatte. Eine Amerikanerin gegenüber beobachtete ihn fassungslos.

»Dabei sind Sie doch so intelligent!«

»Wie bitte?«, sagte Tom.

»Obwohl Sie wissen, dass diese Dinger Sie umbringen«, sagte sie, »machen Sie trotzdem weiter.«

»Ich würde mich vielleicht ganz anders verhalten«, sagte Tom, »wenn als Alternative die Unsterblichkeit zur Wahl stünde.«

Suchtmittel erscheinen als belanglos im Vergleich zu den großen Dingen im Leben: Arbeit, Glaube, Wissen, Hoffnung, Furcht und Liebe. Aber das Verlangen, das uns antreibt, unsere Empfänglichkeit, unser Widerstand, unsere Hinnahme und unsere Leugnung gegenüber den Suchtmitteln definieren und entlarven uns mindestens ebenso sehr wie abstrakte Glaubensbekenntnisse oder großmundige Aufzählungen von Taten und Errungenschaften.

Vielleicht liegt es nur an mir. Vielleicht können andere Menschen ihr Verlangen besser kontrollieren und haben weniger Interesse. Mich scheinen mein Leben lang gieriges Bedürfnis und bedürftige Gier getrieben zu haben.

I

College to Colleague

Cambridge

*D*en »Winter unseres Missvergnügens« nannten sie ihn. Streiks der Lastwagenfahrer, Automobilarbeiter, Krankenschwestern, Ambulanzfahrer, Eisenbahner, Müllarbeiter und Totengräber. Ich für meinen Teil war wohl niemals vergnügter.

Nach all den Wirrnissen meiner stürmischen Teenagerjahre – Liebe, Schande, Diebstahl, Skandal, Schulverweis, Selbstmordversuch, Betrug, Haft und Urteil – schien ich endlich gefunden zu haben, was seelischem Gleichgewicht und Erfüllung nahekam. *Schien*. An einer kleinen Prep School als gelassene und selbstsichere Autoritätsperson seine Pfeife zu schmauchen war eine Sache. Aber jetzt war ich hier an einer riesigen Universität und begann ganz von vorne: als Anfänger, als Frischling, als ein Niemand.

Es ist nur natürlich, wenn den Leuten allein schon die Idee von Oxford und Cambridge verachtenswert erscheint. Elitär, snobistisch, borniert, selbstgefällig, arrogant und abgehoben scheinen die althergebrachten Universitäten, als die sie sich voller Dünkel präsentieren, die belanglose, archaische, todgeweihte und schändliche Vergangenheit zu verkörpern, die abzuschütteln Großbritannien scheinbar so angestrengt bemüht ist. Und Oxbridge täuscht niemanden mit dem Geschwafel von »Meritokratie« und »höchstem Niveau«. Sollen wir uns von den vielen albernen Namen beeindruckt zeigen, die man sich dort gibt? Fellows und Stewards und Deans und Dons und Proctors und Praelectors. Und was die Studenten, oder *undergraduates*, betrifft, so mögen sie mir bitte gnädigst verzeihen ...

Viele Menschen, und ich denke, zuallererst die jungen, sehen sich umzingelt von Überheblichkeit und Selbstdarstellung. Sie werden in jeder Geste den Hang zur Attitüde und zum Posieren entdecken. Müssten sie zur Semesterzeit die Trinity Street in Cambridge entlanggehen, würden ihnen jugendliche Männer und Frauen begegnen, die leicht als manierierte Poseure oder selbstgefällige Deppen zu charakterisieren wären. Ach, sie halten sich ja für so intellektuell; ach, sie finden sich ja so *Wiedersehen mit Brideshead*; ach, sie sehen sich ja so als die Crème de la Crème. Seht nur, wie sie übers Kopfsteinpflaster radeln, die Arme über der Brust gekreuzt, zu cool, um die Hände am Lenker zu lassen. Seht nur, wie sie einhergehen, den Kopf in ein Buch gesenkt. Seht nur, wie sie sich den Schal mit einer schnellen Drehung des Handgelenks um den Hals werfen. Als müssten wir schwer beeindruckt sein. Hört nur das gedehnte Näseln ihrer Public-School-Stimmen. Oder, schlimmer noch, achtet auf den Ton der *Straße*, den sie mit gekünsteltem Akzent zu treffen suchen. Für wen halten sie sich eigentlich, wer, meinen sie eigentlich, wer verdammt noch mal, sie sind? Aus dem Weg mit diesen Ärschen!

Nun. Richtig. Aber stellen Sie sich einen Moment lang vor, dass diese bescheuerten Schaumschläger auch nur junge Männer und Frauen mit eigenem Leben und eigenen Gefühlen sind wie jeder andere, wie Sie und ich. Stellen Sie sich vor, dass sie genauso ängstlich und unsicher und hoffnungsvoll und naiv sind wie Sie und ich. Stellen Sie sich vor, dass die unmittelbare Verachtung und Aversion vielleicht mehr über den Betrachter aussagen als über die Betrachteten. Dann treiben Sie die Vorstellung noch etwas weiter. Stellen Sie sich vor, dass so gut wie alle Studenten, die frisch an einem Ort wie Cambridge eingetroffen sind, exakt dieselben Gefühle von Abneigung, Misstrauen und Furcht verspürt haben, als sie sich von den lässigen Studenten aus dem zweiten oder dritten Jahrgang umgeben sahen, die entspannte Selbstsicherheit ausstrahlten und durch ein überlegenes Auftreten beeindruckten, das auf Selbstbewusstsein und Zugehörigkeitsgefühl gründete. Stellen Sie sich vor, dass auch diese nervösen Neuankömmlinge ihre Unzulänglichkeitsgefühle zu kompensieren versucht hatten, indem sie sich entschieden, durch alle anderen »hindurchzusehen« und zu glauben, sie seien ausschließlich von bedauernswerten Blendern umgeben. Und stellen Sie sich zum Schluss vor, dass sie sich irgendwann, ohne es zu bemerken, an diesem Ort assimilierten und so heimisch wurden, dass sie jetzt diejenigen sind, die dem Außenseiter wie arrogante Wichser vorkommen. Sie können mir glauben, wenn ich behaupte, dass sie im Inneren noch immer schrumpfen und schrumpeln wie eine mit Salz bestreute Schnecke. Ich weiß, wovon ich spreche, denn ich war einer von ihnen, genau wie Sie es ebenfalls gewesen wären.

Es stimmt, dass ich Stipendiat war. Es stimmt, dass ich älter war als meine Kommilitonen im ersten Studienjahr. Es stimmt auch, dass ich größere Erfahrung in der »realen Welt« (was immer das heißen soll) hatte als die meisten. Wahr ist auch, dass ich im Gegensatz zu einer verblüffenden Anzahl anderer, die ihr Universitätsstudium begannen, schon lange daran gewöhnt war, von zu Hause fort zu sein, denn schließlich hatte man mich ja schon mit sieben zum ersten Mal ins Internat gesteckt. Es stimmt darüber hinaus auch, dass ich nach außen ein sicheres Auftreten an den Tag legte und über eine tiefe, volltönende Stimme gebot, die klang, als gehörte ich an diesen Ort wie die hölzerne Täfelung, der geschorene Rasen und die Pförtner mit ihren Bowler-Hüten. All das räume ich durchaus ein, aber es ist sehr wichtig, dass Sie nichtsdestoweniger verstehen, wie verängstigt ich innerlich war. Sehen Sie, ich lebte in bibbernder Furcht davor, jeden Moment *entlarvt* zu werden. Nein, es ging nicht um meinen Status als verurteilter Krimineller auf Bewährung, den ich geheimhalten wollte, noch um meine Vergangenheit als Dieb, Lügner, Fälscher und Knastbruder. Meinetwegen hätten diese unbequemen Wahrheiten übers Radio verbreitet werden können, ebenso wie meine sexuelle Orientierung, meine ethnische Zugehörigkeit oder dergleichen sonst. Nein, der Terror, der sich während jener ersten Wochen in Cambridge meiner bemächtigte, betraf nichts als die Besorgnis um meine intellektuelle Berechtigung, überhaupt dort zu sein. Ich litt unter der Todesfurcht, dass jemand auftauchen und mich vor einer Menge spöttischer Zuschauer nach meiner Meinung zu Lermontow, der Superstringtheorie oder gar dem kategorischen Imperativ von Kant fragen könnte. Ich würde Ausflüchte machen und auf meine gewohnte Weise plausibel schwadronieren, aber hier in Cambridge würden diese Tricks meinen unerbittlichen und (in meiner Vorstellung) hämisch boshaften Inquisitor nicht beeindrucken, sondern er würde mich nur mit seinen Luchsaugen fixieren und dann mit schroffer Stimme, in der höhnisches Lachen mitschwingt, fragen: »Entschuldigen Sie, aber wissen Sie überhaupt, wer Lermontow ist?« Oder Rilke oder Hayek oder Saussure oder sonst ein anderer Name, den ich noch nie gehört hatte, so dass meine Ignoranz die entsetzliche Oberflächlichkeit meiner sogenannten Bildung entlarvte.

Jeden Moment könnte ans Licht kommen, dass ich zu Unrecht mit einem Stipendium belohnt worden war, dass es eine Verwechslung bei den Prüfungspapieren gegeben hatte und irgendein bedauernswertes Genie namens Simon Fry oder Stephen Pry um seinen verdienten Studienplatz betrogen worden war. Es würde eine schonungslose öffentliche Untersuchung stattfinden, durch die man mich als geistig minderbemittelten Scharlatan entlarven würde, der an einer ernstzunehmenden Universität nichts zu suchen hatte. Ich konnte mir sogar das Zeremoniell ausmalen, mit dem ich offiziell vor die Tore der Universität verbannt wurde, und begleitet von einem Pfeifkonzert und unter Beifallsgejohle sah ich mich davonschleichen. Eine Institution wie Cambridge war für andere Menschen gedacht, für Insider, Clubmitglieder, Auserwählte – eben *die*.

Sie mögen vielleicht glauben, dass ich übertreibe, und vielleicht tue ich das. Aber nicht um mehr als fünf Prozent. All diese Gedanken gingen mir tatsächlich durch den Kopf, und ich fürchtete ernsthaft, dass ich nicht die Berechtigung besaß, als Undergraduate in Cambridge zu studieren, und dass diese Wahrheit schon bald zutage käme, ebenso wie die akademischen und intellektuellen Defizite, die deutlich machen würden, dass ich einer Immatrikulation unwürdig war.

Zum Teil plagten mich diese Gefühle deswegen, weil ich eine höhere Meinung von Cambridge hatte als die meisten Undergraduates. Ich glaubte bedingungslos an Cambridge und vergötterte es. Ich hatte es Oxford

und auch jeder anderen Universität vorgezogen, weil …
weil … ach, du meine Güte, ich kann es einfach nicht
erklären, ohne entsetzlich affektiert zu klingen.

Damals war E. M. Forster mein Lieblingsautor des
20. Jahrhunderts. Ich verehrte ihn und G. E. Moore und
den Geheimbund der Cambridge Apostles und deren
assoziierte Bloomsbury-Satelliten Goldworthy Lowes
Dickinson und Lytton Strachey sowie die erlauchteren
Planeten ihres Systems: Bertrand Russell, John May-
nard Keynes und Ludwig Wittgenstein. Besonders verehrte ich den Kult persönlicher Beziehungen, dessen
Fürsprecher Forster war. Seine Ansicht, dass Freundschaft, Wärme und Ehrlichkeit zwischen den Menschen
mehr bedeuteten als jede gemeinsame Sache oder jedes
Glaubenssystem, war für mich sowohl ein pragmatisches
als auch ein romantisches Ideal.

»Ich hasse die Vorstellung, sich einer gemeinsamen
Sache zu verschreiben«, schrieb er, »und wenn ich wählen müsste zwischen dem Verrat an meinem Land und
dem an meinen Freunden, würde ich hoffentlich den
Mut aufbringen, mein Land zu verraten.« Diese Erklärung aus einem Essay mit dem Titel *What I Believe*, veröffentlicht in der Sammlung *Two Cheers for Democracy*,
wurde von manchen schon fast als Hochverrat angesehen. Angesichts seiner Verbindungen zu einer Gruppe,
die später als die Cambridge Spies bekannt wurde, lässt
sich leicht nachvollziehen, warum ein solches Credo
noch immer Unbehagen verursacht. Das ahnte er natürlich sehr wohl, denn er schrieb weiter:

Eine solche Entscheidung mag dem modernen Leser
skandalös erscheinen, und vielleicht greift er mit der
patriotischen Hand sofort zum Telefon, um die Polizei

zu rufen. Dante hätte die Entscheidung jedoch nicht erschreckt. Dante schickte Brutus und Cassius in den niedrigsten Höllenkreis, denn sie hatten sich entschieden, lieber ihren Freund Julius Caesar zu verraten als ihre Heimat Rom.

Ich weiß, wie unerträglich furchtbar ich erscheinen muss, wenn ich Ihnen sage, dass ich nach Cambridge gehen wollte, weil es dort den Bloomsbury-Kreis gab und eine kleine Schar tuntiger alter *Bien-pensant*-Autoren und Verräter, aber so war es nun mal. Es ging nicht um Peter Cook und John Cleese und die Tradition der Comedy, sosehr ich das alles auch bewunderte, noch ging es um Isaac Newton und Charles Darwin und die Tradition der Wissenschaft. Die Schönheit von Cambridge als Universitätsstadt hat mich wohl auch beeinflusst. Ich habe sie gesehen, bevor ich Oxford sah, und sie brach mir das Herz, wie die Liebe auf den ersten Blick es immer tut. Aber letztlich war es, wie prätentiös es auch klingen mag, die intellektuelle und ethische Tradition, die meine puritanische und selbstgerechte Seele ansprach. Ich war einer monströsen Jugend entwachsen, wie Sie sich erinnern werden, und ich vermute, es bedurfte der heiligen Feuer von Cambridge, um mich zu läutern.

»Cambridge bringt Märtyrer hervor, und Oxford wirft sie auf den Scheiterhaufen.« Ich kann mich ehrlich nicht daran erinnern, ob der Satz von mir ist oder ob ich ihn mir bei jemand anderem ausgeborgt habe: Anscheinend wird er im Web mir zugeschrieben, was natürlich nichts beweist. Jedenfalls stimmt es, dass Martyr's Memorial in Oxford an die Verbrennung der drei Geistlichen Hugh Latimer, Nicholas Ridley und Thomas Cranmer in der Stadt Oxford erinnert. Es hat schon immer die Meinung gegeben, dass Oxford eine weltliche, politische Institution ist, dem Establishment zuzuordnen, mit Stärken in den Geisteswissenschaften und Geschichte, und dass Cambridge idealistischer ist, bilderstürmerisch und gesellschaftskritisch, dazu stark in Mathematik und den Naturwissenschaften. Unbestreitbar hat Oxford Großbritannien mit sechsundzwanzig Premierministern versorgt, während Cambridge nur fünfzehn hervorgebracht hat. Es ist zudem bezeichnend, dass Oxford während des englischen Bürgerkriegs Hauptquartier der Royalisten war, während Cambridge eine Hochburg der Parlamentarier war. Oliver Cromwell war Cambridge-Absolvent und stammte aus der Gegend. »Roundhead« Cambridge, »Cavalier« Oxford. Dieses Muster wiederholt sich in der Theologie – die traktarianische Oxford-Bewegung ist hochkirchlich und schon beinahe römisch-katholisch, während die theologischen Colleges Wescott House und Ridley Hall in Cambridge so »low church« orientiert sind, dass sie schon fast als evangelisch gelten könnten.

Dieselbe doktrinäre Unterscheidung lässt sich auch bei der Comedy erkennen, wie verrückt das klingen mag. Robert Hewison (ein Oxfordianer) zeigt in seinem ausgezeichneten Buch *Monty Python: The Case Against* auf, wie sehr die großartigen Pythons sich in die Fraktion Oxford und Cambridge aufteilen lassen. Die hoch aufgeschossenen hageren Cantabrigians (Virginia Woolf hatte schon fünfzig Jahre zuvor bemerkt, dass Cambridge längere Individuen hervorbringe als Oxford) Cleese, Chapman und Idle standen für eiskalte Logik, Sarkasmus, Grausamkeit und Wortspielerei, während die Oxonians Jones und Palin wärmer, alberner und surrealer waren. Schlug Jones vor: »Lassen wir ein Dutzend Prinzessin-

Margaret-Pantomimen über einen Hügel rennen!«, konterte Cleese kalt: »Wieso?«

Die kreative Spannung besonders zwischen diesen beiden machte laut Hewison Herz und Seele dessen aus, was Python war. Diese Spannung lässt sich wohl auch in den Unterschieden zwischen Peter Cook und Jonathan Miller aus Cambridge und andererseits Dudley Moore und Alan Bennett aus Oxford erkennen. Es ist nicht schwer, den knuddeligen Dudley und die noch knuddeligeren Alan Bennett und Michael Palin sympathischer zu finden als ihre hochgewachsenen, reservierten und ziemlich furchteinflößenden Gegenspieler aus Cambridge. Und vielleicht setzt sich das bis in die späteren Inkarnationen fort – Rowan Atkinson und Richard Curtis aus Oxford sind kleiner und auf jeden Fall niedlicher als die hochmütigen und störrischen Stephen Fry und Hugh Laurie.

Es ist enorm viel Romantik in der Cavalier-Tradition zu entdecken und in der puritanischen absolut keine. Oscar Wilde war ein Oxford-Mann, und ich bin in hohem Maße vom Oxford der ästhetischen Bewegung angetan, von Matthew Arnolds Gedicht »Scholar Gypsy« und den Dreaming Spires. Aber die Anziehungskraft von Cambridge war immer stärker; Forsters Welt nahm mich irgendwann in meinen Teenagerjahren in Beschlag, und seither galt: Cambridge oder nirgendwo.

Das trägt vielleicht zur Erklärung bei, warum ich so besorgt war, dass man mir auf die Schliche kam. Mir war klar, dass Cambridge, das Mekka des Geistes, die intellektuell begabtesten Menschen der Welt in seinen Mauern beherbergte. Studenten der organischen Chemie, die bestimmt auch mit Horaz und Heidegger vertraut waren, und Altphilologen, die sich mit den Gesetzen der Thermodynamik auskannten und Empsons Poesie schätzten. Ich war unwürdig.

Ich hätte in höchstem Maße größenwahnsinnig oder wahrhaft paranoid sein müssen, um diese Unsicherheiten nicht als das zu erkennen, was sie waren: eine Mischung aus der zu idealisierten Vorstellung von dem, was Cambridge war, und einer Unmenge schlimmster spätadoleszenter solipsistischer Angst. Ich hatte mich nie in eine Schule einfügen können, und jetzt sollte ich an einen Ort kommen, der beinahe ausdrücklich auf mich zugeschnitten war. Was, wenn sich herausstellte, dass ich mich auch dort nicht einfügen konnte? Was würde das über mich aussagen? Darüber nachzudenken war zu beängstigend.

Aber die ersten beiden Wochen an einer Universität sind so konzipiert oder haben sich im Laufe der Zeit dazu entwickelt, unter den Anfängern die Erkenntnis zu stärken, dass alle im selben Boot sitzen und dass alles gut wird. Davon abgesehen hatte ich nach ein paar Tagen genügend Leute kennengelernt und genug Gespräche mit angehört, um mitzubekommen, dass Cambridge weit davon entfernt war, das Athen des fünften Jahrhunderts oder das Florenz des fünfzehnten zu sein.

Das Universitätsleben beginnt mit der Freshers' Fair und allen möglichen »squashes« – Anwerbungspartys, die von Studentenclubs und Vereinigungen veranstaltet werden. Bei dem vergleichsweise gesunden Kontostand eines Studenten in der ersten Woche seines akademischen Jahres einerseits und dem intensiven Wunsch, akzeptiert und gemocht zu werden, der all jenen Unsicherheiten entspringt, die ich beschrieben habe, andererseits, ergibt es sich wahrscheinlich, dass sich ein Studienanfänger schon in der ersten Woche jeder Menge nicht im Lehrplan stehender Gruppen anschließt, angefangen bei den etablierten, dem Club, dem Varsity-Magazin und der Cambridge Union bis zu den obskuren, den Friends of the Illuminati, der Society of Tobacco Worshippers und den Beaglers Against Racism. Alle ziemlich albern und studentisch und hinreißend.

College and Class – College und Klasse

Ich vermute, dass ich hier innehalten sollte, um, wenn es mir denn gelänge, in kurzen und einfachen Worten das Wesen des College-Lebens in Cambridge zu beschreiben. Nur Oxford hat ein vergleichbares System, und es gibt keinen Grund, warum jemand, der nicht darin gelebt hat, verstehen sollte, wie es funktioniert; und natürlich auch keinen Grund, warum es jemanden kümmern sollte. Es sei denn, Sie sind neugierig, wofür ich Sie lieben würde, denn Neugier, was die Welt betrifft und alle ihre Ecken, ist eine gute Eigenschaft, selbst wenn diese Ecken so uncool sind wie die Studierzimmer von Oxbridge.

Es gibt fünfundzwanzig Colleges in Cambridge (nun ja, im Ganzen einunddreißig, aber zwei davon sind Post-graduates vorbehalten, und die anderen vier nehmen nur Spätstudierende an), die jedes für sich eine selbst-verwaltete Institution sind, mit eigener Geschichte, eigenen Statuten, mit eigenem Einkommen und Besitz. Trinity College ist mit siebenhundert Undergraduate-Studenten das größte. Außerdem ist es das reichste aller Oxbridge-Colleges, Hunderte Millionen schwer und mit Landbesitz allerorten. Andere sind ärmer: Im fünfzehnten Jahrhundert unterstützte das Queens' College König

Richard III., dessen Wildschweinkopfemblem noch immer das College-Banner ziert, und nach der Niederlage des unglücklichen Monarchen in der Schlacht von Bosworth Field hatte es unter Beschlagnahmungen und anderen Geldstrafen zu leiden.

Jedes College hat einen Speisesaal, eine Kapelle, eine Bibliothek, »combination rooms« für Abschluss- wie Anfangssemester (in Oxford Gemeinschaftsräume genannt) und eine Pförtnerloge. In ihrer Bausubstanz sind die meisten Colleges mittelalterlich, was Strukturen und Verwaltung betrifft, sind sie alle mittelalterlich. Man betritt sie durch Torbögen zwischen aufragenden Türmen, und innen sind sie aufgeteilt in rasenbewachsene oder kopfsteingepflasterte Höfe (in Oxford nennt man diese Höfe »quads«). Eine Lehranstalt würde man gewiss nicht von vornherein so eigentümlich gestalten, und das hat auch niemand je getan. Und doch leisten diese beiden nach dem College-System organisierten Universitäten seit mehr als achthundert Jahren ohne Unterbrechung ihre Dienste, und es gab keinen Grund, die fundamentalen Prinzipien, nach denen sie organisiert sind, zu ändern. Eine langsame graduelle Evolution sorgt so gut wie unmerklich für Veränderung. Ob Oxford und Cambridge den Neid, das Ressentiment, die Abneigung und das Misstrauen zukünftiger Generationen überleben werden, können wir höchstens mutmaßen. Es ist absolut möglich, dass jemand sie mit dem scheußlichen Adjektiv »inadäquat« belegt oder die ähnlich scheußliche Redewendung »nicht mehr zweckdienlich« verwendet, so dass man sie in Museen, Baudenkmäler oder Hotels umwandelt. Aber niemand kann ihnen den historischen Wert absprechen, und nur durch Vandalismus wären sie ihrer physischen Schönheit zu berauben.

Allein diese beiden Eigenschaften werden gewährleisten, dass – komme, was da wolle – junge Menschen auch auf die Gefahr hin, für elitär zu gelten, in ausreichender Zahl diese beiden Universitäten werden besuchen wollen.

Oxbridge-Studenten bekommen ihre Quartiere nicht von der University zugewiesen, sondern von ihrem jeweiligen College. Dort wohnen sie und werden in »Tutorials« unterrichtet, die in Cambridge »Supervisions« heißen. Dreihundert Undergraduate-Studenten studieren durchschnittlich an einem College. Als ich im Oktober 1978 im Queens' ankam, begannen außer mir noch fünf andere ihr Englischstudium. Oder waren es sechs? Ich weiß, dass einer zur Theologie wechselte und zwei ganz abbrachen. Egal. Die Fakultäten (Geschichte, Philosophie, Jura, Altphilologie, Medizin usw.) unterstehen nicht den Colleges, sondern der Universität mit ihren ordentlichen Professoren, Assistenzprofessoren und Dozenten. Zu meiner Zeit gab es im Queens' drei Fellows im Fach englische Literatur (oder »Dons«), die zudem mit der Englischfakultät der Universität verbunden waren, aber es war auch möglich, innerhalb eines College Fellow zu sein, Supervisions in Anspruch zu nehmen, Undergraduates zu unterrichten, ohne eine Stelle an der Fakultät zu haben. Du lieber Gott, das ist alles so kompliziert und langweilig … ich höre Sie schon schnarchen.

Betrachten wir es mal so. Du wohnst und isst in deinem College und besuchst Supervisions, die von den Dons an deinem College veranstaltet werden, für die du auch Essays schreibst, aber du gehst zu Vorlesungen und wirst zum Schluss von den Universitätsfakultäten examiniert, die sich außerhalb des College befinden. Es gibt keinen Campus, aber Fakultätsgebäude, Vorlesungssäle, Repetitoren usw. Wäre es hilfreich, wenn ich sagte, Colleges seien wie Hogwarts-Häuser, Hufflepuff and Ravenclaw usw.? Ich fürchte, ja …

Das Queens' College von St. Margaret und St. Bernard ist eines der ältesten der Universität. Es ist zudem eines der hübschesten, mit einem herrlichen Klosterhof, umrahmt von Fachwerkgebäuden, mit einer wunderschönen mittelalterlichen Halle, sämtlich von Thomas Bodley und Burne-Jones auf dem Höhepunkt der prärafaelitischen Periode aufgearbeitet, und einer berühmten Holzkonstruktion, die unter dem Namen »Mathematical Bridge« bekannt ist, den Fluss Cam überspannt und den alten Teil des College mit dem neuen verbindet. Als ich 1978 mein Studium am Queens' College begann, war es noch ausschließlich männlichen Studenten vorbehalten. Girton, das erste College für Frauen, ließ im folgenden Jahr auch Männer zu, während die fortschrittlicheren Colleges King's und Clare schon sechs Jahre lang beiden Geschlechtern offenstanden. Aber Queens' machte fast unverändert auf die Weise weiter, wie es mehr als ein halbes Jahrtausend verfahren war. Übrigens steht der Apostroph hinter dem »s«, weil das College von zwei Königinnen gegründet worden war, Margaret von Anjou und Elizabeth Woodville. In *Memorials of Cambridge* von Le Keux, einem Buch, das Sie bestimmt gelesen haben, aber auf das ich Sie noch einmal aufmerksam machen möchte, buchstabiert der Autor, der sein Werk um das Jahr 1840 geschrieben hat, den Namen »Queens' College« und fügt eine Fußnote hinzu:

Seit geraumer Weile hat sich die Schreibweise Queens' College eingebürgert, da zwei Königinnen die Gründerinnen sind. Das erscheint uns jedoch als unnötige Verfeinerung. Dagegen steht die Autorität des Erasmus, der sein College stets »Collegium Reginae« nennt.

»Reginae« ist natürlich Latein und die Genetivform »der Königin« im Singular. Mein Gott, ich höre mich ja schon an wie ein Reiseführer. Aber kein Wunder, denn ich zitiere von der Website des College. So weit, so gut.

Als dem einzigen Englischstudenten in meinem Jahrgang hatte man mir eine fabelhafte Zimmerflucht zugeteilt, die Ausblick auf den President's Garden bot. Die Titel, die man Leitern der einzelnen Häuser gibt, sind noch so ein typischer Oxbridge-Unsinn – einige sind Masters oder Mistresses, andere Wardens, Provosts, Principals oder Rectors, und einige wenige, wie im Fall von Queens', werden als Presidents bezeichnet.

An meinem Ankunftstag stand ich am Fuß der Treppe und spielte zehn Minuten lang mit dem ungemein aufregenden Beweis, dass ich tatsächlich, zumindest einstweilen, ein Undergraduate in Cambridge war. Sie müssen wissen, dass am Anfang jeder Treppe eine Holztafel angebracht ist, auf der die Namen der Bewohner handschriftlich verzeichnet sind. Neben jedem Namen befindet sich ein verschiebbarer Holzblock, der die Wörter IN und OUT jeweils verdeckt oder lesen lässt, so dass jeder Student (oder Fellow, denn die Dons haben ihre Zimmer ebenfalls im College), der die Tafel auf dem Weg aus seinen Zimmer oder in seine Zimmer passiert, einer neugierigen und erwartungsfrohen Welt seine An- oder Abwesenheit signalisieren kann. Bester Dinge und selbstvergessen schob ich den kleinen Holzblock hin und her und hätte es noch bis zum heutigen Tag getan, hätten mich nicht sich nähernde Schritte aufgeschreckt und veranlasst, hinauf in meine Zimmer zu eilen.

Eingetroffen war ich an jenem Nachmittag mit einer Sammlung sorgfältig ausgewählter Bücher, einer Schreibmaschine, einem Grammophon, einem Stapel Schallplatten, einigen Postern und einer Shakespeare-Büste. All das war schon bald in den Räumen verteilt, und zwar so gefällig und kunstlos kunstvoll, wie ich es zu bewerkstelligen vermochte. Die Quartiere der Undergraduates bestehen aus einem Schlafzimmer, einem Hauptraum und der Küche, dem »gyp-room«. Gyp war der eher unglückliche Spitzname für einen »college servant«: Die ansprechendere Oxford-Variante ist »scout«, aber ich verspreche, dass ich nicht wieder zu Oxbridge-Details abschweifen werde. Ich weiß, wie sehr Sie das verärgern würde.

Ich hatte mir vorgenommen, später loszugehen, um Kaffee, Milch und sonstige Grundnahrungsmittel einzukaufen. Im Augenblick war ich jedoch damit zufrieden, in Gesellschaft von ungefähr zwei Dutzend Einladungen dazusitzen, die ich sorgfältig auf meinem Schreibtisch ausgebreitet hatte. In den Zeiten vor E-Mails und Handys wurde mit Hilfe von kurzen Notizen kommuniziert, die man in persönlichen Ablagefächern hinterließ, die den Studenten in der Pförtnerloge zur Verfügung standen. Wenn jemand Kontakt aufnehmen wollte, war es für ihn viel einfacher, dort eine Nachricht zu hinterlassen, als sich ganz bis nach oben zu quälen und die Notiz unter der Tür hindurchzuschieben. Ich war im Lauf der letzten Stunde bereits dreimal in die Pförtnerloge hinuntergegangen, um nachzuschauen, ob noch weitere Einladungen gekommen waren. Die Ablagefächer waren entsprechend dem Undergraduate-Jahrgang angeordnet und farblich gekennzeichnet. So konnte ein Club oder eine Gesellschaft Handzettel für die Erstjahrgänge en masse austeilen, eine Art gezieltes Spamming. Daher auch die Menge Papier auf meinem Schreibtisch. Die Einladungen zu Squashes, die von Sportvereinigungen und politischen oder religiösen Gesellschaften kamen, hatte ich sofort weggeworfen, aber Einladungen von Theater- oder Literaturgesellschaften, von Magazinen und Journalen hatte ich geordnet. Und was war mit der Cambridge University Gay Society? Da war ich unentschlossen. Mir gefiel die Idee, meine rosarote Fahne am Mast zu hissen, war aber misstrauisch gegenüber irgendwelchen Kampagnen oder schrillen Protestaktionen. In jenen Tagen war ich höchst konservativ oder zumindest politisch aktiv inaktiv. Im Jargon der Zeit: Mein Bewusstsein war noch nicht geweckt.

Einladungen zu Sherry-Partys, die vom Senior Tutor des College gegeben werden, vom Dean of Chapel und einer völlig anderen Person, die ebenfalls von sich behauptet, den Titel Dean zu tragen, durften keinesfalls abgelehnt werden, wie man mich instruierte. Ebenfalls von höchster Wichtigkeit war eine Zusammenkunft in den Räumen von A. C. Spearing, dem Senior English Fellow des College, der anscheinend mein Director of Studies werden sollte. Die beeindruckendste und formellste Einladung, auf Karton, mit Goldprägung und Wappenschild, war diejenige, die mich zum Queens' College Matriculation Dinner bat, einer formellen Veranstaltung, bei der sämtliche Studienanfänger offiziell empfangen und zu Mitgliedern des College erklärt wurden.

Ich begab mich also auf die Runde der Partys und Einführungsveranstaltungen. In den Räumen von A. C. Spearing lernte ich meine Kommilitonen kennen, die ebenfalls englische Literaturwissenschaft studieren wollten. In der ersten Woche blieben wir beisammen, besuchten gemeinsam die diversen Squashes und Einführungsvorlesungen, tauschten Klatschgeschichten aus und taxierten einander akademisch, intellektuell, gesellschaftlich und in ein, zwei Fällen, vermute ich, auch sexuell. Wir waren die typischen Vertreter unserer Generation. Wir kannten T. S. Eliot auswendig, aber konnten nicht mal mit vereinter Kraft eine Zeile von Spenser oder Dryden zitieren. Mit Ausnahme eines Mitglieds unserer Gruppe müssen wir auf einen außenstehenden Beobachter wie die schlimmste Zusammenrottung vertrimmenswert großspuriger und unnahbarer Arschlöcher gewirkt haben, die sich je an einem Ort versammelt haben. Die Ausnahme war ein Bursche in Bondagehosen, mit Lederjacke und hennaroten Haaren. Er hieß Dave Huggins und sah aus wie einer von den Punkrockern, vor denen man auf der King's Road von Chelsea auf die andere Straßenseite ausweichen würde. Obwohl er bei weitem der freundlichste und zugänglichste Student in unserer Gruppe war, jagte er mir Höllenangst ein, und ich glaube, so ging es auch allen anderen. Etwas an meiner dröhnenden Stimme und meinem scheinbar selbstsicheren Auftreten schien ihm zu gefallen oder zumindest zu amüsieren, und daher adelte er mich mit dem Beinamen »King«.

Mochte er auch furchteinflößend aussehen wie ein Rowdy, hatte Dave doch Radley besucht, eine der smarteren Public Schools: Tatsächlich waren von uns Anfängern in englischer Literaturwissenschaft fast alle auf Privatschulen gewesen. Unsicher und in nervöser Furcht, den akademischen Anforderungen nicht gewachsen zu sein, wie wir waren, kann ich mir gar nicht vorstellen, auf wie alarmierende und befremdliche Weise wir denjenigen vertraut vorgekommen sein müssen, die von staatlichen Schulen kamen, jenem Kader junger Mädchen und Männer, die noch nie von zu Hause fortgewesen und nie zuvor auf eine so geballte Menge Public-School-Absolventen getroffen waren. Ein paar Monate später erzählte mir ein Student, der eine Comprehensive School in South-East London besucht hatte, dass er wochenlang nicht gewusst habe, was »say gid« bedeutete. Immerfort hörte er: »Say gid! That's jarst say gid!« Schließlich kapierte er, dass die Angehörigen der oberen Mittelklasse den Kommentar »So good, that's just so good« auf diese Weise aussprachen. Drei Prozent der Bevölkerung genossen in jenen Tagen Privatschulbildung, und da war er – einer aus der Mehrheit von 97 Prozent, aber irgendwie kam er sich vor wie ein Schornsteinfeger, der sich als ungeladener Gast auf einem Hunt Ball wiederfindet. Unabhängig davon, wie sehr sich Cambridge als rein akademische Institution mit ausschließlich akademischen Aufnahmekriterien präsentiert haben mag, war es der Akzent der Public-School-Absolventen, der an dieser Universität dominierte. Es bedurfte eines gefestigten Selbstwertgefühls und großer Charakterstärke, in einer solchen Umgebung nicht zornig zu reagieren oder sich fehl am Platz zu fühlen.

Ich hatte keine Ahnung, was für eine Figur ich abgeben mochte. Na ja, so ganz stimmt das nicht. Ich fürchte, mir war nur allzu klar, was für eine Figur ich abgab. Meine typische Kleidung bestand aus einem Harris-Tweedjackett mit Lederknöpfen, einem Viyella-Oberhemd und einem Strickbinder, einem Lambswool-Pullover mit V-Ausschnitt, Cordhosen in Lovat Green und auf Hochglanz polierten braunen Half Brogues. Mit meiner unverkennbaren Haartolle und der Pfeife zwischen den Zähnen sah ich genau aus wie derjenige, der ich im vergangenen Jahr gewesen war: ein Assistenzlehrer an einer kleinen Prep School auf dem Lande, vielleicht ein ganz klein wenig mit dem Flair eines Hinterzimmerwissenschaftlers aus den Tagen des 2. Weltkriegs. Welchen Eindruck ich auch immer vermittelte, ganz gewiss war es nicht derjenige eines hippen jungen Rockers zuzeiten von The Clash und The Damned.

Chess, Classics, Classical Composers,
Curiosity and Cheating – Klasse, Klassiker,
klassische Komponisten, Neugier und Betrug

Es stellte sich heraus, dass Queens' tatsächlich zwei Deans hatte, einen Dean of Chapel und einen Dean, der für Disziplin verantwortlich war. Bei jeder der Sherry-Partys, die in der ersten Woche von den Deans veranstaltet wurden, kam ich mit Kim Harris ins Gespräch, der ebenfalls ein Erstsemester war. Sein attraktives Aussehen erinnerte mich an den jungen Richard Burton, und seine beeindruckende Ausstrahlung verriet Strenge, Diskretion, Sinnenfreude und einen Hang zum Unerwarteten, eine Mischung, die mich natürlich faszinierte. Zum einen wirkte er im Gegensatz zu den anderen Frischlingen reifer und erwachsener, zum anderen erhob er geradezu schamlos hohe Ansprüche an Cambridge. Wie ich bald herausfand, hatte er Bolton School besucht, eine unabhängige Tagesschule, die eine oder zwei Generationen zuvor Ian McKellen auf Cambridge und eine dankbare Welt losgelassen hatte. Kim war im Queens', um Altphilologie zu studieren. Er kleidete sich nicht viel anders als ich, trug aber Church's Full Brogues und Pullover mit V-Ausschnitt aus reinstem und teuerstem Kaschmir. Er vermochte sogar Fliege zu tragen, ohne absurd auszusehen, was in der Tat als großartige menschliche Leistung gelten kann. Wir freundeten uns ohne Umschweife an, wie es nur junge Menschen können. Wir kamen gar nicht mehr auf die Idee, anders als gemeinsam Partys oder Veranstaltungen zu besuchen.

»Bist du schwul«, fragte ich ihn schon ziemlich bald.

»Sagen wir mal, ich weiß, was mir gefällt«, lautete seine spröde und nebulöse Antwort.

Außer seiner Beschlagenheit in Latein und Griechisch verfügte Kim über eine weitere Fertigkeit, die er mit einer solchen Brillanz ausübte, dass er mir übermenschlich erschien. Er war Schachmeister. In Bolton hatte er mit Nigel Short gespielt und war teilweise auch dessen Mentor gewesen. Short war bereits bekannt als das außergewöhnlichste Talent, das England je hervorgebracht hatte. Im Alter von zehn hatte er den großen Wiktor Kortschnoi geschlagen und war jetzt mit vierzehn auf dem besten Weg, der jüngste Internationale Meister der Geschichte zu werden. Kim war nur »Meister«, was aber bedeutete, dass er in der Lage war, blind zu spielen, und ich wurde nicht müde, ihn zu bedrängen, mir diese Kunst vorzuführen. Ohne das Schachbrett zu sehen, vermochte er alle Herausforderer vernichtend zu schlagen.

Als ich ihn zum ersten Mal dabei erlebte, fiel mir ein Thema ein, das ich mit ihm besprechen wollte.

»Kim«, sagte ich, »ich weiß noch, als wir uns bei einer dieser Sherry-Partys begegnet sind, haben wir in einem der Räume des Deans ein Schachbrett gesehen, und ich wollte von dir wissen, ob du Schach spielst.«

»Ja.«

»Und weißt du noch, was du geantwortet hast?«

Kim zog die Augenbrauen in die Höhe. »Ich glaube nicht.«

»Du hast geantwortet: ›Sagen wir mal, ich kenne die Züge.‹«

»Na ja, tue ich auch.«

»Du kennst ein bisschen mehr als nur die Züge«, sagte ich.

»Was willst du damit sagen?«

»Ich will damit sagen, wenn du auf diese Weise jemandem antwortest, der dich fragt, ob du Schach spielst, wie soll ich es interpretieren, wenn du auf die Frage ›Bist du schwul?‹ mit den Worten ›Sagen wir mal, ich weiß, was mir gefällt‹ reagierst?«

Kims Familie war wohlhabend, und sie überhäuften ihren Sohn mit allen erdenklichen Luxusartikeln einschließlich einer Stereoanlage von Bang & Olufsen, auf der Kim seine Wagner-Platten abspielte. Und zu Wagner sang. Und Wagner dirigierte. Und Wagner lebte.

Ich war in jungen Jahren ebenfalls Wagners Musik verfallen, aber in die Mysterien des Gesamtwerks nicht eingedrungen. Abgesehen von allem andern hätte ich mir die großen Box-Sets auch finanziell gar nicht leisten können. Ebenso wie *Lohengrin* und *Die Meistersinger* sowie einen oder zwei *Parsifal* besaß Kim zwei vollständige Schallplattenaufnahmen des *Ring*-Zyklus: Karl Böhms Liveaufnahme aus Bayreuth, und die hervorragende Decca-Studioproduktion des »Solti«-*Rings*. Jeder weiß, wie gelangweilt und unruhig Menschen werden können, wenn über Wagner geredet wird, und daher werde ich mich nicht in aller Breite über ihn auslassen. Es sei nur gesagt, dass Kim meine wagnerianische Bildung vervollständigte, und allein dafür werde ich mein Leben lang dankbar sein.

Er und ich und ein Freund von ihm aus Bolton namens Peter Speak, der Philosophie studierte, pflegten beieinander zu sitzen und die Meisterwerke des späten 19. Jahrhunderts zu entdecken, über die wir in Ekstase verfielen. Strauss, Schönberg, Brahms, Mahler und Bruckner waren unsere Götter, und Kims B & O war unser Tempel.

Angesichts dessen, dass in Großbritannien anarchistische Post-Punk-Kreativität brodelte, eine Vielzahl von Streiks zu politischen Spannungen geführt hatte und Margaret Thatcher an die Spitze der Conservative Party gewählt worden war, angesichts der Tatsache, dass sich auf den Straßen der Abfall türmte, Leichname nicht beigesetzt wurden und die Inflation in die Höhe schnellte – dass also angesichts all dessen in Cambridge eine Clique in Tweed gekleideter Halberwachsener verzückt den Zauber von Strauss' *Metamorphosen* und von Schönbergs *Verklärte Nacht* genießt, scheint doch ... scheint doch was? Wohl absolut legitim zu sein. Völlig im Einklang mit dem, was Bildung sein soll. Bildung ist die Summe dessen, was die Studenten einander zwischen Vorlesungen und Seminaren beibringen. Man sitzt zusammen, mal bei dem einen, mal bei dem anderen, und trinkt Kaffee – ich nehme an, heutzutage wird es wohl eher Wodka und Red Bull sein – und teilt Begeisterung, redet eine Menge Stuss über Politik, Religion, Kunst und den Kosmos, und geht anschließend zu Bett, allein oder zusammen, je nach Lust und Laune. Ich meine, wie sonst will man etwas lernen, wie sonst schickt man seinen Geist auf Entdeckungsreise? Nichtsdestoweniger bin ich leicht schockiert, ein wie gestrenges und stumpfsinniges Bild ich in meinem Tweedjackett und meinen Cordhosen abgegeben haben muss, meine Pfeife paffend und auf all das spätromantische deutsche Getöse lauschend. Ist da alles in die falsche Richtung gelaufen? Oder ist da alles ins rechte Lot gekommen?

Das Studentenleben bringt etwas mit sich, das den Zusammenhang zwischen den Wörtern »Universität« und »universell« deutlich macht. Alle Aspekte des Lebens sind versammelt, und alle Zirkel und Sodalitäten, alle Künstlerkreise und Cliquen, die man im weiten Kosmos der Menschheit findet, sind im Wirbelstrom der jungen Leute zu finden, die während der drei oder vier Jahre ihres Studienaufenthalts eine Universität prägen und definieren.

Wann immer ich nach Cambridge zurückkehre, wandere ich wie ein Fremder durch die vertrauten Straßen. Ich kenne die Architektur sehr gut und liebe sie, aber während die Kapellen und Colleges, die Höfe, Brücken und Türme geblieben sind, was sie immer waren, ist Cambridge jedes Mal völlig anders. Man kann nicht zweimal in denselben Fluss steigen, bemerkte Heraklit, denn man wird stets von frischem Wasser überspült. Man kann nicht zweimal dasselbe Cambridge betreten, nicht dasselbe Bristol oder Warwick oder Leeds oder sonst einen Ort, denn unablässig werden sie von neuen Generationen bevölkert und umdefiniert. Die Gebäude bleiben wie eingefroren, aber eine Universität lebt nicht durch ihre Gebäude, sondern durch die Menschen, die sie bewohnen und nutzen.

Ich habe brillante Menschen entdeckt und totale Nieten und jede Spielart, die dazwischenliegt. Da waren die temperamentvollen, und da waren auch die extrem langweiligen. Jedes denkbare Spezialinteresse war vertreten. Man konnte seine drei Jahre als Undergraduate auf Sportplätzen verbringen, ohne je in Erfahrung zu bringen, dass es auch Theater gab. Man konnte sich politisch engagieren und nicht ahnen, dass es Orchester und Chöre gab. Man konnte mit Beagle-Meuten auf die Jagd gehen, segeln, tanzen, Bridge spielen, einen Computer bauen oder einen Garten pflegen. Genau wie man es auch an Hunderten anderer Universitäten kann. Der Unterschied ist nur, dass Cambridge den Vorteil hat, sowohl größer als auch kleiner als die meisten zu sein. Kleiner, weil man in einem College mit vielleicht 300 anderen studiert; größer, weil die Universität insgesamt von über 20 000 Studenten besucht wird. Das bringt gewisse Vorteile mit sich, wenn es um Publikum und Teilnehmer bei Sportveranstaltungen und beim Theater geht, wenn es die Auflagen von Zeitschriften betrifft und dankbare Märkte für alle möglichen geschäftlichen Unternehmungen.

Ich hätte mir natürlich keine Sorgen machen müssen, ins Gebet genommen und als unwissend entlarvt zu werden, was russische Dichter oder die Prinzipien der Teilchenphysik betrifft; die Befürchtung, dass ich in so schwindelnde Höhen akademischer Brillanz geraten könnte, dass es mir den Atem verschlug, erwies sich als grundlos.

Um bei Examina gut abzuschneiden (zumindest im Fach Literaturwissenschaft und in der philosophischen Fakultät allgemein), ist es besser, ein Igel als ein Fuchs zu sein, wenn ich mich der berühmten Unterscheidung bedienen darf, die Isaiah Berlin in seinem Essay über Tolstoi macht. Mit anderen Worten: Es ist besser, eine große Sache zu wissen als eine Menge kleiner Sachen. Ein Standpunkt, eine einzige klare Sichtweise, die alle Elemente eines Themas einbezieht, führt dazu, dass sich Essays mehr oder weniger von selbst schreiben. Examina besteht man durch Schummeln. Ich habe mich durch meine gesamten drei Jahre in Cambridge geschummelt. Damit will ich nicht sagen, dass ich auf die Arbeit des Kommilitonen neben mir geschielt oder Spickzettel eingeschmuggelt habe. Ich schummelte, indem ich, bevor der Aufsichtführende uns aufforderte, die Fragebögen umzudrehen, und die Uhr anstellte, im Voraus genau wusste, was ich schreiben würde. Ich hatte zum Beispiel eine Theorie zu Shakespeares tragischen und komischen Werken, mit der ich Sie jetzt nicht langweilen möchte und die wahrscheinlich fadenscheinig ist oder zumindest als allgemeine Interpretation Shakespeare'scher Werke weder zutreffender noch überzeugender als irgendeine andere. Ihr Vorzug bestand darin, dass sie auf jede beliebige Frage eine Antwort bot und doch immer spezifisch treffend zu sein schien. Ich hatte einen Teil dieser Theorie in einem Essay von Anne Barton (née Righter) gefunden. Sie ist eine kluge Shakespeare-Forscherin, von deren Ideen ich einige Filetstücke ausgeborgt und in Teil eins wie Teil zwei des Tripos nachgebetet habe (Cambridge nennt das Abschlussexamen Tripos, was wohl mit dem dreibeinigen Hocker zu tun hat, auf dem die Studenten bei der Prüfung zu sitzen pflegten). In beiden Examensarbeiten über Shakespeare bekam ich ein First Degree, und mit Teil zwei erreichte ich das beste First der gesamten Universität. Im Wesentlichen waren die Essays gleich. Es bedarf nur eines Einleitungsabsatzes, in dem die Fragestellung so hingedreht wird, dass der Essay sie beantwortet. Nehmen wir mal an, mein Aufsatz stellt die These auf, dass sogar Shakespeares »festive« Komödien damit spielten, Tragödien zu sein, während seine Tragödien etwas von Komödien haben. Der springende Punkt ist, dass man einen solchen Ansatz aus dem Ärmel schütteln kann, egal wie die Frage lautet. »*Shakespeares wahre Stimme spricht aus seinen Komödien*«: *Diskussion.* »*King Lear ist der einzige sympathische Held Shakespeares*«: *Diskussion.* »*Shakespeare ist seinen Komödien entwachsen*«: *Diskussion.* »*Shakespeare hat sein Talent in seine Komödien gelegt und sein Genie in seine Tragödien*«: *Diskussion.* »*Tragödien sind Heranwachsende, Komödien sind Erwachsene.*« »*Shakespeare interessiert sich für das Geschlecht, nicht für Sex.*« Diskussion, Diskussion, Diskussion, Diskussion, Diskussion, Diskussion. Ich beteiligte mich natürlich nicht an so vulgären Angelegenheiten wie Diskussionen. Ich hatte stattdessen alles auf der Reihe, wenn ich den Prüfungsraum betrat, und ich rief ab, was verlangt wurde.

Natürlich schadete es nicht, ein gutes Gedächtnis zu haben … ich hatte genug Zitate im Kopf, sowohl aus Shakespeares Werken als auch von Kritikern und Kennern, um meinen Aufsatz mit Verweisen und genauen Quellenangaben zu würzen. Mein Gedächtnis war so gruselig gut, dass ich stets in der Lage war, für jedes Zitat aus den Stücken Akt, Szene und Zeile genau anzugeben oder in Klammern die Quelle und das Datum jedes beliebigen Kommentars aus der Sekundärliteratur anzuführen, aus der ich zitierte (*Witwatersrand Review*, Vol. 3, Sept. 75, ed. Jablonski, Yale Books, 1968, so was in der Art). Mir ist durchaus bewusst, dass qua Geburt mit einem guten Gedächtnis beschenkt worden zu sein mehr wert ist als die Ausstattung mit fast allen anderen Fähigkeiten, aber selten ist das nicht. Es gibt im ganzen Land junge Männer und Frauen, die jeden, der es hören möchte, freudig (oder weniger erfreut) darüber aufklären, dass sie für Akademisches keinen Sinn haben oder nicht das Glück, mit einem besseren Gedächtnis gesegnet zu sein. Dennoch können sie Hunderte Texte von Popsongs rezitieren oder jede beliebige Informationsmenge über Fußballer, Autos und Prominente herunterbeten. Warum? Weil sie *Interesse* an diesen Dingen haben. Sie sind neugierig. Der Hungrige ist willens, allerorten nach Nahrung zu suchen. Wenn man Hunger auf Informationen hat, ist es nicht anders. Informationen sind überall, wir sind inzwischen mehr als je zuvor in der Menschheitsgeschichte von ihnen umgeben. Man braucht sich kaum zu rühren oder zu bemühen, um etwas herauszufinden. Wenn ein Mensch nicht viel weiß, dann nur deswegen, weil ihm nichts daran liegt. Er ist desinteressiert. Interesselosigkeit ist die merkwürdigste und allertörichtste Schwäche, die es gibt.

Stellen Sie sich die Welt als eine Stadt vor, deren Gehwege dreißig Zentimeter hoch von Goldmünzen bedeckt sind. Man muss hindurchwaten, um voranzukommen. Ihr Klimpern und Scheppern ist allgegenwärtig. Stellen Sie sich vor, in einer solchen Stadt begegnen Sie einem Bettler.

»Bitte geben Sie mir etwas. Ich habe keinen Penny.«

»Aber sieh dich doch nur um«, würden Sie rufen. »Da liegt so viel Gold, dass es für dein ganzes Leben reichen würde. Du brauchst dich nur zu bücken und es aufzuheben!«

Wenn sich Menschen beschweren, dass sie keine Literatur kennen, weil sie in der Schule so schlecht unterrichtet worden sind, oder dass sie von Geschichte nichts mitbekommen haben, weil auf dem Stundenplan entweder Geschichte oder Biologie zur Auswahl standen, oder wenn sie mit sonst einer lachhaften Ausrede aufwarten, dann fällt es schwer, nicht ebenso zu reagieren.

»Aber es ist doch überall in Reichweite!«, möchte ich rufen. »Du brauchst dich nur zu bücken und es aufzuheben!« Wieso die Leute meinen, dass ihr Mangel an Kenntnissen über den Hundertjährigen Krieg oder Sokrates oder die Kolonialisierung von Batavia etwas mit der Schule zu tun hat, ist mir schleierhaft. Als jemand, der von einer Unmenge Bildungsanstalten relegiert worden ist und an keiner von ihnen richtig mitgearbeitet hat, weiß ich nur zu gut, dass meine Unwissenheit nicht der Fehler des Lehrerkollegiums war, sondern ganz allein mein eigener. Dann, eines Tages oder im Laufe der Zeit, wurde ich gierig. Gierig, Dinge kennenzulernen, gierig, sie zu verstehen, gierig nach Informationen. In gewissem Maße glich ich dem Roboter Nr. 5 im Film *Nummer 5 lebt!*, der immerzu durch die Gegend wieselt und »Input! Input!« kreischt. Ich lernte auswendig und prägte mir die Dinge so ein, wie ich mich endlos mit Sugar Puffs vollgestopft hatte.

Ich sage nicht, dass diese Wissbegier moralisch, intellektuell oder stilistisch bewundernswert wäre. Ich glaube, es war ein wenig wie Ehrgeiz, ein wenig wie viele der späteren Fehlhandlungen in meinem Leben, zu denen wir noch kommen werden: die Mitgliedschaft in so vielen Clubs, der Besitz von so vielen Kreditkarten … es hatte mit dem Wunsch dazuzugehören zu tun, dem Drang, überall Anschluss zu finden. Ziemlich vulgär, ziemlich aufdringlich.

Wenngleich die Methoden und Motive vielleicht nicht großartig gewesen sein mögen, so erwies sich das Endresultat auf jeden Fall als nützlich. Das entschiedene Verlangen, mir den Kopf vollzustopfen, meine unersättliche Neugier und mein Wissensdurst brachten allerlei Vorteile. Das mühelose Bestehen von Examina zählte dazu. Schriftliche Prüfungen unter Zeitdruck zu absolvieren habe ich niemals anders als unterhaltsam und leicht empfunden. Das liegt an meiner fundamentalen Unaufrichtigkeit. Ich habe nie versucht, mich ehrlich oder wahrhaftig mit einem intellektuellen Thema zu beschäftigen oder eine Frage zu beantworten. Ich habe nur versucht, möglichst viel Wind zu machen, und im Laufe meines Lebens sind mir nur wenige Menschen begegnet, die mir in dieser unwürdigen Kunst ebenbürtig waren. Es gibt viele, die nach außen aufschneiderischer sind als ich, aber das ist ja das Unheimliche an meiner speziellen Art von Exhibitionismus – ich hülle ihn in einen Mantel leutseliger Bescheidenheit und anrührender, wenn auch vorgetäuschter Bedachtsamkeit. Um nicht ganz so hart mit mir ins Gericht zu gehen – ich denke, diese Zurschaustellung von Leutseligkeit, Bescheidenheit und Zaghaftigkeit mag ja irgendwann heuchlerisch gewesen sein, ist aber inzwischen ziemlich echt – so wie die gewollte Gestaltung unserer Unterschrift, die wir als Teenager gewählt haben, im Lauf der Zeit aufhört, gekünstelt zu sein, und zur echten Signatur wird. Lange genug getragen, wird die Maske zum Gesicht.

All das scheint herzlich wenig mit Erinnerungen an das Universitätsleben zu tun zu haben, die dieses Kapitel doch eigentlich bieten sollte. Im Leben eines Studenten, besonders dem eines ungewöhnlich selbstreflektierten Studenten in einer Institution wie Cambridge, kommt es häufig dazu, dass die Geisteskräfte und intellektuellen Fähigkeiten hinterfragt werden, ebenso Bedeutung und Zweck der Gelehrsamkeit, weswegen ich es für angebracht halte, zu versuchen auszuloten, was meinen Geist in jenen Tagen bewegte.

Während der gesamten drei Jahre besuchte ich nur drei Vorlesungen. Ich kann mich zwar nur an zwei erinnern, aber ich bin sicher, dass ich noch eine weitere besucht habe. Die erste war ein Einführungsvortrag über Langlands *Piers Plowman* von J. A. W. Bennett, der seit 1963 als Nachfolger von C. S. Lewis den Lehrstuhl für Literatur des Mittelalters und der Renaissance innehatte und den Anschein erweckte, alt genug zu sein, um einen großen Teil der Zeitperiode miterlebt zu haben, die er zu seinem Fachgebiet erkoren hatte. Seine sterbenslangweilige Vorlesung diente der Erklärung, warum der B-Text von *Piers Plowman* (ein peinigend langes mittelenglisches allegorisches Werk in ungereimten alliterativen Versen) verlässlicher war als der C-Text. Oder vielleicht auch anders herum. Professor Bennett bat darum, dass man ihm gestatten möge, nicht mit W. W. Skeat übereinzustimmen, was die Darstellung von Christi Höllenfahrt im A-Text betraf, bla-bla-bla-bla …

Das reichte mir. Ich wusste, dass mir fünf Minuten in der Bibliothek der Fakultät reichen würden, um einen obskuren Artikel aus der *Sewanee Review* oder einer ähnlichen Publikation auszugraben, der genügend Material für einen Aufsatz abgab. Vorlesungen machten einem den Tag kaputt und waren fraglos schreckliche Zeitvergeudung. Zweifellos notwendig, wenn man Jura, Medizin oder irgendein anderes berufsbezogenes Fach studierte, aber wenn es um Englisch ging, war das Natürlichste der Welt, viel zu reden und sich zu unterhalten, Musik zu hören, Kaffee und Wein zu trinken, Bücher zu lesen oder sich Theatervorstellungen anzusehen.

Vielleicht sogar in Theaterstücken mitzuspielen?

Ich erhalte regelmäßig eine Menge Post von aufstrebenden Schauspielern oder deren Eltern, in denen ich um Rat gebeten werde. Wenn ich schon so viele Zuschriften bekomme, können Sie sich vorstellen, wie viele Briefe bei Ian McKellen, Judi Dench, Simon Russell Beale, David Tennant und anderen *legitimen* Schauspielern eintreffen. Der Ausdruck »überlaufener Beruf« wird öfter für das Schauspielergewerbe gebraucht als für jede andere Profession, und das aus gutem Grund.

Wie auch in vielen anderen Bereichen des Lebens sind da draußen Menschen, die sich danach sehnen, dass ihnen ein Geheimnis verraten wird, eine Technik, ein Zugang. Das kann ich sehr wohl verstehen. Fast so verbreitet wie der Ausdruck »überlaufener Beruf« sind Wendungen, die voller Überzeugung ausdrücken, man brauche »nur den richtigen Einstieg zu finden«, oder die die Ansicht verkünden, es käme nicht darauf an, »was man könne, sondern wen man kenne«. Ich möchte jetzt das Thema Ruhmsucht ganz ausklammern und mich ausschließlich auf diejenigen konzentrieren, denen es ausschließlich um die Schauspielerei selbst geht: Ich denke, dass wir später zu denjenigen kommen, die versessen sind auf den nachrangigen »Nutzen«, der sich aus der Präsenz auf dem »roten Teppich« und der Berichterstattung in Promi-Zeitschriften ergibt.

Die Briefschreiber erkundigen sich nach dem besten Weg, im Schauspielerberuf Fuß zu fassen. Sie wissen genau, dass sie nichts anderes brauchen als eine *Chance*, eine Gelegenheit, zu glänzen: Ihr Talent, ihr Fleiß und ihre Hingabe werden das Übrige tun. Sie wissen, wie alle Welt weiß, welchen Anteil das *Glück* daran hat. Sie mögen von einem jungen Ehrgeizling gehört haben, der einen Brief an einen gestandenen Schauspieler geschrieben hatte und aufgrund dessen in einem Film als Statist auftreten durfte, zu einem Vorsprechen eingeladen wurde oder in der Schauspielschule einen Studienplatz bekam.

Was für ein Scheusal oder undankbares Monster wäre man, wenn man sich nicht von den Rufen derer beeinflusst zeigte, die draußen vor den Toren stehen und Einlass fordern. Wenn man das Glück gehabt hat, in diesem Beruf voranzukommen, wäre es dann nicht das Mindeste, denjenigen, die einem nacheifern, die Hand zu reichen oder ihnen mit einem hilfreichen Rat zur Seite zu stehen? Absolut richtig, aber man muss auch ehrlich sein. Ich kann nur einen Rat geben, der aus meiner eigenen Erfahrung herrührt. Wenn mich jemand fragt, wie er etwas tun soll, kann ich ihm nicht theoretisch antworten, sondern nur mit Bezug auf meine Lebensgeschichte. Ich habe nicht die geringste Vorstellung, wie man Schauspieler wird, sondern kann nur erzählen, wie ich einer wurde. Oder zumindest, wie ich eine Art Schauspieler wurde, der auch eine Art Schriftsteller ist, der auch eine Art Comedian ist, der auch eine Art Rundfunkmann ist, der auch eine Art von allen Arten aller Art ist. Derart. Mehr kann ich nicht tun. Ich kann nicht verkünden, ob es besser ist, eine Schauspielschule zu besuchen oder nicht, ich kann nicht sagen, ob es sich empfiehlt, Repertoiretheater zu spielen oder Straßentheater zu machen, bevor man sich beim Film oder Fernsehen versucht. Ich kann nicht sagen, ob es für eine Karriere schädlich oder förderlich ist, als Statist zu arbeiten oder eine Rolle in einer Seifenoper zu übernehmen. Ich kenne die Antworten auf solche Fragen deswegen nicht, weil sie sich in meinem Leben nie gestellt haben. Es wäre unbesonnen und unverantwortlich von mir, jemanden zu Handlungen oder Unterlassungen anzuspornen, von denen ich nichts weiß.

Hier folgt also, wie ich Schauspieler wurde.

In der Prep School wurden immer nur Musicals aufgeführt, und daher konnte ich bestenfalls darauf hoffen, eine der Rollen zu bekommen, in denen man nicht singen musste: Mrs Higgins in *My Fair Lady* war ein ganz besonderer Triumph (»Würde jeden Salon zieren«, lautete meine erste veröffentlichte Kritik). In Uppingham schrieb ich Sketche und trat darin zusammen mit meinem Freund Richard Fawcett bei »House Suppers« auf, wie die Weihnachtsveranstaltungen genannt wurden. Ich hinterließ meine Duftmarke als Hexe in *Macbeth*. Ich sage »Duftmarke«, weil der Regisseur – in einem Anfall kreativer Zügellosigkeit, den er später sehr bedauert haben muss – auf die Idee kam, wir sollten unsere Rollen, unsere Kostüme und unsere Requisiten nach eigenem Gutdünken gestalten. Ich ging zur Metzgerei in Uppingham und besorgte einen Eimer mit Schweineinnereien, die ich in der Molchesaug-und-Unkenzehe-Szene aus dem Kessel fischen wollte. Meine Güte, dieser *Gestank* ...

Das nächste Mal stand ich beim Norfolk College of Arts and Technology in King's Lynn auf der Bühne. NORCATs Dozent, der für die Theaterarbeit zuständig war, hieß Bob Pols, und er besetzte mich zuerst als Kreon in einer Doppelaufführung von *König Ödipus* und *Antigone*, und anschließend als Lysander im *Mittsommernachtstraum*. Ich machte auf camp und trug einen Cricket-Pullover, als Lysander natürlich und nicht als Kreon. Mein einziges anderes Erlebnis als Schauspieler hatte ich in *Thomas Cramer of Canterbury*, einer örtlichen Kirchenaufführung des Versdramas von Charles Williams, dem »anderen« Mitglied der Inklings (also dem, der weder J. R. R. Tolkien war noch C. S. Lewis). Darin erschöpfte sich, abgesehen von Auftritten in Krippenspielen, meine schauspielerische Erfahrung, als ich nach Cambridge kam. Und doch bildete ich mir ein, dass ich zum Schauspieler geboren war und genau wüsste, wie ich meinen Text zu sprechen hatte. Dass ich eine *Präsenz* auf der Bühne besitzen würde, ein Gewicht, eine Stärke, dass ich das Talent hatte, die Aufmerksamkeit zu fesseln. Ich denke, es lag daran, dass ich mir meiner Stimme und meiner Begabung, Verse zu rezitieren, immer sicher war, dass ich Sprache modulieren und angemessen ausbalancieren konnte, ohne mich im Tonfall zu vergreifen oder falsche Betonungen zu setzen, wie ich es so deutlich bei Aufsichtsschülern und anderen Amateuren bemerkte, wenn sie Lesungen in der Kapelle hielten, auf der Bühne Verse rezitierten oder dramatische Text sprachen. Die wenigen Preise, die ich in der Schulzeit gewonnen hatte, waren mir für den Vortrag von Gedichten verliehen worden oder das Rezitieren von diesem und jenem. So wie man bei einem Misston zusammenzucken könnte, schmerzte mich inkompetente Intonation, und ich wünschte mir, aufstehen und sie korrigieren zu dürfen. Diese Haltung erscheint mir heute als arrogant und anmaßend überheblich, aber ich vermute, die Überzeugung, etwas besser machen zu können als andere, ist unverzichtbarer Bestandteil jenes Glaubens an sich selbst, der wiederum nötig ist, wenn man einer Berufung folgen will. Idole gehören jedoch auch dazu. Alle meine Idole, die ich kennengelernt habe, waren mit einem ureigenen Pantheon von Heroen aufgewachsen. Angehört, angeschaut und bewundert habe ich Robert Donat,

Laurence Olivier (selbstverständlich), Orson Welles, Maggie Smith, James Stewart, Bette Davis, Alistair Sim, Ralph Richardson, John Gielgud, Paul Scofield, Charles Laughton, Marlon Brando (klaro), James Mason, Anton Walbrook, Patrick Stewart, Michael Bryant, Derek Jacobi, Ian McKellen und John Wood. Es gab noch viele andere, aber an diese hier erinnere ich mich besonders. Ich war nicht sehr oft im Theater gewesen, aber John Wood und Patrick Stewart aus der Royal Shakespeare Company hatten mich enorm beeindruckt. Im Bus auf dem Rückweg zur Schule ahmte ich Stewarts Enobarbus und seinen Cassius nach. Vermutlich repräsentieren die übrigen auf meiner Liste für jemanden aus meiner Generation und mit meinem Elternhaus eine ziemlich typische Auswahl.

Als ich ungefähr zwölf war, nahmen mich meine Eltern ins Theatre Royal nach Norwich mit. Sir Laurence Olivier wurde mir versprochen. Das Stück war *Home and Beauty* von Somerset Maugham, glaube ich jedenfalls: Das Gedächtnis kann verschiedene Aufführungen und Abende verschmelzen lassen, also war es vielleicht doch etwas anderes. Als ich mich gesetzt hatte und das Programmheft öffnete, las ich, dass Laurence Olivier Regie geführt hatte. Ich war zutiefst enttäuscht, denn ich hatte so sehr gehofft, die Bühnenlegende in Person bewundern zu dürfen.

Als das Stück vorüber war, fragte mich meine Mutter, wie es mir gefallen habe.

»Gut«, sagte ich, »aber am besten fand ich den Mann, der am Ende als Anwalt auftrat. Ich meine, allein schon, wie er seinen Hut abgenommen hat, das war bemerkenswert. *Wer* war denn das?«

»Aber das war doch Olivier!«, sagte meine Mutter. »Hast du das nicht gemerkt?«

Ich sehe ihn noch exakt vor mir, wie er auf der Bühne stand. Ich entsinne mich seiner Kopfhaltung und der außerordentlichen Fähigkeit, alle Blicke auf einen seiner Finger nach dem anderen zu lenken, als er mit quälender Bedachtsamkeit die Handschuhe auszog. In der letzten Szene des Stücks hatte er nur einen kurzen komischen Auftritt als staubtrockener Anwalt, aber es war erstaunlich. Schamlos exhibitionistisch natürlich. Himmelweit entfernt von den ehrlich bemühten und wackeren Anstrengungen Tausender hart arbeitender Schauspieler, die in Theatern und Studios landauf, landab nach den psychologischen und emotionalen Wahrheiten ihrer Rollen schürften, aber verdammt, es war ein Spaß. Zumindest war ich froh, dass ich so begeistert reagierte, obwohl ich nicht einmal wusste, wer dieser Schauspieler war.

Obwohl ich die Schauspielkunst und die Idee der Schauspielerei liebte, hegte ich keine Theorie über das Theater als Kraft gesellschaftlichen oder politischen Wandels und besaß auch nicht den Ehrgeiz, es zur Stätte meiner beruflichen Laufbahn zu machen. Ich hatte Vertrauen in mein schauspielerisches Talent, war aber absolut nicht von dem speziellen Gefühl getrieben, mich auf komische Rollen zu konzentrieren. Ganz im Gegenteil. Theater bedeutete für mich in allererster Linie Shakespeare, und die komischen Rollen in seinem Gesamtwerk – Hofnarren, Spaßmacher, Clowns und Handwerker – lagen mir überhaupt nicht. Ich war eher ein Theseus oder Oberon als ein Bottom, der Weber, oder Quince, der Zimmermann, eher ein Duke oder Jaques als ein Touchstone. Aber zuerst musste ich mich ohnehin entscheiden, ob ich es überhaupt wagen sollte, mich zur eventuellen Berücksichtigung anzubieten.

In Cambridge gab es Aberdutzende von Theatervereinen. Jedes College hatte seinen eigenen Drama Club, und dann gab es weitere, die der gesamten Universität offenstanden. Die wichtigsten wie die Marlowe Society, der Footlights und der Amateur Dramatic Club konnten auf eine lange Geschichte zurückblicken: Die Marlowe Society war hundert Jahre zuvor von Justin Brooke und Dadie Rylands gegründet worden; der ADC und Footlights waren sogar noch älter. Andere waren jünger – die Mummers waren von Alistair Cooke und Michael Redgrave in den frühen Dreißigern gegründet worden und sahen sich als Hort einer eher progressiven und avantgardistischen Identität.

In Cambridge werden Ihnen viele sagen, dass sich in der Theaterwelt ehrgeizige, wichtigtuerische und gehässige Möchtegerne tummeln und die dort herrschende Atmosphäre der Verleumdung, Eifersucht und Karriereleiter-Rivalität unerträglich sei und keine Luft zum Atmen lasse. Die Leute, die dergleichen sagen, sind aus demselben Holz geschnitzt wie diejenigen, die dieser Tage zu Internetsurfern aufwachsen und sich darauf spezialisieren, barbarische, bösartige, beleidigende anonyme Alle-mal-hersehen-und-herhören-Kommentare auf YouTube, den »Have Your Say«-Seiten der BBC sowie anderen Websites und Blogs zu posten, die sich nicht entblöden, ihnen Raum für derartige Giftspritzerei zu gewähren. Diese Schweinebande konzentriert sich darauf, die Beweggründe derjenigen anzuzweifeln, die couragiert genug sind, das Risiko einzugehen, sich in aller Öffentlichkeit zum Narren zu machen, und sie ist die reine Pest. »Ach, wenn man Schauspieler werden will, ist ein dickes Fell unbedingt nötig. Daran sollten sich Schauspieler und Theaterleute gewöhnen.« Nun, wenn man einen Beruf ergreifen will, in dem es darum geht, Zugang zu Emotionen zu finden sowie Geist und Seele des Menschen zu ergründen, wäre es meiner Meinung nach eher notwendig, *dünnhäutig* zu sein. Sensibel. Aber ich schweife ab.

Als ich mein erstes Trimester begann, hielt ich es für angebracht, mir zumindest einige Theateraufführungen anzuschauen und darüber klarzuwerden, ob ich von solchen Ansprüchen nicht völlig überfordert sein und mir deklassiert vorkommen würde. Es hatte wahrlich keinen Zweck, zum Vorsprechen zu gehen, wenn ich mir höchstens erhoffen konnte, einen Speer auf die Bühne zu tragen.

Für diejenigen, die mit der Theaterwelt an britischen Universitäten nicht vertraut sind, sollte ich darauf hinweisen, dass dies alles nichts mit den Erwachsenen zu tun hatte – mit Dons, Dozenten, Amtsträgern oder den Universitätsinstituten und Fakultäten. Es war ebenso wie das Trinken, der Sport und Sex eine Betätigung, die nicht im Lehrplan stand. Ich weiß, dass an amerikanischen Universitäten viele dieser Betätigungen als »credits«, wie es wohl heißt, auf den Abschluss angerechnet werden. Nicht so in Großbritannien. Es gibt hier zwar Universitäten, die Schauspielkurse anbieten – Manchester und Bristol zum Beispiel. Doch die Mehrzahl tut es nicht, und ganz gewiss nicht Cambridge. Theater und ähnliche Aktivitäten haben nichts mit der akademischen Arbeit zu tun, dazu muss man seine Freizeit opfern. Ergebnis ist, dass solche Unterfangen blühten und gediehen wie nirgends sonst. Hätte ich bei einem Schauspiellehrer vorstellig werden müssen, damit er mich in Theaterstücken besetzte, mich anwies oder mir sagte, wie etwas zu gestalten sei, wäre ich eingegangen wie eine Primel.

Das Schöne an unserer Art und Weise bestand darin, dass jeder lernte, indem er etwas tat. Die Schauspieler und Regisseure waren alle Studenten, desgleichen die Beleuchter, die Tonleute, die Bühnenarbeiter, die Kostümbildner, die Inspizienten, der Stab, das Vorderhaus und die Verwaltung. Alle waren Undergraduates, die sich sagten: »Ah, das scheint ja Spaß zu machen.«

Und auf welche Weise lernten sie? Nun, das ist das Schöne am Universitätsleben. Man lernt durch Tun, und man lernt von denen aus dem zweiten Jahr und aus dem dritten Jahr über einem, die wiederum am Arbeitsplatz und von denjenigen über ihnen gelernt hatten. Mein Gott, aber es ist aufregend. In dem Maße aufregend, wie ich die offizielle Schauspielerausbildung als langweilig, stumpfsinnig, peinlich und erniedrigend empfinden sollte. Man braucht nichts als Enthusiasmus, Leidenschaft, Unermüdlichkeit und den Willen, den Hunger und den Drang, es zu tun. Aber es ist immer noch Platz für den netten Rugbyspieler, der meint, es wäre doch ganz lustig, mal im Chor eines Musicals mitzusingen, oder den nervösen Studiosus, der nichts dagegen hätte, sich auf der Bühne an einem Satz in einer Shakespeare-Tragödie zu versuchen, um nachzuempfinden, wie man ein Theaterstück als Mitwirkender erlebt. Man braucht absolut kein angehender Profi zu sein.

Woher kam das Geld, um Kulissen zu bauen und Kostüme anzufertigen? Es stammte aus früheren Produktionen. Jeder Drama Club hatte ein Komitee, das meistens aus Zweit- und Drittjährigen bestand, und jemand aus diesem Komitee kümmerte sich um die Etats und das Geld. Man lernte nicht nur, was Theater war, sondern auch, sich über das Komiteeleben zu informieren, über Gewissenhaftigkeit, Buchhaltung und all die Gefahren und Fallgruben von Business und Management. Manchmal bat man einen Don, im Vorstand eines Clubs zu sitzen, um dabei zu helfen, die Finanzen zu überwachen, aber er besaß nicht mehr Einfluss im Komitee als jedes andere Mitglied auch. The Footlights, so ging das Gerücht, sei der einzige Club in Cambridge, egal in welcher Sparte, der groß und profitabel genug war, um Körperschaftssteuer bezahlen zu müssen. Ich weiß nicht, ob es stimmte, aber die Tatsache, dass ein solches Gerücht umging, sagt viel über den Umfang einiger dieser Unternehmungen aus. Kontinuität hatte großen Anteil daran. Diese Clubs existierten schon so lange, dass es relativ leicht war, sie in Schwung zu halten.

Travesties von Tom Stoppard war die erste Aufführung, die ich besuchte. Das in Zürich spielende Stück lässt Lenin, der dort für eine Weile im Exil leben musste, den Dadaisten Tristan Tzara, den Romanautor James Joyce sowie einen englischen Konsul namens Henry Carr, der gerade dabei ist, eine Aufführung von Wildes *Bunbury oder Ernst sein ist alles* auf die Beine zu stellen, in einem heillosen Durcheinander aufeinanderprallen.

Koregisseurinnen der Aufführung waren Brigid Larmour, heute Intendantin des Watford Palace Theatre, und Anabelle Arden, eine mittlerweile weltweit agierende Opernregisseurin. Zu jener Zeit waren die beiden smarte und extrem motivierte Erstsemester. Der Rest des Ensembles wird mir hoffentlich verzeihen, dass ich hier seinen vortrefflichen Beitrag zum Erfolg des Abends nicht gebührend erwähne. Die Aufführung war in jeder Beziehung exzellent, doch mehr als alles andere beeindruckte mich die Leistung einer der Schauspielerinnen. Die junge Frau, die Gwendolen verkörperte, war auffallend wie eine gute Tat in der bösen Welt.

Wie Athene schien sie rundherum gerüstet auf die Erde hinuntergestiegen zu sein. Ihre Stimme, ihre Bewegungen, ihre Klarheit, Leichtigkeit, Selbstsicherheit, ihr Esprit … also, Sie hätten dabei sein sollen! Sie hätten es mit eigenen Augen sehen sollen. Das Publikum aus seiner Anspannung zu befreien gehört zum Besten, was ein Darsteller auf der Bühne – ob Stand-up-Comedian, Schnulzensänger, Balletttänzer, Charakterdarsteller oder Tragödienschauspieler – erreichen kann. Die Besucher müssen sicher sein, dass alles in Ordnung geht und sie sich in der Gewissheit, dass der Abend kein Desaster wird, unbeschwert zurücklehnen können. Zum Besten zählt aber natürlich auch die Fähigkeit, Gefühle von Erregung, Gefahr, Unvorhersagbarkeit und Instabilität zu wecken, die Zuschauer wissen zu lassen, dass der Abend jeden Moment aus dem Gleis laufen könnte und sie daher auf die Stuhlkante vorrutschen und besonders genau hinsehen sollten. Wenn einem Schauspieler beides zugleich gelingt, ist er etwas Besonderes. Und diese junge Frau war etwas Besonderes. Mittelgroß und mit einem perfekt englischen Gesicht, war sie auf herbe Weise schön, außerordentlich lustig und weit über ihr Alter hinaus imponierend selbstsicher. Ihr Name war, wie ich dem Programm entnahm, Emma Thompson. Während der Pause hörte ich jemanden sagen, sie sei die Tochter von Eric Thompson, der Stimme von *The Magic Roundabout*.

Schneller Vorlauf bis zum März 1992. Für ihre Rolle als Margaret Schlegel in *Howards End* wird Emma mit dem Academy Award als Beste Schauspielerin ausgezeichnet. Journalisten starten Rundrufe bei alten Freunden, um Stellungnahmen zu sammeln. Nun ist es eine Art ungeschriebenes Gesetz, dass man auf den Wunsch von Presseleuten, etwas über andere zu sagen, mit keinem einzigen Wort eingeht, es sei denn, die Person hat es vorher mit einem abgeklärt. Will man mit einem Journalisten über sich selbst sprechen, bleibt das natürlich unbenommen, aber über eine dritte Person ohne deren Erlaubnis zu schwadronieren ist wahrhaftig nicht angesagt. Ein beharrlicher Journalist, der bei allen alten Freunden Emmas aufgelaufen war, hat irgendwie die Nummer von Kim Harris herausbekommen.

»Hallo?«

»Hi, ich bin von der *Post*. Soweit ich weiß, sind Sie seit Universitätstagen ein alter Freund von Emma Thompson?«

»Ja-a-a...«

»Mögen Sie vielleicht etwas zu ihrem Oscar sagen? Sind Sie überrascht? Glauben Sie, dass sie ihn verdient hat?«

»Ich muss Ihnen ganz unverblümt sagen«, antwortete Kim, »dass ich mich von Emma Thompson betrogen, im Stich gelassen und überaus enttäuscht fühle.«

Der Journalist lässt fast den Hörer fallen. Kim hört, wie an einem Bleistift genuckelt wird und – wie er später beschwört – Sabbertropfen auf den Teppich fallen.

»Betrogen? Wirklich? Ja? Sprechen Sie bitte weiter...«

»Jeder, der Emma Thompson an der Universität erlebt hat«, sagt Kim, »hätte eine beträchtliche Summe darauf verwettet, dass sie vor ihrem dreißigsten Geburtstag einen Oscar kriegt. Jetzt ist sie bereits über dreißig. Was für eine niederschmetternde Enttäuschung.«

Aber keine so niederschmetternde Enttäuschung wie die des Journalisten, der sekundenlang gedacht hatte, eine Story zu haben. Wie so oft fand Kim die absolut passenden Worte. Mehr gab es gar nicht zu sagen. Viele Studenten besaßen Talent, manche sogar über die Maßen, und man durfte annehmen, dass sie mit einer Portion Rückenwind, passenden Gegebenheiten und einem gewissen Maß an Anleitung und Weiterentwicklung respektable oder sogar brillante Karrieren vor sich hätten. Emma jedoch brauchte man nur einmal zu sehen, und man wusste sofort. Star. Oscar. Adelsstand. Den Titel anzunehmen bleibt natürlich ihr überlassen, aber anbieten wird man ihn ihr garantiert.

Nach dem Geschmack von Männern müssen Schauspielerinnen, wenn sie vorzüglich sind, etwas von einem Dummerchen haben, ein wenig unbeholfen sein und auf charmante Weise kindisch. Emma ist zweifellos fähig, logischem Denken mit erfrischend unkonventionellen Empfindungen zu begegnen, aber ein Dummerchen, unbeholfen oder kindisch ist sie wahrlich nicht: Sie besitzt einen sehr scharfen Verstand und ist eine der intelligentesten Personen, die ich kennengelernt habe. Die Tatsache, dass ihr der zweite Oscar, zwei Jahre nach dem ersten, für ein Drehbuch verliehen wurde, verrät Ihnen alles über ihre Fähigkeit, sich zu konzentrieren, zu denken und zu arbeiten. Man gerät leicht in Versuchung, es Menschen anzukreiden, von der Natur mit so vielen Talenten gesegnet zu sein, aber bei ihr trifft man auf eine solche Fülle von Freundlichkeit, Offenheit und natürlichem Charme, dass es schwierig ist, mit Neid und Groll zu reagieren. Mir ist bewusst, dass wir langsam in die Kitschgefilde von »Darling, sie ist so liebreizend und hinreißend« abgleiten, aber dieses Risiko muss ein Buch wie dieses immer eingehen. Ich habe Sie gewarnt. Denjenigen, die lieber ein ganz anderes Bild dieser Frau mitnehmen möchten, kann ich deutlich zu verstehen geben, dass sie eine geisteskranke, talentlose Mistzicke ist, die durch die Straßen von North London wandert mit nichts am Leib als zwei verschiedenen Gummistiefeln. Filmrollen bekommt sie nur deswegen, weil sie es mit den Haustieren der Produzenten treibt. Und sie riecht. Sie hat in ihrem ganzen Leben kein Drehbuch geschrieben. Sie hält sich einen Autor in Ketten, den sie bei einer Party vor zwanzig Jahren unter Drogen gesetzt hat, und der ist verantwortlich für alles, was unter ihrem Namen veröffentlicht wird. Ihre sogenannten liberalen und humanitären Prinzipien sind genauso wenig echt wir ihre Brüste. Sie ist Gestapomitglied und trauert der Apartheid nach. Das ist Emma Thompson für Sie: der Darling der Narren und die Närrin der Darlings.

Trotzdem oder deswegen lernten wir einander kennen. Sie studierte Englisch wie ich, aber am Newnham, einem College, das Frauen vorbehalten war. Sie war lustig. Sehr lustig. Außerdem modisch extrem extravagant. Es kam der Tag, als sie beschloss, sich den Kopf zu rasieren: Die Schuld daran gebe ich Annie Lennox. Emma und ich besuchten dasselbe Seminar an der Englischfakultät, und eines Morgens wanderten wir, nach einer anregenden Diskussion über *Das Wintermärchen* auf dem Weg ins Stadtzentrum die Sidgwick Avenue entlang. Sie nahm ihre Wollmütze ab, um mich ihre rasierte Kopfhaut fühlen zu lassen. In jenen Tagen war es unwahrscheinlich, dass jemand eine Frau mit kahlem Eierkopf gesehen hatte. Ein Junge, der auf dem Fahrrad vorbeifuhr, drehte sich um und fuhr, weil er den panischen Blick nicht von Emmas schimmernder Glatze lassen konnte, frontal gegen einen Baum. Ich hätte gedacht, dass so etwas nur im Stummfilm passieren konnte, aber es geschah tatsächlich, und das machte mich froh.

Das erste Trimester kam und ging, ohne dass ich auch nur ein einziges Mal gewagt hätte, zu einem Vorsprechen zu gehen. Ich hatte gesehen, dass es Schauspieler gab oder zumindest eine, die so staunenswert waren wie Emma, aber da waren auch viele gewesen, die Rollen bekamen, die ich meiner Ansicht nach hätte besser spielen können oder zumindest nicht schlechter. Nichtsdestoweniger hielt ich mich zurück.

Größtenteils verlief mein Leben am College und im Universitätsbetrieb in traditionellen Bahnen und recht ereignislos. Ich schloss mich der Cambridge Union an, die nichts mit einer Studentenunion zu tun hatte, sondern eine Debattiergesellschaft mit ihrer eigenen Kammer war, einer Art Unterhaus in Miniatur, alles Holz und Leder und farbige Glasfenster, vervollständigt durch eine Galerie und mit »Aye« und »No« markierten Türen, durch die man bei einer Abstimmung schritt, nachdem der »Speaker« seinen Antrag an das »House« gestellt hatte. Alles ein bisschen dick aufgetragen, aber althergebracht und traditionell. Viele Kabinettsmitglieder unter Margaret Thatcher hatten in den frühen sechziger Jahren in der Cambridge Union mitgemischt: Norman Fowler, Cecil Parkinson, John Selwyn Gummer, Ken Clarke, Norman Lamont, Geoffrey Howe ... die Bande. Ich hatte mit Politik zu wenig im Sinn, um Reden zu halten oder versuchen zu wollen, mich bis zum inneren Zirkel der Union vorzuarbeiten, noch war ich geneigt, aus dem Plenum heraus Fragen zu stellen oder auf irgendeine andere Weise zu den Debatten beizutragen. Ich sah und hörte mir einige Gastredner an – Bernard Levin, Lord Lever, Enoch Powell und eine Handvoll anderer kamen, um über die großen Fragen des Tages zu diskutieren, wie auch immer diese damals lauteten. Krieg,

Terrorismus, Armut, Ungerechtigkeit, wenn ich mich recht erinnere … Probleme, die inzwischen gelöst sind, aber zur damaligen Zeit höchst dringlich erschienen. Einmal im Semester wurde eine »Comedy«-Debatte veranstaltet, gewöhnlich im Rahmen eines spleenigen Antrags wie »Dieses Haus glaubt an Hosen« oder »Dieses Haus würde lieber ein Sperling sein als eine Schnecke«. Ich besuchte eine dieser Debatten, in der Jimmy Edwards, der schnauzbärtige Comedian, sternhagelvoll die Tuba spielte, tolle Witze erzählte und anschließend – wie mir berichtet wurde – beim Dinner die Schenkel sämtlicher flotter junger Männer streichelte. Ich bin seither oft eingeladen worden, an Debatten in Cambridge, Oxford oder anderen Universitäten teilzunehmen, und einige der jungen Männer, die als Gastgeber dieser Abende fungierten, sahen unbestreitbar blendend aus und waren bestürzend attraktiv. Ich hab jedoch nie so ganz verstanden, was diese Sich-einen-antrinken-und-dann-schön-Schenkel-streicheln-Chose soll. Ob mich das zu einem galanten und gebührlichen Gentleman macht, zu einer hasenfüßigen Memme oder zu einem biederen Prüdian, weiß ich nicht so genau. In meiner Reichweite sind Schenkel anscheinend sicher. Vielleicht wird sich das ändern, wenn ich den Herbst meines Lebens erreicht habe und aufhöre, mich so sehr darum zu scheren, was man von mir hält.

Kim war sofort in den University Chess Club eingetreten und nahm für diesen an Spielen gegen andere Universitäten teil. Niemand zweifelte daran, dass er sein »Blue« oder eher »Half Blue« bekommen würde. Ihnen ist vielleicht bekannt, dass es in Oxford und Cambridge so etwas gibt wie die »Blue«-Auszeichnungen im Sport. Jemand kann Cambridge, dessen Farbe Hellblau ist, zum

Beispiel auf dem Hockeyfeld bei fast jedem einzelnen Spiel der Saison vertreten haben und dabei mit Abstand der beste Spieler auf dem Rasen gewesen sein – verpasst er jedoch das Varsity-Spiel, *das* Spiel gegen die Dunkelblauen, Oxford, dann wird er nicht mit einem »Blue« ausgezeichnet. Ein »Blue« bedeutet für die eine wie andere Seite, dass man gegen Den Feind gespielt hat. Das Boat Race und die Varsity-Spiele im Rugby und Cricket sind die berühmtesten dieser Begegnungen, doch »Blues«-Wettkämpfe zwischen Oxford und Cambridge gibt es in allen nur denkbaren Sportarten, Spielen und sonstigen wettbewerbstauglichen Aktivitäten von Judo bis Tischtennis, von Bridge bis Boxen, von Golf bis Weinverkosten. Bei den weniger bedeutenden Wettkämpfen wird den Teilnehmern ein »Half Blue« verliehen, und genau so eines gewann verdientermaßen auch Kim, als er Cambridge gegen Oxford beim Varsity-Schachwettkampf vertrat, das im RAC Club in Pall Mall stattfand und von der Lloyd's Bank gesponsert wurde. Er nahm in allen drei Studienjahren an diesem Wettkampf teil und gewann 1981 den Preis für das beste Spiel.

Kim und ich waren engste Freunde, aber noch kein Liebespaar. Er schwärmte für einen Studenten aus dem zweiten Jahr namens Robin, ich schwärmte für niemand besonderen. Die Liebe hatte mich als Teenager wohl zu gnadenlos in ihren Fängen gehabt. In der Schule war ich so blind, rettungslos und herzzerreißend verliebt, dass ich mir anscheinend in einem unbewussten Pakt mit mir selbst geschworen hatte, die Reinheit dieser vollkommenen Verzückung niemals zu verraten (Ja doch, ich weiß, aber genau so habe ich mich gefühlt!) noch mich je wieder von Pein und Qual dieser Art verwunden zu lassen (so erlesen sie auch waren). Es gab eine

Menge attraktiver junger Männer in den Colleges und in der Stadt, und der überdurchschnittlich hohe Schwulenanteil vermittelte den Eindruck, dass man hier mit Freuden so schwul sein durfte, wie es einem gefiel. Ich erinnere mich an den einen oder anderen trunkenen Abend im eigenen oder fremden Bett. Dort kam es trotz forschen Fummelns, Fingerns, Knutschens und Kosens zu blamablem Abschlaffen oder in selteneren phallischen Fällen unter triumphalen Fanfarenstößen zur spritzig sprudelnden Befriedigung der Gelüste, aber Liebe stellte sich nicht ein, und als Sensualist, der ich in vielerlei Hinsicht bin, schien ich weder den Lohn noch die Strafen der Fleischeslust zu missen.

Ungefähr eine Woche vor Ende des ersten Trimesters trat man mit der Frage an mich heran, ob ich im »May Ball Committee« sitzen möchte. Die meisten Universitäten veranstalten Sommerpartys, um das Ende der Examen und den Beginn der langen Ferien zu feiern. In Oxford werden diese Feste »Commem Balls« genannt, Cambridge hat seine »May Balls«.

»Wir nehmen jedes Jahr einen Frischling ins Komitee auf«, sagte dessen Präsident zu mir, »und wenn schließlich der ›May Ball‹ in deinem letzten Studienjahr ansteht, weißt du, worum es dabei geht.«

Ich habe nie zu fragen gewagt, warum sie unter all den Frischlingen mich ausgewählt hatten, im Komitee zu sitzen, aber ich empfand es als großes Kompliment. Vielleicht meinten sie, dass ich Stil zeigte, *savoir faire*, *diablerie*, Esprit und geschliffene Partymanieren. Oder vielleicht glaubten sie auch, ich sei ein gefügiger Gimpel, immer bereit, seine Stunden zu opfern.

»Auf jeden Fall«, wurde mir eröffnet, »heißt es, dass

du in deinem dritten Jahr Präsident des ›May Ball Committee‹ sein wirst, und das macht sich echt gut im Lebenslauf. Außerdem exzellent, um in der City einen Job zu bekommen.«

Wir bewegten uns bereits einer Zeit entgegen, in der ein Job in der City nicht mehr als peinlicher Einstieg in Gehaltsempfängerplackerei und stumpfsinnige Ehrbarkeit angesehen wurde, sondern langsam den Ruf gewann, sexy, glamourös und die erstrebenswerte Bestimmung für die Elite der Welt zu sein.

Die Mitglieder des »May Ball Committee« kamen erwartungsgemäß aus Public Schools. Viele von ihnen waren auch Mitglieder von Cherubs, dem exklusiven Dining and Drinking Club. Ich weiß, dass ich auf Institutionen wie »May Balls« und Dining Clubs mit amüsierter Verachtung hätte herabsehen sollen, mit herablassender Geringschätzung und ungeduldigem Zorn, aber kaum hatte ich von der Existenz des Cherubs Club gehört, entschloss ich mich, gewählt zu werden. Ich hatte Alan Bennett einmal über Snobismus sagen hören, dass er »ein sehr charmantes Laster« sei, was mich überraschte. »Damit will ich sagen«, fuhr er fort, »dass die Art von Snobismus, die mit Bewunderung hinaufsieht, charmant ist. Dämlich, aber charmant. Die Art, die mit Verachtung auf etwas hinabsieht, ist nicht charmant. Überhaupt nicht charmant.« Ich kann nicht leugnen, dass ich für einen Anflug des charmanten Snobismus zu haben bin. Ich glaube, ich habe nie auf jemanden hinabgesehen, weil er von »niederer Geburt« war (was auch immer das bedeuten soll), aber ich will nicht abstreiten, dass ich »höher Geborene« (was auch immer *das* bedeuten soll) glorifiziert habe. Das ist eine lächerliche Schwäche, und ich könnte leicht behaupten, dass ich gegen sie immun bin, aber das stimmt nicht, und daher sollte ich einfach mit der Wahrheit rausrücken. Ich nehme an, es ist wieder einmal alles Teil meines ewigen Gefühls, Außenseiter zu sein und ständig den Beweis zu brauchen, dazuzugehören, einen Beweis, den diejenigen, die wirklich dazugehören, niemals brauchen. Oder so ähnlich.

Das Trimester ist in Cambridge nur acht Wochen lang. Man nennt es Full Term, und von den Studenten wird erwartet, dass sie während der gesamten Zeit anwesend sind – theoretisch ist die Erlaubnis eines Dean oder Senior Tutor für ein »exeat« nötig, wenn man sich abseilen will. Man kann die Zeit der Abwesenheit während der beiden Wochen vor und nach dem Full Term nachholen. Ich blieb stets den Full Term, damit ich direkt im Anschluss nach Cundall fahren konnte, um da während der drei Wochen zu unterrichten, die das viel längere Schulsemester dort noch dauerte. Nach Weihnachten, das ich mit meiner Familie in Norfolk verbrachte, ging es für eine Woche zurück nach Cundall und dann zum Lent-Trimester wieder nach Cambridge.

Die bloße Tatsache, dass dies mein zweites Trimester war, schien eine Sperre in mir zu lösen, denn schon in der ersten Woche ging ich dreimal zum Vorsprechen. Alle drei Rollen, die ich wollte, bekam ich auch. Ich spielte Jeremiah Sant, einen wahnsinnigen Ian-Paisley-ähnlichen Nordiren in Peter Lukes Dramatisierung des Romans *Hadrian VII* von Baron Corvo, den verstörten jüdischen Schneider, der in *The Bespoke Overcoat* von Wolf Mankowitz einen Geist sieht, und irgendjemanden in der Mittagsvorstellung eines Stücks über schottischen Nationalismus in Trinity Hall. Damit war das Programm für ein Trimester festgelegt, in dem ich von

Proben zu Vorsprechterminen ins Theater und zurück zu Vorsprechterminen und Proben und wieder ins Theater hastete. Mittag, Abend und Nacht waren die drei üblichen Aufführungszeiten, aber wenn mir jemand eine Morgenvorstellung angetragen hätte, wäre ich sofort dabei gewesen. Ich glaube, ich war während des achtwöchigen Semesters an zwölf Stücken beteiligt. Ich schaffte einen Aufsatz über Edmund Spenser und besuchte weder Vorlesungen noch Seminare. Supervisions, das Cambridge-Wort für Tutorials, waren die einzigen mehr oder weniger obligatorischen akademischen Eingriffe in mein frisch entdecktes Theaterleben. Zu ihnen ging man mal allein oder gelegentlich mit einem Kommilitonen in die Räume eines Dons, las den Aufsatz vor, den man geschrieben hatte, sprach darüber und diskutierte anschließend über einen anderen Autor, eine literarische Strömung oder Besonderheit und verabschiedete sich mit dem Versprechen, zur nächsten Woche einen Essay über das angesprochene Thema vorzulegen. Ich entwickelte mich zum Meister der Ausreden:

»Es tut mir wirklich leid, Doktor Holland, aber ich bin immer noch damit beschäftigt, mich mit der Eschatologie von *Das verlorene Paradies* vertraut zu machen. Ich glaube, ich brauche noch eine Woche, um damit klarzukommen.« Es ist schändlich und erniedrigend, zu gestehen, wie gut ich mich darauf verstand, Wörterbücher der Literatur oder Philosophie nach Begriffen wie »Eschatologie«, »Synkrisis« und »syntagmatisch« zu durchkämmen.

»Schön, schön. Nehmen Sie sich Zeit.«

Nicht eine Sekunde lang ließ sich Dr. Holland zum Narren halten. Er war an die Undergraduates gewöhnt und daher vertraut mit der ermüdenden Präsentation vielsilbiger Wörter (wie ich fürchte, werden Sie beim Lesen dieses Buches schon oft zusammengezuckt sein, wenn Sie auf eines dieser langen Wörter gestoßen sind), und er war bestimmt bei mindestens zwei Stücken, in denen ich in jener Woche mitgespielt hatte, unter den Zuschauern gewesen. Er wird daher sehr genau gewusst haben, dass ich meine Zeit ausschließlich der Schauspielerei widmete und für die akademische Arbeit keine Minute übrigblieb. In Cambridge ging man mit solcherlei sehr entspannt um. Solange sie nicht glaubten, man werde das Abschlussexamen nicht schaffen, bestand keine Gefahr, dass sie sich aufplusterten. Das Risiko, nicht zu bestehen, war sagenhaft gering. Zu glauben, dass die von ihnen aufgenommenen Studenten gar nicht durchfallen konnten, gehörte vermutlich zur Arroganz der Institution. Insgesamt ließen College und Fakultät den Einzelnen vernünftigerweise gewähren. War jemand erpicht, eine Eins zu ergattern, wurde ihm dabei jede erdenkliche Hilfestellung gewährt; zog ein Student es jedoch vor, ein Ruder durchs Wasser zu ziehen oder in Strumpfhosen einherzustolzieren und dabei Pentameter herauszubrüllen, wurde auch das gutgeheißen. In der Universität herrschte eine entspannte Atmosphäre gegenseitigen Vertrauens.

Das Frühlingstrimester verging rasend schnell in einem Wirbelsturm von Bühnenauftritten, und danach zählte ich zu den Insidern der kleinen Theaterwelt von Cambridge. Dieser Mikrokosmos war das Spiegelbild der Künstlerkreise, der Klüngel und Cliquen der Außenwelt. In der Bar des ADC-Theaters schwatzte man über Artaud und Anouilh, Stanislawski und Stein, Brecht und Blin. Die meisten angehenden Sportler, Wissenschaftler oder Politiker hätten es trotz stärksten Magens kaum ertragen, unsere Gespräche mitzuhören, ohne das Kotzen zu kriegen. Wir redeten einander vermutlich mit »Darling« an. Ja, ich bin ganz sicher. Vielleicht sogar mit »Honig-pups«, »Engellieb« oder »Nippelfratze«. Widerlich, ich weiß, aber so war's. Das herabwürdigende Epithet »lo-vie« war der Theaterbranche noch nicht zugeschrieben worden, aber eben das – *avant la lettre* – waren wir, lauter »Lovies«. Ermutigt wurden wir, so könnte man sagen, durch die Geschichte und unsere Vorgänger: Peter Hall, John Barton, Richard Eyre, Trevor Nunn, Nick Hytner, James Mason, Michael Redgrave, Derek Jacobi, Ian McKellen … die Liste der Schauspielgiganten, die sich an dieselbe Bar gelehnt und dieselben Träume geträumt hatten, war beeindruckend.

Wie hatte ich es geschafft, mir so schnell diesen Platz zu erobern? War ich wirklich so talentiert? Oder waren alle anderen so untalentiert? Ich wünschte, ich wüsste es. Ich habe eine ganze Menge Bilder vor Augen, kann mich an bestimmte Gelegenheiten und Erlebnisse ge-nau entsinnen, aber die emotionale Erinnerung ist ver-schwommen und bleibt unbestimmt. War ich ehrgeizig? Ja, ich denke, insgeheim war ich ehrgeizig. Immer zu stolz, um es zu zeigen, aber hungrig auf das, was man im Mikrokosmos von Cambridge als das läppische Äqui-valent von Starruhm bezeichnen könnte. Ich nehme an, wenn der Kapitän des College-Rugby-Teams sieht, wie ein Frischling aufs Feld kommt und die erste Gelegen-heit zu einem Run wahrnimmt, dann kann er bereits daran und an der Ballbehandlung ermessen, ob diese Person Rugby spielen kann oder nicht. Bei all meinen Unzulänglichkeiten als Schauspieler (körperliche Un-beholfenheit, zu große Betonung des sprachlichen Vor-trags, die Tendenz, ironische Reue der unverfälschten

Emotion vorzuziehen) habe ich wohl bei den Vorsprechterminen gezeigt, dass ich zumindest die Gabe besaß,
mich einem Publikum zu öffnen. Hinter vielem, was die
Vergangenheit verschluckt, erkenne ich dennoch einen
hochgewachsenen, dünnen, würdevollen und dröhnend
tönenden Studenten, der entweder wie siebzehn oder
wie siebenunddreißig aussehen konnte. Er weiß, wie
man stillsteht und einem anderen Schauspieler in die
Augen sieht. Er versteht sich darauf, einen Satz so vorzutragen, dass sich dessen Bedeutung mitteilt und, wenn
nötig, auch dessen Erhabenheit. Er kann, wie man sagt,
»die Schärfe verlagern«, die Aufmerksamkeit auf sich
ziehen und von sich ablenken. Ich bin nicht sicher, was
seine Fähigkeit betrifft, sich in eine andere Person zu
versetzen, die Bühnenreise dieser Figur mit ihren Höhen und Tiefen zu durchleben, aber zumindest ist unwahrscheinlich, dass er zum Erröten peinlich wird.

In dem Augenblick, als ich zum ersten Mal eine Bühne betrat, fühlte ich mich so sehr zu Hause, dass ich völlig vergaß, fast keine Erfahrung zu besitzen. Ich liebte
einfach alles an der Schauspielerei. Ich liebte die Seiten
an ihr, die man bespötteln könnte, ich liebte die spontane Kameradschaft und tief empfundene Zuneigung,
die man für alle anderen empfand, die dabei waren, ich
liebte die langen Gespräche über Motivationen, ich liebte Leseproben und Proben und technische Durchläufe,
ich liebte es, Kostüme anzuprobieren und mit Make-up
zu experimentieren. Ich liebte den Nervenkitzel kurz
vor dem Auftritt, ich liebte die beinahe mystisch hy-
perästhetische Weise, auf die man auf der Bühne jede
Mikrosekunde erlebte, liebte, dass man präzise sagen
konnte, worauf die Aufmerksamkeit des Publikums in
jedem spezifischen Moment gerichtet war, ich liebte die

aufregende Gewissheit, dass ich Hunderte Menschen durch die wandelbare Ausdruckskraft meiner Stimme in Bann schlug.

So viel Freude daraus zu schöpfen, auf der Bühne zu stehen, liegt nicht daran, dass man die Liebe, die Aufmerksamkeit und die Bewunderung genießt. Es geht auch nicht darum, sich an der Macht zu erfreuen, die man über ein Publikum hat (oder zu haben glaubt). Es ist ganz einfach die Erfüllung. Man fühlt sich vollkommen lebendig und auf grandiose Weise vollendet, weil man weiß, dass man das tut, wozu man auf Erden ist.

Vor nicht allzu langer Zeit begleitete ich einige weiße Nashörner auf einer Reise nach Kenia. Sie sollten aus der Tschechischen Republik, die alles war, was sie je gekannt hatten, überführt werden. Es war unendlich bewegend, mitanzusehen, wie diese Tiere die schweren Köpfe hoben und den weiten offenen Himmel über der Savanne, die Gerüche und Töne eines Lebensraums auf sich wirken ließen, dem sich anzupassen ihre Gene Millionen von Jahren gebraucht hatten. Die kurzen ungläubigen Grunzlaute, das Schwenken ihrer Hörner nach links und rechts und das Zucken in ihrem dicken Hautpanzer verrieten, dass sie irgendwo tief in sich spürten, dort zu sein, wo sie hingehörten. Ich möchte nicht behaupten, dass die Bühne meine Savanne ist, aber wenn ich sie betrat, spürte ich etwas von der aufwallenden Erleichterung und der Freude, endlich wieder zu Hause zu sein, wie sie die Nashörner auszudrücken schienen, als sie zum ersten Mal afrikanische Luft aufsogen.

Es ist schade, dass die professionellen Erwachsenentheater einem nicht dasselbe Maß an Erfüllung und Spaß zugestehen. Studentische Produktionen werden nach drei oder höchstens fünf Vorstellungen abgesetzt, und dann bewegt man sich weiter, weil etwas anderes wartet. Genau das tat ich. Wieder und wieder.

Im Ostertrimester erwacht Cambridge zum Leben und wird zu einem der herrlichsten Orte auf der Welt. Wie William Wordsworth, Alumnus des St. John's College, es ausdrückte: »Ein Fest, in diesem Aufgang einer neuen Zeit zu leben. Und dabei noch jung zu sein, war wie der Himmel ...!« Er bezog sich dabei weniger auf eine Maiwoche als auf die Französische Revolution, aber der Gedanke trifft doch besser auf Erstere zu, und ich möchte wetten, dass er in Wahrheit eher an Gartenfeste dachte als an Guillotinen.

Der »Head of the River«-Wettkampf wird zweimal im Jahr auf dem Cam abgehalten, und die Boote der einzelnen Colleges drängeln sich darum, das vor ihnen aus dem Weg zu rempeln und dadurch einen Platz weiter nach vorn zu kommen. Der Fluss ist nicht breit genug, um eine Regatta zu ermöglichen, bei der Boote nebeneinanderfahren, und deswegen sind diese eigenartigen Lent- und May-Week-Bumps entstanden. Am Ufer zu stehen und mein College anzufeuern ist wahrscheinlich das »normalste« Cambridge-Verhalten gewesen, das ich während meiner drei Jahre dort an den Tag gelegt habe.

Weiter flussaufwärts ist die Schönheit von The Backs im späten Frühling und Frühsommer so überwältigend, dass selbst der strengste Puritaner ins Schwelgen geraten und vor Entzücken erschauern würde. Das Sonnenlicht auf den Steinen der Brücke, die Trauerweiden, die sich tief hinunterbeugen, um das Wasser zu küssen: junge Männer und Frauen oder junge Männer und junge Männer oder junge Frauen und junge Frauen, die hinaufstaken nach Grantchester Meadows, Weißweinflaschen an Schnüren im Schlepptau, damit sie kühlen, aber »Keine Küsse im Stechkahn«. Unter Kastanienbäumen Examenskandidaten, die rauchen, trinken, schwatzen, flirten, küssen, lesen und ihr Wissen noch einmal auffrischen, Bücher und Aufzeichnungen um sich herum auf dem Gras ausgebreitet. Gartenfeste auf jedem Rasen jedes College während der ersten beiden Juniwochen, die absurderweise »May Week« genannt werden. Dining Clubs und Societies, Dons, Clubs und reiche Personen, die Punch servieren und Pimm's, Bier und Sangria, Cocktails und Champagner. Blazer und Flanelljacketts, aufgesetzte kleine Snobismen und Affektiertheiten, blühende Jugend, verwöhnte Jugend, privilegierte Jugend, glückliche Jugend. Seien wir nicht so streng mit ihnen. Lösen wir uns von dem Gedanken, dass sie allesamt grässliche Überheblinge sind, die nicht wissen, wie wohlgeboren sie sind, unerträgliche Wichtigtuer, die einen Tritt brauchen könnten und einen Schlag an den Hals. Haben wir etwas Mitleid mit ihnen und Verständnis für sie. Den Tritt und den Schlag werden sie noch früh genug bekommen. Man muss sie sich doch nur jetzt ansehen. Sie sind alle in den Fünfzigern, manche von ihnen zum dritten, vierten oder fünften Mal verheiratet. Von ihren Kindern werden sie verachtet. Sie sind Alkoholiker oder trockene Alkoholiker, Drogensüchtige oder ehemals Drogensüchtige. Ihre runzligen, grauen, zerfurchten und eingefallenen Gesichter unter dem kahlen Schädel sehen ihnen jeden Morgen aus dem Spiegel entgegen, und das in Falten hängende sterbende Fleisch lässt nichts mehr von dem gutgelaunten, frohgemuten und offenen Lachen erahnen, das ihre Mienen einst strahlen ließ. Ihr Leben liegt in Trümmern, ist vergeudet. All die glänzenden Aussichten sind nie zu etwas gereift, auf das man mit Stolz oder Wohlgefallen zurückblicken könnte. Sie nahmen den Job in der City an, bei der Handelsbank, dem Börsenmakler, der Anwaltspraxis, der Buchhalterfirma, dem Chemieunternehmen, der Theater-Company, dem Buchverlag, dieser und jener Firma. Der Schwung und die Energie, die Leidenschaft, der Spaß und die Zuversicht wurden schon bald ausgeknipst, eins nach dem anderen. In der Tretmühle einer anstrengenden Welt verflüchtigten sich ihre törichten Hoffnungsträume wie Dunst im grausamen Licht der grellen Morgensonne. Manchmal kehren ihre Träume des Nachts wieder zurück, und sie sind so beschämt, zornig und enttäuscht, dass sie sich umbringen möchten. Es war einmal, dass sie lachten und verführten oder lachten und verführt wurden, damals auf den Rasen und unter uralten Steinen, und jetzt hassen sie die Jugend und ihre Musik, jetzt schnauben sie verächtlich über alles Fremde und Neue und japsen nach Luft, wenn sie oben auf der Treppe angekommen sind.

Meine Güte, Stephen, was ist denn in dich gefahren? Nicht jedermanns Leben scheitert in Elend und Einsamkeit.

Natürlich nicht, das weiß ich. Ihr habt ja recht. Aber in vielen Fällen ist es so. Entropie und Verfall im Alter sind grausam offenkundig, wenn man sie dem gefühlvollen Traum einer Cambridge May Week gegenüberstellt, wie abgedroschen, überholt, ungerechtfertigt und absurd ein solches Idyll auch sein mag. Es ist jene Szenerie, die klassische Maler so liebten: die goldenen Jünglinge und Maiden, die im Elysium tollen, Girlanden flattern lassen, trinken und einander umarmen, ohne etwas von der Grabstätte zu ahnen, auf der ein Totenschädel ruht, und ohne die gemeißelte Inschrift zu bemerken: »Et in arcadia ego.« Warum sollten sie es bemerken? Dessen Schatten wird früh genug auf sie fallen, und dann ist es an ihnen, ihren Kindern mit dem Finger zu drohen und zu sagen: »Ich habe auch einmal in Arkadien gelebt, musst du wissen ...«, und ihre Kinder werden auch nicht zuhören.

Viele Cantabrigians mögen das Vorangegangene gelesen und in keiner Zeile etwas wiedererkannt haben. Viele Studenten mieden voller Abscheu alles, was nach einem Blazer aussah oder nach einem Glas Pimm's roch, die meisten standen nie an einem May-Bumps-Nachmittag am Flussufer, nippten niemals im Master's Garden an einem Planter's Punch, stakten niemals den Cam hinauf nach Grantchester, noch mussten sie sich jemals am Selbstmordsonntag im Krankenwagen den Magen auspumpen lassen. Es gab eine Menge verschiedener Cambridges, ich versuche mich nur an meins zu erinnern, auch wenn es womöglich Übelkeit erregt.

Neben all diesen Partys gab es Bühnenstücke. Der Theaterclub des Queens' College nannte sich BATS, angeblich weil während der Open-Air-Aufführung am Ende des Trimesters, einem der beliebtesten und originellsten wiederkehrenden Ereignisse der May Week, am Himmel über dem Cloister Court die Fledermäuse tanzten und kreischten. In diesem Jahr sollte *Der Sturm* aufgeführt werden, und der Regisseur, ein Queens'-Student im zweiten Jahr, hatte mich als Alonso, König von Neapel, besetzt. Hoch gewachsen, wie ich war, und begabt mit einer dröhnenden Stimme, wurde mir fast immer die Rolle eines Königs oder einer älteren Respektsperson zugedacht. Die jungen Liebhaber, zauberhaften jungen Mädchen und hübschen Prinzen dagegen wurden von Studenten gespielt, deren Aussehen ihrem Alter entsprach. Das war bei mir nie der Fall, doch da fast alle zwischen achtzehn bis zweiundzwanzig waren, hatte es bei der Rollenvergabe entscheidende Vorteile, älter auszusehen.

Ian Softley ist heute Filmregisseur – *Die Flügel der Taube*, *Backbeat*, *Hackers – Im Netz des FBI*, *Tintenherz* und so weiter, damals jedoch war er ein Student mit schwarzen Locken und einer reizvollen Art, weiße Hosen zu tragen. Zum Ensemble gehörte auch Rob Wyke, ein Student im höheren Semester, der ein enger Freund werden sollte, sowie ein außergewöhnlicher Schauspieler und noch außergewöhnlicherer Mann namens Richard MacKenney, der den Prospero spielte. Er steckte mitten in der Arbeit an seiner Dissertation »Trade guilds and devotional confraternities in the state and society of Venice to 1620« (Handelsgilden und fromme Bruderschaften in Staat und Gesellschaft von Venedig bis 1620) und sprach bereits nicht nur fließend Italienisch, sondern auch fließend Venezianisch, was etwas ganz anderes ist. Wenn er auf das Ensemble wartete (er war genau wie ich immer absolut pünktlich), ging er, die Ouvertüre von Mozarts *Don Giovanni* summend, mit schnellen Schritten auf und ab. Und waren wir immer noch nicht vollzählig, wenn er die Ouvertüre beendet hatte, ging er gewöhnlich über zu Leporellos Eröffnungsarie und blieb dabei, bis alle anwesend waren – er sang alles perfekt aus dem Gedächtnis. Einmal hatte Ariel aufgrund eines Missverständnisses bezüglich Zeit und Ort eine halbe Stunde Verspätung (Benachrichtigung per SMS oder Handygespräch war damals noch nicht möglich), und als er schließlich mit rotem Kopf und außer Atem eintraf, unterbrach Richard seinen Gesang und ging ihn wütend an.

»Was glaubst du eigentlich, wie spät es ist? Der Commendatore ist bereits tot, und Ottavio schwört Rache.«

Richard war ein grandioser Schauspieler, der trotz seiner jungen Jahre einen erstaunlich guten König Lear abgab (dank Stirnglatze und aufgesetzt mürrischer Art wirkte er wie fünfzig, obgleich er kaum älter als drei- oder vierundzwanzig gewesen sein dürfte), doch sein künstlerisches Geschick blieb verborgen, weil er wie manisch von Tempo und Lautstärke besessen war. »Du brauchst nicht mehr zu tun«, sagte er, »als vorn auf die Bühne zu treten und so richtig loszubrüllen.« Einmal kassierte das ganze Ensemble einen Anschiss von ihm, weil es die Spielzeit um fünf Minuten überschritten hatte. »Unverzeihlich! Jede zusätzliche Sekunde ist wie auf Shakespeares Grab gepisst.«

Ich beobachtete eines Nachmittags, wie Ian Softley vor Barry Taylor hockte, der den Caliban spielte. »Kennst du die Sachen von dem Punkdichter John Cooper Clarke?«, flüsterte er und sah dabei Barry mit sorgenvollen braunen Augen durchdringend an.

»Äh, ja …«

»Meinst du nicht auch, dass wir uns ein bisschen von dieser Wut der Straße bei Caliban leisten können. Ein wenig von diesem Groll?«

»Äh …«

»Ach nein, vergiss es«, sagte Richard, der mit fest hinter dem Rücken verschränkten Händen auf und ab gerannt war. »Geh einfach ganz nach vorn an den Bühnenrand, und schrei und wimmer einfach los.« Bei allem Respekt vor Ian und John Cooper Clarke, ich glaube, dass man keinem Darsteller des Caliban in den letzten vierhundert Jahren seit der Entstehung von *Der Sturm* je einen besseren Rat gegeben hat.

Eines Morgens bemerkte ich auf der Straße das Plakat einer Ausstellung im Fitzwilliam Museum. Es sollten einige von Blakes Zeichnungen, Gemälden, Drucken und Briefen gezeigt werden, die aufgrund ihrer ausgeprägten Lichtempfindlichkeit normalerweise in dunklen Schubladen verborgen lagen. Ich erwähnte dies Richard gegenüber und fragte, ob er hingehen würde.

»William Blake?«, sagte Richard. »Konnte nicht zeichnen, konnte nicht kolorieren.«

Richard MacKenney ist heute Geschichtsprofessor an der Universität Edinburgh. Ich hoffe, man weiß ihn dort richtig zu schätzen.

David Huggins hielt mich eines Nachmittags im Walnut Tree Court an. »Meine Mutter kommt heute Abend in deine Vorstellung.«

»Tatsächlich?« Ich war überrascht. Dave gehörte nicht zur Theaterwelt, und ich wunderte mich, warum eine Mutter eine Vorstellung besuchen wollte, in der ihr Kind gar nicht auftrat.

»Ja. Sie ist Schauspielerin.«

Ich bat mein Gedächtnis um Daten zu einer Schauspielerin namens Huggins. Es hatte nichts anzubieten. »Äh ... ja. Wie schön.«

»Ja. Mein Vater auch.«

»Kenne ich sie vielleicht?«

»Weiß nicht. Beide verwenden Künstlernamen. Sie arbeitet als Anna Massey, und er nennt sich Jeremy Brett.«

»A-aber ... o Gott!«

Anna Massey würde kommen, um mich auf der Bühne zu sehen? Nun ja, nicht explizit, um *mich* zu sehen, aber zu einer Aufführung, in der ich auftreten würde.

»Dein Vater aber nicht auch, oder?«

»Nein, die beiden sind geschieden. Er ist schwul.«

»Ja? Wirklich? Ich wusste nicht … nun ja, gut. Meine Güte. Mensch. Tatsächlich.«

Benommen vor Aufregung trottete ich weiter.

Wir hatten unsere vier oder fünf Aufführungen unter den flatternden Fledermäusen, Ariel sprintete herum, Caliban quiekte und wimmerte, ich dröhnte, und Prospero ging an den Bühnenrand und brüllte richtig los. Anna Massey applaudierte gnädig.

In der Zwischenzeit hatte ich bei den Vorbereitungen für den May Ball geholfen.

Patron oder Visitor des Queens' College ist – angesichts der Gründerinnen wohl auch angebracht –, wer jeweils als Königin regiert, und sie hatte diese Position bis zu ihrem Tode inne. Von den 30er bis zu den 50er Jahren des 20. Jahrhunderts war es natürlich Elizabeth, Gattin von George VI. Nach dem Tod von George behielt sie, inzwischen Queen Mother betitelt, ihre Stellung. Das hat seine Bedeutung.

Wir befinden uns bei einer Versammlung des May Ball Committee. Ein Großteil der Zeit wird erwartungsgemäß der Erörterung spezieller Fragen gewidmet – wie kann man einen Roulettetisch aufstellen, ohne mit den Glücksspielgesetzen in Konflikt zu geraten, wer sorgt dafür, dass die Boomtown Rats zu dem Zelt begleitet werden, in dem sie sich umkleiden, wer kümmert sich darum, ob es in der Champagnerbar genug Eis gibt, und all die sonstigen organisatorischen und administrativen Beiläufigkeiten. Der Präsident wendet sich an mich.

»Hast du schon deine Einladungen für Magdelene und Trinity?«

»Hab ich – und auch für Clare.«

Als Mitglied des May Ball Committee kommt man in den Genuss, auch zu anderen May Balls eingeladen zu werden. Außer zu unserem eigenen wollte ich auch zum Ball im Clare gehen, einem der hübscheren Colleges, an dem meine Cousine Penny ebenfalls Frischling war, und zu den beiden wichtigsten von allen, Trinity und Magdelene. In so hohem Ansehen standen die beiden Bälle, dass Klatschreporter und Fotografen vom *Tatler* und von *Harper's & Queen* regelmäßig anwesend waren. Im Clare und Queens' konnte man im Dinnerjackett auftauchen, aber bei den Bällen im Trinity und Magdelene herrschte Frackzwang. Die Kostümverleihe machten beste Geschäfte. Nur King's, ein College für beide Geschlechter, das stolz war auf seine radikale und progressive Gesinnung, weigerte sich, einen May Ball zu veranstalten. Sein Sommerfest hieß stattdessen prosaisch nüchtern King's June Event.

»Gut«, sagt der Präsident des Committee zu mir. »Oh. Da wäre noch ein Kleinigkeit. Doktor Walker hat mir eine Notiz geschickt, in der er darauf hinweist, dass für unser College, falls die Queen Mother stirbt, eine Trauerwoche angesetzt wird, während der keine Veranstaltungen oder Feiern stattfinden dürfen. Das gilt natürlich auch für den May Ball. Vielleicht könntest du dich mal darum kümmern, ob man dagegen eine Versicherung abschließen kann?«

»Versicherung?« Ich versuche, entspannt und unbekümmert zu klingen, als hätte ich von Kindesbeinen an Versicherungspolicen ausgehandelt. »Ah … richtig. Ja, klar. Natürlich.«

Die Versammlung geht zu Ende, und ich schlüpfe in die öffentliche Fernsprechzelle an der Ecke Friar's

Court, um mich bei Versicherungsgesellschaften zu erkundigen.

»Sun Life, kann ich Ihnen helfen?«

»Ja. Ich rufe an wegen einer Versicherungspolice …«

»Leben, Kraftfahrzeug, Geschäft oder Immobilien?«

»Nein, das alles eigentlich nicht.«

»Seefahrt, Reise oder Krankheit?«

»Nein, auch nicht. Nichts davon. Es geht darum, sich dagegen zu versichern, eine Veranstaltung absagen zu müssen.«

»Ausfall?«

»Äh … so heißt es ja wohl? Nun, ja, also Ausfall …«

»Bleiben Sie bitte dran … »

Ich warte, bis sich eine matte Stimme meldet.

»Special Services, wie kann ich Ihnen helfen?«

»Ich rufe an, weil ich eine Veranstaltung versichern möchte gegen … Ausfall heißt es doch wohl bei Ihnen?«

»Aber ja. Um was für eine Veranstaltung handelt es sich?«

»Eine Party.«

»Und die findet unter freiem Himmel statt?«

»Nun ja, es handelt sich um einen Ball. Größtenteils auf Rasengrund in Zelten, aber zum Teil auch innen.«

»Ich verstehe … und Sie möchten sich gegen Regen versichern. Teil- oder Gesamtausfall?«

»Nein, nicht so sehr gegen Regen als gegen Regenten.«

»Wie bitte?«

»Entschuldigung, nein. Ich meine … nun, es geht darum, uns dagegen zu versichern, dass die Queen Mother stirbt.«

Ein Hörer knallt auf einen Schreibtisch, es folgt ein Atemstoß, der in die Sprechmuschel trifft. »Da stimmt irgendwas nicht mit der Leitung. Es hörte sich an … schon gut. Würden Sie das bitte wiederholen?«

Heute im 21. Jahrhundert sind wahrscheinlich auf der ganzen Welt nur noch zwei Versicherungsunternehmen übriggeblieben, die Axxentander heißen oder ähnlich fies, aber 1979 gab es noch Dutzende. Ich versuchte es bei der Royal, bei der Swan, bei Prudential, Pearl, Norwich Union – bei all jenen, von denen ich gehört hatte, und bei einem Dutzend, die ich nicht kannte. Kaum hatte ich einem Agenten klargemacht, was ich brauchte, wurde ich gebeten, später wieder anzurufen. Ich kann mir vorstellen, dass sie sich mit ihren Vorgesetzten beraten mussten. Man könnte vielleicht sagen, sie hatten Probleme mit diesem Ausfall.

Eine solche Art Versicherung ist natürlich kaum etwas anderes als Wetten. Du platzierst den Einsatz (den die Versicherungsgesellschaften Prämie nennen), und sollte dein Pferd gewinnen (dein Haus in Brand geraten, dein Auto gestohlen werden, ein Mitglied der königlichen Familie sterben), kannst du deinen Gewinn einstreichen. Das Verhältnis zwischen Prämie und der Gewinnsumme wird dadurch bestimmt, dass man den Wert der versicherten Sache (die Entschädigung) abwägt gegen das Risiko und die statistische Wahrscheinlichkeit, dass sie bedroht ist. Buchmacher benutzen Informationen über die Form der Pferde und das Zuchtbuch zusammen mit den Wettmarktbedingungen, um ihre Preise festzusetzen; Versicherungsgesellschaften benutzen eine vergleichbare Mischung aus Markttrends, ihrer eigenen Geschichte und Präzedenzbüchern, die sie versicherungsmathematische Tabellen nennen. Das verstehe ich. Hätte ich eine Ausfallpolice gegen Schnee und Eis gewünscht, hätten sie sich den Wert des May Ball angesehen und festgestellt, dass sie 40 000 Pfund hätten blechen müssen, wenn er abgesagt worden wäre. Sie würden aber auch berücksichtigen, dass Blizzards Anfang Juni unglaublich selten vorkommen, sogar in Cambridge, so dass sie wahrscheinlich nur einen Bruchteil eines Bruchteils von einem Prozent der Entschädigung verlangen würden: 20 Pfund wären kaum großzügig, aber schließlich würde ja auch nur ein Idiot auf die Idee kommen, sich überhaupt gegen eine so abwegige Eventualität zu versichern. Bei einer gewünschten Police gegen Regen würden die Versicherer nach Beratungen mit Meteorologen und Einsichtnahmen in lokale Wetteraufzeichnungen vielleicht entscheiden, es bestünde, sagen wir, ein Fifty-fifty-Risiko, dass es zu Niederschlägen käme, und in diesem Fall würde die Prämie gepfefferte 20 000 Pfund betragen. Doch welcher Blödmann würde in England eine Sommerparty veranstalten, die so vom Wetter abhängig war, dass sie ausfallen musste, sobald der Himmel seine Schleusen öffnete? Ausfallpolicen sind nicht sehr verbreitet, schön und gut, aber es sind nichtsdestoweniger ziemlich klare Mechanismen anwendbar, um Fragen des Preises zu lösen, wenn es um Naturkatastrophen wie Unwetter, Feuer und Erdbeben geht. Der Tod der Mutter der Monarchin andererseits … wie hätte dessen Wahrscheinlichkeit mit Hilfe der Versicherungsmathematik berechnet werden sollen? Die Queen Mother war neunundsiebzig Jahre alt.

Ich beschloss, den Gesellschaften drei Stunden zu geben, bis ich wieder anrief, um die Angebote zu erfragen.

Vertieften sich die Versicherungsleute in ihre Familiengeschichte und überprüften die Langlebigkeit des gesamten Bowes-Lyon-Clans? Erkundigten sie sich im Clarence House nach der Gesundheit der Queen Mother, nach ihrer Kost und danach, ob sie ihr Fitnessprogramm einhielt? Zogen sie ihre angebliche Vorliebe für Gin und Dubonnet in Betracht? Ich kann mir gut vorstellen, welche Diskussionen in den Büroräumen geführt wurden.

Von sämtlichen Gesellschaften, die ich zurückrief, erfuhr ich, dass die Versicherungsmathematiker eine recht düstere Prognose abgaben, was die Hoffnungen des alten Mädchens betraf, die nächsten paar Monate zu überleben: 20, 25, 23 Prozent Wahrscheinlichkeit, dass sie bis Mitte Juni überlebte, waren Grundlage der gigantischen Prämien, die man verlangte. Das günstigste Angebot, 20 Prozent der Entschädigungssumme, lag weit jenseits unserer Möglichkeiten. Mir hatte man ein Budget von 50 Pfund eingeräumt.

»Tut mir leid«, sage ich zum Präsidenten, als ich vom letzten Telefongespräch zurückkomme. »Wir müssen einfach beten, dass Ihre Majestät sich weiterhin guter Gesundheit erfreut. Sollte sie aber sterben, werde ich versuchen, diese Nachricht von den Fellows fernzuhalten, selbst wenn ich alle Zeitungen und Radios im College stehlen und sie in einem Keller einschließen muss.«

»Ich nehme dich beim Wort«, sagte der Präsident, einige Sorgenfalten auf der jugendlichen Stirn.

Ich kann mir nicht vorstellen, dass seit den Tagen von Boudicca eifriger darum gebetet wurde, dass eine Königin lange leben möge. Traurig, dass die Queen Mother doch noch starb, wenn auch schön für uns, aber sie ließ sich weitere dreiundzwanzig Jahre Zeit. Als sie im Jahr 2002 die Welt tatsächlich verließ, war sie so fürsorglich, es im März zu tun, was bedeutete, dass die Trauerzeit des College zur May Week längst vorüber war. Mit solchen freundlichen Gesten und dieser Art Rücksichtnahme machte sie sich während eines langen, abwechslungsreichen und intensiven Lebens viele Freunde. Irgendwann in den 90er Jahren saß ich einmal bei einem Dinner neben ihr und erwog ganz kurz, ihr im Namen des College dafür zu danken, dass sie so rücksichtsvoll gewesen war, ihren Tod aufzuschieben, aber ich war so klug, mich eines Besseren zu besinnen.

Ein weiterer Event während des Ostertrimesters (so nennen sie das dritte Trimester des akademischen Jahres) in Cambridge ist die Footlights May Week Revue. Der Footlights Club zählt zu den bekanntesten Institutionen der Universität und hat im Laufe seiner 130-jährigen Geschichte schon Generationen von Comedy-Autoren und Comedians in die Welt geschickt. Seine May Week Show im Arts Theatre war ein jährliches Ritual. Wer cool war, verachtete dieses Ereignis. »Die Footlights sollen dieses Jahr scheiße sein«, sagte man zu seinem Kumpel und betrachtete naserümpfend das Plakat für die Show. Es hat noch kein Jahr gegeben, in dem dieser Satz nicht gefallen wäre. Immer dieselbe Formulierung, als Jonathan Miller The Footlights leitete, oder Peter Cook und David Frost, bis hin zu Cleese, Chapman und Idle und auch noch nach Douglas Adams, Clive Anderson und Griff Rhys Jones, Dave Baddiel und Rob Newman, David Mitchell und Robert Webb. Wer normal war, der kam gar nicht darauf, so zynisch zu kommentieren, und sah die May Week Revue als einen weiteren unterhaltsamen Fixpunkt im Cambridge-Kalender. Ich war weder cool noch normal, sondern einfach zu sehr mit *Der Sturm* und anderen Dingen beschäftigt, um hingehen zu können.

Ich hörte, dass jemand in Edinburgh eine Aufführung von *Ödipus Rex* realisieren wollte, und beschloss, einfach mal zum Vorsprechen hinzufahren. Ich tönte also und stolzierte und gestikulierte und deklamierte vor Peter Rumney, dem Regisseur, und verabschiedete mich dann mit dem Gefühl, es ziemlich übertrieben zu haben. Am nächsten Tag fand ich in meinem Fach eine Nachricht von Peter, in der er mich bat, Ödipus zu spielen. Ich war also für den Fringe des Festivals engagiert und konnte meine Begeisterung fast nicht zügeln. Für den Rest des Trimesters führte ich mich in Cambridge auf wie eine Biene in 'ner Buddel.

Irgendwann, so nehme ich an, muss ich einige Prüfungen abgelegt haben. Prelims hießen sie, glaube ich. Ich kann mich in diesem Zusammenhang an nichts Genaues erinnern. Weder wo diese stattfanden, noch welche Fragen wir zu beantworten hatten. Ich nehme an, ich habe sie bestanden, denn es gab anschließend keinen Ärger, und ich musste mich keinen strengen mündlichen Prüfungen unterziehen. Meine Zeit in Cambridge verging auch deswegen so angenehm, weil mir keine akademische Studien in die Quere kamen. Eine Universität ist, dem Himmel sei Dank, nicht der Ort für eine berufliche Ausbildung, sie hat mit der Vorbereitung auf Arbeitsleben und Karriere nichts zu tun, sondern sie ist ein Ort der Bildung, und das ist etwas anderes. Die wahre Bildung findet nicht im Vorlesungssaal oder in der Bibliothek statt, sondern in den Zimmern von Freunden in Ausgelassenheit und frohgelaunten Streitgesprächen. Wein vermag ein weiserer Lehrer zu sein als Tinte, und ein Wortgeplänkel ist oft besser als ein Buch. Das zumindest war meine Theorie, und nach ihr lebte ich. Derart abgeklärte und hehre Vorstellungen von Bildung im Gegensatz zur reinen Berufsausbildung gingen unserer neuen politischen Führung allmählich auf die Nerven. Thatcher war schließlich Industriechemikerin und Anwältin, und in diesen beiden Disziplinen ging es darum, sich Fakten eintrichtern zu lassen und zu büffeln, aber nicht im Geringsten um Bildung – wie sie bewies. Unsere Art des leichtherzigen Lernens, das sie wohl als lotterhaft ansah, dieses Festhalten an der elitären Tradition der Freien Künste, diese arrogante athenische Selbstbezogenheit war der Feind, ein giftiges Unkraut, das radikal ausgemerzt werden musste. Seine Tage waren gezählt.

Der Queens' May Ball 1979 fand statt. Ich schmückte mich mit dem Frack, den ich für die Woche geliehen hatte, und war bereit für ... na ja, für den Ball. Wir bestgelaunten, vor Stolz glühenden und aufgeregten Mitglieder des Komitees trafen uns eine halbe Stunde vor Ballbeginn auf ein Glas Champagner. Zehn Minuten später lag ich in einem Krankenwagen auf dem Weg zum Addenbrooke's Hospital, eine Sauerstoffmaske über dem Gesicht und um jeden Atemzug ringend. Verfluchtes Asthma. Es sollte volle zwei Jahre dauern, bis ich endlich herausfand, worauf die Attacke wirklich zurückzuführen war. Ich bekam diese Anfälle häufig bei Hochzeiten, Gesellschaften, Hunt Balls und anderen Veranstaltungen ähnlicher Art. Bei solchen Gelegenheiten gab es natürlich Blumenschmuck und Pollenflug, und daher war ich nie auf die Idee gekommen, dass der Grund für mein blau anlaufendes Gesicht und meine den Dienst versagenden Lungen in Wirklichkeit der Champagner war. Eine lachhafte Allergie, aber man kann sie sich nicht aussuchen.

Im Addenbrooke's bewies eine Adrenalininjektion so umgehend ihre aufbauende Wirkung, dass ich um zehn aus dem Krankenhaus raus, in einem Taxi und wieder auf dem Rückweg ins Queens' war. Zwei zusätzliche Notfall-Inhalatoren in den Taschen verdarben leider

Schnitt und Sitz meiner Frackhose. Ich war entschlossen, keine weitere Minuten zu verpassen.

May Balls klingen traditionell mit einem Frühstück aus, und viele Partygänger lieben es, die Morgendämmerung auf dem Cam zu begrüßen. Sogar schon in jenem jungen Alter war ich ein sentimentaler Narr, gefühlsduselig bis zum dämlichen dorthinaus. Das hat sich bis heute nicht gegeben, und ich werde den Anblick junger Männer in ungezwungener Abendgarderobe, die ihre Angebeteten an einem Sommermorgen durch den Fluss staken, auf ewig für schmerzvoll romantisch halten, für qualvoll entzückend und herzzerreißend anbetungswürdig.

Caledonia 1 – Schottland, zum Ersten

Nach Ende des Trimesters machte ich mich wie gewöhnlich auf nach North Yorkshire, um ein wenig Latein zu lehren, Schiedsrichter in der Second Eleven von Cundall Manor zu spielen, die Spielfelder für den Sports Day vorzubereiten und, in der wenigen Freizeit, die mir blieb, die Rolle des Ödipus und den Text meiner diversen Figuren in einer Inszenierung von *Artaud at Rodez* von Charles Marowitz zu lernen, die von den Cambridge Mummers aufgeführt wurde und in der aufzutreten ich, vielleicht törichterweise, ebenfalls zugesagt hatte. Töricht deswegen, weil ich zwei Wochen lang Tag für Tag, kaum dass der Vorhang bei *Artaud* gefallen war, zum Theater sausen musste, in dem *Ödipus* eine halbe Stunde später beginnen sollte. Alte Theaterhasen in Edinburgh sagten, ich würde es höchstens um Haaresbreite schaffen können, besonders wenn ich komplizierte Kostüme wechseln oder viel Make-up entfernen und mich wieder neu schminken musste, aber Dinge um Haaresbreite zu schaffen gehörte zu meinen Lieblingsbeschäftigungen.

Im Spätsommer ist Edinburgh für das Studententheater drei Wochen lang Mittelpunkt der Welt. Die nächsten fünf Jahre, wenn nicht länger, sollte ich Jahr für Jahr im Fringe auftreten. Die allermeisten Festivalbesucher verlieben sich auf der Stelle in die Stadt ebenso wie in die Veranstaltung. Nach zwei Tagen schmerzt die Schienbeinmuskulatur, weil sie steile Auf- und Abstiege wie die in der Stadt nicht gewohnt ist. Die unzähligen Steintreppen und schmalen Gassen verblüffen sämtliche Muskeln – und wenn sie die ebenen Straßen der Städte von East Anglia oder eine sitzende Lebensweise gewohnt waren, dann reagierten sie nicht nur verblüfft, sondern schockiert und empört. Das furchterregende Aussehen der steinalten, sich auftürmenden Wohnhäuser von Edinburgh mit ihren steinernen Treppen und den bedrohlichen Giebeln weckte in mir das Gefühl, jeden Moment könnten Burke and Hare, Deacon Brodie oder Mister Hyde geifernd auf den Stufen am Grassmarket auftauchen. Es tauchte jedoch nichts Furchterregenderes auf als junge Trunkenbolde, die »Spudulike« mit Käse aus Styroporkartons futterten. Damals waren diese Ofenkartoffeln zum Mitnehmen für Studentenbedürfnisse die günstigste Form sättigender Nahrung. Schottland war in der Tat ein fremdes Land. Die Kost war fremdartig: Außer »Spudulike« boten die Hühnchen-Imbisse als Außer-Haus-Gerichte auch die delikate *specialité du pays* an – frittierte Mars Bars, Wagon Wheels und Curly Wurlys. Die schottischen Geldscheine waren anders, die Sprache, das Wetter, das Licht, ja sogar die Kensitas-Zigaretten waren ungewohnt. Ein *pint of heavy* war der beliebteste Drink, wobei *heavy* für *bitter* stand oder zumindest eine schäumende Flüssigkeit bezeichnen sollte, die bemüht war, eine vage Ahnung davon zu vermitteln.

Überall in der Stadt, an jeder Wand, in jedem Fenster, an allen Laternenpfählen und in jedem Hauseingang warben Plakate für Theateraufführungen, Komödien und eigenwillige Veranstaltungen, in denen sich alles mischte: von Zirkus, Music Hall, surrealistischer Ballonmanipulation und Ballett bis zu Straßenperkussion, maoistischem Limbotanz, Transvestitenoperette und Kettensägenjonglage. Ensemblemitglieder dieser Shows liefen in Kostümen durch die Straßen und überschütteten die gutgelaunt abweisenden Passanten mit Handzetteln und Freikarten. Am Eröffnungstag bewegte sich eine Parade von Festwagen langsam östlich über die Princes Street. Irgendwo in der Stadt, so hieß es jedenfalls, fand ein richtiges und offizielles Festival statt: Professionelle Theatergruppen und internationale Orchester führten Stücke auf und spielten Konzerte, aber alles für Erwachsene und in schicken Konzerthallen und Theatern. Wir hingegen sahen und wussten nichts davon, denn wir waren der Fringe, ein enormer pilzähnlicher Organismus, der seine Fäden durch Edinburgh bis hinein in die einfachsten Quartiere webte, in die seltsamsten Schuppen, Hütten, Lagerhäuser und Kaispeicher und in alle Kirchensäle und jeden Raum, der groß genug für einen Punk-Zauberer und ein paar Stühle war.

Auf der Hälfte der Royal Mile, die vom Edinburgh Castle zur Georgian New Town verläuft, befand sich das Büro von Fringe, und dort standen Festivalbesucher in Schlangen an, um Karten zu kaufen. Es gab zwei Vorstellungen, die ich einfach sehen musste. Da war einmal die

Footlights-Revue, die ich wegen *Der Sturm* in Cambridge verpasst hatte, und zum anderen gab es eine Ein-Mann-Comedy-Show, die im Wireworks gezeigt wurde, einem umgebauten Fabrikgebäude hinter dem Fringe-Büro. Man hatte mich so oft gemahnt, den Künstler, einen Oxford-Absolventen namens Rowan Atkinson, nicht zu verpassen, dass ich es für angebracht hielt, mich in die Schlange einzureihen und Bares hinzulegen, um für mich und das *Ödipus*-Ensemble Eintrittskarten zu kaufen.

Es warteten schlechte Nachrichten, als ich den Anfang der Schlange erreichte.

»Ooh, die Vorstellung ist ausverkauft, mein Lieber.«

»Tatsächlich?«

»Tut mir leid … was würden Sie denn sonst … Moment mal.«

Sie nahm den Telefonhörer ab, und während sie zuhörte, was am anderen Ende der Leitung gesagt wurde, erhellte ein Lächeln ihre Miene, und sie schenkte mir einen aufmunternden Blick. Sie war eine sehr hübsche junge Schottin und verblüffend fröhlich trotz der damals noch nicht computerisierten Arbeitslast, die sie zu bewältigen hatte. Ich sehe ihr Gesicht noch genau vor mir.

»Nun, das waren gerade die Leute von Rowan Atkinson. Sie sagen, dass sie wegen der großen Nachfrage eine zusätzliche Spätvorstellung am Sonnabend angesetzt haben. Würde Ihnen das passen?«

Ich kaufte fünf Tickets und eins für den Cambridge Footlights Club und trollte mich erfreut davon.

Wir führten unseren *Ödipus* zwei Wochen lang jeden Abend im Adam House in der Chambers Street auf. Das Szenenbild war »inspiriert« von Science-Fiction-

Filmen, und die Hauptdarsteller mussten ebenso wie der Chor eigenwillige Kostüme tragen, die aus farbigen Cellophanfolien zugeschnitten und höllisch schwer anzuziehen waren. Schließlich musste ich trotz der knappen Pause zwischen den Vorstellungen rechtzeitig fertig werden. Peter Rumney hatte sich für W. B. Yeats' Übersetzung des Originals von Sophokles entschieden, und mir gelang die Sprache gut, fließend und einschmeichelnd, aber ich schaffte es nicht, den Gipfel der Tragik und der Verzweiflung zu erklimmen, den das Stück verlangt. Ja, ich kam nicht einmal bis ins Vorgebirge. Der Weg des Ödipus Rex aus gebieterischer Höhe hinunter in wimmernden Verfall verlangte, im Bild Edinburghs gesprochen, nach einer Royal Mile, die sich aus den eleganten Plätzen der New Town hinabstürzt in die finsteren Slums der alten Welt. Ich hingegen wartete mit einer flachen Straße in Cambridge auf, die zu einem netten Schaufensterbummel einlud, aber Mitleid und Schrecken weniger heraufbeschwor als ein Bananen-Milchshake. Auch im stürmischen Wettstreit um die Gunst des Fringe-Publikums schnitt unsere Inszenierung nicht gut ab. Die Kritikerin des *Scotsman* nannte mich die Galionsfigur des Schiffs, was gut klang, bis sie erläuterte, dass sie damit mein dominantes und hölzernes Spiel meinte. Na schön. Mich scherte all das nicht: Ich fühlte mich wohl wie nie. In der Nachmittagsvorstellung der Mummers-Inszenierung von *Artaud at Rodez* spielte ich neben diversen anderen Rollen den großartigen französischen Schauspieler Jean-Louis Barrault. Unsere Regisseurin war die dynamische und leidenschaftliche Pip Broughton, die Jonathan Tafler (dem Sohn des Filmschauspielers Sidney) die Hauptrolle des Artaud anvertraut hatte. Der spielte exquisit und dominierte die Bühne und die Inszenierung, obwohl er die meiste Zeit in einer Zwangsjacke steckte.

An meinem fünften Abend entcellophanierte ich mich, kaum dass der Vorhang bei *Ödipus* gefallen war, und eilte davon, um mich in die Schlange einer ungeduldigen Ausverkauftes-Haus-Menge einzureihen, die in das Theater drängte, in dem The Footlights ihre Revue *Nightcap* aufführen sollten.

»Die sollen ja dieses Jahr scheiße sein«, hörte ich jemanden hinter mir sagen, als ich mich setzte.

»Ja, *Nightcrap*«, kicherte sein Begleiter.

Es war keine Scheiße. Es war erstaunlich gut, und die beiden hinter mir waren als Erste auf den Beinen, pfiffen und trampelten ihren Beifall, als sich die Akteure verbeugten.

Zwei Studenten aus dem zweiten Jahr traten bei der Show auf: meine Freundin Emma Thompson und ein hochgewachsener junger Mann mit großen blauen Augen, dreieckigen roten Wangenflecken und einer befangenen Ausstrahlung, die gleichzeitig furchtbar ulkig und unerklärlich magnetisch wirkte. Laut Programm, in dem sich hilfreicherweise Fotos der Ensemblemitglieder fanden, war sein Name Hugh Laurie. Ein weiterer hochgewachsener Mann mit helleren, aber ebenso blauen Augen, lockigem Haar und charmanten 40er-Jahre-Manieren war Robert Bathurst, der gegenwärtige Präsident des Footlights. Martin Bergman, der vorjährige Präsident, trat ebenfalls in der Show auf, und zwar in der Rolle eines einfallsreichen, mondgesichtigen und geschlechtslosen Conferenciers. Zur Besetzung gehörte überdies ein erstaunlich agiler und temperamentvoller Schauspieler mit sehr viel komischem Talent, der Simon McBurney hieß und den ich kannte, weil er Emmas

Freund war. Zu meiner riesigen Verblüffung wurde ich Zeuge einer Comedy Show, wie ich sie zuvor noch nicht gesehen hatte. Es war mir nie in den Sinn gekommen, dass die Footlights so gut sein könnten. Ja, so gut, dass auf der Stelle alle meine Träume platzten, im nächsten Jahr ins kalte Wasser der Sketch-Comedy zu springen und erste Schwimmversuche zu wagen. Ich wusste, dass ich auch nicht eine einzige Sekunde mit diesen Leuten mithalten konnte. Cool, wie ich nicht war, hatte ich mir nichtsdestoweniger die unter coolen Menschen vorherrschende Meinung zu eigen gemacht, der Footlights Club setze sich zusammen aus selbstversessenen, semiprofessionellen, showbissigen Schaumschlägern. Das Außerordentliche an *Nightcap* waren die technische Perfektion des Vortrags, der Textvorlage und des Timings sowie Stil und Selbstsicherheit. Außerdem gelang es den Footlights, ein rundum sympathisches Bewusstsein von der Absurdität der studentischen Comedy-Kultur zu projizieren. Das Programm war ausgereift und ausgefeilt, aber gleichzeitig auch zurückhaltend und freundlich; es war sophisticated und intelligent, aber nie prätentiös oder selbstgefällig; es besaß Überzeugungskraft, Schliff und Qualität ohne den Anflug von Selbstbeweihräucherung, Eitelkeit oder Plattheit. Es bot, kurz gesagt, genau das, was meiner Meinung nach Comedy dieser Art bieten sollte. Ich war bisher in mindestens fünfzehn Stücken aufgetreten, von denen manche auf die eine oder andere Art komisch waren, aber ich traute mir nicht zu, je das Selbstvertrauen aufbringen zu können, an die Tür eines Footlights Club zu klopfen, der sich solch ausgewiesener Talente rühmen konnte.

Nun ja. Wenigstens würde es mir wohl vergönnt sein, über diesen Rowan Atkinson zu spotten. Was hatte Oxford schließlich je für die Comedy geleistet? Na ja, Terry Jones und Michael Palin, klar, aber abgesehen von ihnen, was hatte Oxford je für die Comedy geleistet? Dudley Moore. Ja, aber abgesehen von Palin, Jones und Moore, was hatte …? Alan Bennett. Na schön. Zugegeben. Aber außer Michael Palin, Terry Jones, Dudley Moore und Alan Bennett … Evelyn Waugh? Oscar Wilde? Oh, tatsächlich, verdammt, vielleicht waren die aus Oxford doch nicht alle Blindgänger. Trotzdem ging ich in der Erwartung ins Wireworks, dass eine Ein-Mann-Show niemals mit der Kompetenz und Kunst von *Nightcap* würde mithalten können. Zwei Stunden später taumelte ich hinaus, kaum noch fähig, mich auf den Beinen zu halten. Meine Seiten und Lungen litten höllisch. Sie waren in ihrem ganzen Leben noch nicht von derartigen Lachkrämpfen geschüttelt worden. Sie haben Rowan Atkinson wahrscheinlich schon einmal gesehen. Wenn Sie Glück hatten, durften Sie ihn auf der Bühne erleben. Wenn Sie sehr, sehr viel Glück hatten, durften Sie vielleicht die Erfahrung machen, ihn auf der Bühne zu erleben, bevor Sie ihn irgendwo anders gesehen hatten. Es ist ein einmaliges Vergnügen, einem so erstaunlichen Talent ohne Voreingenommenheit und besondere Erwartungen zum ersten Mal zu begegnen. Ich hatte Rowan Atkinson noch nie im Fernsehen gesehen, und ich wusste eigentlich nicht mehr über ihn, als dass seine Show ein Hit war. Sie lief unter dem Etikett »one man show«, aber tatsächlich traten noch zwei weitere Künstler auf: Richard Curtis, Autor des meisten Materials, spielte eine Art Normalo, und Howard Goodall, der an einem elektrischen Klavier für Musik sorgte und einen eigenen witzigen Song zum Besten gab.

Ich hatte dem Programm entnommen, dass die

Inszenierung von Christopher Richardson war, den ich als Schuljunge kennengelernt hatte, als er Lehrer an der Uppingham School gewesen war.[†] Nach dem Ende der Show unterhielt ich mich kurz mit ihm und erfuhr, dass die Show in Uppingham voraufgeführt worden war.

»Das Theater wird inzwischen ziemlich regelmäßig als Station zwischen Universität und Edinburgh benutzt«, sagte er. »Du musst mal ein paar von deinen Leuten aus Cambridge herbringen.«

»Oh, kann ich ... ich bin noch nicht ... wir würden nicht ...«

Das Theater, an dem ich in Cambridge teilhatte, erschien mir plötzlich als gewöhnlich, bieder und furchtbar langweilig. Aber ich schlug mir solche unnötig negativen Gedanken aus dem Kopf. Was gab es denn zu beklagen?

Cherubs, Coming Out, Continent – Cherubs, Coming-out, Kontinent

Das *accelerando*, das im zweiten Trimester begonnen hatte, setzte sich nach meiner Rückkehr fort. Mehr Theater, weniger akademische Studien.

Ich hatte jetzt die Wahl, außerhalb des College eine eigene Wohnung zu nehmen oder zu bleiben und ein Quartier mit einem anderen Studenten im zweiten Jahr zu teilen. Kim und ich beschlossen, gemeinsam zu wohnen, und wurden mit einer umwerfenden Zimmerflucht im Walnut Tree Court belohnt. Deren dunkle Deckenbalken waren elisabethanisch, die Wände holzgetäfelt. Einige der Paneele waren durchtrennt, so dass dahinter eingelassene Schränke und an einer Stelle sogar ein

Stück Verputz mit mittelalterlicher Malerei zum Vorschein kamen. Es gab Bücherregale, eine gute Küche, Fensterplätze, antike Bleifenster aus Wellglas und dazu nicht zu verachtende Möbel. Mit unseren Büchern, Schallplatten, Gläsern und Geschirr, meiner Shakespeare-Büste, Kims Büste von Wagner, dem Schachspiel von Jaques und dem Plattenspieler von Bang & Olufsen waren wir so eingerichtet, dass wir uns vor keinem anderen Studenten der University hätten verstecken müssen.

In meinem Gedächtnis überblenden sich die drei Semester des zweiten Studienjahres und verschwimmen. Ich weiß aber, dass ich damals eingeladen wurde, Mitglied der Cherubs zu werden. Hurra! Die Initiationszeremonie verlangte das Leeren von Kübeln mit widerlichen und unmöglichen Mischungen aus Schnaps, Wein und Bier. Außerdem musste man die Bedeutung der drei Farben Smaragd, Navy und Lachs der Cherubs-Krawatte aufsagen: »Grün für Queens' College, Blau für das Empyreum und Rosa für den Cherubpopo.« Eine weitere Pflichtaufgabe bestand darin, zu verkünden, was man zu tun gedenke, um der Sache der Cherubs und des Cherubismus dienlich zu sein. Ich kann mich nicht erinnern, was ich sagte, aber ich glaube, es war etwas Arrogantes wie der Vorsatz, die Krawatte bei jeder Gelegenheit zu tragen, wenn ich als berühmter Autor im Fernsehen auftrat. Michael Foale, ein weiterer Einzuweihender, verkündete, er werde der erste Cherub sein, der sich zu all den anderen Cherubim im Himmelreich gesellte. Das war ein ziemlich absurde Behauptung, denn Raumfahrer waren entweder amerikanische Astronauten oder russische Kosmonauten. Auf einer späteren Party der Cherubs und nicht ganz so sinnlos betrunken entdeckte ich, dass er es absolut ernst gemeint hatte. Er war sowohl UK- wie US-Staatsbürger, denn seine Mutter war Amerikanerin. Er sprach bereits fließend Russisch, das er sich selbst beigebracht hatte, denn er ging davon aus, dass die Zukunft der Raumfahrt von der uneingeschränkten Kooperation zwischen den Vereinigten Staaten und der Sowjetunion abhing. Er war im dritten Jahr seiner Promotion in Astrophysik, und als Mitglied des Air Training Corps der RAF konnte er so gut wie alles fliegen, was entweder Flügel oder Rotoren hatte. Mir ist nie wieder ein so zielgerichteter und entschlossener Mensch begegnet. Sieben Jahre später wurde er von der NASA in die Astronautenausbildung aufgenommen. Fünf Jahre danach flog er seine erste Spaceshuttle-Mission und ging in den Ruhestand, nachdem er insgesamt mehr als ein Lebensjahr fern von der Erde verbracht hatte. Bis 2008 hielt er den amerikanischen Rekord für im Weltraum verbrachte Zeit – 374 Tage, 11 Stunden und 19 Minuten –, der selbstredend auch ein britischer Rekord ist. Ich würde gern behaupten, dass seine Entschlusskraft, sein Feuereifer und sein Engagement meinem Leben eine entscheidende Wende gaben. Stattdessen hielt ich ihn für spinnert und schäme mich bei dem Gedanken, wie wenig ernst ich ihn genommen hatte.

Mike Foale lud mich nämlich 1999 zum Start seiner Reparaturmission zum Hubble-Weltraumteleskop ein, und ich konnte nicht dabei sein. Er lud mich dann wieder zu seinem allerletzten Flug im Jahr 2003 ein, für den er zum Kommandanten der Internationalen Raumstation ernannt worden war. Abermals musste ich mich wegen anderweitiger Verpflichtungen entschuldigen. Was habe ich mir nur dabei gedacht? Sicherlich hätte ich, was immer ich tat, aufschieben und an den Startplatz reisen können, um zuzuschauen, wie ein bemerkenswerter Mann eine der bemerkenswertesten Taten vollbrachte, die menschenmöglich sind. Ich bedauere es zutiefst, dass ich mir diese Möglichkeit habe entgehen lassen. Ich hoffe, dass die Cherubs des Queens' unserer Tage einen Trinkspruch in ihre Rituale einbezogen haben, der den ruhmreichsten und kühnsten Engel der himmlischen Heerscharen würdigt, den je die Farben Grün, Blau und Rosa geschmückt haben.

Ich sorgte schon bald dafür, dass auch Kim von den Cherubs aufgenommen wurde, und vielleicht zum Dank dafür, aber eher noch weil er überhaupt eine so großzügige Ader besaß, bot mir Kim an, bei einem vornehmen Schneider an der Ecke Silver und Trumpington Street ein Dinnerjackett für mich anfertigen zu lassen. Ede and Ravenscroft war nicht nur eine Maßschneiderei für Herrenbekleidung, sondern in diesem Atelier wurden auch anspruchsvolle und vornehme Berufskleidung für akademische Würdenträger, für Richter, Kirchenoffizielle und sonstige Festkleidung aller Art vom Graduiertentalar bis zur königlichen Robe geschneidert. Das zweireihige Dinnerjackett aus schwerer Wolle, das sie für mich anfertigten, war ausnehmend schön. Die Reversränder waren mit schwarzer Seide gepaspelt, und die Streifen außen an den Hosenbeinen waren ebenfalls aus Seide. Kim fand, ich müsse dazu passend ein korrektes Hemd mit separatem Kragen haben und außerdem eine schöne schwarze Fliege aus Seide. Und wie sollte ich das alles tragen ohne angemessene Schuhe? Kim war großzügig mit seinem Geld, aber er protzte nie damit. Nicht einmal ließ er mich spüren, dass ich mich glücklich schätzen könne, von seiner Spendierfreudigkeit zu profitieren, und nie brachte er mich damit in Verlegenheit oder machte mich sprachlos. Die Liebenswürdigkeit zeigte sich in der Art seiner Generosität wie in deren Umfang, wenngleich beides der Ausstattung unserer Zimmer merklich zugutekam. Kims Mutter ließ oft große Präsentkörbe von Harrods schicken, Kisten mit Wein und stapelweise Socken aus Kaschmirwolle für ihr geliebtes Einzelkind. Sein Vater arbeitete in der Werbebranche, hatte irgendwas damit zu tun, wo die Plakate platziert wurden, und es handelte sich allem Anschein nach um ein florierendes Unternehmen. Der relativ bescheidene Wohlstand meiner Familie erlaubte keinen Jahrgangsportwein, keine Trüffel, keine Pâtés, wie Kim sie kredenzt bekam, aber zum Unbehagen eines Skeptikers wie ich es bin, bewies meine Mutter die höchst unheimliche Fähigkeit, zu ahnen, wann meine Geldmittel knapp oder gar ganz erschöpft waren. Lag eine bedrohliche Rechnung von Heffer's, der Buchhandlung von Cambridge, in meinem Fach und raubte mir den Schlaf, konnte ich sicher sein, dass ich am nächsten Morgen einen Brief von meiner Mutter vorfand, dem ein Scheck beilag und eine kurze Notiz, die ihre Hoffnung ausdrückte, dass die Unterstützung von Nutzen sei. Die Summe schien fast immer die Rechnung abzudecken und einen gehörigen Betrag für Wein und Brot übrigzulassen.

Meine Schwester Jo kam zu Besuch und blieb eine Weile. Sie himmelte Kim an und schloss mit allen Freundschaft. Die meisten hielten sie für eine Undergraduate, obwohl sie erst fünfzehn war. In einem Brief, den ich ihr schrieb, als sie wieder zu Hause war, muss etwas gestanden haben, das mein Vater las, etwas, aus dem klar wurde, dass ich schwul war. Er ließ über die Pförtnerloge vom Queens' ausrichten, ich möge ihn anrufen. Als ich mit ihm sprach, sagte er, er habe meinen Brief an

Jo gelesen und es täte ihm leid, es getan zu haben, aber was das Schwulsein beträfe, da sei er überglücklich ...

»Oh, deine Mutter möchte noch mit dir sprechen.«

»*Darling!*«

»Oh, Mama. Bist du jetzt erschüttert?«

»Sei doch nicht albern. Ich glaube, ich hab's schon *immer* gewusst ...«

Es war eine wundervolle Erleichterung, dass es auf diese Weise offenbar wurde.

Meiner akademischen Pflicht, eine Woche lang in der Mensa das Tischgebet auf Lateinisch zu sprechen, musste wieder nachgekommen werden. Ich schrieb gelegentlich Artikel und Fernsehkritiken für eine Studentenzeitschrift namens *Broadsheet*, und mehr und mehr Rollen in mehr und mehr Stücken wurden mir angeboten. Ich spielte einen Diskjockey in *City Sugar* von Stephen Poliakoff, einen Dichter in Edward Bonds *The Narrow Road to the Deep North (Schmaler Weg in den tiefen Norden)* und einen Don der Altphilologie in einem neuen Stück des Undergraduate Harry Eye. Ich spielte Könige und Herzöge und alte Stellvertreter des Königs bei Shakespeare und Mörder und Ehemänner und Geschäftsleute und Erpresser in alten Stücken, in neuen, in vergessenen und in wiederbelebten. Wenn Kiplings Ansicht stimmt, dass die Bereitschaft, jede Minute mit wohlgenutzten sechzig Sekunden wie beim Dauerlauf auszufüllen, wahrhaftig, wie er behauptet, das Zeichen eines ganzen Mannes ist, dann schien ich zu einem der maskulinsten Studenten in Cambridge geworden zu sein.

In den Weihnachtsferien, die zwischen das Michaelmas- und das Lent-Trimester fielen, begleitete ich die European Theatre Group auf einer Tournee durch Europa und ließ den Segen *Macbeth* einer verwirrten Auswahl holländischer, deutscher, Schweizer und französischer Theaterbesucher zuteil werden, die hauptsächlich aus widerspenstigen Schulkindern bestand. Regisseurin dieser Produktion war Pip Broughton, die auch für *Artaud at Rodez* verantwortlich gewesen war, und sie hatte die Rolle des mordlüsternen Gefolgsmannes mit Jonathan Tafler besetzt. Eine Krankheit ließ ihn jedoch in letzter Minute ausfallen, und das war für Pip ein schwerer Schlag, denn sie und Jonathan waren ein entzückendes Liebespaar. Ich spielte König Duncan – eine herrliche Rolle auf so einer Tournee, denn er stirbt ziemlich früh, und so konnte ich meine Freizeit darauf verwenden, die Städte zu erforschen, in denen wir unser Quartier hatten, und zurück sein, wenn der Vorhang fiel, gespickt mit Informationen über die besten Bars und die günstigsten Restaurants. Die ETG war 1957, in meinem Geburtsjahr, von Derek Jacobi, Trevor Nunn und anderen gegründet worden und hatte sich den beklagenswerten Ruf erworben, allzu häufig über die Stränge zu schlagen und es an Ernsthaftigkeit und Anstand mangeln zu lassen. Es wurde gemunkelt, dass die Stadt Grenoble so weit gegangen war, sämtlichen Theatertruppen aus Cambridge ein für alle Mal den Auftritt innerhalb ihrer Mauern zu verbieten, nachdem es irgendwann Mitte der siebziger Jahre bei einem Empfang des Bürgermeisters zu einer üblen Selbstdarstellung der ETG in betrunkenem Zustand gekommen war. Wenn man den Erzählungen Glauben schenkt, dürfte es sich eher um eine Selb*stentblößung* im Zustand der Trunkenheit gehandelt haben. Unsere Truppe war nicht so schlimm, aber wir benahmen uns auf der Bühne daneben. Der

Anblick von Sitzreihen andachtsvoller Schweizer Schul-
kinder, die ihre Shakespeare-Ausgabe auf dem Schoß
haben und den Text Zeile für Zeile voller Eifer verfolgen,
lässt einen britischen Schauspieler kurzfristig zum Teufel werden. Bevor sich der Vorhang öffnete, wurde ein
»Wort des Tages« ausgegeben, und dem Schauspieler,
der das Wort am häufigsten unterbrachte, winkte ein
Preis. Ich weiß noch, dass ich eines Abends in Heidel-
berg »Keinen Wiesel gibt's, / Der Seele Bildung in des
Wiesels Gesicht zu lesen« sagte. »Es war ein Wiesel, auf
das ich ein Wiesel gründete.« Und so weiter.

Ein Kollege namens Mark Knox, der viele Rollen
übernommen hatte, einschließlich der des Boten, der
Lady Macduff verkündet, dass der böse Macbeth auf dem
Weg sei und ihr Schlimmes antun wolle, stellte fest, dass
seine Warnrede nach der Melodie von »Greensleeves«
gesungen werden konnte. Eben das tat er, einen Finger
am Ohr, zur großen Verblüffung eines Berner Publikums. »When shall we three meet again?« der drei He-
xen erwies sich, mit nur minimaler Silbenverrenkung,
als singbar nach der Melodie von »Hark the Herald
Angels Sing«.

Barry Taylor, der in Ian Softleys *Sturm* des Theaterclubs BATS in der May Week den wimmernden Caliban
gespielte hatte und jetzt in letzter Minute herbeigerufen
worden war, um Jonathan Tafler zu ersetzen, brachte es
inmitten all dessen fertig, einen grandiosen Macbeth auf
die Bühne zu bringen. Wenn ich früh genug von meinen
Erkundungstouren durch die Stadt zurück war, stand
ich in der Kulisse und sah voller Bewunderung zu, wie
es ihm gelang, über die dummen Scherze hinweg oder
manchmal auch, indem er sie einbezog, mordlüster-
ne Brutalität, selbstzerstörerisches Schuldbewusstsein,

brodelnde Wut und grässlichen Schmerz auszudrücken, wie ich es noch nicht besser gesehen hatte. Es ist natürlich eine Binsenweisheit, dass ein Amateurensemble stets der Ansicht ist, sich mit dem besten professionellen Theater messen zu können: Das ist selten berechtigt, aber manchmal gibt es Amateurauftritte, auf die ein Profi stolz wäre, und der von Barry Taylor als Macbeth war so einer. Zumindest in meiner Erinnerung.

Mehr Zeit als auf der Bühne verbrachten wir damit, in einem Wallace-Arnold-Bus zwischen den einzelnen europäischen Städten umherzukutschieren. Sich immer neue Spiele auszudenken und Beschäftigungen zu finden, um die Zeit totzuschlagen, wurde zur Besessenheit. Den meisten von uns stand der Tripos in Englisch bevor, und eines der Spiele, mit denen wir uns beschäftigten, verlangte, die wichtigsten Werke der Literatur, die wir nicht gelesen hatten, auf einem Zettel zu notieren. Ich sammelte die Zettel ein und las laut die Titel vor, zu denen *Hamlet* gehörte, *Farm der Tiere*, *David Copperfield*, *Stolz und Vorurteil*, *Der große Gatsby*, *Warten auf Godot* … nennen Sie ein Meisterwerk, dessen Lektüre obligatorisch ist, und es fand sich jemand im Bus, der es nie gelesen hatte. Sich in Scham zu winden ob des Ausmaßes unserer Ignoranz war so angenehm wie demütigend. Zu erfahren, dass man nicht als Einziger mit einer merkwürdigen und unerklärlichen Wissenslücke herumläuft, ist auch irgendwie erleichternd. Sie werden wissen wollen, welche Titel ich angab. Da wäre *Liebende Frauen* von D. H. Lawrence, das ich zweifellos zu meinem Schaden und zu meiner Schande bis heute nicht gelesen habe. Auch *Söhne und Liebhaber* und *Der Regenbogen* habe ich nicht gelesen. Sie dürfen zudem sämtliche Romane von Thomas Hardy hinzufügen, mit

Ausnahme von *Der Bürgermeister von Casterbridge*, den ich abscheulich fand. Als Poeten schließe ich Lawrence und Hardy leidenschaftlich in die Arme, aber ihre Romane halte ich für unlesbar. So. Ich komme mir vor, als hätte ich die Beichte abgelegt. Ich hoffe, Sie sind nicht allzu enttäuscht.

Challenge 1 – Herausforderung, zum Ersten

Mein erster Fernsehauftritt ergab sich zu ungefähr jener Zeit. Er hatte nichts mit Schauspielerei zu tun, aber entsprang demselben lästigen Drang, sich herauszuheben und bewundert zu werden, den abzuschütteln ich eines Tages, vielleicht im Zuge der Senilität, schaffen werde. Es wurde im College gemunkelt, dass Queens' mit einem Team an *University Challenge* teilnehmen wolle, der Quizshow für Studenten von Granada Television. Von Kindesbeinen an hatte ich die Show inbrünstig verfolgt, und ich hätte kaum versessener darauf sein können, in das Team aufgenommen zu werden. Der Captain war nach einer Methode ausgewählt werden, die ich nie verstanden habe, wurde aber der Berufung in jeder Beziehung gerecht. Er war ein brillanter Student moderner und mittelalterlicher Sprachen namens Steven Botterill, inzwischen ein berühmter Dante-Forscher und Professor in Berkeley, Kalifornien. Um die drei anderen Mitglieder seines Teams auszusuchen, hatte er vernünftigerweise beschlossen, eine Fragenliste zusammenzustellen und einen offenen Qualifikationstest abzuhalten. Ich war unendlich viel nervöser und aufgeregter vor diesem kleinen Examen als vor dem offiziellen Tripos. Ich kann mich nicht so genau an die Fragen erinnern ... eine hatte etwas mit Nutty Bumppo zu tun, und ich war erleichtert, dass ich sie beantworten konnte. Als eine handschriftliche Nachricht von Botterill in meinem Fach lag und mich informierte, dass ich ins Team aufgenommen worden war, reagierte ich fast so überschwänglich und freudestrahlend wie an jenem Tag 1977, als meine Mutter in Just John's Delicatique in Norwich angerufen hatte, um mitzuteilen, dass ich ein Stipendium für Queens' bekommen hatte.[†] Die beiden anderen ausgewählten Undergraduates waren ein Naturwissenschaftler namens Barber und ein Anwalt namens Mark Lester – nein, nicht der Kinderstar aus *Oliver!*, sondern ein völlig anderer Mark Lester. Wir reisten nach Norden ins Granadaland zur ersten Runde.

Es war mein erster Besuch in Manchester, und zum ersten Mal sah ich ein Fernsehstudio aus der Nähe. In Norwich hatte ich einmal im Publikum gesessen, als eine ziemlich in Vergessenheit geratene Anglia-TV-Sitcom namens *Backs to the Land* aufgezeichnet wurde, aber weiter war ich nicht in die Welt des Fernsehens eingedrungen. Granada war ein weitaus eindrucksvollerer Laden als das liebe, kleine, provinzielle Anglia, und seine Studios waren die Heimat von *Coronation Street* und *World in Action*. In den Fluren hingen Fotos von Schauspielern, Filmstars und landesweit bekannten Fernsehmoderatoren wie Brian Trueman und Michael Parkinson. Man führte uns durch ein Labyrinth dieser Korridore in eine große Garderobe und bat uns, dort zu warten. Wir knabberten an Chips und Obst, süffelten Sprudel und wurden immer nervöser. Wenn wir unseren Wettkampf in der ersten Runde gewannen, würden wir am selben Nachmittag gegen ein weiteres Team antreten müssen. Blieben wir ein zweites Mal siegreich, würden wir zu einem späteren Zeitpunkt nochmals nach Manchester kommen müssen, um die Wettkämpfe im Viertel- und Halbfinale zu absolvieren. Gewannen wir auch die, wäre ein dritter und letzter Besuch nötig. Es waren eine Menge Wenns im Spiel, und plötzlich hatte ich, wie die anderen drei wohl ebenfalls, das Gefühl, absolut nichts zu wissen. Jede einzelne Tatsache, die mir vertraut war, entfleuchte wie eine vom Knall eines Gewehrs aufgescheuchte Taube. Mit Sicherheit erwartete uns eine Demütigung. Ich trommelte mir gegen die Schläfe, um einen letzten Versuch zu machen, mein Gehirn wieder unter Strom zu setzen.

Quizmaster war natürlich der großartige Bamber Gascoigne, dessen Stimme und Gesichtszüge mir so vertraut waren wie die meiner Eltern. Er war eine Symbolfigur wie die Queen und Robert Robinson: Ich konnte mich an keinen Zeitpunkt erinnern, an dem ich ihn mir nicht vor Augen hätte rufen können. Als kluger und liebenswürdiger Mann und wohl wissend, dass den anderen Teams sein Studienabschluss in Cambridge bekannt war, gab er sich alle erdenkliche Mühe, unbedingt fair zu sein, ohne jedoch vor lauter Befangenheit in Anticantabrigianismus zu stolpern. Er schien von jeder korrekten Antwort begeistert zu sein, von wem sie auch kam, und alle waren der festen Überzeugung, dass er sämtliche Fragen persönlich zusammenstellte und recherchierte. Er war berühmt für schonende und kenntnisreiche Richtigstellungen – »Welch ein Pech, Sie haben da vielleicht an Duns Scotus gedacht ...« oder »Dicht dran, er war natürlich ein *Freund* von Clausewitz ...« –, eine Art, die sich recht stark von den schockierten »*Was?*«-Ausrufen des vermaledeiten Jeremy Paxman unterscheidet oder der Art, wie er sein Gesicht verzieht, als hätte er in eine bittere Olive gebissen, sobald ihm eine falsche Antwort zu Ohren kommt und seine Vorstellung davon verletzt, was man eigentlich wissen sollte. *Autre temps, autres mœurs* ...

Botterill, Lester, Barber und ich schlichen schüchtern ins Studio, machten die typischen Witze darüber, dass die Tische nebeneinander auf dem Boden standen und nicht übereinander, wie es auf dem Fernsehschirm wirkte. Dann nahmen wir die uns zugewiesenen Plätze ein. Es tut mir leid, aber ich kann mich nicht erinnern, woher die erste Mannschaft kam, gegen die wir antreten mussten. Leeds University kommt mir in den Sinn, aber vielleicht irre ich mich. Zweifellos hielten sie uns für grässliche Oxbridge-Wichser. Wenn man sich Fotos von unserem Team betrachtet und die nicht zu bändigende trichologische Vielfalt wahrnimmt, die schlaumeierische Ernsthaftigkeit und den ungesunden Teint, kommt man kaum auf die Idee, uns als das ansehnlichste Quartett zu bezeichnen, das sich je einem Fernsehpublikum präsentiert hat.

Wir hätten nicht nervös zu sein brauchen. Wir waren eine gute Mannschaft und machten alle Opponenten nieder, die man gegen uns aufbot, und zwar bis zum Finale, das zu jener Zeit in drei Begegnungen entschieden wurde. Wir hatten gegen Merton, Oxford, zu kämpfen, das alte College meines Housemaster. Bei ihnen schien es sich um einen ganz annehmbaren und ziemlich gewitzten Haufen zu handeln, aber wir fegten sie in der ersten Runde mit einem Punktevorsprung von über Hundert von der Bildfläche. Im zweiten Durchgang gewannen wir mit zehn Punkten, was uns schrecklich wurmte, aber einen der spannendsten Endkämpfe aller Zeiten einleitete. Als der Gong den dritten und entscheidenden Durchgang beendete, lagen die Mannschaften absolut gleichauf. In dieser Tiebreak-Situation trat die Regel in Kraft, dass diejenige Mannschaft, von der die erste richtige Antwort kommt, den Gesamtwettbewerb gewinnt. Merton drückte zuerst auf den Summer und hatte die richtige Antwort. Wir wurden zweite. Kaum je war ich so am Boden zerstört oder hatte mich so betrogen gefühlt. Es schmerzt noch immer, dass unsere Mannschaft viel mehr Fragen korrekt hatte beantworten können als die Gegner und trotzdem verlor. Kindisch und erbärmlich, aber noch jetzt, da ich das hier dreißig Jahre später niederschreibe, rauscht mir das Blut in den Ohren, und ich koche, angewidert vor Empörung, erbittert vor Groll und wütend vor Enttäuschung über solch himmelschreiende Ungerechtigkeit. Nichts wird das je wiedergutmachen. Nichts, hören Sie, gar nichts. Na ja.

Corpus Christening

Als sich das Lent-Trimester dem Ende näherte, wurde ich in Cambridge von einem Mark McCrum angesprochen, der inzwischen ein bekannter Reiseschriftsteller ist, damals aber noch ein quirliger und lausbubenhafter Undergraduate mit einem schwarzen Haarschopf und dunkel glitzernden Augen war. Sein Vater Michael war Headmaster von Eton (sollte aber bald nach Cambridge zurückkehren, um die Leitung von Corpus Christi zu übernehmen), und sein älterer Bruder machte sich im Verlagsgeschäft bei Faber & Faber langsam einen Namen. Mit der Initiative, dem Unternehmungsgeist und der arglosen Chuzpe, die für ihn charakteristisch waren, hatte Mark einen kleinen L-förmigen Raum in

St. Edward's Passage übernommen, der dem Corpus Christi College gehörte. Er und seine Freundin Caroline Oulton beabsichtigten, aus ihm »The Playroom« zu machen, ein Theater, das sich speziell neuen Autoren widmen sollte. Ich kannte Caroline Oulton und verehrte sie heiß und innig. Sie hatte in *Macbeth* mitgespielt, und ich versuchte immer, im Tourneebus den Platz neben ihr zu ergattern. Sie löste nämlich ganz verblüffende Reaktionen bei mir aus.

Sie und Mark hatten ein überraschendes Anliegen. Sie wollten, dass ich zur Einweihung des »Playroom« ein Stück schrieb: Es brauche nicht die volle Länge zu haben, vielleicht könne es die Hälfte einer Doppelvorführung werden? Sie hatten nämlich einen cleveren jungen Undergraduate namens Robert Farrar gebeten, die andere Hälfte des Abends zu bestreiten. Was ich davon hielte?

Ich war geschmeichelt, aufgeregt, aber auch erschreckt, erpicht, es zu versuchen, aber voller Furcht, zu versagen. Warum meinten die beiden, ich könne imstande sein, ein *Stück* zu schreiben? Ich hatte in meinem ganzen Leben noch nie etwas geschrieben, was dem auch nur nahegekommen wäre. Gedichte für den Privatgebrauch und gelegentlich ein Artikel für *Broadsheet*, mehr hatte meine Schriftstellerlaufbahn bis jetzt nicht aufzuweisen.

»Fahr in den Ferien nach Hause, setz dich hin und denk nach. Schreib über etwas, worin du dich auskennst. Aber vergiss nicht, dass es in einem kleinen Raum aufgeführt wird. Perfekt wäre, wenn du etwas schreiben könntest, bei dem sich das Publikum mit einbezogen fühlt.«

Das Trimester endete, und ich kehrte nach Norfolk zurück. »Schreib über etwas, worin du dich auskennst«

ist die Maxime, die ich von Schriftstellern, ob lebend oder tot, immer wieder gehört hatte. In meinem von William-Morris-Tapeten geschmückten Zimmer ganz oben im Haus saß ich am Schreibtisch und fragte mich, worin ich mich auskannte. Institutionen. Ich kannte Schulen, und ich kannte das Gefängnis. Das war so gut wie alles. »Beziehe das Publikum mit ein.« Hmm …

Ich begann mit der Beschreibung einer Lateinstunde, in der ein Prep-School-Lehrer seinen Schülern eine Strafpredigt hält und ihnen ihre Übungshefte übertrieben verächtlich auf die Tische knallt: »Jungs, die mir auf die krumme Tour kommen, Elwyn-Jones, werden sich noch umsehen …« So in dieser Art. Das Publikum wird zur Schulklasse. Ein plötzlicher Beleuchtungswechsel ändert den Zeitrahmen und den dramatischen Modus, baut sozusagen urplötzlich und mit Getöse die »Vierte Wand« auf. Ein Klopfen an der Tür, ein älterer Lehrer tritt ein, eine Geschichte entfaltet sich. Ich schrieb und schrieb, zuerst mit der Hand auf einem Block. Dann tippte ich Szene für Szene auf meiner kostbaren Hermes-3000-Schreibmaschine, einem mit jadegrünen Tasten ausgestatteten schlachtschiffgrauen Schmuckstück von unvergleichlicher Stabilität und Schönheit.

Ich ließ mir eine farcenhafte Handlung einfallen, in der es auch um Päderastie, Erpressung und Liebeshändel ging und in die ich zwischendurch immer wieder Szenen in Klassenräumen einbaute, die das Publikum auf eine Weise mit einbezogen, die hoffentlich den Anforderungen von Marks und Carolines Auftrag entgegenkam.

Ich tippte die Titelseite:

LATEIN!
ODER TABAK UND KNABEN
EIN NEUES STÜCK VON SUE DENIM

Sue Denim war natürlich ein »Pseudonym«. So recht kann ich mich nicht erinnern, warum ich beschloss, das Stück unter einem Künstlernamen zu präsentieren – ich denke, ich muss wohl gehofft haben, das Publikum werde ihm im Glauben, es sei von einer Frau geschrieben, nachsehen, dass es in keinem so drastischen Milieu spielt.

Caroline und Mark schienen angetan zu sein, und ein Freund aus dem Queens', Simon Cherry, übernahm die Regie. Ein Undergraduate aus der juristischen Fakultät namens John Davies spielte den alten Lehrer Herbert Brookshaw, und ich spielte Dominic Clarke, den jungen Helden des Stücks, d. h. wenn wir ihn wirklich einen Helden nennen wollen.

Die Aufführung war während ihrer kurzen Spielzeit von drei Tagen oder so im »Playroom« ausverkauft, und weil das Interesse anscheinend groß war, spielten wir *Latein!* noch eine Woche lang im Hörsaal von Trinity Hall.

Ich war Stückeschreiber! Die einmalige Hochstimmung, von der man erfasst wird, wenn man ein literarisches Werk verfasst hat, ist unvergleichlich. Bewunderung und Anerkennung für einen Bühnenauftritt, stürmische Ovationen und ohrenbetäubender Applaus reichen nicht an den ganz speziellen Stolz heran, den man fühlt, wenn man aus keinem exotischeren Material als reinen Wörtern etwas geschaffen hat, das zuvor noch nie da war.

Als Autor wurde ich von Emma Thompson angesprochen und darum gebeten, für eine Show, die sie zusammen mit einer Gruppe von Freunden im ADC-Theater auf die Bühne bringen wollte, einige Comedy-Sketche beizutragen. Unter dem Titel *Woman's Hour* sollten ausschließlich weibliche Comedy-Talente vorgestellt werden. Obwohl ich fand, dass eine Show mit diesem Titel, in der nur Frauen auftraten, doch auch ausschließlich von Frauen geschrieben sein sollte, verkniff ich mir diesen Einwand. Es war bereits ein großer Schritt, dass Frauen ihre eigene Comedy-Show realisierten – fünfzig Jahre zuvor war es ihnen in Cambridge noch verboten gewesen, in Theaterstücken aufzutreten. Ja, als Vollmitglieder der Universität waren sie erst zehn Jahre vor meiner Geburt zugelassen worden. Neben Emma Thompson traten in *Woman's Hour* Jan Ravens, die erste Präsidentin der Footlights, und eine junge dänische Künstlerin namens Sandi Toksvig auf. Ich schrieb einige der Sketche, kann mich aber nur an zwei erinnern: die Parodie eines Programms mit Buchkritiken und ein Monolog für Emma, in dem sie als tweedgekleidete Pferdenärrin ihre Tochter bei einem Reiterfest lauthals anfeuert. Bahnbrechendes, revolutionäres Material. Die Show galt als sehr erfolgreich, und das Talent von Emma, Jan und Sandi blieb niemandem verborgen.

Ein Freund von Mark McCrum namens Ben Blackshaw kam mit einem Theaterstück zu mir, das er selbst geschrieben hatte. Es hieß *Have You Seen the Yellow Book* und dokumentierte in anschaulichen kleinen Szenen Aufstieg und Fall von Oscar Wilde. Ben wollte, dass ich Oscar spielte. Ben führte Regie, wir traten im »Playroom« auf, und dieses Stück brachte mir die erste Besprechung in einer überregionalen Zeitung ein. Der Kritiker der *Gay News* schrieb, dass ich »den singenden Tonfall des Irischen ohne irischen Akzent« wiederzuge-

ben verstände. Ich trug den kleinen Zeitungsausschnitt
mit diesem gesamten Wortlaut der Kritik noch jahrelang
in meiner Brieftasche bei mir.

Chariots 1 – Triumphwagen, zum Ersten

In Cambridge ging die Kunde, dass eine Filmgesellschaft
Komparsen unter der Studentenschaft suchte. Man hatte
sich mit den Präsidenten des ADC, der Mummers und
der Marlowe Society in Verbindung gesetzt, die wiederum Kontakt mit der Schauspielergemeinschaft aufnahmen. Kim und ich ließen in der Hoffnung auf internationalen Starruhm in aller Eile unsere Namen registrieren.

Ich besaß einen Freund in Oxford, der mir voller
Stolz geschrieben hatte, dass der große Michael Cimino
dort einen wichtigen Film mit dem Titel *Heaven's Gate*
drehte und er darin einen Auftritt als Komparse hatte.
Jetzt rief ich ihn an, um ihn wissen zu lassen, dass bei
uns ebenfalls gedreht wurde.

»O ja?«, sagte er. »Welches Studio? Wir sind bei United Artists.«

»Oh, ich glaube nicht, dass es sich bei unserem Film
wirklich um das Großprojekt eines amerikanischen
Studios handelt«, musste ich gestehen. »Offenbar geht
es um eine Gruppe britischer Athleten bei der Olym-
piade 1924. Einer von ihnen ist Jude und der andere ein
gläubiger Presbyterianer, der sonntags nicht laufen will
oder so. Colin Welland hat das Drehbuch geschrieben.
Es ist … na ja … was soll's.«

Als ich den Hörer auflegte, klang mir das prustende
Spottgelächter meines Oxford-Freundes in den Ohren.
Es lag etwas Demütigendes darin, dass Cambridge für

einen so kleinen provinziellen Film ausgesucht worden war, während Oxford eine Filmproduktion mit großem Etat bekam. Keiner von uns beiden konnte wissen, dass *Heaven's Gate* United Artists fast in den totalen Ruin gebracht hätte und ewig auf der Liste der größten finanziellen Katastrophen in der Geschichte Hollywoods stehen sollte, während unser kleiner Film ...

Er hieß *Die Stunde des Siegers*, und ich erlebte einige verwirrend aufregende Tage als Komparse. Der erste spielte sich im Senate House ab, in dem eine »Fresher's Fair«-Szene gedreht wurde, in der die Hauptdarsteller vom University Athletics Club und der Gilbert and Sullivan Society angeworben werden. Leicht benommen im Kopf wegen eines Haarschnitts, der zwar gratis war, aber ebenso grausam, hatte ich mir noch vor Beginn der Dreharbeiten zwei Pfund extra verdient, indem ich meinen eigenen gestreiften College-Blazer und meine Flanellhose als Kostüm zur Verfügung stellte. Ich sah aus wie ein dämliches Arschloch, wie ich den Stand des Tennisclubs hütete, den Ball auf meinem Schläger hüpfen ließ und mir alle Mühe gab, einen spielfreudigen Eindruck zu erwecken. In der weitaus wichtigeren Rolle als Kapitän des Cambridge University Athletics Team stand dicht in der Nähe einer der Sporthelden von Cambridge: Derek Pringle, der später für Essex und England Cricket spielte.

Ich war höchst erstaunt, als der Requisiteur, kurz bevor die Kamera lief, zu mir kam und mir einen Stapel kleiner Visitenkarten gab, auf denen über zwei gekreuzten Tennisschlägern »Cambridge University Tennis Club« stand. Ich musste meine Augen anstrengen, um die New-Palace-Druckbuchstaben zu entziffern – die Wahrscheinlichkeit, dass die Kamera sie einfangen könnte, erschien absurd gering. Mir kam es vor wie eine äußerst erstaunliche Vergeudung von Zeit und Geld, aber ich hatte natürlich keine Ahnung vom Film oder wusste um die Notwendigkeit, für jede Eventualität gerüstet zu sein. Egal wie detailliert die Planung der Vorproduktion und alle Vorbereitungen gewesen waren, können doch Umstände wie Wetter, Licht, Lärm, das Versagen eines Krans oder die Indisposition eines Schauspielers oder Crewmitglieds alles über den Haufen werfen. Möglicherweise entscheidet der Regisseur, dass an diesem bestimmten Tag eine Szene mit der Nahaufnahme beginnen soll, wie jemand die Visitenkarte eines Tennisclubs annimmt, und wenn sie nicht fertig gewesen wäre, sofort zur Hand und perfekt gedruckt, hätte es die Filmarbeiten verzögert, und der finanzielle Verlust wäre weitaus höher ausgefallen als die Kosten für die Produktion von ein paar Visitenkarten. Nichts davon kam mir in den Sinn, natürlich nicht; ich zog voreilig den Schluss, wie es fast alle Leute tun, dass Filmemacher schwachsinnige Verschwender sind. Inzwischen weiß ich, da ich zu ihnen gehöre, dass sie schwachsinnige Geizhälse sind.

Während des gesamten ersten Tages nahm ich an, dass der Mann von der Crew, der uns positionierte, der uns instruierte, wann und wohin wir uns bewegen sollten, der laut um Ruhe bat und das Kommando gab, die Kamera »laufen« zu lassen, der Regisseur sei, von dem ich wusste, dass er Hugh Hudson hieß. Als ich an einer Stelle klarere Information brauchte, begann ich meine Frage mit »Entschuldigen Sie, Mister Hudson ...«. Er lachte und wies auf einen Mann, der gemütlich auf seinem Stuhl saß und Zeitung las. »Ich bin nur der Erste Regieassistent«, sagte er. »*Das* da ist der Regisseur.«

Wenn ein Regisseur nicht herumschreit und den Leuten sagt, wann sie sich bewegen, wie sie ihre Requisiten halten und wohin sie blicken sollen, *was*, fragte ich mich, machte er dann eigentlich? Alles kam mir höchst mysteriös vor.

Nach nur drei oder vier Tagen »Dreh«, wie wir Profis inzwischen sagten, wurde in Cambridge gemunkelt, dass gewisse Autoritätspersonen der Universität das Drehbuch gelesen, an dessen Implikationen Anstoß genommen und der Produktionsfirma fristlos sämtliche Genehmigungen für die Filmarbeiten entzogen hatten. Es schien so, als würden die Masters der Colleges von Trinity sowie Gonville und Caius, gespielt von John Gielgud und Lindsay Anderson, in der Filmhandlung als antisemitische Snobs dargestellt. Ihre heutigen Nachkommen waren der Meinung, das sei nicht zu tolerieren.

Also gut, dachten wir. Das wäre das. Ein Spaß, solange es andauerte. Aber der Produzent des Films, David Puttnam, feuerte uns nicht, entweder aus Loyalität oder aus pragmatischeren Gründen der finanziellen Ökonomie. Es gelang ihm sehr schnell, das Eton College als alternative Location zu gewinnen, und wir wurden alle mit dem Bus nach Berkshire gebracht. Die nahegelegenen Bray Studios nutzten wir als Basis. In Eton wurde eine der denkwürdigsten Szenen des Films gedreht: der Great Court Run, in dem Harold Abrahams und Lord Lindsay, gespielt von Ben Cross und Nigel Havers, eine vollständige Runde am äußeren Rand des Trinity Great Court in den ungefähr dreiundvierzig Sekunden (abhängig davon, wann die Uhr das letzte Mal aufgezogen wurde) laufen, die die Glocken brauchen, bis sie zwölf geschlagen haben – eine Leistung, die Sebastian Coe 1988 knapp verfehlte. Der School Yard in Eton ist wahrscheinlich nur ein Viertel so groß wie der Trinity Great Court, aber mit Hilfe geschickter Kameraeinstellungen gelang es, die Tatsache zu verschleiern, dass sogar ich ihn wahrscheinlich in dreiundvierzig Sekunden hätte umrunden können. Meine Rolle in dieser Szene bestand darin, mit so gut wie allen anderen Komparsen zusammen zu jubeln und meine Kreissäge wie wild in die Luft zu schleudern.

Diese Szene zu drehen schien außerordentlich viel Zeit zu erfordern. Ich konnte gar nicht fassen, wie viel: Ich hatte den Eindruck, dass alle furchtbar inkompetent sein mussten und man die Aufgaben viel schneller und effizienter hätte realisieren können. Ich weiß heute, dass die Arbeiten jener Tage mit beispielhafter Disziplin und Geschwindigkeit abgewickelt worden waren. Auf einen Außenstehenden wirken Filmarbeiten immer sowohl unerträglich langweilig als auch grauenhaft desorganisiert. Wenn man nicht versteht, wie etwas funktioniert, ist es vielleicht ganz natürlich, nachzufragen und zu zweifeln. In späteren Jahren, wenn – wie es oft passierte – ein Passant bei einer Straßenszene, die ich drehte, protestierte wegen »all dieser Leute, von denen die meisten doch nur untätig herumhängen« und dann noch die Annahme »Ich schätze, die werden von den Gewerkschaften kontrolliert« formulierte, rief ich mir, um meine Entrüstung über eine derartige Ungehörigkeit zu unterdrücken, meine eigene Skepsis ins Gedächtnis, die ich als Komparse bei *Die Stunde des Siegers* empfunden hatte. Diese Skepsis wurde von vielen unter uns geteilt, und die Mehrheit war schließlich so gelangweilt und fühlte sich so schlecht behandelt, dass sie einen Ministreik ausrief. Sie setzten sich auf den Schulhof und skandierten im Chor den Ruf nach mehr Lohn. Es verschlägt mir die Sprache, wie geldgierig und rüde wir hatten sein können, und mit Freuden sage ich, dass Kim und ich nicht der Fraktion der Aufsässigen angehörten. Puttnam trat vor uns und erklärte sich großzügig und ohne das geringste Anzeichen von Verärgerung oder Enttäuschung bereit, jedem zwei Pfund zusätzlich zu zahlen. Wir jubelten ihm lauter zu, als man von uns beim Wettlauf zu jubeln verlangt hatte.

Sollten Sie sich eines Tages *Die Stunde des Siegers* ansehen und den Wunsch haben, mich aus Gründen, die ich nicht hinterfragen möchte, im Bild zu entdecken, dann müssen Sie bei der Szene aufmerken, in der nach dem Immatrikulationsdinner ein Gilbert-und-Sullivan-Unterhaltungsprogramm läuft. Ich lauere im Hintergrund und grinse spöttisch. Eben das ist einer der grausamsten Flüche, mit dem mich die Natur belegt hat. Egal wie beseelt, betörend und unbefangen ich zu erscheinen versuche, meine Gesichtszüge ordnen sich stets zu einer Miene äußerster Selbstzufriedenheit, Selbstherrlichkeit und Selbstverliebtheit. So unfair!

In Cambridge nahm das Leben seinen launigen Lauf. Simon Cherry, der bei *Latein!* die Regie geführt hatte, wurde vom BATS auserwählt, die May-Week-Produktion 1980 als Regisseur zu betreuen. Er gab mir die Rolle des warzigen alten Königs in *Ende gut, alles gut*. Emma Thompson verkörperte Helena, Kim war in diversen Rollen zu sehen, und Barry Taylor spielte Parolles.

Barry, dessen Macbeth mich so beeindruckt hatte, war ein außergewöhnlicher Mensch und dazu jemand, der, ohne es zu wollen, in mir große Schuldgefühle und Scham weckte. Er zählte zu den intelligentesten, scharfsinnigsten, klügsten, gelehrtesten, als Schriftsteller qualifiziertesten und akademisch begabtesten Menschen, die mir je begegnet sind, aber soweit es Cambridge betraf und das Leben draußen in der Welt, litt er unter einem schlimmen Charakterfehler, einem schrecklichen Makel. Er war ehrlich. Er besaß Integrität. Ehrlichkeit und Integrität sind an sich edle Tugenden, aber sie erweisen sich als verhängnisvoll, wenn es darum geht, Prüfungen abzulegen. Barry war im Jahrgang über mir, und dies war sein letztes Semester in Cambridge. Die Abschlussprüfungen winkten. Wenn jemand es verdient hatte, mit einem First abzuschließen, zu bleiben, sich Forschungsarbeiten zu widmen und ein geschätzter Lehrer und Akademiker zu werden, wäre es Barry gewesen. Aber sein verhängnisvoller Fehler bestand darin, dass er, sobald er im Prüfungssaal saß und den Fragebogen umgedreht hatte, *die Frage zu beantworten versuchte.* Er saß da und dachte darüber nach. Er erwog diverse Annäherungsweisen. Er fing an, strich durch, was er geschrieben hatte, dachte wieder nach und brachte nur die am meisten durchdachten Urteile, Einschätzungen und Schlussfolgerungen zu Papier. Wenn dann die Pfeife das Ende der drei Stunden ankündigte, während deren drei Fragen behandelt und drei Essays fertiggestellt werden mussten, gab Barry einen perfekten Essay und einen halben guten ab. Die dritte Frage blieb unbeantwortet. Er hatte dasselbe schon im Jahr zuvor gemacht, und er wusste, dass er es wahrscheinlich auch im Abschlussexamen des Tripos in Englisch machen würde, das sich sehr schnell näherte. Er schrieb feinfühlig und stilvoll, und seine literarischen Einsichten waren, wie seine moralischen, gesellschaftlichen und ästhetischen Wahrnehmungen, von weitaus größerem Wert und tiefgreifender als meine, aber er vermochte einfach nicht die Kunst der Zeiteinteilung zu meistern oder den Kompromiss zu akzeptieren, den Prüfern das zu geben, was sie wollten. Er stammte aus einer Arbeiterfamilie, die im Südosten Londons lebte. Er erzählte mir, dass nur ganz selten Jungen aus der Public School in Southend oder Isle of Dogs zu ihnen in den Bus gestiegen waren und mit ihrem vornehmen Akzent Fahrkarten gekauft hatten, aber wenn es geschah, hatten er und seine Freunde sie mit Krächzen, Schreien und Nölen nachgeäfft. Nicht drohend oder aggressiv, sondern einfach nur, weil der Ton ihnen so sonderbar vorkam. Es erschien ihnen kaum glaublich, dass jemand, besonders jemand in ihrem Alter, tatsächlich so sprach. Dann kam Barry nach Cambridge, und plötzlich war die Public-School-Schnöselsprechweise die Norm. Er brauchte eine ganze Zeit, bis er glauben konnte, dass jemand mit einem solchen Akzent nicht unbedingt ein Oberschichtentrottel mit fliehendem Kinn sein musste.

Was Barry von einem Mann wie mir gehalten haben mochte, der so geschickt und gerissen war, die Examensfragen auf eben die Weise zu beantworten, die den größten Erfolg mittels der geringsten Anstrengung brachte, der andererseits aber über hinreichend Erinnerungsvermögen und Wissen verfügte, um sein Werk als authentische akademische Leistung erscheinen zu lassen, weiß ich nicht. Wenn man meine Public-School-Attitüde und zur Schau gestellte Selbstsicherheit hinzunahm, muss ich annehmen, dass ich genau die Art Bagage war, die Menschen mit Geist höchstwahrscheinlich verachteten.

Cambridge wäre vielleicht, wenn man dazu Veranlassung gesehen hätte, mit dem Gegenargument gekommen, sein Prüfungssystem sei für die reale Welt geschaffen und dafür perfekt. Erfolge in der Politik, in der

Werbung, im Auswärtigen Amt, in der City und so vielen bedeutsamen Feldern professioneller Bemühungen hängen von der Befähigung ab, das Wesentliche eines Schriftsatzes in Windeseile herauszufiltern, das Material dem eigenen Gutdünken zu unterwerfen, Zahlen und Fakten zu präsentieren, zu promoten und aufzumotzen, und das alles mit Tempo, Schliff, Mühelosigkeit und Selbstvertrauen. Der Tripos sondert die Langsamen aus, die Ehrlichen, die Sorgfältigen, die Wohlüberlegten und die übermäßig Wahrhaftigen – sie alle wären für den öffentlichen Dienst oder Spitzenkarrieren in höchstem Maße ungeeignet.

Mein Zynismus und meine Selbstkritik mögen verzerrt und überspitzt wirken, aber ich glaube nicht, dass ich allzu sehr übertreibe. Ganz sicher nämlich ist der Unterschied zwischen Barry Taylors gewissenhafter Integrität und meinem indolenten Kalkül symbolisch für etwas, das in unserem Erziehungs- und Prüfungswesen falsch ist. Angefügt sei, dass Cambridge dann doch nicht so töricht war, Barrys Qualitäten total zu missachten, und er es doch noch zu einer akademischen Karriere brachte, obwohl er nicht den First-Class-Abschluss machte, den ein besseres Prüfungssystem ihm zweifellos beschert hätte. Wenn aber andererseits zu meiner Zeit kontinuierliche Überprüfung stattgefunden hätte und größerer Wert auf schriftliche Arbeiten und Recherche gelegt worden wäre und weniger darauf, dass man im Wettlauf mit der Uhr im Prüfungssaal Essays produziert, wäre ich schon nach Monaten rausgeschmissen worden. Vielleicht wären zwei Prüfungszweige angebracht: einer für glaubhaft wirkende Lumpenhunde wie mich und ein anderer für authentische kluge Köpfe wie Barry.

Eine zweite Saison Edinburgh Fringe stand bevor. Diesmal war ich exklusiv an die Cambridge Mummers gebunden, den Theaterclub, für den ich im Jahr zuvor in *Artaud at Rodez* aufgetreten war. Trotz ihres Rufs, ein progressives Programm zu machen und besonderes Gewicht auf das Moderne, Radikale und Avantgardistische zu legen, fragten sie mich, ob ich etwas dagegen hätte, dass sie *Latein!* ins Repertoire aufnahmen. Caroline Oulton hatte ein Stück über den Schweizer Kinetik-Künstler Jean Tinguely geschrieben; ein Freund namens Oscar Moore hatte ein Stück geschrieben, dessen Titel ich vergessen habe, aber in dem mit schwarzem Humor über Dunstable gesprochen wurde; Simon McBurney und Simon Cherry bereiteten eine Einmannshow vor, in der McBurney Charles Bukowski spielen sollte. Auch ein Stück für Kinder war in Arbeit, und die abendliche Hauptvorstellung sollte eine Produktion von *The Roaring Girl* sein, der selten aufgeführten Komödie von Middleton und Decker. Unter der Regie von Brigid Larmour würde Annabelle Arden die Titelrolle spielen. Es waren Annabelle und Brigid gewesen, die gemeinsam bei der Produktion von *Travesties* Regie geführt hatten, in der ich Emma Thompson das erste Mal erlebt hatte. All diese Aufführungen sollten innerhalb von zwei Wochen im selben beengten, aber historischen Riddle's-Court-Theater abseits der Royal Mile präsentiert werden.

Nachdem das Mai-Trimester beendet war und ich wie gewöhnlich meinen kurzen Lehrerdienst in Cundall Manor absolviert hatte, probten wir zwei Wochen lang in Cambridge. Ich bewohnte in der Nähe vom Magdalene eine Bude (das Queens' frischte seine Kasse auf, indem es Räume an eine Geschäftskonferenz vermietete), zusammen mit Ben Blackshaw und Mark McCrum, die mit dem, was Erwachsene »löblichen Unternehmungsgeist« nennen, ein Gewerbe gestartet hatten, das sie »Picnic Punts« nannten. Jeden Morgen zogen sie ihre gestreiften Blazer und weißen Flanellhosen an, setzten sich ihre Kreissägen auf und gingen hinunter zu einem Anleger direkt gegenüber dem Queens', wo sie einen Stechkahn liegen hatten. Eine Holzplanke mit einem weißen Tuch lag quer über dem Boot und diente als Tisch. Ein Grammophon zum Aufziehen, ein Eiskübel und sämtliche Utensilien, die dazu benötigt werden, um einen Cream Tea mit Erdbeeren und Champagner anzurichten, waren irgendwo anders verstaut. Mark brachte an der Silver Street Bridge ein handgeschriebenes Plakat mit Illustrationen an (er konnte gut zeichnen und verstand sich auf Kalligraphie), auf dem für Kahnfahrten den Cam flussaufwärts oder -abwärts in Gesellschaft echter Undergraduates geworben wurde.

Ben war hübsch, verträumt und blond, Mark dunkel, lausbübisch und attraktiv. Der traumhafte Anblick, den sie in ihrem edwardianischen Weiß boten, würde garantiert auf amerikanische Touristen anziehend wirken, auf Matronen, die einen Tagesausflug machten, und auf Lehrer mit gleichgeschlechtlichen Neigungen, die auf Besuch waren. Manchmal wenn ich zwischen den Proben über eine Brücke hastete, hörte ich eine Gershwin-Melodie, die vom Mauerwerk der Bridge of Sighs widerhallte, oder das schleppende Abebben und dann schnelle Ankurbeln eines Benny-Goodman-Foxtrotts, der über die Wiese gegenüber vom King's wehte, und lächelnd sah ich Ben und Mark zu, die The Backs entlangstakten und sich zur Erbauung ihrer leichtgläubigen und ehrfurchtsvollen Passagiere aufgekratzt die haarsträubendsten und unglaublichsten Geschichten über Byron oder Darwin ausdachten. Zum Ende des Tages kam ich von den Proben, und sie kehrten von ihren Flussfahrten zurück, mit schmerzenden Muskeln und ermüdet von dem vielen Unsinn, den sie geredet hatten. Ihre Tageseinnahmen hatten sie in das Tischtuch gewickelt, das sie auf den Küchentisch leerten. Jede kleine Banknote und jede Münze wurde geschnappt und zum Kolonialwarenhändler in der Jesus Lane getragen, um Fleisch und Pasta fürs Abendessen einzukaufen und Wein sowie Zutaten für den Nachmittagstee und Champagner für die Bootsfahrten am nächsten Tag. Ich glaube nicht, dass Mark und Ben auch nur einen Penny Gewinn machten, aber sie taten etwas für ihre Fitness, aßen und tranken gut und lösten einen Trend für »Kahnfahrten mit echten Studenten« aus, der bis heute andauert, aber inzwischen in die Hände viel gewiefterer und abgebrühterer Geschäftemacher übergegangen ist. Nicht einmal sprachen sie mich darauf an, dass ich zum Abendessensetat beitragen möge, obwohl ich doch täglich davon aß und trank, was sie auf den Tisch brachten. Die beiden versprühten so viel sorglos gute Laune, dass ich mir bieder vorkam, bourgeois und bitterernst.

Ich hatte mich bereit erklärt, in *The Roaring Girl* mitzuspielen und auch meine Rolle als Dominic Clarke in *Latein!* wiederaufzunehmen. John Davies spielte Herbert Brookshaw wie zuvor. Simon Cherry sollte wieder Regie führen und hatte David Lewis, einen Studenten der Kunstgeschichte, mit dem er im Queens' die Wohnung teilte, gebeten, ein Plakat zu entwerfen. Das Ergebnis war sensationell. Im Stil eines edwardianischen Kinderbuchumschlags stellte Daves Plakat einen Jungen in

Schuluniform dar, der einen jungen Mann im Lehrer-talar küsst, während im Hintergrund ein Cricketspiel läuft. Die graphische Gestaltung war umwerfend, die Typographie und die Farbauswahl waren höchst beeindruckend, der Gesamteindruck war exquisit. Es schockierte, aber es war auch witzig, elegant und anziehend, eben das, was ich mir auch von dem Stück erhofft hatte.

Die Produzenten der Mummers, Jo und David, schickten, kaum dass wir eingetroffen waren, eine Armee von Freiwilligen (mit anderen Worten das Ensemble) an alle Enden von Edinburgh, um die Plakate für unsere Vorstellungen anzuklammern oder zu kleben, wo wir konnten. Es stellte sich sehr schnell heraus, dass unser *Latein!*-Plakat äußerst gefragt war. Kaum hatten wir es aufgehängt, war es auch schon geklaut, und da nützte es auch nichts, wenn wir es vorsichtshalber einrissen, um seinen Sammlerwert zu vermindern. Immer öfter wurden für mich im Mummers Hauptquartier in Riddle's Court Anfragen hinterlassen, in denen Geld für übriggebliebene Plakate geboten wurde. Sie waren zu Sammlerstücken geworden. In einem seltenen Ausbruch unternehmerischen PR-Eifers rief ich beim *Scotsman* an und tat so, als sei ich bestürzt darüber, dass unsere Plakate gestohlen wurden, kaum dass wir sie aufgehängt hatten. Wie erhofft, veröffentlichten sie einen kleinen Absatz mit dem Bild des Plakats und der Überschrift: »Ist dies hier das meistgestohlene Plakat in Edinburgh?« Der Kartenverkauf sprengte daraufhin alle Erwartungen, und *Latein!* war für die gesamten zwei Wochen seiner Laufzeit ausverkauft.

Latein! wurde nachmittags gegeben, aber die abendliche Hauptattraktion war *The Roaring Girl*. Zum Ensemble gehörte ein attraktiver und amüsanter Undergraduate vom Trinity Hall namens Tony Slattery, der aussah wie ein junger Charles Boyer und sich aufführte wie ein schlecht erzogener, aber anhänglicher Welpe. Er studierte Moderne und Mittelalterliche Sprachen mit dem Schwerpunkt Französisch und Spanisch. Er hatte Großbritannien im Judo vertreten und war schon als Teenager in seiner Gewichtsklasse britischer Meister geworden. Er sang, spielte Gitarre und konnte ungeheuer komisch sein. In seiner Rolle als geckenhafter Lord steckte er sich jeden Abend eine größere Feder an den Hut. Am Ende der ersten Woche streifte die Feder bereits die Decke des Raums. Das gesamte Ensemble einschließlich Annabelle Arden in der Hauptrolle der Moll Cutpurse verfiel in unkontrolliertes Kichern, sobald er sich tief verbeugte und dadurch der riesige Federbusch über unseren Köpfen oder in unser Gesicht wippte und wedelte. Wenn Schauspieler aus der Rolle fallen, findet das Publikum manchmal Spaß daran, aber wenn es zu weit geht, fangen die Leute oft an, unruhig zu werden, zu raunen oder zu zischen. So war es an jenem Abend. Es war ausgesprochen unprofessionell – aber ausgesprochen unprofessionell sein darf man wunderbarerweise eben dann, wenn man Student ist und, nun, nicht professionell.

Wir quetschten uns allesamt in eine Bude in der New Town, schlüpften in Schlafsäcke auf dem Fußboden und machten sogar noch Platz frei für meine Schwester Jo, die zu Besuch kam und sich mit bestimmten Mitgliedern unserer Truppe *sehr gut* verstand. Es war eine herrliche Zeit; die Stücke waren jeweils auf ihre eigene Weise Publikumserfolge. Die Freude wurde durch exzellente Kritiken untermauert. Der berüchtigte Nicholas de Jong urteilte so freundlich, dass mir die Verlegenheitsröte ins

Gesicht stieg: »Stephen Fry ist ein Name, nach dem ich in Zukunft Ausschau halten werde, und das ist mehr, als ich von den meisten Autoren und Darstellern im Fringe sagen kann«, schrieb er. Ich bin seither für de Jong zur bitteren Enttäuschung geworden, glaube ich, aber zumindest waren wir uns am Anfang einig. Noch besser war die Nachricht, dass der *Scotsman* uns einen Fringe First verliehen hatte, den Preis, den in jenen Tagen jeder gewinnen wollte.

Es blieb nur wenig Zeit, sich andere Aufführungen anzusehen. *Electric Voodoo*, wie die Footlights-Revue in jenem Jahr hieß, wurde von völlig anderen Darstellern als im Vorjahr in Szene gesetzt. Hugh Laurie, der hochgewachsene Typ mit den purpurroten Fähnchen auf beiden Wangen, war nicht dabei, ebenso wenig Emma oder Simon McBurney. Emma kam jedoch ins Riddle's Court, um sich *Latein!* anzusehen, und sie brachte diesen Laurie mit.

»Hullo«, sagte er, als sie ihn vor sich herschob, um ihn mir nach der Show vorzustellen.

»Hullo«, sagte ich.

»Das war sehr gut«, sagte er. »Hat mir wirklich gefallen.«

»Danke«, sagte ich. »Sehr freundlich.«

Die dreieckigen Flecken auf seinen Wangen leuchteten rot wie nie, und er verschwand. Ich machte mir keine weiteren Gedanken um ihn. An jenem Abend feierten wir den Gewinn des Fringe First mit einer Party. Wie groß und ernst ich auf dem Foto aussehe.

Ende September 1980 kehrte ich nach Cambridge zurück, um mein letztes Studienjahr zu beginnen. Obwohl wir wieder unsere Einzelquartiere hätten haben können, beschlossen Kim und ich, uns weiterhin eine Wohnung zu teilen, und wir bekamen die Zimmerflucht A2 im mittelalterlichen Turm von Old Court zugewiesen, die schönsten Räume für Undergraduates im College. Viele Graduates und Dons bewohnten weniger großzügige Räumlichkeiten. Unsere Gemächer hatten herrliche eingebaute Bücherregale aufzuweisen, einen edlen Kamin, eine exzellent ausgestattete Küche und sehr schöne Schlafzimmer. Die Fenster boten auf einer Seite Ausblick über den Old Court und auf der anderen zur Master's Lodge von St. Catharine, der Wohnstätte des ehrwürdigen Professors der Mathematik Sir Peter Swinnerton-Dyer, der sich einer Amtszeit als Vice-Chancellor erfreute. Das am meisten geschätzte Möbelstück, das wir beisteuerten, war ein Mahagonitisch, der sich zu einem Holzkatheder aufklappen ließ. Ich hatte ihn beim Trinity College als Requisite für eine Mittagslesung von Gedichten Ernst Jandls ausgeliehen und irgendwie versäumt, ihn zurückzugeben. Kim brachte sein Schachspiel von Jaques ein, seine Stereoanlage von Bang & Olufsen, seinen Sony-Trinitron-Fernsehapparat und die Kaffeekanne von Cafetière. Wir waren noch weit entfernt von der Blütezeit der Designeretiketten, aber Markennamen gewannen langsam eine neue Bedeutung und wurden immer begehrter. Ich besaß ein pistazienfarbiges Hemd von Calvin Klein, dem ich noch hinterhertrauere, und ein Paar olivgrüne Kickers von solcher Pracht, dass ich beim Gedanken an sie zu schluchzen anfange.

Im Erdgeschoss am Fuß unserer Treppe befand sich eine kleinere Zimmerflucht, die das College übernommen und in etwas Fabelhaftes, Fremdartiges und ganz Neues verwandelt hatte: eine Damentoilette. Der äußere Raum war mit einer großen Frisierkommode ausgestattet, deren Spiegel von Glühbirnen umrahmt wurde. Auf der Kommode standen Kartons mit farbigen Papiertüchern, ein Glasbehälter mit Q-tips und eine hübsch bemalte Porzellanschale, gefüllt mit himmelblauen, babyrosa und ostereiergelben Wattebäuschchen. Ein frisch weißlackierter Stuhl aus Korbgeflecht war unter den Volant oder die Blende des blumengemusterten Chintz geschoben, der über den Rand der Kommode fiel. An den rosa Wänden waren drei verschiedene Münzautomaten für Damenbinden und Tampons angebracht. Für gebrauchte Exemplare stand drinnen in der Toilette neben dem Becken ein komplizierter Verbrennungsapparat, und man sah an der Rückseite der Tür einen Stapel brauner Abfalltüten von Lil-lets hängen. Der gesamte Raum schrie lauthals: »Du bist eine Frau. Versuch ja nicht, das zu vergessen!«

Queens' College hatte sich nach 532 Jahren Dienst an ausschließlich einem Geschlecht für die Koedukation entschieden. Weibliche Undergraduates wurden mit Beginn dieses Trimesters als Vollmitglieder des College anerkannt.

Ich kann mir vorstellen, was sich bei der Zusammenkunft der leitenden Fellows abspielte. Der Präsident hüstelt, Aufmerksamkeit heischend:

»Meine Herren: Wie Sie wissen, hat dieses Gremium vor zwei Jahren entschieden, dass Frauen ...«

»Ich nicht!«

»Ich auch nicht!«

»Äh, ja, danke Doctor Bantrey, Professor Threlfall. Eine Mehrheit der Fellows hat sich für die Zulassung von Frauen entschieden. Und im nächsten Trimester werden wir, wie Sie wissen, unsere ersten Neuzugänge …«

»Werden die zusammen mit uns essen?«

»Aber natürlich werden sie mit uns essen, Doctor Kemp, warum, um Himmels willen, sollten sie das nicht tun?«

»Na ja, ich dachte, sie essen … anders.«

»Anders?«

»Sie schnappen doch mit dem Mund nach ihrer Nahrung, nicht wahr? Oder denke ich da an Katzen?«

»Doctor Kemp, haben Sie überhaupt schon einmal eine Frau *kennengelernt*?«

»Äh … nun, nicht, dass man … meine Mutter war eine Frau. Habe sie kennengelernt, als ich sieben war. Und sie manchmal beim Essen gesehen. Zählt das?«

»Und hat sie normal gegessen?«

»Lassen Sie mich nachdenken … da Sie es ansprechen, ja, das hat sie, ja. Ganz normal.«

»Also, sehen Sie. Da gibt es jedoch das Thema kloakaler Vorkehrungen. Frauen stellen, natürlich, gewisse hygienische Anforderungen … und die sind sozusagen *sui generis*.«

»Ach ja? In welcher Hinsicht?«

»Also … nun, ehrlich gesagt bin ich mir da auch nicht ganz sicher. Aber ich glaube, hin und wieder sehen sie sich veranlasst, zu keifen und einen Mann zu ohrfeigen und anschließend in Tränen auszubrechen und … äh … dann müssen sie in ihr Taschentuch schniefen oder so. Und sich die Haare machen. Etwas in der Art. Und das geschieht regelmäßig einmal im Monat, wie ich mir habe sagen lassen. Daher werden wir speziell ausgestattete Räume brauchen, die für diese Zwecke zur Verfügung stehen.«

»Ich wusste doch, dass nichts Gutes dabei herauskommt.«

»Hört fucking hört.«

»Meine Herren, bitte! Wenn wir jetzt …«

»Und wo werden sie ihre Brüste über Nacht aufhängen? Beantworten Sie mir das bitte.«

»Entschuldigen Sie?«

»Frauen besitzen doch zusätzliche Fleischklumpen, die sie mit Hilfe von Drahthalterungen und Seidenbändern vor ihrem Brustkorb befestigen. So viel weiß ich genau. Es fragt sich nur: Wo hängen sie die Dinger des Nachts auf? Hä? Sehen Sie. Sie haben diese Angelegenheit einfach noch nicht richtig durchdacht, oder?«

Und so weiter … bis das Treffen in völligem Durcheinander endete.

Abgesehen von den erstaunlichen Toilettenräumen, stellte sich die Ankunft der Frauen als die natürlichste Sache der Welt heraus. Man konnte gar nicht glauben, dass es sie bisher hier noch nie gegeben hatte. Ob sie sich eher von den derberen Traditionsclubs angezogen fühlten wie den ruppigen Kangaroos, dem Sportclub des College, oder doch von den Cherubs, deren Anführer oder Senior Member ich jetzt war, konnte ich nicht sagen. Da der Definition nach sämtliche Frauen im College Erstsemester (wie leid sie es gewesen sein müssen, »Freshettes« oder »Undergraduettes« genannt zu werden) waren, wurde keine von ihnen im Old Court einquartiert, und daher nutzte auch keine die blitzblanke »Ladies«-Toilette am Fuß der A-Treppe. Sie wurde zu unserem Luxuslokus, und daher weiß ich auswendig, was auf dem Bindenbeutel zu lesen stand: »Lil-lets dehnen sich in der Breite und passen sich daher sanft Ihren Konturen an. Sollten Sie Fragen haben, schreiben Sie an Schwester Marion ...«

Zu der Zeit waren Kim und ich ein glückliches Paar. Er spielte Schach, las Thukydides, Aristoteles und Cicero und ließ Wagner über Old Court schallen, ab und zu versüßt durch großartige Momente Verdi und Puccini. Ich lernte meinen Text, tippte gelegentlich einen Essay auf meiner Hermes-Schreibmaschine, las, rauchte und schwatzte. Freunde kamen die Treppe heraufgeklettert und blieben lange Nachmittage bei Toast, Kaffee und anschließend Wein. Am engsten befreundet waren wir mit Rob Wyke, einem Graduate von St. Catharine, der Lehrer am College war und an seiner Promotion arbeitete. In *Der Sturm* spielte er Gonzago. Rob, Paul Hartell, ein weiterer Doktorand vom Cat's, und ein dritter wilder und wundervoller Graduate namens Nigel Huckstep bildeten ein Triumvirat, dem Kim und ich uns gerne anschlossen. Ihr Wissensspektrum war enorm breit, aber sie machten von ihrer Gelehrsamkeit nicht viel Aufhebens. An freien Abenden gingen wir auf einen »draaj« (was nach Nigels Aussagen, der Fremdsprachen so leicht lernte, wie sich ein Kleinkind einen Schnupfen einfängt, ein Wort aus dem Afrikaans war, das »bummeln« bedeutete). Am King's vorbei ging es die Trinity Street hinunter und zum Pub Baron of Beef in der Bridge Street, wo ganz Cambridge durchgehechelt wurde.

In meinem dritten Studienjahr fand ich mich in zahllosen Komitees wieder. Ich war Präsident des May Ball, Senior Member der Cherubs (»I've seen ya member, Senior Member!« war der naheliegende Spottgesang) und Präsident von BATS. Außerdem war ich im Komitee des ADC, der Mummers und mehrerer anderer Theaterclubs. Folglich hastete ich zu Anfang des Trimesters von einer Sitzung zur anderen und hörte mir, wie man heute sagen würde, den »pitch« von Regisseuren an.

Das spielte sich folgendermaßen ab. Sagen wir, Sie sind Regisseur oder wollen einer werden. Sie wählen ein Stück aus – neu oder klassisch –, entscheiden, wie Sie es inszenieren wollen, bereiten eine Rede über Ihr »Konzept« vor, kalkulieren einen vernünftigen Etat und lassen sich bei jeder der größeren Theatergesellschaften auf die Liste derjenigen setzen, die ihr Projekt vorstellen möchten. Ich nehme an, das alles wird heutzutage mit Präsentations- und Kalkulationssoftware abgewickelt, aber damals wurde noch mit Papier gearbeitet und mit Engelszungen geredet.

Bei einer Sitzung des ACD tauchte ein Erstsemester auf, das vor Selbstvertrauen strotzte. Aussehen tat der Knabe aber wie ein gequälter, sich in seinem Jackett verkriechender sensibler Sozialist, der alles um sich herum als gewaltsam und leicht bedrückend empfindet.

»Ich bin sehr, *sehr* interessiert am Werk von Grotowski und Brook«, sagte er uns. »Meine Produktion von *Serjeant Musgrave's Dance* wird sich deren Theorien zunutze machen und sie mit Elementen Brecht'scher Epik verbinden. Ich werde das Ensemble ausschließlich in Weiß und Rot auftreten lassen. Die Bühne wird ein Gerüst sein.«

Ogottogott. Aber klar doch. Wir berieten uns, als er gegangen war. Ziemlich heller Junge. *Serjeant Musgrave.* War seit fünfzehn Jahren nicht mehr gemacht worden, soweit wir wussten. Interessante Ideen. Auch nicht teuer. Auf jeden Fall überlegenswert.

Wir hören uns noch ein paar weitere Kandidaten an, und ich eile ins Trinity Hall, wo wir ein ähnliches Treffen für die Mummers abhalten. Der dritte Kandidat, der zum »pitch« den Raum betritt, ist dasselbe emphatische Erstsemester, das auch vor dem ADC-Komitee aufgetreten war. Er setzt sich.

»Ich bin sehr, *sehr* interessiert am Werk von Grotowski und Brook«, verkündet er. »Meine Produktion von *'Tis a Pity She's a Whore* wird sich deren Theorien zunutze machen und sie mit Elementen Brecht'scher Epik verbinden …« Er unterbricht sich und wirft mir einen fragenden Blick zu. Hat er mich schon einmal gesehen? Er schüttelt den Kopf und fährt fort. »Ich werde das Ensemble ausschließlich in Weiß und Rot auftreten lassen. Die Bühne wird ein Gerüst sein.«

Noch ein paar Kandidaten, und ich haste ins Queens' zu einer Sitzung der BATS. Und siehe da, das Erstsemester ist auch schon da. Es lässt aber auch gar nichts aus.

»Ich bin sehr, *sehr* interessiert am Werk von Grotowski und Brook. Meine Produktion von *Bunburry oder Ernst sein ist alles* wird sich deren Theorien zunutze machen …«

»… und sie mit Elementen Brecht'scher Epik verbinden?«, frage ich. »Möglicherweise nur in Rot und Weiß gekleidet. Und ein Gerüst?«

»Äh …«

Dieses Erstsemester ist inzwischen ein erfolgreicher *homme de théâtre* und künstlerischer Direktor von Rang. Ich weiß nicht, wie viele seiner gegenwärtigen Produktionen in Weiß und Rot daherkommen, aber seine eingerüstete *My Fair Lady*, die sich die Theorien von Grotowski und Brooks zunutze macht (verbunden mit Elementen des Epischen Theaters von Brecht, wie ich höre), hat im letzten Sommer die Leute in Margate von den Stühlen gerissen. Stimmt nicht, aber pssst!

Damals verabscheute ich Komiteesitzungen, und ich verabscheue sie noch heute. Mein Leben lang habe ich dafür gekämpft, sie so oft wie möglich vermeiden zu können. Ein vergeblicher Kampf. Ich würde so viel lieber etwas machen, als darüber zu reden, was man machen könnte. Diejenigen, die in Komiteeräumen sitzen, regieren natürlich die Welt, was ja herrlich sein mag, wenn man keine anderen Ambitionen hat. Aber diejenigen, die die Welt regieren, finden kaum je Gelegenheit, in ihr herumzutollen und zu lachen und zu spielen.

Es war wie eine Erlösung, in einer Produktion des ADC als Volpone besetzt worden zu sein. Ein Drittsemester aus dem Caius College namens Simon Beale verkörperte den Sir Politic Would-Be. Er spielte sich mit einer höchst erstaunlichen komödiantischen Präsenz in den Vordergrund und mit frecher Selbstverständlichkeit so gut wie alle anderen an die Wand. An einer bestimmten Stelle im zweiten Akt sprach er mit mir und kehrte dabei dem Publikum den Rücken zu. Mir war rätselhaft, warum mein exzellenter Vortrag an ihn so viel Gelächter auslöste. Es ist beunruhigend, wenn man nicht weiß, was die Lacher verursacht. Ich fand heraus, dass Simon Beale sich während der gesamten Szene am Hintern kratzte. Hätte sich das ein nicht so begabter Schauspieler oder ein nicht so hinreißender Mensch geleistet, wäre ich vielleicht eingeschnappt gewesen. Überdies sang er auch noch sehr schön und besaß das absolute Gehör. Es gab eine Marktszene, bei der Gesang verlangt wurde – natürlich nicht von mir, aber vom gesamten Rest des Ensembles. Simon stand in den Kulissen, alle Mann eng um ihn geschart, und gab den Ton vor. Nach der Vorstellung sang er für mich, als kleines Geschenk, »Dalla sua pace« oder »Un'aura amorosa«, und ich schmolz dahin. Eines Abends befand sich der ehrwürdige Shakespeare-Gelehrte und Englischprofessoremeritus L. C. Knight, liebevoll »Elsie« genannt, im Publikum. Er hinterließ am Bühneneingang eine Nachricht für mich, in der er seine Meinung kundtat, mein Volpone sei sogar besser als der von Paul Scofield. »Besser gestaltet, besser gesprochen und glaubhafter. So vortrefflich habe ich ihn noch nie gesehen.« Wie typisch von mir, diesen Wortlaut behalten zu haben. Der alte Junge war fast achtzig, klar, höchstwahrscheinlich taub und dement, aber nichtsdestoweniger war ich ungeheuer stolz. Zu stolz, um die Nachricht jemand anderem zu zeigen als Kim und dem Regisseur, denn mein Stolz darauf, es mir zu verweigern, prahlerisch zu erscheinen oder von mir selbst angetan, war glühender als jeder Stolz, den ich für meine Leistungen hätte empfinden können. Manchmal kam es zu einem Widerstreit zwischen diesen beiden Arten von Stolz, aber gewöhnlich gewann erstere Sorte und wurde irrtümlicherweise Bescheidenheit genannt.

Eines frühen Abends während der einwöchigen Spielzeit von *Volpone* stolperte ich auf dem Korridor hinter der Bühne des ADC-Theaters über einen Stapel Kartons. Sie enthielten Programme für die ADC-Produktion der kommenden Woche und waren vom Boten der Druckerei achtlos auf dem Fußboden abgelegt worden. Das Stück war *Serjeant Musgrave's Dance*, denn der Grotowski-Brook-Besessene war zum Zug gekommen. Ich las seine Anmerkungen:

Arbeit. Disziplin. Kameradschaft. Arbeit und
Disziplin und Kameradschaft.
Nur damit können wir ein wahres sozialistisches
Theater schaffen.

Ich nahm die Kartons in meine Garderobe mit und machte mich auf die Jagd nach einem Stift. Eine Stunde später lagen die Programme wieder in ihren Kartons. Und die Anmerkungen lauteten jetzt:

Arbeit. Disziplin. Kameradschaft. Arbeit und
Disziplin und Kameradschaft.

national

Nur damit können wir ein wahres sozialistisches
Theater schaffen.

Als ich ihm später am Abend begegnete, sah er kreidebleich und wütend aus. Ich hatte das Gefühl, mich wie ein gemeiner Hund verhalten zu haben. Aber ich meine – also wirklich … Hat Shakespeare die Akteure »Arbeiter« genannt oder »Schauspieler«?

In der nächsten Woche überraschte mich Kim mit Plänen für eine offizielle Beurlaubung aus Cambridge. Er hatte Karten für Götz Friedrichs »Ring« am Royal Opera House in London gekauft. Montag: *Das Rheingold*, Dienstag: *Die Walküre*, Mittwoch: frei, Donnerstag: *Siegfried*, Freitag: frei, und Sonnabend: *Götterdämmerung*. Eine ganze Woche voller Walküren und Nibelungen und Göttern und Helden und Nornen und Riesen. Es war mein erster Besuch in Covent Garden und mein erstes Bühnenerlebnis der Wagner-Opern. Aber nicht mein letztes. Heute, da ich das hier tippe, ist ein Dienstag. Gerade erst vor drei Abenden war ich in einer *Götterdämmerung*. Es geht einem ins Blut. Nun, in mein Blut jedenfalls. Ihres wahrscheinlich nicht. Alle Wagnerianer kennen den Schleier, der die Augen derjenigen verdunkelt, mit denen sie über ihre Obsession sprechen, und daher möchte ich nichts mehr sagen, sondern nur das betonen, was vielleicht selbstverständlich ist, dass es nämlich für mich eine umwerfende Erfahrung war und eine Woche, die mein Leben veränderte.

Comedy Colleague, Collaborator and Comrade –
Comedy-Kollegen, Kollaborateure und Genossen

Ein Ereignis, das mein Leben noch mehr verändern sollte, eine mindestens ebenso umwerfende Erfahrung, nahm am Horizont Konturen an.

Unter den Freunden, die uns in A2 besuchen kamen, war Emma Thompson. Nachdem sie sich ein Jahr von den Footlights freigenommen hatte, war sie für ihr letz-

tes Studienjahr als Vizepräsidentin in den Club zurückgekehrt. Sie kam eines frühen Abends und pflanzte sich
auf unser vorzügliches Sofa.

»Erinnerst du dich an Hugh Laurie?«

»Äh ... hilf mir.«

Vorwurfsvoll warf sie mir ein Kissen an den Kopf.
»Du weißt ganz genau, wen ich meine. Er hat in *Nightcap*
mitgespielt.«

»Oh, der lange Kerl mit den roten Wangen und den
großen blauen Augen?«

»Genau. Er ist dieses Jahr Präsident der Footlights.«

»Kuhl.«

»Ja, und er braucht jemanden, der mit ihm Sketche
schreibt. Er möchte, dass ich dich zu ihm bringe.«

»Mich? Aber ich kenne ihn doch gar nicht ... wie ...
was?«

»Natürlich kennst du ihn!« Sie bombardierte mich
mit zwei Kissen hintereinander. »Erinnerst du dich
denn überhaupt nicht mehr? Ich habe euch in Edinburgh einander vorgestellt.«

»Tatsache?«

Es war kein Kissen mehr da, und daher warf sie mir
einen vielsagenden Blick zu. Möglicherweise sogar den
meistsagenden Blick, der in jenem Jahr in Cambridge
ausgesandt wurde. »Für jemanden mit einem so guten
Gedächtnis«, sagte sie, »hast du ein furchtbar schlechtes Gedächtnis.«

Kim, Emma und ich wanderten die Sidgwick Avenue
hinauf zum Selwyn College. Es war ein kalter Novem-
berabend, und in der Luft lag Schießpulvergeruch von
einer Bonfire Night Party, die irgendwo in der Nähe des
Fen Causeway gefeiert wurde. Wir gelangten zu einem
viktorianischen Gebäude auf der Rugbyfeld-Seite der

Granger Road, nicht weit entfernt vom Robinson, dem neuesten College von Cambridge.

Emma führte uns durch die offene Haustür und dann einige Treppen hinauf. Sie klopfte an einer Tür am Ende des Flurs. Ein Grunzen forderte uns zum Eintreten auf.

Er saß auf der Bettkante, eine Gitarre auf den Knien. Auf der anderen Seite des Zimmers stand seine Freundin Katie Kelly, die ich flüchtig kannte. Wie Emma studierte sie im Newnham Englisch. Sie war sehr hübsch, hatte langes blondes Haar und ein betörendes Lächeln.

Er stand linkisch auf, und die roten Flecken auf seinen Wangen glühten mehr denn je. »Hullo«, sagte er.

»Hullo«, sagte ich.

Wir sagten beide lieber »hullo« als »hello«.

»Roten Wein oder weißen?«, fragte Katie.

»Ich bin dabei, einen Song zu schreiben«, sagte er und entlockte seiner Gitarre ein paar Töne. Der Song hatte etwas von einer Ballade, gesungen aus der Sicht eines amerikanischen IRA-Sympathisanten.

Give money to an IRA bomber?
Why, Yessir, I'd consider it an honour,
Everybody must have a cause.

Geld spenden für einen Bombenwerfer von der IRA?
Ja, Sir, das sehe ich als Ehre an,
Jeder braucht doch einen guten Zweck.

Sein Akzent war makellos, der Gesang superb. Mir kam es vor wie der perfekte Song.

»Woolworths«, sagte er, als er das Instrument beiseitelegte. »Ich leihe mir Gitarren, die das Zehnfache kosten, aber die liegen mir einfach nicht.«

Katie brachte den Wein. »Und, willst du es ihm nicht sagen?«

»Ach. Ja. Also, die Sache ist die – The Footlights. Ich bin der Präsident, okay?«

»Ich hab dich in *Nightcap* gesehen, du warst großartig, es war brillant«, sagte ich in einem Wortschwall.

»Oh, Mann. Na ja. Nein. Wirklich? Also, äh … *Latein!* Spitze. Absolute Spitze.«

»Unsinn. Sei still.«

»Total.«

Als der qualvolle Horror gegenseitiger Lobhudelei überstanden war, hielten wir beide inne, denn wir wussten nicht so recht, wie wir weitermachen sollten.

»Na los doch«, sagte Emma.

»Ja. Also, zwei Smoker-Abende kommen noch in diesem Trimester, aber am allerwichtigsten ist die Panto.«

»Die Panto?«

»Yup. Die Footlights-Pantomime. Vor zwei Jahren haben wir *Aladdin* gebracht.«

»Hugh war der Kaiser von China«, sagte Katie.

»Hab ich versäumt, tut mir leid«, sagte ich.

»Recht so. Hätte ich auch getan. Wenn ich nicht mitgespielt hätte. Dieses Jahr machen wir *Die Schneekönigin*.«

»Hans Christian Andersen?«

»Yup. Katie und ich haben es geschrieben. Das hier ist dabei rausgekommen …« Er zeigte mir ein paar Skriptseiten.

Fünf Minuten später schrieben Hugh und ich zusammen eine Szene, als hätten wir unser Leben lang nichts anderes getan.

Man liest von Menschen, die sich auf den ersten Blick ineinander verliebt, wie vom Blitz getroffen und zum Klang jauchzender Geigen, schmetternder Becken und widerhallender Akkorde, und man liest von Blicken, die sich quer durch den Raum finden, ausgelöst von den schwirrenden Pfeilen, die Amors Bogen schoss, aber nicht so oft liest man von Menschen, die auf Anhieb entdecken, dass sie dafür geschaffen sind, miteinander zu arbeiten, oder geboren, perfekte Freunde zu werden.

In dem Augenblick, als Hugh Laurie und ich Ideen austauschten, war unbestreitbar und wundersam klar, dass wir beide absolut denselben Sinn dafür hatten, was lustig war, und dieselben Vorbehalte, denselben Geschmack und dasselbe Feingefühl in Bezug darauf besaßen, was wir für epigonal, billig, plump oder stilistisch untragbar hielten. Womit nicht gesagt werden soll, dass wir uns ähnlich waren. Wenn die Welt voller Stecker ist, die nach Steckdosen suchen, und Steckdosen, die auf der Suche nach Steckern sind, wie – grob gesagt – die platonische Allegorie die Liebe umschreibt, dann besteht kein Zweifel, dass wir jeder exakt die Qualitäten und Unzulänglichkeiten besaßen, die dem anderen am meisten fehlten. Hugh hatte Musik im Blut, ich nicht. Er besaß die Fähigkeit, charmant zu blödeln und den Clown zu spielen. Er bewegte sich, stürzte und sprang wie ein Athlet. Er besaß Autorität, Präsenz und Würde. Ich hatte … Moment mal, was hatte *ich* eigentlich? Das Talent zum Sprücheklopfen und Redegewandtheit, nehme ich an. Verbale Versatilität. Gelehrsamkeit. Hugh sagte immer, ich würde das Geschehen mit dem ausstatten, was er *gravitas* nannte. Obwohl er auf der Bühne große Souveränität ausstrahlte, hatte ich ihm doch etwas voraus, wenn es galt, ältere Autoritätspersonen zu verkörpern. Und ich schrieb. Ich meine damit, dass ich physisch Zeilen mit Stift und Papier oder Schreibmaschine niederschrieb. Hugh hatte die Sätze und die

Form der Monologe und Songs, an denen er arbeitete, im Kopf und schrieb sie nur dann auf oder diktierte
sie, wenn für den Inspizienten oder die Verwaltung ein
Skript gebraucht wurde.

Hugh war darauf bedacht, dass der Footlights Club
erwachsen wirkte, aber nie zufrieden damit oder, Gott
bewahre, cool. Wir hatten beide gleichermaßen einen
Horror vor cool. Sonnenbrillen zu tragen, wenn die
Sonne nicht schien, gequält, sorgenvoll und emotional
gebeutelt auszusehen, diese hämisch-mokante »Äh?!!
Was?«-Grimasse beim Anblick von Dingen zu ziehen,
die man nicht verstand oder von denen sich zu distan-
zieren man für angesagt hielt. Wir verabscheuten jedwe-
den faden, selbstbezogenen und stilisierten Narzissmus.
Lieber wie ein naiver Einfaltspinsel wirken, fanden wir,
als abgestumpft, ausgelaugt und lebensüberdrüssig.
»Wir sind *Studenten*, verdammt«, war unser Credo.
»Andere Menschen machen uns die Betten und räumen
unsere Zimmer auf. Wir wohnen in mittelalterlichen
Zimmern mit getäfelten Wänden. Wir haben Theater,
Druckereien, erstklassige Cricket Pitches, einen Fluss,
Boote, Bibliotheken und alle Zeit der Welt zur Entspannung, für Spaß und Vergnügen. Welches Recht haben
wir, zu maulen und zu mosern und in der Gegend umherzuschleichen wie geschunden?«

Wir konnten von Glück sagen, dass die Zeit der jungen Leute, die Stand-Up-Comedy machen, noch nicht
gekommen war. Die Vorstellung, und leider ist sie ja
inzwischen zur Realität geworden, dass gequälte Emo-
Studenten sich lustlos und missverstanden an ihren
Mikroständer klammern und mit der Welt hadern, die
ihnen so große Lasten aufbürdet, wäre für ihn und mich
unerträglich gewesen. Wir waren extrem hellhörig und

empfindsam, was Dünkelhaftigkeit, ästhetische Dissonanzen und Heuchelei betraf. Die Jungen sind so selbstgefällig. Ich hoffe, wir sind inzwischen viel toleranter.

Fast niemand, mit dem wir in Cambridge oder später zusammengearbeitet haben, schien unsere Ästhetik, wenn ich ein so großes Wort gebrauchen darf, zu teilen oder auch nur zu verstehen. Dass wir in unserer Comedy-Karriere Schwierigkeiten bekamen, lag wahrscheinlich an der Furcht, unoriginell zu erscheinen, großspurig zu wirken, trivial zu sein oder in den Ruch zu geraten, jemals den Weg des geringsten Widerstands gegangen zu sein. Dieselben Ängste waren es vielleicht auch, die uns zu unseren besten Leistungen angespornt haben, und daher gibt es keinen Grund, die Sensibilität und die Akribie zu bereuen, die anscheinend nur wir beide teilten. Wir gewöhnten uns schon bald an den Ausdruck von Verwirrung, der über die Mienen derjenigen huschen konnte, die etwas vorschlugen, das ungewollt unserem Instinkt dafür zuwiderlief, was komisch oder nicht komisch sein könnte, passend oder unpassend. Ich glaube nicht, dass wir uns je aggressiv oder unfreundlich verhalten haben, schon gar nicht absichtlich, aber wenn zwei Menschen Prinzipien und Ansichten so deckungsgleich teilen, muss das auf Außenstehende sehr befremdlich wirken, und ich nehme an, dass zwei hochgewachsene Public-School-Absolventen wie wir furchteinflößend und unnahbar gewirkt haben dürften. Insgeheim fühlten wir uns gar nicht so. Ich möchte uns aber nicht als ernste, dogmatische Ideologen darstellen, als den Frank und die Queenie Leavis der Comedy. Die meiste Zeit verbrachten wir mit Lachen. Die kleinsten Dinge ließen uns losprusten wie Teenager, aber vor kurzer Zeit waren wir ja auch noch welche gewesen.

Nach Cambridge war Hugh als international erfolgreicher Ruderer vom Eton College gekommen, wo er sich zusammen mit seinem Schulfreund James Palmer im Zweier ohne Steuermann bei den Junior Olympics und in Henley zum Gold gepullt hatte. In den dreißiger Jahren hatte sein Vater in jedem seiner drei Studienjahre im siegreichen Cambridge Blue Boat gesessen, dann im britischen Achter bei den Spielen 1936 in Berlin gerudert und schließlich im Zweier ohne Steuermann 1948 in London zusammen mit seinem Partner Jack Wilson Gold gewonnen. Hätte ihn das Drüsenfieber nicht erwischt, wäre Hugh gewiss sofort für die Universität in ein Boot gestiegen, aber weil er wegen seiner Krankheit im ersten Jahr keinen Platz im Blue Boat bekam, sah er sich nach einer anderen Beschäftigung um und fand sich in der Besetzung von *Aladdin* sowie zwei Trimester später in der von *Nightcap* wieder. Im zweiten Studienjahr verließ er den Footlights Club und tat das, was er in Cambridge zu tun vorgehabt hatte: ein Ruderboot durchs Wasser zu treiben. Um fünf oder sechs Uhr morgens auf dem Fluss, stundenlanges Rudern bis zur Erschöpfung, anschließend Lauftraining, Krafttraining im Gym und dann wieder hinaus auf den Fluss. Er bekam sein Blue in dem Bootsrennen 1980, das Oxford um eine Nasenlänge gewann, mit dem geringsten Vorsprung aller Zeiten. Man kann sich die Enttäuschung vorstellen. Wie oft muss er sich jeden Meter des Rennens wieder ins Gedächtnis gerufen haben. Die Schlagzahl um einen Schlag die Minute erhöhen, nur ein ganz wenig sauberer um die Biegung steuern, zwei Prozent mehr Einsatz bei Hammersmith ... es muss zum Herzzerreißen gewesen sein, dem Sieg so nahezukommen. Ich wollte ihm sagen, dass ich wegen meiner Enttäuschung über den Verlust gegen Merton im Finale von *University Challenge* ganz genau wisse, wie ihm zumute war. Mit dem Blick, den er mir zuwarf, hätte er einem Rhinozeros das Horn vom Kopf rasieren können.

Im folgenden Jahr, seinem letzten, konnte er entweder beim Rudern bleiben oder zu den Footlights zurückkehren, aber nicht beides verwirklichen. Präsident des Cambridge University Rowing Club oder Präsident der Cambridge Footlights? Er behauptet, eine Münze geworfen zu haben, und die habe sich für die Footlights entschieden. Er war nach Edinburgh gereist und hatte *Latein!* gesehen. Danach war er zu der Überzeugung gekommen, dass ich ein nützlicher Neuzugang für die Footlights sein könnte. Vom ersten Jahr waren nur noch Emma und er übriggeblieben, und er benötigte frisches Blut. Kim wurde als Juniorschatzmeister dazugewählt, Katie war Sekretärin, Emma Vizepräsidentin und ein Computerwissenschaftler aus St. John's namens Paul Shearer, ein witziger und trübsinniger Darsteller mit Augen, die fast so groß waren wie die von Hugh, war bereits als Club Falconer mit von der Partie. Diese seltsame Bezeichnung weist zurück auf die Zeit, als die Footlights ihr Quartier noch in Falcon Yard hatten. Ich glaube nicht, dass mit der Berufung zum Falconer irgendwelche Pflichten verbunden waren, aber der Titel schmückte, und ich missgönnte ihn Paul ebenso schmerzlich wie sträflich.

Continuity and Clubroom –
Kontinuität und Clubraum

Es gibt vielleicht einen vorrangigen Grund, warum der Footlights Club eine so erstaunliche Anzahl von Persönlichkeiten hervorbrachte, die später ihre Spuren in der Welt hinterließen, und dieser Grund ist die Kontinuität. The Footlights hat eine Tradition, die mehr als hundert Jahre zurückreicht. Diese Tradition inspiriert viele junge Leute mit der Lust auf Comedy, in Cambridge zu studieren. The Footlights hat einen geregelten Spielplan: eine Pantomime im Michaelmas-Trimester, eine Revue im Lent-Trimester und die May-Week-Revue im Arts Theatre, die anschließend auf Tournee nach Oxford und in andere Städte geht, bis sie im August zum Fringe Festival in Edinburgh eintrifft. Und übers Jahr werden immer wieder Smokers eingestreut. Das Wort ist eine Abkürzung für Smoking Concert. Bei diesen öffentlichen Veranstaltungen ist das Rauchen nicht mehr erlaubt, aber der Name ist geblieben. Die Tatsache, dass der Club über einen eigenen kleinen Veranstaltungsraum verfügen konnte, ist einer der unschätzbaren Vorteile, den die Footlights gegenüber Comedy-Gruppen an anderen Universitäten besaß.

Ich vermute, mit einem Smoker ist am besten das zu vergleichen, was man einen »Abend mit offenem Mikro« nennt, obwohl zu unseren Zeiten ein leichtes Filtersystem angewendet wurde, so dass man nicht wirklich von »offen« sprechen kann. Jeder hoffnungsvolle Student von irgendeinem der Colleges, der Sketche geschrieben hatte, Kurznummern, Songs oder Monologe, konnte am Tag vor dem Smoker in den Clubraum kommen und sein Material auf der Bühne vorstellen. Der

Komiteeangehörige, der den jeweiligen Smoker leitete, hatte die Befugnis, ja oder nein zu sagen. Bei einem Ja wurde die jeweilige Nummer in die Programmabfolge aufgenommen: Die Präsentationen liefen weiter, bis für ein Abendprogramm genug zusammen war. Der große Vorteil dieses Systems bestand darin, dass zum Beginn der May-Week-Revue eine Menge Material zur Auswahl stand und man unter vielen Darstellern wählen konnte, die sich alle bereits einem Publikum gestellt hatten. An den meisten anderen Universitäten verfügt man nicht über ein vergleichbares Nachschubsystem. Josh und Mary an der Warwick oder Sussex könnten sagen: »He, wir sind witzig, schreiben wir eine Show, und treten wir damit in Edinburgh auf! Wir lassen Nick und Simon und Bernice und Louisa mitspielen, und Baz kann die Songs schreiben.« Sie sind wahrscheinlich alle sehr komisch und talentiert, aber ihnen fehlen das Jahr Praxis und Erfahrung sowie ein Reservoir an bewährtem Material, auf das eine Footlights-Show zurückgreifen kann. Ich glaube, das ist letztlich der Grund dafür, dass der Club Jahr für Jahr so erfolgreich ist. Deswegen sind seine Tourneen immer ausverkauft, und deswegen machen junge Leute mit einer Vorliebe für Comedy auf dem Antragsformular für das Universitätsstudium ihr Kreuzchen neben Cambridge.

Der Clubraum der Footlights war ein langgestreckter und niedriger Raum unter der Union Chamber und verfügte über eine kleine Bühne mit einem Scheinwerfergerüst und eine Art Bar auf der anderen Seite. An allen Wänden hingen gerahmte Plakate früherer Revuen und Fotos ehemaliger Footlighters. In ihren Dufflecoats, schwarzen Rollkragenpullovern, Tweedjacketts oder Windjacken, mit gelehrt anmutenden schwarzen Hornbrillen auf der Nase und filterlosen Zigaretten zwischen den Lippen wirkten sie alle so viel älter, als sie waren, so viel cleverer, so viel talentierter und um Längen weltgewandter. Sie sahen nicht aus wie Mitglieder einer studentischen Comedy-Truppe, sondern eher wie französische Intellektuelle vom linken Seine-Ufer oder avantgardistische Jazzmusiker. Peter Cook, Jonathan Miller, Bill Oddie, Graeme Garden, John Cleese, David Frost, John Bird, John Fortune, Eleanor Bron, Miriam Margolyes, Douglas Adams, Germaine Greer, Clive James, Jonathan Lynn, Tim Brooke-Taylor, Eric Idle, Graham Chapman, Griff Rhys Jones, Clive Anderson …

»Hier hört die Tradition auf«, murmelten Hugh und ich, wenn wir zu ihnen aufschauten, um uns inspirieren zu lassen, und sich unsere Blicke mit den ihren trafen. Eine solche Tradition, eine so reiche Geschichte wie die des Footlights Club, bot zum Teil Inspiration und Ermutigung, aber erschien auch wie ein unüberwindbares Hindernis und eine unerträgliche Bürde.

Weder Hugh noch ich spielten auch nur eine Sekunde lang ernsthaft mit dem Gedanken, eine Karriere auf dem Comedy-Sektor, im Theater oder sonst einem Zweig des Showbusiness ins Auge zu fassen. Ich würde für den Fall, dass ich mir im Abschlussexamen die Bestnote angelte, wahrscheinlich in Cambridge bleiben, eine Doktorarbeit schreiben und abwarten, was ich der akademischen Welt zu bieten hatte. Ganz tief im Innersten hoffte ich, dass es mir gelingen würde, Stücke und Bücher zu schreiben, und zwar trotz, wegen oder einfach neben welcher Dauerausstellung auch immer, die sich mir an der Universität bieten sollte. Hugh behauptete, er würde mit der Polizei in Hongkong liebäugeln. Es hatte einen oder zwei Korruptionsskandale in der Kronkolonie gegeben, und ich glaube, ihm gefiel die Vorstellung, als eine Art Serpico in weißen Shorts und mit scharfer Bügelfalte als einsamer ehrbarer Cop den ganz, ganz schmutzigen Job zu erledigen ... Emma, daran zweifelte niemand von uns, würde hinausgehen und ihre Bestimmung erfüllen, ein Weltstar zu werden. Sie hatte bereits einen Agenten. Ein bedrohlich eindrucksvoller Typ namens Richard Armitage, der einen Bentley fuhr, Zigarren rauchte und eine alte Eton-Schulkrawatte trug, hatte sie bei seiner Firma Noel Gay Artists unter Vertrag genommen. Er repräsentierte auch Rowan Atkinson. Emmas Zukunft war gesichert.

Natürlich will das alles nicht sagen, dass Hugh und mir der Ehrgeiz fehlte. Wir waren auf die ganz besondere negative Weise ehrgeizig, die wir zu unserer Spezialität gemacht hatten: ehrgeizig, uns nicht zum Narren zu machen. Wir hatten den Ehrgeiz, nicht die schlimmste Footlights-Show seit Jahren genannt zu werden. Den Ehrgeiz, in den College- und Universitätszeitungen nicht verspottet oder verleumdet zu werden. Wir besaßen den Ehrgeiz, nicht daherzukommen, als hielten wir uns für die ganz großen profimäßigen Showbizzstars. Und ehrgeizig, nicht zu versagen.

Innerhalb von zwei Wochen stellten wir das Skript der *Schneekönigin* fertig. Ich schrieb auch noch einen Monolog für Emma und ihre Rolle als verrückte, böse und übelriechende Weise Alte Frau. Katie spielte die Heldin Gerda, während Kim, der sich die Rolle der »Pantomime Dame« zu eigen machte, als sei er dazu geboren, ihre verblüffend Les Dawson ähnliche Mutter verkörperte. Ich war ein dümmlicher Engländer namens Montmorency Fotherington-Fitzwell, Ninth Earl of Doubtful, der glücklicherweise nicht singen musste. Der in Australien geborene Adam Stone aus St. Catharine's spielte Kay, Gerdas Freund, Annabelle Arden spielte die Titelrolle der Schneekönigin, und ein äußerst komisches Erstsemester namens Paul Simpkin spielte eine Art kloßgesichtigen Hofnarren. Dann war da noch ein talentierter junger Mann namens Charles Hart, den wir in den Chor steckten. Er brachte es später als Texter von Andrew Lloyd-Webbers *Das Phantom der Oper* und *Aspects of Love* zu Ruhm und nicht unbeträchtlichem Reichtum. Greg Snow, ein zum Schreien komischer Freund vom Corpus Christi College, war ebenfalls im Chor und machte Hugh mit seiner Affektiertheit und einem Talent zur Gehässigkeit, das an hohe Kunst grenzte, abwechselnd Spaß oder brachte ihn zur Verzweiflung.

Hugh hatte einen Anteil an der Musik, und ich hatte das eine oder andere Wörtchen zu den Texten beigetragen, aber der größte Teil der Kompositionen und Arrangements war das Werk eines Undergraduate namens Steve Edis, dessen Freundin Cathie Bell im Chor wie ein außer Rand und Band geratenes Cancan-Girl tanzte und sang, obwohl sie ständig damit rechnen musste, einen schlimmen Asthmaanfall zu bekommen.

Die Pantomime schien gut zu klappen, und als sich das Lent-Trimester näherte, hatten Hugh und ich schon angefangen, Material für die Late Night Review zu schreiben, der Hugh den Titel *Memoirs of a Fox* (Erinnerungen eines Fuchses) gegeben hatte. Ich ärgerte ihn damit, dass niemand die Anspielung verstehen würde, aber der Titel war hübsch genug, ohne dass man Siegfried Sassoon hätte kennen müssen. Titel sind, wie man sehr bald entdeckt, unglaublich unerheblich. Man hätte sich auch entscheiden können, es so zu machen, wie die Indianer es angeblich mit ihren Babys taten: Sie nannten sie nach dem, was sie als Erstes vor dem Fenster sahen: Rennender Bulle, Lange Wolke oder Parkendes Auto. Man hätte auch den Titel »Das Erste, was man draußen vor dem Fenster sieht« wählen können. Der gefällt mir sogar ganz gut. Eines Nachmittags fand ich ein zerfleddertes altes Schulheft im Footlights-Clubraum. Auf dem Umschlag stand gekritzelt: »Titelvorschläge für die May-Week-Revue«. Über Generationen hatten Mitglieder Titelideen für Shows aufgeschrieben. Mein Lieblingstitel war »Captain Fellatio Hornblower«. Ich hatte immer den Verdacht, dass er das Werk des jungen Eric Idle sein musste. Viele Jahre später fragte ich ihn danach: Er konnte sich nicht daran erinnern, stimmte aber zu, dass es gut zu ihm passe und er willens sei, die Urheberschaft anzuerkennen, besonders wenn Tantiemen dabei für ihn heraussprangen.

Mehr oder weniger genau gegenüber dem Caius College stand ein Restaurant, das Whim hieß. Seit Generationen war diese freundliche und bescheidene Gaststätte ein Stammlokal von Studenten gewesen, die es wegen seiner guten und preisgünstigen Abendessen und langen, trägen Sonntagsbrunches schätzten. Eines Tages schloss es ganz unvermittelt und präsentierte sich eingerüstet. Zwei Wochen später wurde es wiedereröffnet, und zwar als etwas, das ich nie zuvor gesehen oder erlebt hatte: eine Fastfood-Burgerbar. Es hieß immer noch Whim und war jetzt die Heimat des neuen Whimbo Burger: zwei Rinderbuletten, großzügig mit leicht pikanter, leicht süßlicher Sahnesoße eingeschlämmt, belegt mit Gurkenscheiben, mit Sesambrötchenscheiben aufgeschichtet zu einem Doppeldecker und auf einem Styroportablett serviert, begleitet von Kartoffelchips, die »fries« hießen, und geschlagenem Speiseeis, das »milkshake« genannt wurde. An den Kassen waren Knöpfe installiert, die es den Hilfskräften mit den kessen Käppchen ermöglichten, einen Knopf für, sagen wir mal, Whimbo zu drücken und einen anderen für Milkshake oder Fries, und automatisch wurden die Preise aufgerufen und abgerechnet. Es war, als habe man ein außerirdisches Raumschiff betreten, und ich muss leider gestehen, ich war völlig vernarrt in diese Burgerbar.

Wir entwickelten ein Ritual. Nachdem wir einen großen Teil des Nachmittags in A2 mit Schachspielen, Reden und Rauchen verbracht hatten, verließen Hugh, Katie, Kim und ich das Queens', gingen King's Parade entlang zur Trinity Street und ins Whim. Danach machten wir uns auf zum Footlights-Clubraum und schlenkerten fröhlich unseren Fang, zwei Tragetaschen, randvoll mit dampfend heißer Whimmery. Ich schaffte mit Leichtigkeit zwei Whimbos, eine normale Portion Fries und einen Bananen-Milkshake. Hugh verdrückte normalerweise drei Whimbos, zwei große Portionen Fries, einen Schokoladen-Milkshake und alles, was Katie und Kim, die von zarterer Natur waren, übriggelassen hatten. Seine Jahre als Ruderer und der enorm hohe Kalorienverbrauch, den sie erfordert hatten, waren schuld an Hughs kolossalem Appetit und der Geschwindigkeit seiner Nahrungsaufnahme, die bis heute alle verblüffen, die es miterleben. Ich übertreibe nicht, wenn ich behaupte, dass er ein ganzes 24-Unzen-Steak in der Zeit essen kann, die ich, ein viel schnellerer Esser als der Durchschnitt, brauche, um zwei Mundvoll abzuschneiden und zu zerkauen. Wenn er während des Jahres, in dem das Ruderrennen stattfand, von seinem täglichen Training auf dem Fluss nach Hause kam, bereitete Katie ganz allein für ihn eine Cottage Pie nach einem Rezept, das für sechs Personen berechnet war, und krönte sie zusätzlich noch mit vier Spiegeleiern. Das alles machte er nieder, bevor sie von ihrer Suppe und dem Salat gerade mal probiert hatte.

Ich war mehr als fasziniert davon, welchen Grad von Fitness Hugh sich für das Ruderrennen antrainiert hatte. Es ist viel, viel länger als eine normale Regatta-Strecke und erfordert ungeheure Kondition, Kraft und einen ebenso starken Siegeswillen.

Wie ich mich entsinne, fragte ich ihn einmal: »Als du regelmäßig geprobt hast, da musst du dich großartig gefühlt haben, weil du so fit warst.«

»Hm«, sagte Hugh, »lass mich kurz vorausschicken, dass wir das Wort ›trainieren‹ gegenüber ›proben‹ bevorzugen, und dann muss ich dir sagen, dass man sich leider nie richtig fit fühlt. Man trainiert so hart, dass man ständig in einem benebelten Zustand gefühlloser Erstarrung ist. Auf dem Fluss peitscht und stachelt man sich an, sich in die Riemen zu legen, und man zieht durch, aber wenn das vorüber ist, kommt wieder die Starre. Ja, das Ganze ist nichts als eine sinnlose verdammte Quälerei.«

»Und deswegen sollte sie am besten«, sagte ich, »Sträflingen und Galeerensklaven überlassen bleiben.«

Wie stolz wäre ich trotz alledem gewesen, wenn ich je etwas so außerordentlich Anspruchsvolles, so abstoßend Hartes, so hemmungslos Extremes fertigbekommen hätte, wie für das Rennen zu trainieren und daran teilzunehmen.

Wenn wir die letzten Krümel Whimbo und den letzten Schluck Milchshake vertilgt hatten, setzte sich Hugh im Clubraum ans Klavier, und ich sah mit einer Mischung aus Bewunderung und Neid zu, wie er spielte. Er gehört zu den Menschen, die ein perfektes Ohr für Musik haben, so dass sie in der Lage sind, alles Erdenkliche vollkommen harmonisch zu spielen, ohne einen Blick auf eine Partitur werfen zu müssen. Und in der Tat kann er eigentlich keine Noten lesen. Gitarre, Klavier, Mundharmonika, Saxophon, Schlagzeug – ich habe ihn alle diese Instrumente spielen hören, und ich habe ihn auch mit einer Bluesstimme singen gehört, für die ich meine beiden Beine geopfert hätte. Ich müsste also missmutig gewesen sein, aber wie es aussieht, bin ich wahnsinnig stolz.

Ich kann von äußerstem Glück sagen, dass Hugh, so attraktiv, so erstaunlich talentiert, witzig und charmant und clever er ist, mich nie erotisch gereizt hat. Wie katastrophal, wie quälend peinlich wäre das gewesen, wie ruinös für mein Glück, sein Behagen und jedwede Zukunft, die wir als Comedy-Kollaborateure hätten haben können. Stattdessen entwickelten sich die spontane Achtung und Zuneigung füreinander zu einer tiefen, fruchtbaren und ungetrübten gegenseitigen Liebe, die in den vergangenen dreißig Jahren immer nur stärker geworden ist. Der beste und weiseste Mann, den ich je gekannt habe, wie Watson von Holmes schreibt. Ich werde hier aufhören, bevor mir die Tränen kommen und ich zu faseln anfange.

Comedy Credits – Comedy-Meriten

Im Clubraum brachte ich meinen ersten Smoker über die Bühne. Vor lauter Angst, das Programm könnte für den Abend nicht reichen, hatte ich wie ein Wilder den größten Teil des Materials selbst geschrieben. Der Anthony-Blunt-Cambridge-Spionage-Skandal war immer noch in aller Munde, und daher schrieb ich einen Sketch über einen Don – mich –, der einen Undergraduate – Kim – für den Secret Service anheuert. Überdies schrieb ich eine ganze Reihe »Quickies«, hauptsächlich in Form visueller Possen oder Körperwitze. Alles schien an jenem Abend auf wundersame Weise gut zu laufen, und ich war hochgestimmt und erfüllt von neuem Selbstbewusstsein wie nach der Entdeckung einer neuen Muskelpartie, von deren Existenz ich keine Ahnung gehabt hatte.

Ein paar Tage später bekam ich Post von einem Assistenten bei *Not the Nine O'Clock News*, der erfolgreichen neuen Sketch-Show der BBC, in der sich Rowan Atkinson und seine Co-Stars gerade einen Namen machten. Einer der Produzenten, ein ehemaliger Footlighter namens John Lloyd, hatte bei meinem Smoker im Publikum gesessen und einen Quickie gesehen, von dem er sich vorstellen konnte, dass er bei *Not* gut ankommen würde. Ob sie ihn kaufen könnten?

In fiebriger Erregung schrieb ich den Ablauf:

Ein Mann hat in einem Pissoir fertiggepinkelt. Er geht an das Waschbecken, wäscht sich die Hände und sucht nach einem Handtuch. Es ist nirgends eins zu finden. Er sieht sich nach etwas um, mit dem er sich die Hände abtrocknen könnte. Nichts. Er sieht einen Mann an der Wand stehen. Er nähert sich ihm und stößt ihm das Knie in den Unterleib. Der Mann knickt ein und stößt einen solchen Schmerzensschrei aus, dass der Held sich in dessen heißem Lufthauch die Hände trocknen kann.

Ja, ich weiß. Auf dem Papier klingt er ziemlich lahm, aber die kurze Nummer hatte an jenem Abend vor dem Smoker-Publikum gewirkt und kam auch an, als Mel

Smith und Gryff Rhys Jones sie ungefähr einen Monat später in *Not the Nine O'Clock News* aufführten. Im Laufe der Jahre wurde sie oft wiederholt und in diverse »Best Of«-Zusammenstellungen aufgenommen. Bis zum Ende des Jahrzehnts bekam ich immer wieder Schecks von der BBC über absurde Summen. »Zahlen Sie Stephen Fry die Summe von £ 1.07 aus«, so in der Art. Der niedrigste Scheck war über 14 Pence ausgestellt, für den Verkauf der Rechte nach Rumänien und Bulgarien.

Kurz nachdem ich die schriftliche Version des Quickies weggeschickt hatte, tauchte Hugh in A2 auf, um wie gewöhnlich Schach zu spielen, zu schwatzen und Kaffee zu trinken. Stolz verkündete ich, dass ich jetzt TV-Autor geworden war. Seine Kinnlade klappte nach unten.

»Schade, das bedeutet, *wir* können es nicht mehr bringen«, sagte er, und in seinen Augen standen die Wörter, die auszusprechen sein Mund zu höflich war: »Du dämlicher Trottel.«

»Oh. Oh, daran hab ich nicht gedacht. Klar. Verdammt. Bruder. Scheiß.«

Weil ich so begeistert darüber gewesen war, Material ans Fernsehen verkauft zu haben, war mir gar nicht in den Kopf gekommen, dass wir es deswegen selbst nicht mehr verwenden durften. Nicht nachdenken kann ich ganz besonders gut. Aber trotzdem, als ich meinen Namen im Abspann der Episode sah, in der mein Quickie gezeigt worden war, fühlte ich mich himmlisch happy.

Als die Zeit kam, in der Late Night im ADC *Memoirs of a Fox* auf die Bühne zu bringen, traten nicht nur Emma, Kim, Paul, Hugh und ich in der Show auf, sondern Hugh nahm zudem in die Besetzung eine große, blonde, schlanke und außerordentlich talentierte junge Frau auf, die Tilda Swinton hieß. Sie gehörte nicht zur

Comedy-Welt von Cambridge, aber sie war eine großartige Schauspielerin, und ihre Pose und ihre Präsenz machten sie zur perfekten Richterin in einem Sketch, der in einem amerikanischen Gerichtssaal spielte und den Hugh mit höchst geringer Assistenz von mir geschrieben hatte.

Man kann sich ohne weiteres vorstellen, wie die beiden als Studenten auf der Bühne des ADC amerikanische Charaktere verkörpern. Aber wir hätten jeden für verrückt erklärt, der die Vermutung geäußert hätte, dass Hugh eines Tages einen Golden Globe für die Darstellung eines Amerikaners in einer Fernsehserie gewinnen würde und Tilda einen Oscar für die Darstellung einer Amerikanerin in einem Spielfilm bekommen sollte.

Cooke

Im Trimester zuvor hatte mich Jo Wade, die Sekretärin der Mummers, darauf aufmerksam gemacht, dass im Lent-Trimester der fünfzigste Jahrestag des Clubs anstand, der 1931 von dem jungen Alistair Cooke gegründet worden war.

»Wir sollten eine Party feiern«, sagte Jo. »Und wir sollten ihn einladen.«

Alistair Cooke war bekannt geworden durch seine dreizehnteilige Fernsehserie *A Personal History of the United States* und das dazugehörige Buch sowie seine Radiosendung *Letter from America*, die großen Beifall fand und lange im Programm blieb. Unter der Adresse BBC, New York City, USA schrieben wir an ihn und erkundigten uns, ob er plane, innerhalb der nächsten paar Monate Großbritannien einen Besuch abzustatten,

und sollte das der Fall sein, ob er sich vorstellen könne, sich dazu überreden zu lassen, als unser Ehrengast
an einem Dinner teilzunehmen, das wir bei den Feier-
lichkeiten anlässlich des fünfzigjährigen Bestehens des
Theaterclubs geben wollten, den gegründet zu haben er
sich doch erinnern dürfte. Ein Theaterclub, fügten wir
hinzu, der munterer und gesünder war denn je und in
Edinburgh mehr Fringe-Firsts-Preise eingeheimst hatte als jede andere Universitäts-Theatergesellschaft im
ganzen Land.

Er antwortete, dass er nicht den Plan hege, nach Großbritannien zu kommen. »Pläne lassen sich jedoch ändern. Ihr Brief hat mich höchst erfreut, und daher werde
ich mich hinüberfliegen lassen, um bei Ihnen zu sein.«

Im Speisesaal von Trinity Hall saß er zwischen mir
und Jo und sprach hinreißend von seiner Zeit am Jesus College in den späten zwanziger und frühen dreißiger Jahren. Er sprach von Jacob Bronowski, der in
den Zimmern über ihm wohnte: »Er lud mich zu einer
Partie Schach ein, und als wir uns setzten, fragte er
mich: ›Spielst du klassisches Schach oder hypermoder-
nes?‹« Er sprach von seiner Freundschaft mit Michael
Redgrave, der Cooke als Herausgeber von *Granta* folgte,
der intelligentesten Studentenzeitschrift in Cambridge.
Während er sprach, notierte er sich einige Wörter auf
seiner Serviette. Als der Zeitpunkt kam, den Mummers
zuzuprosten und auf die nächsten fünfzig Jahre anzustoßen, stand er auf und hielt, gestützt nur auf diese drei
oder vier hingekritzelten Wörter, eine fünfunddreißig-
minütige Rede in perfektem *Letter-From-America*-Stil:

Michael Redgrave und ich waren höchst verärgert darüber, dass es Frauen nicht erlaubt war, in Cambridge auf

der Bühne zu stehen. Wir waren es leid, dass immer wieder diese niedlichen Etonians vom King's die Ophelia spielten. Wir fanden, die Zeit sei gekommen, das zu ändern. Ich ging zu den Mistresses von Girton und Newnham und schlug die Gründung eines seriösen neuen Theaterclubs vor, in dem Frauenrollen auch von Frauen übernommen wurden. Die Mistress von Girton war die Tante von P. G. Wodehouse oder die Kusine oder so, wenn ich mich recht erinnere, und sie war furchteinflößend, aber auch freundlich. Nachdem sie und die Mistress von Newnham sich Gewissheit verschafft hatten, dass unsere Motive unschuldig, rein ästhetisch und ehrbar waren, was natürlich nur zum Teil stimmte, erklärten sie sich damit einverstanden, dass ihre Undergraduates im Theater auftraten. Auf diese Weise entstanden die Mummers. Als sich herumsprach, dass es einen neuen Club gab, in dem Mädchen mitspielen durften, belagerten mich Hunderte von männlichen Undergraduates und bettelten darum, in unserer ersten Produktion auftreten zu dürfen. Ich erinnere mich noch an die Vorsprechtermine. Ein Undergraduate von Peterhouse kam und deklamierte einen Monolog aus *Julius Caesar*. »Sag mal«, forderte ich ihn so freundlich wie möglich auf, »welches Fach studierst du?« »Architektur«, erwiderte er. »Also, damit mach am besten weiter«, sagte ich. »Ich bin sicher, du wirst ein ausgezeichneter Architekt.« In der Tat schloss er sein Studium mit einem First ab, aber wann immer ich James Mason heutzutage begegne, sagt er: »Mist. Ich hätte Ihren Rat befolgen und bei der Architektur bleiben sollen.«

Die Eloquenz, der Charme und die Leichtigkeit in Cookes Rede schlugen sämtliche Zuhörer im Saal in ihren Bann.

Er war einer jener Menschen, die dazu geboren scheinen, als Zeitzeuge zu fungieren. Wie man wusste, hatte er sich 1968 im Ambassador Hotel in Los Angeles aufgehalten, nur wenige Meter von Robert F. Kennedy entfernt, der vor seinen Augen erschossen wurde. Er berichtete uns von einer weiteren verhängnisvollen Begegnung, die stattgefunden hatte, als er nach Gründung der Mummers auf eine längere Urlaubsreise gegangen war:

Ich ging mit einem Freund auf Wandertour in Deutschland, wie man es damals gerne tat. Bücher geschickt mit Ledergürteln zu einem Stapel zusammengebunden und über die Schulter gehängt, so trottete man über fränkische Wiesen, kehrte ein in Schenken und Gasthäuser. Kurz vor Mittag erreichten wir ein kleines bayerisches Tal und fanden den perfekten Biergarten im Schatten eines hübschen alten Wirtshauses in einer Pracht von Geranien und Lobelien. Während wir dort saßen und an unseren Maßkrügen nippten, wurden im Garten Stuhlreihen aufgestellt. Es hatte den Anschein, als stünde vielleicht ein Konzert bevor. Nach einer Weile fuhren zwei Krankenwagen vor. Die Fahrer und Bahrenträger stiegen aus, gähnten, zündeten sich Zigaretten an und standen neben den offenen Hecktüren ihrer Fahrzeuge, als sei es die normalste Sache der Welt. Immer mehr Menschen trafen ein, und bald war jeder Stuhl im Biergarten besetzt. Die Dutzende, die keinen Platz fanden, standen hinten oder setzten sich im Schneidersitz aufs Gras vor der kleinen improvisierten Bühne. Wir konnten uns absolut nicht vorstellen, was geschehen sollte. Eine erwartungsfrohe Menge, aber keine Musiker, und was am eigenartigsten war: diese Krankenwagenfahrer und die Bahrenträger. Schließlich trafen zwei riesige offene Mercedeslimousinen ein, die wie die Wagen der Keystone Kops mit weit mehr uniformierten Personen besetzt waren, als bequem sein konnte. Sie sprangen allesamt heraus, und einer von ihnen, ein kleiner Mann in langem Ledermantel, marschierte auf die Bühne und fing zu reden an. Da ich nicht gut Deutsch spreche, konnte ich nicht viel von dem verstehen, was er sagte, aber eine von ihm wiederholte Floskel bekam ich mit: *Fünf vor zwölf! Fünf vor zwölf!* Alles höchst seltsam. Es dauerte nicht lange, da fielen Frauen in der Menge in Ohnmacht, und die Bahrenträger hasteten nach vorne, um sie einzusammeln. Was für ein Redner musste das sein, der garantiert Menschen durch seine Worte in Ohnmacht fallenließ, so dass die Krankenwagen schon im Voraus in Stellung gingen? Als der Mann seine Rede beendet hatte, schritt er den Gang entlang, und sein Ellbogen prallte gegen meine Schulter, als ich mich vorlehnte, um ihm hinterherzublicken. Er hatte sich umgedreht, um die Ovationen der Menge entgegenzunehmen, und mich deswegen nicht gesehen. Sofort griff er nach meiner Schulter, um mich vorm Fallen zu bewahren. »Entschuldigen Sie, mein Herr!«, sagte er. »Excuse me, Sir!« Noch Jahre danach, wenn er in den Wochenschauen auftauchte und als sich sein Ruf verbreitete, sagte ich jeder jungen Frau in meiner Begleitung: »Hitler hat sich mal bei mir entschuldigt und mich Sir genannt.«

Als der Abend vorüber war, schüttelte Alistair Cooke mir zum Abschied die Hand, drückte sie fest und sagte: »Diese Hand, die Sie schütteln, hat einst die Hand von Bertrand Russell geschüttelt.«

»Wow!«, sagte ich gehörig beeindruckt.

»Nein, nein«, erwiderte Cooke. »Es geht ja noch weiter. Bertrand Russell kannte Robert Browning, Bertrand Russells Tante hat mit Napoleon getanzt. So eng sind wir alle also mit der Geschichte verbunden. Nur ein paar Handschläge entfernt. Vergessen Sie das nie.«

Als er ging, schob er mir einen Umschlag in die Tasche. Er enthielt einen Scheck über £ 2.000 und war auf die Cambridge Mummers ausgestellt. Auf einen Empfehlungszettel hatte er geschrieben: »Ein kleiner Anteil möge für Produktionen verwendet werden, der Rest ist für Wein und hemmungslosen Krawall.«

Chariots 2 – Triumphwagen, zum Zweiten

Eines Morgens im Februar tauchte Hugh in A2 auf und schwenkte einen Brief.

»Ihr wart doch in dem Film, den sie hier gedreht haben, oder?«, sagte er zu mir und Kim.

»Du meinst *Die Stunde des Siegers*?«

»Die haben nämlich Ende März so etwas wie eine Premiere und feiern eine Party im Dorchester Hotel. Jetzt wollen sie, dass die Footlights dabei auftreten. Wie findet ihr das?«

»Es wäre vielleicht angebracht, dass wir den Film vorher zu sehen bekommen. Damit wir einen Sketch dazu schreiben oder zumindest Anspielungen machen könnten?«

Hugh konsultierte den Brief. »Sie schlagen vor, dass wir am Morgen des Dreißigsten nach London fahren, zu der Vorführung gehen, die nachmittags für die Filmkritiker veranstaltet wird, und anschließend im Ballsaal des Hotels proben. Nach dem Dinner sollen wir dann auftreten.«

Am Tag bevor wir den Zug nach London nahmen, rief ich meine Mutter an und erzählte ihr, was wir vorhatten.

»Ach, das Dorchester«, sagte sie. »Ich bin schon seit Jahren nicht mehr dort gewesen. Ja, ich kann mich sehr genau an das letzte Mal erinnern. Dein Vater und ich besuchten einen Ball, der abgebrochen wurde, als die Nachricht von John F. Kennedys Ermordung kam und niemand mehr weitermachen mochte.«

Am vereinbarten Termin nahm die Kerntruppe der Footlighters in einem leeren Kino Platz, um sich den Film anzusehen. Wir waren darauf vorbereitet, deprimiert auf die Peinlichkeiten eines britischen Low-Budget-Films reagieren zu müssen. Als wir ins Freie traten, wischte ich mir eine Träne aus dem Gesicht und sagte: »Entweder bin ich in höchst sonderbarer Stimmung, oder es war ziemlich fantastisch.«

Die anderen schienen meiner Ansicht zu sein.

In aller Eile brachten wir einen Eröffnungssketch zusammen, in dem wir in Zeitlupe auf die Bühne laufen wollten. Steve Edis, dessen Ohr genauso gut war wie das von Hugh, hatte die charakteristische Titelmelodie von Vangelis sofort aufgeschnappt und spielte sie auf dem Klavier.

Nachdem wir stundenlang in dem kleinen Speiseraum herumgesessen hatten, der für die Toastmaster in ihrer roten Livree und diejenigen reserviert war, die oberes Dienstpersonal genannt wurden, waren wir endlich dran.

»Meine Lords, Ladies und Gentlemen«, sprach der Conferencier in sein Mikrofon, »sie funkelten bereits in den Zwanzigern, und jetzt unterhalten sie in den Achtzigern. Die Rede ist von den Cambridge University Footlights!«

Unser Zeitlupenlauf auf die Bühne, begleitet von Steves munterer Darbietung der Filmmusik, kam sehr gut an, und nach anfänglichen Heiterkeitsausbrüchen und Beifallskundgebungen fuhren wir unbekümmert mit unserem Material fort. Irgendwann war nicht mehr zu verhehlen, dass wir allmählich unser Publikum verloren. Es wurde geraschelt, geraunt, mit den Stühlen gerückt und geflüstert. Männer in Dinnerjacketts und Frauen in Abendkleidern hasteten ans andere Ende des Ballsaals und … ja, ehrlich … und eilten hinaus.

So schlecht konnten wir doch gar nicht sein? Wir hatten dieses Programm nicht nur in Cambridge aufgeführt, sondern auch Abende in den Riverside Studios in Hammersmith bestritten. Ich konnte ja verstehen, dass wir nicht nach jedermanns Geschmack waren, aber ein derartiger Massenexodus schien ein abgekarteter Affront zu sein. Ich suchte Hughs Blick, der dem einer verzweifelten Gazelle glich, die von einem Leoparden zu Boden gerissen wurde. Ich nehme an, dass meine Miene kaum anders wirkte.

Als wir uns verschwitzt von der Bühne trollten und Paul mit dem tapferen Schritt eines Aristokraten auftrat, den die Guillotine erwartet, flüsterte Emma uns zu: »Jemand hat auf Ronald Reagan geschossen!«

»Was?«

»Sämtliche Angestellten bei der Twentieth Century Fox sind zu den Telefonen gerannt …«

Ich rief meine Mutter an jenem Abend an.

»Das reicht jetzt, Darling«, sagte sie. »Kein Mitglied dieser Familie geht je wieder zu einer Veranstaltung im Dorchester. Das wäre Amerika gegenüber nicht fair.«

In Cambridge hatte Brigid Larmour die Regie bei *Love's Labour's Lost* übernommen, der Trimester-Produktion der Marlowe Society. Dabei handelte es sich um den rein dramatischen Widerpart der May-Week-Revue der Footlights, also eine Produktion mit großem Etat (egal, welche Maßstäbe man anlegt), die im Arts Theatre auf die Bühne gebracht werden sollte, einem großartigen professionellen Haus mit dem bestürzenden Fassungsvermögen von genau 666 Besuchern. Die Verbindung meiner überzeugenden Rhetorik mit Brigids natürlichem Charme brachte Hugh dazu, seine erste Shakespeare-Rolle zu übernehmen, die des Königs von Navarra. Ich spielte die Person mit der vielleicht besten Beschreibung aller *dramatis personae* bei Shakespeare: »Don Adriano de Armado, ein fantastischer Spanier«. Nur dass ich kein fantastischer Spanier war. Wann immer ich versuche, Spanisch zu sprechen, kommt aus irgendwelchen Gründen etwas heraus, das sich nach Russisch oder Italienisch anhört oder nach einer abstrusen Mischung daraus. Einen mexikanischen Akzent bekomme ich annehmbar hin, und daher war mein Armado ein unerklärlich fantastischer Mexikaner. Die Hauptrolle des Berowne spielte ein vorzüglicher Schauspieler aus dem zweiten Studienjahr namens Paul Schlesinger, Neffe des großartigen Filmregisseurs John Schlesinger.

Das Stück beginnt mit einer langen Rede des Königs, in der er verkündet, dass er und die führenden Mitglieder seines Hofstaats drei Jahre der Gesellschaft von Frauen abschwören werden, um sich der Kunst und der Gelehrsamkeit zu widmen. Hugh und Paul hatten leider das Problem, sich eines unkontrollierten Lachens nicht erwehren zu können. Sie brauchten auf der Bühne nur einen Blick zu wechseln, und im selben Moment konnten sie schon nicht mehr atmen oder sprechen. Während der ersten Proben war das kein Problem, aber nach einer Weile merkte ich, dass Brigid immer besorgter wurde. Als sich die Generalprobe näherte, zeigte sich, dass Hugh die Worte seiner Eröffnungsrede nicht herausbekommen konnte, solange Paul die Bühne nicht verlassen hatte. Das war jedoch wegen der Handlung unmöglich, und daher musste eine fantasievolle Lösung für das Problem gefunden werden, zumal alle Drohungen und Verwünschungen sich als nutzlos erwiesen hatten.

»Tut mir leid«, sagte der eine wie der andere. »Wir versuchen ja, nicht zu lachen, aber es ist eine Sache der Chemie. Wie eine Allergie.«

Brigid hatte die blendende Idee, in dieser Szene *alle* auf der Bühne zu versammeln und sie, den König, Berowne, Dumain, Longaville und die allgemeinen Höflinge, die Eröffnungszeilen als eine Art Chor gemeinsam sprechen zu lassen. Das funktionierte, und das Gekicher hörte auf.

Bei der Premierenparty hörte ich, wie ein hochgestellter Akademiker und namhafter Shakespeare-Gelehrter Brigid zu der Idee gratulierte, die Eingangsrede als eine Art Gemeinschaftsgelübde vortragen zu lassen. »Ein ausgezeichnetes Konzept. Der Szene wurde Leben eingehaucht. Wirklich brillant.«

»Danke Ihnen, Professor«, sagte Brigid, ohne rot zu werden. »Es kam mir einfach richtig vor.«

Sie fing meinen Blick auf und strahlte.

Das letzte Trimester begann. Ein weiterer May Ball. Die letzten Tripos-Prüfungen in Englisch. Die May-Week-Revue. Abschluss. Leb wohl, Cambridge, hallo, Welt.

Bevor wir mit der Arbeit an der Revue selbst begannen, heuerte ich für den letzten Smoker der Footlights meinen alten Freund Tony Slattery an, der sich völlig problemlos ins Programm fügte. Mit Songs zur Gitarre und außergewöhnlichen Monologen aus eigener Feder riss er das Publikum zu Begeisterungsstürmen hin; laut einem schicksalsergebenen Pförtner, der sich um die Räumlichkeiten kümmerte, hatte sich ein Mädchen tatsächlich eingenässt.

»Das kann passieren«, sagte er, als er eine Dose Vim über dem feuchten Sitzkissen leerte, »wenn's *zu* witzig wird.«

Ich versuchte auch, Simon Beale zu überreden, sich uns anzuschließen, aber er hatte bereits genügend Auftritte als Sänger und Schauspieler in seinem Terminkalender. Ich nehme an, er fand auch, dass Comedy-Shows nicht so ganz seine Sache waren. Da Penny Dwyer dazukam, mit der ich bei Produktionen der Mummers gearbeitet hatte und die singen, tanzen und komisch sein und so gut wie alles andere machen konnte, hatten wir eine Besetzung, zu der ich, Hugh, Emma und Paul Shearer gehörten, für das Hauptereignis zusammen, die May-Week-Revue, die nach Oxford und schließlich Edinburgh wandern würde.

Ich schrieb für mich einen Monolog, der auf Bram Stokers *Dracula* basierte, und eine Parodie auf *The Barretts of Wimpole Street*, in der Elizabeth, eine ans Bett gefesselte Kranke, von Emma gespielt wurde und ich ihren glühenden Verehrer Robert verkörperte. Hugh und ich hatten John Bartons Shakespeare-Masterclasses im Fernsehen verfolgt und rasend komisch gefunden. Darin leitete Barton Ian McKellen und David Suchet mit quälender Langatmigkeit durch den Text einer einzigen Rede. Wir dachten uns einen Sketch aus, in dem ich dasselbe mit Hugh tat. So detailliert war die Textanalyse, dass wir über das erste Wort, »Zeit«, nicht hinauskamen.

Hugh bat den vorjährigen Präsidenten Jan Ravens, die Regie zu übernehmen, und wir begannen im Clubraum mit den Proben. Wir arbeiteten einen abschließenden Ensemble-Sketch aus, in dem eine ziemlich grässliche Alan-Ayckbourne-Familie nach dem Abendessen Scharade spielt und dabei Animositäten, Enthüllungen und Chaos auslöst.

Irgendwann müssen wir unsere Abschlussprüfungen abgelegt haben, und zu einem anderen Zeitpunkt muss ich zwei Abhandlungen geschrieben haben, eine über Byrons *Don Juan*, eine andere über Aspekte von E. M. Forster. Ich kann mich an keine von beiden erinnern, zumal ich sie an zwei hektischen Abenden hingehauen hatte: 15 000 Wörter reines Geseire, mit Höchstgeschwindigkeit runtergetippt.

Als die Nachricht kam, dass die Englisch-Ergebnisse heraus waren, ging ich zum Senate House, an dessen Wänden riesige Anzeigetafeln mit Holzrahmen angebracht worden waren. Ich drängelte mich durch die Masse hysterischer Studenten und fand meinen Namen in der Upper-Second-Liste. Ich hatte ein glanzloses, angemessenes und nicht weiter aufregendes 2:1-Ergebnis erreicht.

Peter Holland, ein Don vom Trinity Hall, der mich in »Practical Criticism« und Literatur des 17. Jahrhunderts betreut hatte, war mit Trost zur Hand.

»Man hat deine Arbeit zweimal gelesen, um dir vielleicht ein First zu geben«, sagte er. »Du bist ganz nahe herangekommen. Du hast Firsts in all deinen schriftlichen Arbeiten, bei Shakespeare wieder an der Spitze. Aber ein 2:2 in der Abhandlung über Forster und ein Third bei Byron. Deswegen konnten sie einfach nicht anders. Pech.«

Das verletzte mehr meinen Stolz, als dass es meinen Plänen abträglich war. Um ehrlich zu sein: Cambridge hatte recht. Ich hatte bewiesen, dass ich schriftliche Prüfungen in Windeseile erledigen konnte, aber die wichtige Diplomarbeit, die ein Ausmaß an Originalität, Gelehrsamkeit und Fleiß verlangte, wie ich es weder besaß noch auf Teufel komm heraus bereit war, mir anzueignen, entlarvte mich als den Blender, der ich war.

Hugh studierte Archäologie und Anthropologie und brachte es auf weitaus amüsantere und sympathischere Art zu einem akademischen Grad. Er hatte eine einzige Vorlesung besucht, aus der er das Material für einen ziemlich brillanten Monolog über eine Bantu-Hütte schöpfte, hatte aber ansonsten weder seine Professoren belästigt, einen Essay geschrieben oder die Fakultätsbibliothek betreten. Ich glaube, er wäre der Erste gewesen, der eingeräumt hätte, dass man mehr über Archäologie und Anthropologie wisse als er.

Der erste Abend unserer May-Week-Revue kam. Die Show trug den Titel *The Cellar Tapes*, gleichermaßen eine Anspielung auf den Kellerraum des Footlight Clubs, in dem sie entstanden war, wie auf Bob Dylans *Basement Tapes* und jedes anderen Wortspiel mit Sellotape.

Hugh kam zur Begrüßung auf die Bühne: »Guten Abend, meine Damen und Herren, und willkommen zur May-Week-Revue. Wir bieten Ihnen einen Abend leichter Unterhaltung mit – nebenbei gesagt, ich habe mein Third erreicht – Sketchen, Musik und …«

Es ging los. Das Arts Theatre ist eine der besten Aufführungsstätten für Comedy, die ich kenne. Im Scheinwerferlicht dazusitzen mit einem in Leder gebundenen Buch und den Dracula-Monolog zu sprechen, mit Hugh auf der Bühne zu stehen und die Shakespeare Masterclass zu exerzieren, am Bett der siechen Emma zu knien, für Paul Shearer im Sketch über die Anwerbung für den Geheimdienst MI5 Tee auszuschenken – all diese Momente waren erfreulicher und aufregender in diesem Theater, zu dieser Gelegenheit, vor einem so begeisterten Publikum als alles, was ich je zuvor getan hatte.

Hugh und ich sahen einander an, als der Vorhang gefallen war. Wir wussten, dass wir, komme, was da wolle, dem Namen Footlights keine Schande gemacht hatten.

Eines Abends während der zweiwöchigen Spielzeit wurde hinter der Bühne gemunkelt, dass Rowan Atkinson im Publikum gesehen worden sei. Ich brach mit der alten Gewohnheit (eines kurzen Lebens) und spähte hinaus in den Saal. Da saß er, kein Zweifel. Nicht gerade die am allerleichtesten verwechselbaren Gesichtzüge auf diesem Planeten. Wir alle gaben uns besondere Mühe, was die Show verbessert haben mag, aber genauso gut für einen ziemlich hysterischen Touch gesorgt haben könnte – ich war zu aufgeregt, um es zu bemerken. Der große Atkinson sah uns zu. Vor anderthalb Jahren erst hatte ich mich bei seiner Show in Edinburgh vor lauter Lachen beinahe übergeben müssen. Seither hatte *Not the Nine O'Clock News* ihn zu einem großen Fernsehstar gemacht.

Er kam hinter die Bühne, um uns die Hand zu schütteln, eine liebenswürdige und freundliche Geste von einem so schüchternen und zurückhaltenden Mann. Ich war so elektrisiert und kopflos, dass ich nicht ein einziges Wort verstand, das er sagte, aber Hugh und die anderen berichteten mir später, dass er uns zu dem Abend reizende Komplimente gemacht hatte.

Zwei Abende später tauchte Richard Armitage, Emmas Agent, auf.

»Könnt ihr euch vorstellen«, fragte er hinterher, »so etwas professionell zu machen? Eine Karriere daraus zu machen?«

Es kam alles so plötzlich, war sonderbar und überwältigend. Einige Trimester zuvor war ich noch glücklich gewesen, in Inszenierungen von Tschechow oder Shakespeare als greinender Soldat auf die Bühne zu kommen oder als warziger alter König. Ich hatte zugehört, wie die ernsthafteren Schauspieler davon sprachen, sich um Plätze in den Diplomkursen an der Webber Douglas Academy zu bewerben, ein Weg, den Ian McKellen nach Cambridge eingeschlagen hatte. Seit ich Hugh kennengelernt und begonnen hatte, mit ihm zusammen, aber auch allein, Sketche zu schreiben, hatte ich zu hoffen gewagt, mich vielleicht eines Tages beim BBC Radio um einen Job als Hörspielautor, Produktionsassistent oder etwas in der Art bewerben zu können. Was meine Zukunft als Comedy-Darsteller betraf, war ich jedoch weniger sicher. Das meisterliche Mienenspiel, das Timing, die Verblüffungseffekte, die Clownerien und die furchtlose Selbstgewissheit, mit denen Hugh und Emma auf der Bühne und bei den Proben agierten, brachte ich bei weitem nicht so selbstverständlich zustande. Meine Stärke waren Stimme und Wörter; mein Gesicht und mein Körper erwiesen sich immer noch als Quelle von Scham, Unsicherheit und Hemmungen. Dass dieser Richard Armitage nicht nur bereit, sondern sogar erpicht war, mich unter seine Fittiche zu nehmen und in eine echte Karriere zu führen, kam mir vor wie erstaunliches Glück.

Ich entdeckte später, dass Richard, der schlaue alte Fuchs, der er war, seinen jüngsten Klienten vorgeschickt hatte, um sich uns anzusehen und seine Meinung kundzutun. Was erklärte, warum Rowan zur Vorstellung gekommen war. Offensichtlich hatte er so sehr die Trommel für uns gerührt, dass sich Richard veranlasst sah, selbst nach Cambridge zu reisen und uns jetzt, nachdem er die Show mit eigenen Augen gesehen hatte, dieses Angebot zu machen.

Ich nahm an. Klar. Und Hugh und Paul taten es auch.

»Natürlich«, sagte Hugh hinterher, auf dem Rückweg vom Theater, »hat das eigentlich noch nichts zu bedeuten. Er fängt sich wahrscheinlich jedes Jahr Dutzende ein.«

»Ich weiß«, sagte ich. »Aber trotzdem: Ich habe einen Agenten!«

Ich blieb stehen, um einer Parkuhr diese Neuigkeit zu verkünden: »Ich habe einen Agenten!«

Die Silhouette der Kapelle des King's College ragte in den Nachthimmel. »Ich habe einen Agenten«, informierte ich sie. Sie zeigte keine Regung.

Mein letzter May Ball, meine letzte Cherubs-Sommerparty im Grove von Queens'. May-Week-Partys überall in Cambridge, ungeahntes Ausmaß an Trunkenheit, der Hinternentblößung, des Torkelns, Flennens und Kotzens. Kim und ich schmissen unsere eigene Party auf dem Scholar's Lawn von St. John's und leerten auch noch die allerletzte Flasche aus der allerletzten Kiste Taittinger, die Kims Eltern dankenswerterweise geschickt hatten. Meine Familie erschien zur Abschlussfeier: Hunderte von identisch in düstere akademische Gewänder gehüllte von Graduierenden zu Graduierten Mutierte tummelten sich auf dem Rasen vorm Senate House und sahen plötzlich recht erwachsen und verloren aus, wie sie mit gezwungenem Lächeln für Elternfotos posierten und dreijährigen Freundschaften ein letztes Lebewohl sagten. Der Schatten der Außenwelt drohte sich bereits über uns zu legen, und die vergangenen drei Jahre schienen sich plötzlich von uns zu lösen und abzufallen wie die alte Haut einer Schlange, zu verschrumpelt und zu klein, um je unsere schönen und glanzvollen Jahre umhüllt zu haben.

Kims Eltern lebten in Manchester, hatten aber auch ein Haus im wohlhabenden Londoner Vorort Hadley Wood, von dem aus man schnell die U-Bahn-Stationen High Barnet und Cockfosters erreichte. Dieses Haus stellten sie Kim und mir zur Verfügung, nachdem wir Cambridge verlassen hatten. Es war ein absurd wundervoller und luxuriöser Einstieg in das Leben außerhalb der Universität. Dort sah ich im TV, wie Ian Botham die »Ashes«-Trophäe von Australien zurückgewann, und fühlte mich wie der glücklichste Mensch im Universum.

Fast unmittelbar darauf gingen wir mit *The Cellar Tapes* für eine Woche ins Playhouse Theatre nach Oxford. Nach der angenehmen Zeit im Cambridge Arts kam uns das Playhouse mit seinem langgestreckten kegelbahn-ähnlichen Saal für Comedy-Aufführungen ungeeignet vor, und unser Material schien zu verpuffen. Die Leitung und der technische Stab des Theaters waren alles andere als gastfreundlich, so dass wir die Woche eingeschüchtert und unglücklich unter den feindseligen Blicken der Bühnenarbeiter und Beleuchtungscrew verbrachten. Wir verfielen entweder dem Trübsinn oder brachen in hysterisches Gelächter aus, wenn wir uns zusammen-scharten, um einander Trost zu spenden und Mut zu-zusprechen. Es war ein irritierender Absturz. Hugh är-gerte sich so sehr über die Unfreundlichkeit des Stabs, dass er einen Brief an den Manager schrieb. Bevor er ihn abschickte, zeigte er ihn mir. Ich hatte noch nie erlebt, dass kalte Wut so gekonnt in höfliche, aber vernichtende Prosa umgesetzt werden konnte.

Von Oxford reisten wir weiter zum Theater an der Uppingham School, wo uns Chris Richardson willkom-men hieß, wie er uns zwei Jahre zuvor prophezeit hatte. Oxford hatte bewirkt, dass wir unsere Show für mise-rabel hielten und Edinburgh zur Katastrophe werden würde, aber Uppingham gab unserer Moral ein wenig Auftrieb. Der Stab und die Schüler erwiesen sich als auf-bauendes und begeistertes Publikum, und das Theater – auf dessen Bühnenbretter ich 1970 als Hexe in *Macbeth*† getreten war – stellte sich als die perfekte Spielstätte heraus, um unser Selbstbewusstsein wieder aufzupols-tern. Christopher war ein äußerst herzlicher und auf-merksamer Gastgeber und sorgte sogar dafür, dass jeder Einzelne von uns bestens untergebracht war und dazu eine kleine Flasche Malt Whisky auf dem Nachttisch stehen hatte.

Der große William Goldman ist berühmt für seinen Kommentar zu Hollywood, dass dort »niemand auch nur irgendetwas weiß«, ein Apophthegma, das ebenso gut auch aufs Theater passen dürfte. Ich erhielt einen Brief von jemandem, der *The Cellar Tapes* im Oxford Playhouse erlebt hatte und mir mitteilen wollte, es sei die beste Show dieser Art gewesen, die er je gesehen hatte. Ich versuchte erfolglos, mich auch nur an einen Moment während der Spielzeit in Oxford zu erinnern, der meiner Meinung nach gut gewesen war. Wenn ich ehrlich war, musste ich jedoch auch eingestehen, dass das Publikum zumindest gelacht und zum Schluss mit anhaltendem und begeistertem Applaus reagiert hatte. Ich nehme an, die Unhöflichkeit des Theaterstabs und die Form des Zuschauersaals hatten in so negativem Kontrast zu der in Cambridge empfundenen Perfektion gestanden, dass uns alles schwarz und hoffnungslos vorgekommen war.

Caledonia 3 – Schottland, zum Dritten

Bald darauf trafen wir in Edinburgh ein, wo wir feststellen mussten, dass wir die St. Mary's Hall mit der Oxford Theatre Group würden teilen müssen, deren Vorstellung direkt vor uns lief. Sie waren freundlich, voller Selbstironie und liebenswert. St. Mary's war ein großer Veranstaltungsort mit provisorischer ansteigender Bestuhlung. Er erwies sich als perfekt für unsere Show. Wir erhielten positive Kritiken und waren für die gesamten zwei Wochen ausverkauft.

In einem Fringe-Gesamtprogramm von BBC Radio

2 führten wir zwei Sketche auf und wurden dabei von Brian Matthew vorgestellt, der uns anschließend auch interviewte. Es war meine erste Erfahrung mit dem Radio: Den Sketch aufzuführen war keine Schwierigkeit, aber kaum musste ich als ich selbst sprechen, schnürte es mir die Kehle zu, wurde mein Mund trocken und war mein Kopf leer. So sollte es noch viele Jahre lang bleiben. Allein in meinem Schlafzimmer konnte ich einem imaginären Interviewer fließend, unterhaltsam und selbstsicher antworten. Kaum leuchtete jedoch das grüne Aufnahmelämpchen, erstarrte ich zur Salzsäule.

Eines Abends hinterließ Richard Armitage die Nachricht, dass jemand von der BBC anwesend sein werde und sich mit uns treffen wollte. Zwei Tage später trug er uns auf, nach der Show zwei Leuten von Granada Television einige Zeit zu widmen. Am folgenden Abend kam auch Martin Bergman, der 77–78 Präsident des Footlights gewesen war und den ich in *Nightcap* gesehen hatte, um sich die Show anzusehen. Sie alle hatten Angebote, die uns vor Verblüffung schwindlig werden ließen.

Der Mann von der BBC fragte, ob wir bereit wären, *The Cellar Tapes* fürs Fernsehen aufzuzeichnen. Die beiden von Granada, ein leicht geröteter Schotte namens Sandy und ein kesser junger Engländer namens Jon, fragten, ob wir Interesse hätten, eine Comedy-Sketch-Show für sie zu entwickeln. Martin Bergman sagte, dass er eine Australientournee arrangiere: September bis Dezember, Perth, Adelaide, Melbourne, Sydney, Canberra und Brisbane. Was wir von der Idee hielten?

Als wir uns am vorletzten Abend der Spielzeit zum letzten Mal vor dem Publikum verbeugten, wurden die Beifallsrufe plötzlich lauter und intensiver. Das war zwar erfreulich, aber doch auch unerklärlich. Hugh stieß mich an; ein Mann war aus den Kulissen hinter uns auf die Bühne gekommen und bat mit erhobener Hand um Ruhe. Seine Anwesenheit erregte nur weitere Beifallsrufe. Es war Rowan Atkinson. Einen Moment lang dachte ich, er habe den Verstand verloren. Der Ruf, scheu zu sein, eilte ihm voraus. Es wollte nicht einleuchten, dass er hier erschien.

»Ähm, Ladies und Gentlemen. Vergeben Sie mir bitte, dass ich hier einfach so auftauche«, sagte er. »Es muss Ihnen höchst ›odd‹ vorkommen.«

Allein schon diese unschuldigen Bemerkungen entlockten dem Publikum mehr Gelächter, als es uns den ganzen Abend über geschenkt hatte. Das ist die Macht des Ruhms, dachte ich damals, als ich verwirrt und fasziniert zugleich diesen besonderen Auftritt betrachtete. Natürlich ging Rowan mit Wörtern wie »odd« auf eine Weise um, die sie sehr komisch wirken ließen.

»Wie Sie vielleicht wissen«, fuhr er fort, »wird in diesem Jahr ein Preis für die beste Comedy-Show im Programm des Edinburgh Fringe eingeführt. Sponsor ist Perrier … die mit dem ›Blubberwasser‹.«

Neues Gelächter. Niemand kann das Wort »bubbly« so sagen wie Rowan Atkinson. Mein Herz hämmerte. Hugh und ich tauschten Blicke aus. Wir hatten davon gehört, dass dieser Perrier-Preis ins Leben gerufen worden war, und eines wussten wir ganz sicher …

»Die Organisatoren und die Juroren dieses Preises, der neue Talente und neue Trends im Bereich der Comedy ermutigen soll, waren sich in einer Sache absolut einig«, fuhr Rowan fort und verlieh unserer Überzeugung Ausdruck. »Dass, wer auch immer den Preis gewinne, es ganz bestimmt nicht die verfluchten Footlights aus Cambridge sein würden.«

Die Leute trampelten ihr Einverständnis, und mir wurde angst und bange um das provisorische Gerüst, das sie trug.

»Mit einer Mischung aus Widerwillen und Bewunderung entschieden sie jedoch einstimmig, dass es nur einen Sieger geben könne, nämlich *The Cellar Tapes* ...«

Explosionsartiger Applaus hallte durchs Auditorium, und Nica Burns, Organisatorin des Preises (was sie nach dreißig Jahren immer noch ist, und als die Sponsorengelder knapp wurden, sorgte sie selbst für die Finanzierung), trat mit der Trophäe vor, und Rowan überreichte sie Hugh.

Die Überreichung des Stücks Papier, das meinen Status als BA (Hons.) bezeugte, war eine Nichtigkeit gegen das hier.

Wir hatten es geschafft. Wir hatten eine Show auf die Bühne gebracht und uns nicht blamiert. Ja, wir schienen tatsächlich mehr als das fertiggebracht zu haben.

Später am Abend, nach dem Dinner mit Rowan und Nica und den Leuten, die sich um Perriers PR kümmerten, trotteten wir trunken heim in unsere Buden.

Ich lag fast die ganze Nacht wach. Ich will nichts verklären. Ich weiß, dass ich wach lag und wohin mich meine Gedanken führten.

Anderthalb Jahre zuvor hatte ich noch Bewährung gehabt. Während fast meiner gesamten Kindheit und Jugend war ich in der schwer zu durchdringenden Dunkelheit eines feindseligen Waldes verloren gewesen, im Gewirr von Dornensträuchern, im heimtückischen Unterholz und bedroht von hasserfüllten Kreaturen, die ich mir selbst erschaffen hatte.

Irgendwo, irgendwie hatte ich einen Pfad gesehen, der mich hinausführte, oder vielleicht war er mir gewiesen worden, und ich war ins offene sonnige Land gestolpert. Das allein schon wäre erfreulich genug gewesen nach einem Leben, in dem man ständig über hinterlistige Wurzeln stürzt oder sich an grausamen Dornen Wunden reißt, aber ich war ja nicht nur im Freien, sondern ich war auf einem breiten und gangbaren Pfad, der mich zu einem Palast aus Gold führte. Ich hatte einen wundervollen, herzlichen und gescheiten Partner in der Liebe und einen wundervollen, herzlichen und gescheiten Partner in der Arbeit. Der Alptraum des Waldes schien weit hinter mir zu liegen.

Ich weinte und weinte, bis ich schließlich einschlief.

Comedy

Genügend Zeit war vergangen, um sich darauf zu einigen, den Achtzigern ihre ganz eigene Identität zuzusprechen, ihren Charakter, ihren Stil und ihr Flair. Sloane Rangers, ausufernde Frisuren, Dire Straits, Tische aus schwarzem Rauchglas, unstrukturierte Understatement-Mode, New Romantics, Schulterpolster, *nouvelle cuisine*, Yuppies … wir haben eine Menge Fernsehsendungen gesehen, die uns Bilder von alledem vor den Augen flimmern lassen und darauf bestehen, sie seien bestimmend für das Jahrzehnt.

Wie resistent ich gegen Klischees auch zu sein versuche, entsprachen die Achtziger für mich fast exakt jeder einzelnen dieser ziemlich oberflächlichen Erscheinungsformen. Als ich 1981 aus Cambridge in die Welt gestoßen wurde, begann Ronald Reagan den sechsten Monat seiner Präsidentschaft, musste Margaret Thatcher die Schmach einer Rezession erleiden, brannten Brixton und Toxteth, explodierten Woche für Woche IRA-Bomben in London, starb Bobby Sands an seinem Hungerstreik, hatten die Liberale und die Sozialdemokratische Partei einen Zusammenschluss vereinbart, war Arthur Scargill auf dem Weg, die Führung der Bergarbeitergewerkschaft zu übernehmen, und Lady Diana Spencer sollte in einem Monat den Prince of Wales heiraten. Natürlich erschien zu jener Zeit nichts davon als besonders interessant, noch hatte es den Anschein, als durchlebe man das Archivmaterial eines Fernsehreporters.

Ich ließ die Universität hinter mir als dünner, hochgewachsener, nach außen selbstsicherer Absolvent, dem alles neu und aufregend erschien, wenn auch verflixt flüchtig. Früher oder später, davon war ich überzeugt, würde man mich entlarven, und die Türen des Showbusiness würden mir vor der Nase zugeschlagen werden, und ich müsste meiner wahren Berufung folgen und einfach Lehrer werden. Ich konnte jedoch nicht leugnen, dass es entzückend und beglückend war, eine Weile auf dieser Ruhmeswolke zu schweben.

Carry on Capering – Immer weiter mit den Kapriolen

Der Perrier-Preis hatte zur Folge, dass unsere Footlights-Show in London lief. Nun ja, wollen wir es nicht übertreiben: »Lief in London« hört sich ziemlich hochgestochen an. Tatsächlich aber traten wir als spätabendlicher Nachklapp in einem umgebauten Leichenschauhaus namens New End in Hampstead auf, viele Postleitzahlen entfernt von den flirrenden Neonlichtern der Shaftesbury Avenue. Nicht dass wir uns beklagten. Das New End war für uns aufregend wie das West End. Dieses kleine Theater hatte sich sieben Jahre zuvor unter den Auspizien des virtuosen Vorreiters Buddy Dalton aus der aufgegebenen Leichenhalle eines Krankenhauses in die führende alternative Aufführungsstätte verwandelt und war in unseren Augen nicht weniger glanzvoll als das London Palladium oder das Theatre Royal, Dury Lane.
The Cellar Tapes folgten eine Woche lang allabendlich der Hauptshow *Decadence* von Steven Berkoff, mit Linda Marlowe und natürlich dem brillanten und beängstigenden Schauspieler/Autor in den Hauptrollen.

Das fassungslose Entzücken über die Gewissheit, dass Berkoff in unsere Garderoben schlich und unsere Zigaretten stahl, war ebenso elektrisierend, wie ihm zuschauen zu dürfen, als er »cunt cunt cunt cunt cunt« über Nicholas de Jongs Besprechung seines Stück im *Evening Standard* kritzelte und die Zeitungsseite trotzig an eine Wand in der Theaterlobby heftete. Berkhoff besaß eine einschüchternde rastlose Bedrohlichkeit, die er zwei Jahre später der Aufmerksamkeit eines weltweiten Publikums nahebringen sollte, als er Victor Maitland spielte, den grausamen Kokain- und Kunstdealer in *Beverly Hills Cop*. Angesichts seines furchterregenden Rufs erscheint es wie ein Wunder, dass unsere Truppe affektierter Witzbolde aus Cambridge nicht einmal verbalen Angriffen seinerseits ausgeliefert war, aber trotz seines Gebarens gehört Berkoffs Loyalität in erster Linie dem Theater und den Schauspielern. Auch frisch graduierten Revuekünstlern in Tweedjacketts gewährt er Eintritt in das Pantheon. Zorn, Angriffslust und Beschimpfungen hebt er sich für Kritiker, Produzenten und Geschäftsführer aller Art auf.

Nach dem New End kam Australien. Zu Ehren von Ian Bothams epischem sommerlichem Geniestreich gaben wir unserer Revue den Titel *Botham, the Musical*. Es geschieht nicht oft, dass es genügend britisches Salz oder eine ausreichend große australische Wunde gibt, um das eine in die andere zu reiben, und daher schien er uns ein angemessener und Aufmerksamkeit erregender Name für unsere Show zu sein.

Australien zu Beginn der Achtziger war eine Offenbarung für mich. Ich hatte tiefste Provinz erwartet: Schaufenster aus vergilbtem Zellglas, die orange Pullunder präsentieren und zehn Jahre alte Transistorradios, betrunkene homophobe Ockers, die mit Vorliebe auf uns Briten einprügeln, schmetterlingsbebrillte Edna Everages und eine säuerliche Atmosphäre kultureller Kuscherei, aus Minderwertigkeitskomplexen geborene Aufschneiderei und Groll gegen Großkopferte. Mir stellte sich Australien als ein Land mit unvergleichlich hochwertigen und preisgünstigen Lebensmitteln und Weinen dar, ein Land des Wohlstands, das vor Optimismus förmlich vibrierte und deshalb einen so starken Gegensatz zu Großbritanniens Misere aus Rezession, Krawallen und IRA-Bombenanschlägen bildete. Der Reichtum und das herrschende Selbstvertrauen erstaunten mich. Das freundliche Klima, das einen an die frische Luft lockte, schien seinen Widerpart in der Stimmungslage der ganzen Nation zu finden, so wie sich Großbritanniens grauer, zum Frösteln bringender Pessimismus perfekt in seinem erbarmungslos unerfreulichen Wetter widerspiegelt. Ich konnte nicht wissen, dass sich die Stimmung in Großbritannien ändern sollte.

Botham, the Musical feierte seine Premiere in Perth, und wir arbeiteten uns quer über den Kontinent, wobei wir den größten Teil unserer Einkünfte in Restaurants ausgaben. In Australien lernte ich Flusskrebse und Austern zu genießen: Austern roh, Austern Rockefeller, Austern Kilpatrick und Austern Casino. In Doyle's Seafood Restaurant, das ich immer besuche, wenn ich in Sydney bin, entdeckte ich den Barramundi und die seltsamen hummerähnlichen Kreaturen Moreton Bay und Balmain Bugs. Hier habe ich auch zum ersten Mal erlebt, dass Wein sortenrein verkauft wird und auf den Flaschen der Name der Rebsorte stand und nicht das Chateau, das Gut oder die Domain. Das ist inzwischen so gängig, dass es nicht mehr der Rede wert erscheint. Nur die Alte Welt hält noch an ihren Etikettierungen Barolo, Bordeaux und Mosel fest – überall sonst erkennt man mit einem Blick auf die Flasche, dass der Wein aus Pinot Noir, Cabernet Sauvignon, Tempranillo oder Riesling gekeltert wurde. Dreißig Jahre später hat sich die selbstverständliche Vertrautheit mit der Verschiedenheit der Sorten in Großbritannien immer noch nicht wirklich verbreitet. Ich wurde erst vor kurzem Zeuge, wie sich in einer Folge von *The Weakest Link* der Quizkandidat auf die Frage: »Worum handelt es sich bei Merlot, Shiraz und Chardonnay?«, zu antworten traute: »Um die Ehefrauen von Fußballspielern?«

Perth, Adelaide, Melbourne, Canberra, Sydney, Brisbane, Hobart, Launceston, Burnie und Albury Wodonga wurden sämtlich auf unserer Reiseroute abgehakt, bevor die Zeit kam, ins verschneite Dezemberengland zurückzukehren. Wir unterbrachen die Reise in Singapur und stiegen für zwei Nächte im Raffles Hotel ab, wo uns prompt das Geld ausging.

Clash of Cultures

Ich bin wieder in London. Ich fahre mit der Underground und greife nach der verchromten Haltestange, um mich zu stützen. Der Kontrast zwischen meiner braunen Hand und den schneeweißen englischen Händen verblüfft mich. Ich stehe in der Tube und fahre nach Notting Hill. Ich bin auf dem Weg zu einem Treffen in einer Wohnung in Pembridge Place, das mein Leben verändern wird.

Im Großen und Ganzen schien Australien Gefallen an unserer Comedy gefunden zu haben. Wir waren nicht mehr als ein Gruppe von Studenten, die an eher kleinen Veranstaltungsorten auftraten, und die Tournee wurde weder zu einem überwältigenden Triumph noch zur demütigenden Katastrophe. Wir präsentierten Material, das inzwischen ein Jahr alt war: den Dracula-Monolog, die Shakespeare Masterclass, den Robert-Browning-, und Elizabeth-Barrett-Sketch, Songs, Sketche und Quickies, die wir in- und auswendig kannten. Ich erinnere mich, dass Martin uns prophezeite, wir würden die Sachen noch in zehn Jahren aufführen. Ich muss leicht erröten bei dem Geständnis, dass ich gerade erst vor drei Monaten meinen Dracula bei einer Wohltätigkeitsveranstaltung in Winchester aufgeführt habe, volle neunundzwanzig Jahre nachdem ich ihn geschrieben habe. Doch wenn, und es war ein so großes Wenn, dass es von Sydney nach London reichte, wenn wir also die Comedy zu unserer Profession machen wollten, würde es bedeuten, neues Material zu schreiben und zu versuchen, in der neuen Welt der Comedy ein Zeichen zu setzen.

1981 hatten sich offenbar Anzeichen für eine Spaltung in der fidelen Welt der humoristischen Unterhaltung bemerkbar gemacht. Ich kann mich nicht erinnern, wann ich zum ersten Mal die Bezeichnung »alternative Comedy« hörte, aber ich entsinne mich deutlich daran, während meines Abschlussjahres in Cambridge Alexei Sayle im Fernsehen erlebt zu haben. Taumelnd und zuckend wie eine Marionette, à la Tommy Cooper in einen Zweireiher gezwängt, der eine Nummer zu klein war, und den Atem zwischen den Zähnen einsaugend, wetterte Sayle grandios gegen großspurige Mittelklasseliberale. Später erfuhr ich, dass seine besten Sprüche von dem entschieden der Mittelklasse zugehörigen und in Private Schools erzogenen Anwalt und Cambridge-Footlights-Alumnus Clive Anderson stammten, was aber der Wirkung, die Sayle hatte, nichts nehmen soll. Seine ausdauernden und surrealen Tiraden, sämtlich mit einem Liverpool-Akzent hingerotzt, an dem man Hartkäse hätte reiben können, kombiniert mit dem Aussehen eines dunklen Stummfilmschurken, machten ihn komisch, furchteinflößend und unmöglich zu ignorieren; er war eine Art anarchosyndikalistischer John Belushi – aber litauisch, jüdisch und abstoßend, wo Belushi albanisch, orthodox und knuddelig war. Als ich ihn kennenlernte, wurde mir unmissverständlich bewusst gemacht, dass ich alles repräsentierte, was er am meisten verachtete: Public School, Cambridge und, dank des Auftretens, das ich nie ganz abzuschütteln vermocht hatte, Establishment. Vorurteile und Snobismus aus seiner Richtung scheinen legitim zu sein: Hätte ich ihn hingegen verachtet, weil er der Arbeiterklasse angehörte und der in einer State School erzogene Sohn eines kommunistischen Eisenbahnarbeiters war, hätte man mich zu Recht verurteilt. In jenen Tagen war man stolz darauf, zur Arbeiterklasse zu gehören, und schämte sich, aus der Mittelklasse zu sein. Ich war verzweifelt bemüht, darauf stolz zu sein, dass ich keiner Klasse angehörte, sondern *déclassé* und *déraciné* war, zur Klasse der Bohemiens zu zählen war, der Klasse ewiger Studenten, zur Künstlerklasse. Aber von denen war ich meilenwert entfernt, und bis zum heutigen Tag riecht man an mir eher den Garrick Club als den Groucho Club, aber das hat mich nicht daran gehindert, auf meine zum Scheitern verurteilte, vergebliche und sinnlose Weise zu versuchen, frei zu sein. Wir haben alle unsere sonderbare Weise, klarzukommen oder beim Klarkommen zu versagen. Über die Jahre bin ich mit Alexei und seiner Frau Linda auf die höflichste und beinahe freundschaftliche Weise ausgekommen, aber leider konnte ich ihm nie wirklich verzeihen, wie tyrannisch und aggressiv er sich Ben Elton gegenüber verhalten hat. Zum Ende des Jahrzehnts und während der Neunziger ließ er keine Gelegenheit ungenutzt, Ben zu attackieren, und beschuldigte ihn ungerechterweise, nicht authentisch zu sein, sondern epigonal und der Bezeichnungen »Comedian« oder »alternativ« verachtenswert unwürdig. Nun, all das kam später, und ich wage zu sagen, dass er sich inzwischen beruhigt hat: Entscheidend ist, dass Sayle für einige kurze Jahre als das auffälligste Symbol der neuen Bewegung im Vordergrund stand, und als wir aus Australien zurückkehrten, schien ihm und seinen Kohorten die Welt zu gehören.

Von Natur aus bin ich kein Pessimist, aber ich fragte mich doch, ob Typen wie uns die Türen versperrt worden waren. Bei der Comedy geht es, wie jeder weiß, in erster Linie ums Timing, und ich fürchtete, was die Karriere betraf, stimmte unser Comedy-Timing ganz und gar nicht mehr. *Not the Nine O'Clock News* mit drei Oxbridge-Darstellern, dem Ex-Footlights-Produzenten John Lloyd und dem Hauptautor Richard Curtis aus Oxford war ganz sicher der Schwanengesang unseres Genres. Und die Welt frohlockte: Gut, dass wir euch los sind! Was Punk für die Musik getan hatte, taten die alternativen Comedians für die Comedy. Der klassische »Ach, Perkins, kommen Sie rein, setzen Sie sich«-Sketch wurde zusammen mit der Süßigkeitenkiste und der alten Schulkrawatte weggefegt. So kam es uns jedenfalls in den düstersten Stunden vor. Mir ist inzwischen eine Tatsache völlig klar, die für Sie selbstverständlich sein dürfte, mir aber damals kaum bewusst war, denn ich wollte so gerne glauben, dass sich die Ereignisse, die Geschichte und die Umstände einzig gegen einen selbst verschwören. Während wir also unsere eigenen Ängste pflegten, warteten mit Sicherheit ganze Schwadrone von Comedians mit ziemlich gegenteiligen Ängsten in den Kulissen. Sie sahen eine BBC, die von Oxbridge-Graduierten dominiert wurde, die anscheinend alle dieselben Bücher und Zeitschriften lasen, auf dieselbe Weise redeten, sich auf dieselben geheimnisvollen Erfahrungen beriefen und denselben Geschmack hatten. Es gab noch keinen Channel 4, kein Kabel, keine Satelliten, sondern nur BBC 1, BBC 2 und BBC Radio. Ein einziger ITV-Kanal hatte Varieté-Shows im Programm und dazu die letzten Helden der großartigen Music-Hall-Tradition wie Benny Hill, Morecambe und Wise und Tommy Cooper sowie Sitcoms, die mit Ausnahme des großartigen *Rising Damp* nicht erwähnenswert, nicht originell und nicht aufregend waren. Für diejenigen, die weder ihre Basis in Oxbridge noch einen Varieté-Hintergrund hatten, muss die Festung Rundfunk/Fernsehen als uneinnehmbar erschienen sein. Das kann ich mir sehr wohl vorstellen. Aus dieser Perspektive müssen Emma, Hugh und ich wie verhätschelter Adel gewirkt haben, für den das Fallgatter respektvoll hochgezogen, das Banner am Mast gehisst und die Kaminfeuer in der großen Halle angezündet wurden. Es ist vielleicht unziemlich, zu betonen, wie wenig das der Wahrheit entsprach, zumindest unserem Gefühl nach, aber unziemliche Betonung ist verzeihlich. Und tatsächlich machte gerade zu dieser Zeit Margaret Thatcher die unziemliche Betonung zum Kennzeichen ihrer Rhetorik, und das Jahrzehnt stellte sich ein auf hohe Wangenknochen, mächtige Frisuren, Schulterpolster, politische Spaltung und Geltungskonsum, all das auf eine Art betont, wie sie unziemlicher nicht zu bewerkstelligen war. Unziemliche Betonung lag in der Luft, und das nirgendwo so auffällig wie im Murren der Comedians, die sich vor den Schlosstoren sammelten.

Peter Rosengard, Vertreter für Lebensversicherungen mit Hang zu Zigarren und zum Frühstücken im Claridge's, hatte dem Comedy Store in Amerika einen Besuch abgestattet und 1979 zusammen mit Don Ward, einem Komiker, der darauf spezialisiert war, das Publikum vor Rock-'n'-Roll-Konzerten aufzuwärmen, in einem kleinen Raum über einer Topless-Bar in Walker's Court, Soho, den London Comedy Store gestartet. Bereits 1981 war der Comedy Store zum Inbegriff dieser *nouvelle vague* in der Comedy geworden – einer Bewegung, die einherging mit dem scharfzüngigen Stil des Veranstaltungsmagazins *Time Out* und seines quälend linkslastigen Ablegers und Rivalen *City Limits*, einer Bewegung, die sich von der Unzufriedenheit und dem Wunsch nach Veränderung in einer Studentengeneration nährte, die in ein von der Rezession gebeuteltes, von den Tories kontrolliertes, besorgtes und zorniges Großbritannien hineinwuchs. Schwärme junger Mittelklasserevolutionäre spielten *London Calling*, bis die Rillen ausgefurcht waren, sprachen von Geschlechterpolitik und gingen gegen Atomwaffen und für »Rock gegen Rassismus« auf die Straße. Da ist es kein Wunder, dass sie sich mit der Comedy von *Are You Being Served?*, *The Russ Abbott Madhouse* und *Never the Twain* nicht zufriedengaben.

Im Haus der Unterhaltung wohnten zwei Familien: die traditionelle, zu der Dick Emery, Mike Yarwood, die Two Ronnies, Bruce Forsyth und die oben erwähnten unsterblichen Morecambe and Wise, Benny Hill und Tommy Cooper gehörten, und die graduierte Dynastie, die, von Peter Cooke gegründet, zur wahren Größe unter Monty Python aufgelaufen war und jetzt, wie wir fürchteten, den Schlusspunkt mit dem *Not*-Team von John Lloyd, Rowan Atkinson, Richard Curtis, Mel Smith und Griff Rhys Jones erreicht hatte, sämtlich Oxbridgers. War die neue Comedy, repräsentiert durch Alexei Sayle, Ben Elton, French and Saunders, Rik Mayall, Ade Edmondson, Keith Allen und den vielen anderen aufstrebenden Talenten eine Alternative zur ersten oder zur zweiten Familie? Nun, eher wohl zur zweiten, trotz des Hintergrundgetuschels jener Zeit, in dem es hieß, alles sei ein Klassenkampf. Alexei Sayle hatte das Chelsea Art College besucht und war mit seinen Bewusstseinsströmen absurder Surrealität und den absichtlich abstrusen Bezugsrahmen von allen Comedians der pythonähnlichste. French und Saunders hatten einander auf der Schauspielschule kennengelernt. Elton, Edmondson und Mayall hatten alle gemeinsam an der Manchester University studiert. Die Wahrheit ist, dass nur sehr wenige aus der ersten Welle alternativer Comedians von sich behaupten konnten, die Erziehung der Straße genossen zu haben oder durch die harte Schule des Lebens gegangen zu sein; tatsächlich hätte man *mich* als alten Knastbruder zu demjenigen erklären können, der unter ihnen der wahrlich echte und beinharte war, ein Gedanke, der in seiner Absurdität zeigt, dass die Vorstellung von der Existenz einer Gruppe Comedians aus der Arbeiterklasse, die den Palast der Prätentiösen bedroht, wirklich fehlgeleitet war. Alle Comedians kamen aus vielen verschiedenen Welten wie eh und je, und es war viel alberne Sketch-Comedy der alten Schule bei den zornigen und ätzenden Stand-ups zu finden. Es stimmt, dass es ein alternatives *Publikum* gab, das bereit war für etwas deutlich anderes, und sein Bedürfnis nach etwas Neuem mag eventuell dafür verantwortlich gewesen sein, die Energie zu schüren, die »alternativ« genannt wurde. Einige Jahre später brachte Barry Cryer die beste Definition der alternativen Comedians, die ich bis jetzt gehört habe: »Es sind dieselben, aber sie spielen nicht Golf.«

Wenn das der damalige *Zeitgeist* war, konnte man es nur erstaunlich nennen, dass unsere Cambridge-Footlights-Show den Perrier-Preis gewonnen hatte und ich jetzt aus einem U-Bahn-Wagen stieg und Ausschau nach der Adresse in Pembridge Place hielt.

Ich läutete an der Tür und wurde per Summer eingelassen. In einer Wohnung im oberen Stockwerk warteten bereits Hugh, Emma und Paul Shearer. Jon Plowman, dem die Wohnung gehörte, machte Kaffee. Er war der kesse junge Engländer von Granada TV, den wir in Edinburgh kennengelernt hatten. Sandy Ross, der rosagesichtige Produzent, der an jenem Abend mit ihm zusammen gewesen war, stellte mich einem dunkelhaarigen jungen Mann mit Brille vor, der recht ernsthaft wirkte.

»Das hier ist Ben Elton. Er hat gerade sein Studium in Manchester beendet.«

Sandy legt seinen Plan dar: Wir, die hier versammelt waren, sollten ein Team aus Autoren/Darstellern bilden und für Granada Television eine neue Comedy Show ins Leben rufen. Wir sollten hier in London schreiben und proben und anschließend in den Studios in Manchester filmen und die Tonaufnahmen machen. Ben war bereits dabei, zusammen mit seinem Kommilitonen und Freund Rik Mayall und Riks Freundin Lise Mayer eine neue Comedy-Reihe für die BBC zu schreiben, eine Art

Anti-Sitcom mit dem Arbeitstitel *The Young Ones*. Unsererseits waren wir ebenfalls an die BBC gebunden, zwar nicht für eine Reihe, sondern für die Aufnahme von *The Cellar Tapes* zur einmaligen Ausstrahlung.

Das Konzept der neuen Granada-Show, erklärte uns Sandy, sah vor, die traditionelle Cambridge-Manier, Sketche zu verfassen, zu verbinden mit dem anarchischen und hitzigen Stil (diese Wörter benutzte er) von Ben, seinen Genossen und allem, was sie repräsentierten. Da wir zu viert waren und er allein, sah der Plan vor, zumindest noch jemanden mehr zu beteiligen, der nicht von Cambridge infiziert war. Die Namen Chris Langham, Nick le Prevost und Alfred Molina wurden ins Spiel gebracht und vielleicht auch noch andere, an die ich mich nicht erinnere. Eine weitere junge Frau wurde ebenfalls benötigt. Eine Weile sah es so aus, als könnte es die schottische Dichterin und Stückschreiberin Liz Lochhead sein. Sie kam zu einer Probe, wie ich mich entsinne, zeigte sich absolut nicht beeindruckt von dem, was sie vorfand, und lehnte eine Mitarbeit ab. Stattdessen taten Sandy und Jon eine kecke junge Schauspielerin namens Siobhan Redmond auf, ebenfalls Schottin. Den meisten Männern unserer Produktion war es im Laufe der Zeit bestimmt, ihr zu verfallen, und auch ich machte keine Ausnahme, wenn auch auf meine ganz spezielle Weise.

Inzwischen begannen wir auftragsgemäß mit dem Schreiben.

Wenn ich über die Jahre auf jenen Abschnitt meines Lebens zurückblicke, der teilweise verdeckt ist, verfärbt und zerkratzt von Zeit, Erfahrung und all den verheerenden Wirkungen und dem Missbrauch, denen mein bedauernswerter Verstand und mein Körper seither ausgesetzt waren, kommt mir alles so unwahrscheinlich vor und aus Gründen, die auf den ersten Blick keinen Sinn ergeben, so überaus, überaus traurig. Es war natürlich ganz und gar nicht so, sondern es war ein wenig beängstigend, aber wahnsinnig aufregend.

Ohne es je vorsätzlich oder bewusst anzusprechen, waren sich Hugh und ich einig, ein Team zu sein. Kein Duo, aber irgendwie unausweichlich und auf ewig miteinander zu zweit verknüpft. Meine allergrößte Sorge, die ich weder mit Hugh noch mit Emma, Kim oder sonst jemandem zu teilen wagte, war die Frage, ob ich eigentlich komisch war oder nicht. Ich glaubte, war sogar überzeugt, *geistreich* zu sein, selbstsicher, artikuliert und wortgewandt mit einem Stift in der Hand oder einer Schreibmaschinentastatur unter den Fingern, aber zwischen komisch und geistreich fällt der Schatten ...

Ich glaubte, komisch zu sein, die Fähigkeit zu besitzen, zum Lachen zu reizen durch Ausdruck, Bewegung und jenes rätselhafte, fühlbare, physische *Etwas*, das manchen gegeben ist und anderen nicht, eine Gabe, die der Sportlichkeit, der Musikalität und dem Sex-Appeal ähnelte. Mit anderen Worten: Es hatte zu tun mit einem Selbstbewusstsein im Umgang mit dem Körper, das ich nie besessen hatte, mit einem Selbstbewusstsein, das physische Entspannung und Leichtigkeit erlaubte, die wiederum noch mehr Selbstbewusstsein aufbauten. Das war der Keim aller meiner Probleme. Furcht vor dem Sportplatz, Furcht vor dem Tanzboden, sportliche Unbeholfenheit, sexuelle Schüchternheit, Mangel an Koordination und Gewandtheit, Hass auf mein Gesicht und meinen Körper. Das alles ließ sich zurückverfolgen auf den »Musik und Bewegung«-Unterricht im Kindergarten: »Alle setzen sich mit überkreuzten Beinen im

Kreis hin.« Ich konnte nicht einmal das, konnte nicht den Schneidersitz einnehmen, ohne auszusehen wie ein linkischer Depp. Meine Knie ragten in die Höhe, mein Selbstbewusstsein sank.

Ich hatte zwanzig Jahre in der Überzeugung gelebt, dass mein Körper der Feind war, und dass ich auf der Habenseite nichts besaß als mein Gehirn, meine Schlagfertigkeit und die unbekümmerte Leichtigkeit im Umgang mit der Sprache, Eigenschaften, die einem Menschen Antipathie bescheren können, aber ebenso auch Bewunderung. Sie passten auch für spezielle Ausprägungen eines Comedy-Auftritts. Bei sprachlich komplexen Monologen und Sketchen, die ich selbst geschrieben hatte, konnte ich mit Sicherheit davon ausgehen, dass sie mir auf der Bühne glückten. Aber in Todesfurcht lebte ich, wie ich bereits angedeutet habe, vor verzögerten und spät zündenden Gags, Stolperpannen und all den anderen offenbar unverzichtbaren Komikertechniken, die mir so beängstigend, unergründlich und befremdlich vorkamen wie Tanzschritte und der Umgang mit einem Tennisschläger. Ich weiß, wie kindisch und albern solche Ängste klingen können, aber bei der Comedy ist Selbstvertrauen von höchster Bedeutung. Wenn der Akteur unsicher ist, wird das Publikum nervös, und das reicht, jedes Lachen zu ersticken, bevor es überhaupt aufkommt. Ich sah bei Hugh, Emma, Tony und anderen instinktive physische Talente, von denen ich wusste, dass ich sie nicht teilte und mir auch mit Sicherheit nie würde aneignen können. Außerdem konnten sie alle singen und tanzen. Wer konnte im Showbusiness Karriere machen, wenn ihm Musikalität fehlte? Alle großen Künstler konnten singen. Sogar Peter Cook war musikalischer als ich. Ich lag nachts wach und war überzeugt, dass Sandy Ross und Jon Plowman meine Unzulänglichkeiten sofort entdecken und mich still und leise aus dem Ensemble nehmen würden. Bestenfalls würden sie mich bitten, als Autor weiter dabeizubleiben. Vielleicht würde mir das nicht allzu viel ausmachen, aber es wäre eine Demütigung, auf die ich lieber verzichten würde. Zum Teil — ich muss es gestehen, wie schwachsinnig, kindisch und schäbig es auch klingen mag — verzehrte ich mich danach, ein Star zu werden. Ich wollte berühmt sein, bewundert und angestarrt werden, ich wollte bekannt sein, gemocht werden und Applaus hören.

So, jetzt ist es raus. Es handelt sich wohl nicht um das erstaunlichste Eingeständnis, das ein Bühnenkünstler machen kann, aber es ist auch nicht gang und gäbe, dass jemand einen so banalen Ehrgeiz zugibt. Es war keine Frage, dass Emma berühmt werden würde, absolut keine Frage. Ich wusste, dass Hugh es ebenfalls schaffen würde, aber ich wurde fast krank vor Sorge, dass ich vielleicht außen vor blieb, dass es mir gehen würde wie dem, der als Letzter in eine Mannschaft gewählt wird. Cambridge hatte mir gezeigt, dass ich ein Publikum zum Lachen bringen konnte, aber ich hatte den Luxus genießen können, sie nach meinem Gutdünken zum Lachen zu bringen. Jetzt, da wir in der großen weiten Welt waren, einer Welt, die nach dem punkigeren Ende des Comedy-Spektrums schielte, schien es unausweichlich, dass man in mir denjenigen sehen würde, der das, was man brauchte, nicht so *ganz* brachte. Vielleicht ein paar Texte, vielleicht etwas Arbeit fürs Radio, aber nichts im Vergleich zu dem Starruhm, der auf Hugh und Emma und Ben Eltons Freund wartete, über den ich mehr und mehr hörte — den formidablen Rik Mayall.

Exakt das, was mir am meisten fehlte, besaß dieses explosive Komikergenie im Überfluss: physisches Charisma, niederschmetternde Selbstsicherheit und eine erstaunlich natürliche Anziehungskraft, die wie eine thermonukleare Schockwelle über dem Publikum zusammenschlug. Er konnte albern sein, charmant, kindisch, eitel und belanglos, aber das auf eine Weise, die unangestrengt und eindeutig entzückte. Man hinterfragte sie nicht, analysierte sie nicht, zollte ihrer Cleverness keinen Beifall, schätzte nicht ihre soziale Bedeutung oder bewunderte die Arbeit, die dahintersteckte, sondern man liebte sie ganz einfach, wie man irgendein Naturphänomen verehren würde. Welche Talente ich auch immer besitzen mochte, sie wirkten verwelkt, verblasst und unterentwickelt. Im Vergleichstest unter der Gemeinschaftsdusche der Comedy-Szene schnitt ich schlecht ab, und das tat weh. War das Dasein in der Erwachsenenwelt wie eine Regression in die Schulzeit? Es kam wahrscheinlich vor, erniedrigend wahrscheinlich.

Wenigstens konnte ich mich noch in das letzte Hurra der Cambridge Footlights stürzen.

Hugh, Emma, Tony, Paul, Penny und ich trafen zu den Fernsehaufnahmen von *The Cellar Tapes* zur selben Zeit bei der BBC ein, als Ben Elton, Lise Mayer und Rik Mayall den Büchern für *The Young Ones* den letzten Schliff gaben und Peter Richardson, Ade Edmondson, Rik, Dawn French, Jenny Saunders und Robbie Coltrane sich darauf vorbereiteten, den Comicstripfilm *Five Go Mad in Dorset* zu drehen. Es dürfte kaum überraschen, dass wir uns vorkamen wie die New Seekers, die bei derselben Veranstaltung auftreten müssen wie die Sex Pistols.

Wir stießen weiter in die Gefilde des wahrhaft Altmodischen vor, als wir den TV-Produzenten trafen, den die BBC uns zugewiesen hatte. Er war ein dünner, hibbeliger Mann Mitte bis Ende fünfzig, der streng nach Whisky und filterlosen Senior-Service-Zigaretten roch. Das war auch kein Wunder, denn etwas anderes nahm er nicht zu sich. Als er sich vorstellte, dämmerte mir bei seinem Namen etwas, wenn auch nur ganz schwach am Horizont.

»Wie geht es? Dennis Main Wilson.«

Dennis Main Wilson – wieso klang das vertraut? Dennis Main Wilson. Es klang so passend. Wie Chorlton-cum-Hardy, Amy Semple McPherson, Ella Wheeler Wilcox oder Ortega y Gasset, einer dieser Dreifachnamen, die einem von der Zunge gehen, als hätte man sie schon immer gekannt, während man in Wahrheit nie ganz sicher ist, zu wem oder zu was sie gehören.

Dennis Main Wilson war der größte Comedy-Produzent seiner Generation, vielleicht sogar aller Generationen. Fürs Radio hatte er die beiden ersten Staffeln von *The Goon Show* produziert und die ersten vier von *Hancock's Half Hour*. Allein dafür sollte sein Grab für alle Zeiten mit Blumenkränzen geschmückt und sein Andenken auf ewig in Ehren gehalten werden. Im Fernsehen hatten wir ihm *The Rag Trade* zu verdanken, *Till Death Us Do Part*, *Marty* mit dem großartigen Marty Feldman und *Sykes* mit dem gleichermaßen großartigen Eric Sykes. Von entscheidender Bedeutung für die Fernsehgeschichte waren vielleicht die bei den erhabenen und etablierten Programmmachern seltene Geduld und Offenheit gegenüber neuen Ideen, die ihn veranlassten, eines Tages ein Skript zu lesen, das ihm von einem Kulissenschieber angetragen wurde. Die meisten höhergestellten Rundfunkleute finden so gut wie immer eine

Möglichkeit, unverlangtes Material abzuwimmeln. Dennis hatte eine freundlichere Ader und akzeptierte das schüchtern präsentierte Manuskript mit dem für ihn so charakteristischen freudestrahlenden Enthusiasmus. Der Kulissenschieber hieß John Sullivan, und sein Skript hieß *Citizen Smith*. Es wurde produziert, hatte großen Erfolg und begründete die Karriere von Robert Lindsay. Sullivan ließ *Only Fools and Horses* folgen, eine Comedy-Serie, die man, wie ich glaube, getrost als die populärste in der Geschichte Großbritanniens bezeichnen kann.

Spike Milligan hatte ihm in Anspielung auf seine Vorliebe für Alkohol »Dennis Main Drain« genannt, und es ist keine Frage, dass er spöttische Kommentare herausforderte. Sein Tweedjackett, sein Brylcreem-Haar, der Schildkrötenhals und die nikotingelben Finger gehörten in eine andere Zeit, eine Zeit, die weit weg war von der Inbrunst der alternativen Comedy und der Jugendunterhaltung, die der für die nahe Zukunft geplante Channel 4 der Welt anbieten sollte. Als glühender Anhänger der Radio-Comedy hätte ich ihn sowieso bewundert, wie auch immer sein Charakter sein mochte; so aber idealisierte ich ihn. Das taten wir alle. Zaghaft anfangs und dann mit schnell zunehmender Überzeugung. Eines war jedoch, wie wir bald entdeckten, von grundsätzlicher Bedeutung bei der Arbeit mit Dennis Main Wilson. Egal wie sehr er darauf bestand, sich um zwölf, eins, zwei, drei oder vier Uhr nachmittags zu treffen, mussten wir nachdrücklich sicherstellen, dass es um neun, zehn oder elf Uhr morgens zu unserem Treffen kam. Es war einfach eine Frage der Produktivität. Die Comedy-Abteilung im Television Centre befand sich im sechsten Stock, und Dennis' Büro lag direkt gegenüber dem BBC Club, der kaum etwas anderes war als eine Bar. Jeden Morgen um elf Uhr dreißig machte sich Dennis auf die Zehn-Meter-Tour aus dem Büro in den Club. Eine Senior Service ließ ihren blauen Rauch kräuselnd zwischen seinen Fingern aufsteigen, ein großes Bier und ein doppelter Scotch standen vor ihm auf dem Tresen, und er fesselte uns mit seinen Geschichten über Hattie Jacques, Peter Sellers und Sid James. Aber je länger sich der Morgen hinzog, desto weniger schien er sich auf unsere kleine Show und ihr kurz bevorstehendes Aufzeichnungsdatum konzentrieren zu können, und wir fragten uns mit steigender Nervosität, ob ein Studio gebucht war, ob man Requisiten organisiert hatte und ob ein Kameramann zum festgelegten Abend bestellt war. Erwischte man Dennis jedoch um neun Uhr morgens, war er ein Energiebündel. Sein fleischloses Körpergestell zuckte und zappelte, seine Finger zerstachen begeistert die Luft bei jeder neuen Idee, und sein röchelndes, tabakgeschwängertes Lachen steckte uns alle mit fulminanter Selbstgewissheit an. Er vermittelte uns den Eindruck, nach seiner Einschätzung aus demselben Holz geschnitzt zu sein wie Spike Milligan und Tony Hancock. Diese Beachtung und dieser Respekt von einem so erlauchten Mann ließen uns natürlich vor Stolz strotzen. Aber das fand vielleicht ein Gegengewicht in seinem totalen Mangel an Kenntnissen über oder auch nur an Interesse für die neue Welle, die bereits an den Schutzwall schlug. Ein kleines, illoyales und unsicheres Alter Ego meiner selbst fragte sich, ob es nicht – um eine andere musikalische Ära als Vergleich heranzuziehen – so sei, als würde Bobby Darins Manager seinem Schützling versichern, der Rock 'n' Roll sei nur eine kurzfristige Tonstörung. Dennis sah uns als die respektvollen Erben der Insignien des Goldenen Zeitalters und die neuen alternativen Comedians als Vandalen und Störenfriede ohne Bedeutung. Ich, und so bin ich eben – teils schmieriger Kriecher, stets darauf aus, zu gefallen, teils Angeber, teils echter Enthusiast – blies in dasselbe Horn, indem ich mich endlos über Mabel Constanduros, Sandy Powell, Gert and Daisy, Mr Flotsam and Mr Jetsam und andere Music-Hall-Radiostars erging, die ich leidenschaftlich verehrte.

Wir probten in dem BBC-Block, der gemeinhin als North Acton Hilton bekannt ist. Jede Etage in diesem nichtssagenden und unpersönlichen Turm, den man in eine nichtssagende und unpersönliche Vorstadt gepflanzt hat, verfügte über zwei Zimmerfluchten mit speziell eingerichteten Proberäumen und Produktionsbüros. Nicht, dass ich es damals bereits wusste, aber dieses seelenlose, krank machende Gebäude mit seiner tropfenden, abblätternden und bröckelnden Fassade, den flackernd fluoreszierenden Neonröhren und den muffigen Aufzügen sollte für die nächsten acht Jahre bei der aufeinanderfolgenden Arbeit an den Serien *Blackadder* und *A Bit of Fry and Laurie* zu meiner zweiten Heimat werden. Ich liebte es. Ich liebte die Kantine, wo man Nicholas Lyndhurst und David Jason ein Hallo zunicken konnte, den Kids von *Grange Hill* oder den Tänzern von *Top of the Pops*. Ich liebte in den Proberäumen die Pfosten auf Sockeln, die verschoben werden konnten, um als Türrahmen und Eingangsbegrenzungen zu dienen. Ich liebte das Klebeband auf dem Fußboden, das in verschiedenen Farben Räume und Kamerapositionen markierte wie auf Spielfeldern in Sporthallen. Ich liebte es, über die trostlosen Dächer von East London hinauszuschauen und zu wissen, dass ich mich hier befand und für die BBC arbeitete, während *All Creatures*

Great and Small nebenan und *Doctor Who* ein Stockwerk höher entstanden.

Als wir *The Cellar Tapes* probten, wusste ich natürlich noch nichts von den Jahren und Serien, die noch kommen sollten, und ich hatte auch nicht die geringste Ahnung, dass es für technische Durchläufe total normal war, in völliger Stille stattzufinden. Lassen Sie mich erklären.

Comedy-Aufführungen im Studio vor vielen Kameras und Publikum sind selten, seit es vor einigen Jahren zur Norm wurde, mit einer einzigen Kamera Außendrehs zu machen. Damals war es aber noch Usus. Außenszenen wurden auf 16-mm-Film gedreht, und alles andere mit diesen geschürzten Rostrum-Studiokameras, die auf Rollen laufen und Terry Nation inspirierten, sich die Daleks auszudenken. Wenn man *Fawlty Towers* oder andere Comedys der siebziger oder frühen achtziger Jahre anschaut, offenbart sich sehr deutlich und fast schon lachhaft der Unterschied zwischen den körnigen Filmbildern der Außenaufnahmen und den leuchtenden Bildern, die von der Videokamera innen gemacht wurden. Es schien aber niemanden zu stören, was vielleicht daran lag, dass der Fernsehempfang und die Bildauflösung schlechter waren, oder daran, dass wir einfach akzeptierten, was man uns von jeher vorsetzte.

Der Ablauf der Aufzeichnung gestaltete sich folgendermaßen: Man ging hinaus in die Welt und machte die Außenaufnahme nach den Anweisungen des Drehbuchs. Dann verbrachte man eine Woche in North Acton und probte den Rest, den Studioteil. Traditionsgemäß wurde die Show sonntags aufgezeichnet, und das mag daran gelegen haben, dass vielbeschäftigte Schauspieler an den anderen Abenden im Theater auftraten. Für den

Freitagmorgen war in Acton der technische Durchlauf angesetzt. Die Kamera- und Ton-Crews, Szenenaufbau, Produktion, Kostüm- und Maskenbildner kamen in den Proberaum marschiert, um sich einen Durchlauf der Show anzusehen. Und genau dabei traf im März 1982 der schlimmste Schlag, den wir je erlebt hatten, unsere Comedykünstler-Egos.

Stille.

Stille, der Feind jedes Comedian.

Wir spielten Sketch auf Sketch und sangen Song auf Song. Nicht ein Schmunzeln. Nur verschränkte Arme, Saugen an den Zähnen und gelegentlich eine Anmerkung, die in die Fotokopie des Drehbuchs gekritzelt wurde.

Als wir die letzte Nummer beendet hatten und die Techniker langsam den Raum verließen, zogen wir uns in eine Ecke zurück, steckten die Köpfe zusammen und sahen eingeschüchtert zu, wie der lichtsetzende Regisseur und erste Kameramann dem Regisseur John Kilby noch ein, zwei Fragen stellten. Als sie schließlich ebenfalls gegangen waren, gesellte sich Dennis zu uns.

»Drink?«

»Oh, Dennis«, sagten wir. »Wird es denn trotzdem was?«

»Was meint ihr?«

»Es war doch eine Katastrophe. Eine totale Katastrophe. Kein Schmunzeln, kein Kichern, gar nichts. Die haben uns *gehasst*.«

Dennis setzte sein breites Lächeln auf, und der Schleim tief in seinen Lungen zischte, blubberte und grummelte wie ein Milchschäumer in einem Café, bevor das röchelnde Lachen hervorbrach.

»Die machen nur ihre Arbeit, ihr Lieben«, sagte er.

»Niemand, nicht einmal die von der Ton-Crew, haben zugehört. Sie sehen sich genau an, wohin die Kameras fahren, wo die Bildränder sind, tausend verschiedene Sachen. Haha! Ihr dachtet, dass sie euch beurteilen? Wie komisch, ha!« Dennis tränten die Augen, als er lachte und keuchte und aus den tiefsten Tiefen seiner Lungen nach Luft rang.

Am Sonntag führten wir unsere Show vor einem Publikum auf. Einem Publikum, das von Clive Anderson in Stimmung gebracht worden war, dem ehemaligen Mitglied der Footlights und Rechtsanwalt, der sich noch endgültig entscheiden musste, ob er als Darsteller vor den Kameras auftreten wollte. Die Aufzeichnung schien gut gelaufen zu sein, aber wir machten sie ja nicht fürs Studiopublikum, sondern für die Fernsehzuschauer, und ob sie denen gefallen hatte, würden wir erst Monate später erfahren.

Bis dahin mussten wir unsere Aufmerksamkeit auf die Granada-Show richten.

Chelsea, Coleherne Clones and Conscience —
Chelsea, Coleherne-Klone und Gewissen

Kim und ich zogen aus Hadley Wood in eine Wohnung in Drayton Place, ganz in der Nähe des Sloane Square in Chelsea, wo die Freundinnen der gerade unter die Royals aufgenommenen Lady Diana zwischen dem Peter-Jones-Kaufhaus, der General Trading Company und Partridge's Feinkostgeschäft hin und her huschten, alle in identischen grünen Husky-Steppjacken und hohen Laura-Ashley-Kragen. Ihre Boyfriends fuhren Golf GTi-Cabrios, die in SW3 so weit verbreitet waren, dass sie Hämorrhoiden genannt wurden (»Früher oder später kriegt jedes Arschloch eine«). Großspurige Oberklassenknilche betranken sich ebenso sinnlos wie selbstverliebt in den eben in Mode gekommenen Weinbars, während ihre jüngeren Brüder sich Seidenschals um die langen, blassen Hälse schlangen und sich hängen ließen wie Lilienblüten, immer in der Hoffnung, so einnehmend und verloren auszusehen wie Anthony Andrews in *Wiedersehen mit Brideshead*. In den Pubs hallten die Geräusche des Videospiels *Space Invaders* wider, und aus den offenen Türen der Friseursalons hinaus in den Tumult der King's Road dröhnte der Sound von Adam and the Ants' »Goody Two Shoes«, Dexy's Midnight Runners' »Come On Eileen« und Culture Clubs »Do You Really Want To Hurt Me?«. Jemand hatte den Knopf gefunden, auf dem »Achtziger« stand, und voll aufgedreht.

Gleich um die Ecke von Draycott Place gab es (und gibt es noch immer) in der Tryon Street einen sicheren, niedlichen und höchst chelseahaften Schwulenpub namens Queen's Head. Dort im Nebenzimmer hörte ich zum ersten Mal von GRID: Gay-Related Immune Deficiency – Immunschwäche bei Schwulen (Aids). Es klang höchst eigenartig. In Amerika starben Schwule, und: »Denk an meine Worte, Dear«, sagte der Barmann, »hier kommt es auch rüber.«

Die Schwulenszene verhielt sich zu jener Zeit extrem extrovertiert und freizügig. Larry Kramers *Faggots* war das Buch der Ära. Es schilderte eine exzessive Fire-Island-Welt, in der unbekümmerte Hedonisten sich durch ihre endlosen, von Drogen befeuerten Wochenenden besahnten, bespritzten und pumpten, süchtig nach physischer Befriedigung, der sie unbarmherzig und ohne Scham- und Schuldgefühl in spektakulär arrangierten Szenarien frönten. Ein Lifestyle jenseits von Moral, frei von persönlichen oder medizinischen Konsequenzen. Es gab kein Halten, höchstens in den Lederfesseln, die von der Decke schwangen und den Anreiz boten, unsagbare Akte zu vollziehen. Ich fand das alles so aufreizend wie eine Tupperware-Party. Es war ein seltsames Gefühl, einer Minderheit innerhalb einer Minderheit anzugehören. Die meisten Schwulen strebten danach – oder schienen es zumindest zu tun –, dieser Szene anzugehören und den darin bestimmenden einzelnen Charakteren der Village People nachzueifern, besonders dem Kariertes-Hemd-und-Schnauzbart-Look, der Clone genannt wurde. Heerscharen dieser Individuen in engen Jeans und schweren Stiefeln drängten sich im Coleherne Arms in Earls Court. Ich empfand die Männlichkeit, die Humorlosigkeit und die physische Aufdringlichkeit, die wie billiger Moschusdunst von diesen Leuten ausging, beängstigend und deprimierend. Nicht im Geringsten fühlte ich mich angezogen von den grotesken Karikaturen des Tom of Finland mit ihren Muskelhemden, den Ledermützen und freudlosen Blicken. Mein Traumpartner war ein freundlicher, verträumter, lustiger junger Mann, mit dem ich spazieren gehen, reden, lachen, schmusen und spielen konnte. Dennoch ging ich an Orte wie das Coleherne und das neu eröffnete Heaven, das behauptete, die größte Disco Europas zu sein. Ich ging, weil ... nun, weil man das in jenen Tagen eben tat, wenn man schwul war und in den Zwanzigern. Zu spüren, wie hundert Augenpaare mich umgehend musterten und aussonderten, war demütigend und beschämend und erinnerte mich daran, wie man unter der Schuldusche abgeschätzt worden war. Ablehnung, Verachtung und Mangel an Interesse zeigten sich ohne

Umschweife, gedankenlos und unmissverständlich. Die stampfende Musik, das Sniffen von Poppers, das Toben auf der Tanzfläche und diese endlos sich beharkenden, forschenden, geilen Blicke, all das verhinderte jedes Gespräch oder Lachen. Ich hatte nicht das geringste Interesse, jemanden aufzureißen oder selbst aufgerissen zu werden, und ganz sicher hatte ich nicht das Bedürfnis, zu tanzen, aber ich nehme an, ich dachte, wenn ich nur oft genug hinginge, würde irgendwann der Durchbruch kommen, und ich fände Gefallen daran, so wie ich auch meinen Durchbruch mit ungesüßtem Tee erlebt hatte. Ich brachte es zu keinem Durchbruch in der Schwulenszene. Ich lernte die Discos hassen und die Bars und alles, was sie repräsentierten. Ich bin nicht sicher, ob ich überzeugend behaupten kann, dass es moralische Abscheu war, die meinen Hass nährte, sondern ich glaube, es war das unerbittliche Bombardement, dem mein *amour propre*, mein Ego, ausgesetzt war.

Probleme mit meiner Physis sind, wie Sie inzwischen bemerkt haben dürften, von zentraler Bedeutung in meiner Lebensgeschichte. Das hemmungslose Stillen meines leiblichen Appetits auf der einen Seite und auf der anderen die bekümmernde Aversion gegenüber meiner körperlichen Erscheinung sowie die Furcht vor ihr standen sämtlich unter der Aufsicht einer pathologischen persönlichen Theologie, die mich für den größten Teil meines Lebens einer wahren Seelenruhe beraubt hat. Ich möchte weder selbstmitleidig klingen noch mir das Privileg zusprechen, in dieser Hinsicht von einzigartiger Empfindsamkeit oder Empfänglichkeit für Bekümmernisse zu sein, aber es vergeht so gut wie keine Minute des Tages, in der ich mich nicht zahlloser Übertretungen zutiefst schuldig fühle. Zu viel Kaffee zu trinken, mich nicht stark genug zu konzentrieren, meine E-Mails nicht schnell genug zu beantworten. Nicht in Kontakt mit Menschen zu bleiben, denen ich versprochen habe, den Kontakt nicht abreißen zu lassen. Zu selten zum Fitnesstraining zu gehen. Zu viel zu essen. Zu viel zu trinken. Einladungen abzulehnen, bei einem Wohltätigkeitsdinner zu reden. Absolut unverlangte Drehbücher viel zu langsam zu lesen und zu kommentieren. Das alles sind so gut wie bedeutungslose Verstöße; es sind nur klägliche Planktonpartikel in der Tiefsee der Sünde, selbstredend, aber meine Gefühle sind so zaghaft, duckmäuserisch und beichtselig wie sich selbst kasteiende Calvinisten in ihren schlimmsten kniefälligen und unterwürfigen Rasereien der Reue. Ich glaube nicht, dass es einen Gott gibt oder das Jüngste Gericht oder einen Erlöser, aber ich durchlebe die Scham, das Schlottern und die Selbstgeißelung des frömmsten und hysterischsten aller Asketen ohne das wohlfeile Versprechen der Vergebung und ein göttliches Gehätschel zur Belohnung.

Du meine Güte, ich weiß, wie sich das hier lesen muss. Von den Neurosen zu hören, die ein verzogener, überbezahlter, zu hoch gepriesener, zu verkorkster Promi beklagt, ist mit Sicherheit unerträglich. Zu hören, wie ich mich in dem Luxus suhle, mir über so unerheblichen Firlefanz den Kopf zu zerbrechen, wo doch gleichzeitig so viele Menschen auf der Welt unter dem Trauma, dem Terror und den Torturen von Armut, Hunger, Krankheit und Krieg leiden. Sogar hier in der entwickelten Welt gibt es viele, deren finanzielle und familiäre Probleme leicht ausreichen – um es gelinde auszudrücken –, meine Misere ohne große Sympathie wahrzunehmen. Ich *weiß*. Mein Gott, meinen Sie, ich weiß nicht, wie empörend selbstsüchtig, narzisstisch und kindisch das für viele klingen muss? Darum geht es. Mein echtes Missvergnügen ist das an meinem Missvergnügen. Wie kann ich es wagen, so unzufrieden zu sein? Was maße ich mir an? Oder wenn ich schon unzufrieden bin, warum muss ich noch meine Klappe aufreißen?

Ich weiß, dass Geld, Macht, Prestige und Ruhm nicht glücklich machen. Wenn uns die Geschichte überhaupt etwas lehrt, dann das. Sie wissen das. Jeder stimmt zu, dass es sich dabei um eine augenfällige Wahrheit handelt, die so evident ist, dass sie nicht zweimal ausgesprochen werden muss. Seltsam kommt mir jedoch vor, dass die Menschheit, obwohl sie es weiß, es nicht wissen *will* und sich fast immer entscheidet, sich zu verhalten, als sei es nicht wahr. Es passt der Welt nicht, hören zu müssen, dass die Leute, die ein Leben in Saus und Braus führen, ein beneidenswertes Leben, ein privilegiertes Leben, sich meistens genauso miserabel fühlen wie alle anderen auch, obwohl es doch auf der Hand liegen dürfte, dass es so sein müsste – denn schließlich sind wir uns doch alle einig, dass Geld und Ruhm nicht glücklich machen. Stattdessen wäre die Menschheit trotz der ihr wohlbekannten gegenteiligen Wahrheit erfreut über die Vorstellung, dass Reichtum und Ruhm tatsächlich abschirmen und vor Elend schützen, und sie zöge es vor, wenn wir den Mund hielten, statt auf die Idee zu kommen, anderes anzudeuten. Dafür bin ich auf jeden Fall. Die meiste Zeit lächle ich und stimme zu, dass ich der größte Glückspilz unter der Sonne bin und mich wohl fühle wie eine Made im Speck. Meistens. Nur nicht, wenn ich ein Buch wie dieses schreibe. Nicht, wenn die Übereinkunft herrscht, dass ich versuchen werde, so ehrlich wie möglich mit Ihnen zu sein.

Was andere Leute betrifft, darf ich, wie gesagt, mein fieses Spiel treiben oder falsch Zeugnis reden, aber der Sinn einer Autobiografie besteht doch wohl darin, zumindest nach einem Körnchen Selbstoffenbarung und Ehrlichkeit zu streben. Und so muss ich gestehen, dass ich, so töricht es auch klingt, einen großen Teil meines Lebens damit verbringe, mich von einem unerbittlichen und blinden Gewissen, das mir jede glückliche Minute versagt, einkerkern und martern zu lassen. Wie viel am Gewissen liegt und wie viel an der Zyklothymie, der besonderen bipolaren Störung, die man bei mir diagnostiziert hat und auf die wir in diesem Buch (hurra!) nicht zurückkommen werden, kann ich nicht sagen. Ich gebe mich damit zufrieden, zwischen allen erdenklichen moralischen, psychologischen, fiktiven, spirituellen, neuralen, hormonalen, genetischen, diätetischen und umweltbeeinflussten Erklärungen für meine Niedergeschlagenheit zu pendeln.

Ich hoffe, dass Sie mir die kaum überraschende Enthüllung verzeihen, dass ich mich oft zermartert und unglücklich fühle. Der größte Teil dieser Kümmernis ist wohl der Tatsache zu verdanken, dass meine physische Erscheinungsform entweder in ihrer Reizlosigkeit widerwärtig wirkt oder unbescheiden in ihrem Verlangen nach Kalorien und anderen schädlichen Substanzen ist. Angesichts dessen werde ich näher auf das eingehen, was ich zur Coleherne-Disco und den mit ihr zusammenhängenden Gräueln der Achtziger-Szene bereits bemerkt habe.

Die schwule Identität, wenn man mir eine so gestelzte Formulierung nachsehen mag, richtete in jenen Tagen das Augenmerk mehr auf Körperliches, als es meiner Meinung nach heutzutage der Fall ist. Der Heaven (sogar beide: der Himmel droben in den Wolken und die Adresse des Clubs unter den Bögen von Charing Cross) weiß, dass auch heute noch sehr viel Körperfaschismus existiert, aber ich denke, es lässt sich eher zu Recht als aus Nachsicht sagen, dass die Community ein wenig erwachsener geworden ist. Den Schwulen schien es vor dreißig Jahren überwiegend ums Tanzen, ums Cruisen, um Narzissmus und anonymen Sex zu gehen. Ich war schwul, und daher wurde von mir erwartet, dass auch mir an diesen Dingen lag und ich da mitzumischen in der Lage war. Mein Problem war jedoch zweifach. Erstens schien sich niemand auch nur im Entferntesten von mir angezogen zu fühlen, und zweitens hatte ich eh nicht das geringste Interesse an heftigem Tanzflächengehampel und unverbindlichen erotischen Begegnungen.

Wäre es anders gewesen, wenn einige dieser stechenden Nachtfalkenblicke sich vor Verlangen verklärt hätten, kaum dass ich zur Tür hereingetreten war? Hätte ich dann vielleicht zugestimmt, den Sextanz zu tanzen? Hasste ich mein Gesicht und meinen Körper nur deswegen mit solcher Inbrunst, weil ich annahm, dass andere es ebenfalls taten? Tat ich wirklich nichts anderes, als im Voraus zurückzuschlagen, so wie Kinder, die nur deswegen beschließen, Schach oder Geschichte oder Tennis sei langweilig, weil sie nicht auf Anhieb ihre Begabung dafür entdecken?

Blaise Pascal hat gesagt, wäre Kleopatras Nase ein wenig kürzer gewesen, hätte die Weltgeschichte eine andere Wendung genommen. Wäre meine ein wenig hübscher gewesen, hätte ich mich vielleicht genau zu dem Zeitpunkt der Geschichte in ein Leben fleischlicher Hemmungslosigkeit gestürzt, da Billionen mikroskopisch

kleiner Gründe dafür existierten, dass es kein lebens-
gefährlicheres Spiel zu spielen gab. Deswegen ist es vielleicht ganz gut, dass ich so unattraktiv war.

Sollten Sie genervt oder verärgert sein, eine solche
Selbstbeschreibung lesen zu müssen, dann verstehen
Sie bitte, dass es mir zwar zu jener Zeit an Selbstvertrauen mangelte, jemand anderes zu sein, ich dennoch
aber sehr wohl weiß, dass viele unbestreitbar weniger
gutaussehende Männer anscheinend allen Sex bekamen,
nach dem es sie verlangte. Das Bild, das man von sich
selbst hat, ist dabei von großer Bedeutung, aber man
darf auch nicht die Qualen kleinreden, die von diesen
unerbittlichen Blicken verursacht werden, die für einen
sengend heißen, demütigenden Blick an deinem Körper
auf und ab gleiten, bevor sie Verachtung signalisieren
und zur nächsten Person schwenken, die durch die Tür
kommt. Natürlich weiß ich, dass diese gierig glotzenden
Gays genauso unsicher waren wie ich, wenn nicht gar
unsicherer. Auch sie schlugen im Voraus zurück. Aber
zu glauben, dass eine so unentspannte Gefühlskälte sexy
ist … Ich bin sehr stolz und sehr glücklich, schwul zu
sein, aber ich müsste lügen, wenn ich nicht sagte, dass
vieles an der Welt, die in jenen Tagen von Schwulen bevölkert war, mir Übelkeit verursachte, mich anwiderte
und mir Angst machte.

Auf den ersten Blick abgetan zu werden ging fast noch
mehr an die Nieren als alles andere. Ohne mich darüber
allzu sehr ereifern zu wollen, grenzt dieses Verhalten für
mich an Rassismus, Sexismus oder jede andere Art von
Vorurteil oder Snobismus. »Weil du nicht hübsch bist,
will ich nichts« mit dir zu tun haben«, war für mich kaum
etwas anderes als die Aussage: »Weil du schwul bist,
kann ich dich nicht leiden«, oder: »Weil du Jude bist,

mag ich dich nicht«, oder, wo wir gerade dabei sind: »Weil du in Cambridge studiert hast, kann ich dich nicht ausstehen.« Natürlich sollte jeder, der sich für ein Opfer solcher Diskriminierung hält, dessen auch sicher sein. Wir müssen zuerst die beunruhigende Möglichkeit ausräumen, dass »Weil du ein langweiliges Arschloch bist, kann ich dich nicht leiden« eine richtige Interpretation der Antipathie des anderen Menschen sein könnte, denn diese Beurteilung so ohne Weiteres zu widerlegen besteht nur wenig Hoffnung.

Kim fand mehr Gefallen an der Schwulenszene als ich. Er ließ sich natürlich nicht von ihr bluffen, aber ich glaube, er fühlte sich darin unbefangener, als ich es je gekonnt hätte. Er hatte außerdem mehr Gelegenheit, Erlebnisse zu sammeln, denn ich wurde allmählich so sehr von meiner Arbeit in Beschlag genommen, dass Clubs und Pubs in den Hintergrund gerieten. Die neue Comedy-Serie bei Granada erforderte es, dass ich London für längere Zeiträume verließ.

Colonel and Coltrane

Es fiel schwer, Manchester nicht zu mögen. Mit »love« angesprochen zu werden, mit »chuck« oder einem »daft barmcake« muss doch einen Menschen aus dem Süden erfreuen, der die einsame und ernste Lieblosigkeit Londons und des Südostens gewohnt ist. Granada brachte uns im vornehmen und luxuriösen Midland Hotel unter und teilte unglaublich großzügige Tagesspesen in kleinen, braunen Päckchen aus. Ich hatte noch nie in meinem Leben so viel Bares in der Tasche gehabt. Wir hatten drei Monate zur Verfügung gehabt, um Material zu schreiben, und jetzt musste es durchgesehen, ausgewählt und aufgezeichnet werden.

Hugh und ich waren schreckerstarrt gewesen. Oder soll ich sagen: Fassungslos? Perplex? Beschämt? Vielleicht eine Mischung aus alledem? Und zwar darüber, dass unser langsamer, trauriger und gehemmter Schreibausstoß von dem Ein-Mann-Wirbelwind des Fleißes, der Kreativität und der Verschwendung, der auf den Namen Benjamin Charles Elton hörte, übertrumpft und in Grund und Boden getrampelt wurde. Für jede unentschiedene und nicht fertiggestellte Seite Sketch-Comedy, die wir zaghaft zur Beurteilung präsentierten, produzierte Ben fünfzig. Das ist keine Übertreibung. Wo unsere Comedy pubertär war, zugeknöpft und genant, war seine wild, energisch, anschaulich und selbstbewusst bis zur Anmaßung. Während wir unsere Sachen unter besorgtem Hüsteln vortrugen und umrahmt von selbstkritischen Gänsefüßchen, führte Ben seine Werke, in denen er sämtliche Rollen übernahm, mit unverhohlenem Vergnügen und aberwitzigem Überschwang vor. Obwohl wir uns total gedemütigt und bezwungen vorkamen, lachten wir und bewunderten uneingeschränkt sein erstaunliches Talent und die ungenierte Leidenschaft, mit der er sich in seine Auftritte stürzte.

Ben hatte das schauspielerische Genie von Emma Thompson sofort erkannt und erwärmte sich für die staunende Hoffnungslosigkeit, die Hugh in bestimmte Charaktere projizieren konnte, sowie seine Überzeugungskraft und sein schauspielerisches Spektrum. In mir sah er ein murrköpfiges Relikt des Empire und ersann eine Figur namens Colonel Sodom, den man vermutlich als ziemlich grob gezeichneten Vorläufer von General Melchett aus *Blackadder Goes Forth* bezeichnen könnte. Ein weiterer Aspekt meiner begrenzten schauspielerischen Variationsbreite, der ihm zusagte, resultierte in Doctor de Quincey, einem gelegentlich herrischen und kaltschnäuzigen Arzt, der ein paar Jahre später in Bens Comedy/Drama-Serie *Happy Families* wieder auftauchte.

Ganz allein schien Ben alle Episoden der Serie geschrieben zu haben, die wir nach langer Diskussion *There's Nothing to Worry About* nannten. Wir drehten in Manchester und Umgebung, wobei der Regisseur Stuart Orme die allerneueste Ausrüstung im Bereich »Elektronische Berichterstattung« benutzte, d. h. neue, leichtgewichtige Videokameras, deren Flexibilität der Produktion im Bereich Kulissenbau Ausgaben ersparten, wenn auch auf Kosten der Bildqualität und des Soundtracks. Hugh und mir gelang es, einige Sketche zu schreiben, die es tatsächlich zur Aufführung brachten, vermutlich als Trostpflaster. Einer davon bestand aus einer langen Sequenz mit den Figuren Alan und Bernard, die schon im Footlights Charades-Sketch gespielt hatten und als Gordon und Scott in *A Bit of Fry and Laurie* wieder auflebten. Aber alles in allem war es Bens Show, wohl oder übel.

Wenn jemand die Ergebnisse uneinheitlich nannte, war das keine unfaire Kritik. Richard Armitage, der Agent, der mich, Hugh und Emma unter die Fittiche genommen hatte, äußerte lautstark seine Bestürzung und Missbilligung. Besonders unappetitlich fand er Colonel Sodoms explodierenden Hintern. Der Colonel aß stark gewürzte Currys, und in einer Serie von Einstellungen war ich dabei zu sehen, wie ich, vom Rückstoß pyrotechnischer Special-Effect-Fürze angetrieben, durch die Straßen von Didsbury stolziere. Ich glaube, es gab sogar eine Großaufnahme von meinem nadelgestreiften Hosenboden, der in einer Rauchwolke sternförmig platzte. Richard konnte sich wochenlang nicht darüber beruhigen. Er war der Meinung, dass die stilvolle und intelligente Graduierten-Comedy, mit der wir bekannt werden sollten, wie er hoffte, und auf der er unsere Karrieren aufbauen wollte, schon in den Kinderschuhen von einem unflätigen Cockney-Rotzbengel mit einem Abwassersiel unter der Schädeldecke ruiniert würde. Davon wollte er nichts wissen. Wer weiß, was für murrende Machenschaften hinter den Kulissen stattfanden. Mag sein, dass Richard sogar versucht hat, uns aus dem Vertrag zu lösen. Steve Morrison, der ausführende Produzent, und Sandy Ross standen zu Ben, angesichts seines unbändigen und fruchtbaren Talents völlig zu Recht. Sie waren sich nichtsdestoweniger bewusst, dass *There's Nothing to Worry About* seine Mängel hatte, und ihre Lösung bestand darin, ein neues Ensemblemitglied aufzunehmen. Paul Shearer verließ die Show, ohne dass er sich etwas hatte zuschulden kommen lassen. Als jemand, der sogar noch weniger Material schrieb als Hugh und ich, hielt man ihn vermutlich für verzichtbar. Pauls Platz wurde von einem Absolventen der Glasgow Art School eingenommen, der Anthony McMillan hieß, seinen Namen aber gerade in Robbie Coltrane geändert hatte.

Massig, laut und urkomisch vereinte Robbie Stil und Auftreten eines Busfahrers aus Brooklyn, eines Rock-'n'-Rollers aus den Fünfzigern, eines Automechanikers und eines Gangsters aus den Gorbals. Irgendwie fügte sich all das auf perfekte Weise zu einem einheitlichen Charakterbild zusammen. Er machte mir höllisch Angst, und dagegen konnte ich mich nur wappnen, indem ich vorgab, ihn schrecklich attraktiv zu finden, meine Beine an ihm rieb und vor Entzücken stöhnte.

»Du frecher, kleiner Fucker«, sagte er und ließ es geschehen.

Robbie hat inzwischen in einem Interview gesagt, dass er Hugh und mich als arrogante, auf abstoßende Weise überhebliche Angehörige des Establishments erlebt hatte, die über ihre vornehme Nase hinweg auf seinen grobschlächtigen und vulgären Auftritt hinabsahen wie reinrassige Rennpferde, deren sensible Flanken zu zittern beginnen, wenn ein ungebetener Esel zu ihnen in den Stall gestellt wird. Ich zitiere ihn nicht wörtlich, aber es ist sicher der Kern dessen, was er gesagt hatte. Ob er es sich ausgedacht hat, um ein langweiliges Interview aufzupeppen, oder ob er sich wirklich daran erinnert und es glaubt, kann ich nicht sagen. Wenn wir uns heutzutage begegnen, was nur selten geschieht, gehen wir stets freundschaftlich, ja sogar voller Zuneigung miteinander um, aber ich habe auch nie gewagt, das Thema jenes Interviews anzusprechen. Das bringt uns zu dem ewigen und vielleicht öden Problem von Affekt und Anschein, der Frage, welchen äußeren Eindruck wir im Gegensatz zu dem, was uns im Inneren bewegt, auf andere machen. Wir nehmen unsere Mitmenschen wahr, als seien sie mit großen Knüppeln bewaffnet, während wir hinterm Rücken nichts mehr als einen armseligen Wattebausch versteckt halten. Ich weiß, wie qualvoll Hugh und ich unter dem Gefühl der Unzulänglichkeit litten und wie peinlich uns die verdammenswerte Zeit an der Public School und in Cambridge war. Ich weiß aber auch, dass wir zu stolz waren und zu wohlerzogen – zumindest ich war es –, um umherzuschleichen wie geprügelte Hunde, die nach Streicheleinheiten und Mitleid winseln. Mit viel Wohlwollen lässt sich die Möglichkeit konstruieren, dass wir unser Gefühl der Hoffnungslosigkeit so gut verbargen, dass Robbie reinen Gewissens behaupten konnte, wir seien als blasierte und dünkelhafte Hohlköpfe dahergekommen, aber ich halte das für unwahrscheinlich. Ehrlich. Vielleicht kam es Robbie zupass, sich als Kfz-Schrauber niederer Herkunft zu sehen, der über natürliche und hausgemachte Straßen-Chuzpe verfügt und in eine Welt aus blassem Snobismus und Etepetete-Privilegien der Mittelklasse gezwungen wird. Tatsächlich ist Robbie Sohn eines Arztes und hat das Glenalmond College besucht, vielleicht Schottlands elitärste private Lehranstalt und Thema des exzellenten Dokumentarfilms *Pride and Privilege* von 2008. Der 13. Duke of Argyll, die Marquess of Lothian, Prinz Georg Friedrich von Preußen und der 9. Earl of Elgin, Vizekönig von Indien, zählen zu den exquisiten Ehemaligen des College. Dass Robbie es schaffte, sich an der Glasgow School of Arts als Anthony Robert McMillan mit einem Akzent wie Prince Charles einzuschreiben und schließlich als Robbie Coltrane mit einem Akzent wie Jimmy Boyle abzugehen, ist eine reife Leistung. Ich denke manchmal, dass ich etwas Ähnliches hätte versuchen sollen.

There's Nothing to Worry About war einschließlich des explodierenden Hinterns im Juni 1982 nur im Sendebereich des Granada TVs ausgestrahlt worden. Wir gingen nach London zurück, um im Juli, August und September für die neue Serie zu schreiben, die *Alfresco* heißen sollte.

Computer 1 – Computer, zum Ersten

Eines freien Nachmittags in Manchester war ich zum Arndale Centre spaziert und dort von Geschäft zu Geschäft geschlendert. In einer Filiale von Lasky's nahm

Papa

Dramatische Frisur. Dramatische
Zeiten. Aufgenommen irgendwann zwischen Schule und Knast.

Mama

Der Süchtige hat die Droge gewechselt: Von Sugar Puffs zu Scott's
Porage Oats.

Die Cherubs. Ich weiß, wir sehen wie Wichser aus, waren wir aber nicht. Ehrlich.

Kim Harris. Richard Burton
nicht unähnlich, nur blonder
und jünger.

Emma Thompsons Haare
wachsen nach.

Weil die Gelder für einen Außenbordmotor fehlen, müssen Hugh
Laurie und seine armen Freunde sich mit Selbstantrieb behelfen.

Zopfmuster-
strick, Teil 1

Die hinter-
leuchteten
Ohren von
Hugh Laurie,
Gentleman.

Zopfmuster-
strick, Teil 2

Mit Kim vor dem Cambridge Senat House beim Feiern unserer Tripos-Ergebnisse. Ich war wahnsinnig verliebt in diesen Cerruti-Schlips.

Im Raum A2 des Queens' College am Examenstag mit Schwester Jo.

David Lander, ein seriöser investigativer Reporter mit aufmüpfiger blonder Perücke.

The Chrystal Cube, mit Emma und Hugh.

The Chrystal Cube. Der Warzen-Look wurde mit Hilfe von Rice Krispies geschaffen. Wahre Geschichte.

Christopher Richardsons Geburtstag und Uppingham-Abschiedsfeier.
Ich erinnere mich an dieses Paul-Smith-Hemd …

Experiment mit einer neuen Brille in der elterlichen Küche unseres Hauses in Norfolk.

ich mit Verblüffung eine Gruppe von Teenagern wahr, die sich um einen Ausstellungsstand geschart hatten. Ich trat näher heran und schaute ihnen über die Schultern…

Eine halbe Stunde später fummelte ich an der Rückseite meines Fernsehapparats in meinem Zimmer im Midland Hotel. Nach zehn frustrierenden und verwirrenden Minuten erschienen Wörter in Teletextstil auf dem Bildschirm.

BBC Computer 32 K
BASIC

Es war der Beginn einer lebenslangen Liebesaffäre, deren Einzelheiten Sie schrecklich langweilen dürften. Ich werde versuchen, mich nicht zu lange bei dem Thema aufzuhalten, aber das Verhältnis war und ist zu wichtig für mich, um es mit einem kurzen Satz abzutun. Die meisten meiner freien Stunden verbrachte ich jetzt vor dieser (für mich) überirdisch schönen Maschine, einem Acorn-BBC-Micro-B-Computer. Zu jener Zeit waren die Mikrocomputer auf zwei Haushaltsgegenstände angewiesen, um zu funktionieren: einen Fernsehapparat als Bildschirm und einen Kassettenrekorder zum Aufnehmen und Laden von Programmen. Der Verkäufer bei Lasky's hatte mich überredet, ein Programm namens Wordwise zu kaufen, das auf einem ROM-Chip gespeichert war, den man in einen der vier Steckplätze auf der Platine stöpselte. Die anderen Plätze dienten für das Betriebssystem und die Programmiersprache BASIC. Wenn Wordwise über den ersten Steckplatz mit dem Computer verbunden war, startete es wunderbarerweise als Textverarbeitungssystem. Ich konnte es über ein

Flachbandkabel mit Parallelstecker an eine elektrische Brother-Schreibmaschine anschließen, die damit zu einem Slave-Drucker wurde. Ich weiß nicht, wie ich meine Faszination und Begeisterung nachvollziehbar machen soll. Enthusiastisch zeigte ich meinen Freunden den Computer, die Programme, die ich geschrieben hatte, und den Drucker, der sie ausdruckte. Gehorsam stießen sie alle anerkennende Geräusche aus, aber ich merkte durchaus, dass sie nicht so hingerissen waren wie ich. Es war mir ein Rätsel, wieso ich von dieser neuen Welt so gefangen genommen sein konnte, während andere relativ gleichgültig blieben. Das System war clever, sicher, man konnte bemerkenswerte Dinge damit anstellen, und die meisten Menschen waren beeindruckt – auf die verbreitete »Tsk, was werden die sich nur als Nächstes einfallen lassen?«-Weise –, aber meine Begeisterung galt bei weitem nicht nur der Funktion. Ich habe seit langem den Versuch aufgegeben, diese nicht enden wollende Obsession zu verstehen, die so schnell die Form klassischen Suchtverhaltens angenommen hatte. Den größten Teil der Freizeit, die mir blieb, verbrachte ich damit, die Nase in Computer-Fachzeitschriften zu stecken oder auf der Jagd nach neuen Peripheriegeräten die Tottenham Court Road heimzusuchen. Ich blieb bis drei, vier oder fünf Uhr morgens am Keyboard sitzen, schrieb sinnlose Programme oder versuchte, nutzlose Techniken zu meistern. Innerhalb kürzester Zeit hatte ich meine Ecke der Wohnung in Chelsea mit einem Typenrad-Drucker, einem Plotter, einem dedizierten RGB-Monitor und einem Erweiterungspaket für einen zusätzlichen Prozessor und Floppy Disks vollgestopft. Mein lebenslanger Kampf, Kabel zu bändigen, begann damals. Alle Kabel, die mir je gehörten, würden zum Mond und zurück reichen. Aber es würde ihnen nicht gelingen, weil man sie nicht hätte miteinander verbinden können. Jedermann könnte eine glaubwürdige Geschichte schreiben, in der sich Menschen durch Teleportation fortbewegen, Zeitreisen unternehmen und sich unsichtbar machen. Eine Zukunft hingegen, in der es Standards der Kabelkompatibilität gibt, dürfte ins Reich der Science Fiction gehören.

Kabel, Monitore, Drucker, Bücher, Magazine, Disks – sie alle kosteten mich Geld. Geld, das ich nicht hatte.

Richard Armitage hatte mir mit großzügig ausholender Geste seiner zigarrenbewaffneten Hand erklärt, wenn mir das Geld knapp würde, werde mir seine Assistentin Lorraine Hamilton Schecks schicken, um meine Ausgaben zu decken. Das werde schließlich als Vorschuss auf zukünftige Gagen abgerechnet. Trotz Kims relativen Reichtums und seiner leichthändigen Großzügigkeit hatte ich bei Richard bis zum August 1982 Schulden in Höhe mehrerer Tausend Pfund angehäuft und machte mir langsam Sorgen, ob ich je genug verdienen würde, um ihm das Geld zurückbezahlen.

Commercial – Werbung

Eines Morgens rief mich Lorraine in der Wohnung in Chelsea an. Ich weiß, dass es in der Wohnung war, denn wenn man damals jemanden anrief, wusste man immer, wo er sich befand. Das Einzige, was einem Handy nahekam, war ein Telefonhörer an einem Verlängerungskabel. Lorraine trug mir auf, zu einem Büro in Fitzrovia zu gehen und einen Mann namens Paul Weiland zu treffen, der einen Werbespot für Bier machte.

Eine Bierwerbung? Ich? Ein seichter, vulgärer Werbespot, und das einem Hochglanzkünstler wie mir? Wie unglaublich beleidigend. Ich rannte fast zum verabredeten Treffpunkt.

Das goldene Zeitalter der britischen Werbung näherte sich seinem Ende. Die prominentesten Stars, die sich im vergangenen Jahrzehnt einen Namen gemacht hatten, waren Ridley und Tony Scott, Hugh Hudson, David Puttnam und Alan Parker, die inzwischen ihre Zeit damit verbrachten, Spielfilme zu drehen. Paul Weiland, eine Generation später, hatte seine Karriere als Teejunge im Produktionsbüro begonnen, in dem die meisten namhaften Regisseure gearbeitet hatten, und sollte der führende Werbespot-Regisseur der Achtziger und Neunziger werden. Und er herrscht immer noch uneingeschränkt.

Er gab mir ein Skript, das eher ein fotokopiertes Storyboard war. Es zeigte einen viktorianischen Aristokraten mit Monokel in einer Reihe ausgefallener Posen.

»Es gibt keine Dialoge«, sagte Paul. »Der gesamte Werbespot läuft zu einem Soundtrack ab. Der Song heißt ›Abdul Abulbul Amir‹. Ist er Ihnen bekannt?«

Ich musste gestehen, dass es nicht an dem war.

»Macht nichts. Nehmen Sie diesen Krug. Sie trinken das Bier. Es ist Whitbread Best Bitter. Sie sind Count Ivan Skavinsky Skavar, und ich bin Abdul. Sehen Sie mich verächtlich an. Verächtlicher! Als sei ich eine Raupe in Ihrem Salat oder Scheiße an Ihrem Schuh.«

Zehn Minuten lang gab ich vor, Whitbread zu trinken und dabei verächtlich zu blicken, begleitet von einem seltsamen Song. Ich weiß nicht genau, ob ich mich je mehr geschämt oder unbehaglicher und unzulänglicher gefühlt habe. Ob ich jemals so peinlich berührt war. Als alles vorüber war, eilte ich mit hochrotem Kopf davon.

»Also, Stephen«, sagte ich mir, »das war's, und du wirst *nie* wieder was davon hören. Vielleicht ist es auch gut so. Vielleicht warst du ja so schlecht, weil du aus tiefster Seele gegen die kommerzielle Trivialität des Vorhabens revoltiert hast. Ja. So wird es sein.«

Am nächsten Tag rief Lorraine an und bat mich, ins Büro von Noel Gay Artists in der Denmark Street zu kommen. Richard saß hinter einer dichten Wolke aus Villiger-Zigarrenrauch freudestrahlend an seinem mächtigen Schreibtisch.

»Sie wollen dich für den Whitbread-Werbespot«, sagte er. »Aber ich fürchte, die Honorarverhandlungen werden unangenehm zäh.«

Na ja, dachte ich. Fünf- oder sechshundert Pfund kämen gerade richtig. So viel würde es bestimmt geben.

»Sie haben zwanzig angeboten«, sagte Richard, »und es scheint so, als seien mehr als fünfundzwanzig nicht aus ihnen herauszuholen. Wenn du das als Affront siehst, können wir immer noch die Tür hinter uns zuschlagen.«

»Für wie viele Stunden Arbeit?«

Richard schaute in seine Notizen. »Drei Tage.«

»Mensch«, sagte ich und gab mir alle Mühe, nicht allzu enttäuscht auszusehen. »Viel ist das nicht.«

»Nein«, sagte Richard. »Etwas mehr als achttausend am Tag. Also, wenn du meinst ...«

Tausend! Ich schluckte trocken und presste meinen Adamsapfel über eine pulsierende Luftröhreneinschnürung, die immer höher aufstieg und mich zu ersticken drohte. *Fünfundzwanzigtausend Pfund.* Für drei Tage Arbeit.

»Nein, nein!«, stammelte ich. »Ich meine … nein. Es ist prima. Ich …«

»Man ist voll des Lobes für Paul Weiland. Gute Erfahrung für dich. Drehbeginn in Shepperton am Montag. Sie möchten, dass du morgen um drei zur Kostümanprobe bei Bermans and Nathans bist. Ausgezeichnet. Ich rufe die Agentur an.«

Den restlichen Morgen taperte ich durch London wie im Traum.

Ich konnte Noel Gay alles zurückzahlen, was ich ihnen schuldete, und wäre trotzdem noch reich. Reich jenseits aller Träume der Habsucht. Na, das vielleicht nicht gerade. Die reichen weit hinaus über fünfundzwanzigtausend und ein paar zerquetschte Pfund minus fünfzehn Prozent Provision minus Steuern und Mehrwertsteuer minus die dreieinhalbtausend, die ich noch schuldete. Aber für meine Maßstäbe immer noch reich.

Sie werden jetzt zu Recht Grund haben, mich zu hassen, lieber Leser, denn ich muss Ihnen gestehen, dass ich von jenem Tag an nie mehr unter dem gelitten habe, was man als ernsthafte Geldsorgen hätte bezeichnen können. Keine Geldsorgen der Art, die so viele Menschen mitten in der Nacht mit dem grässlichen Gefühl aufwachen lassen, geschmolzenes Blei sickere in ihre Bauchhöhle, solange sie über ihre wachsenden Schulden nachdenken müssen und zudem über die offenkundige Unmöglichkeit, ihre Finanzen je in Ordnung bringen zu können. Dieses Erzittern vor Panik und Grauen in Bezug auf Geld ist mir erspart geblieben. Ich habe es wegen anderer Dinge spüren müssen, aber ich weiß, dass viele Menschen auf der Welt eine Menge für das finanzielle Polster hergeben würden, das mir seit dreißig Jahren Sicherheit gegeben hat.

Die drei Drehtage in den Shepperton-Studios vergingen in einem Schweißbad aus Beklemmung, Peinlichkeiten und Konfusion. Ich hatte keine Ahnung, warum alles so lange dauerte, was ich zu tun hatte, wer was war oder worum es in dem Werbespot eigentlich ging. Tim McInnerny, den ich zwei Jahre später besser kennenlernen sollte, als ich ins Ensemble von *Blackadder II* eintrat, war als lautezupfender Spielmann unerfindlicher Provenienz besetzt. Die Figur des Abdul wurde von einem Schauspieler namens Tony Cosmo verkörpert, der passend zur Rolle dunkelhäutig und bedrohlich daherkam. Nach meiner eigenen Einschätzung schaffte ich es nicht, passend zu irgendetwas zu erscheinen. Wenn man ihn heute auf YouTube betrachtet (suchen Sie unter Whitbread Best Bitter 1982 Ad oder ähnlich), scheint der Film immer noch kaum Sinn zu ergeben, und ich bin sicher, dass sich heute, Jahrzehnte später, noch ahnen lässt, wie unwohl ich mich in der Rolle des Count Ivan gefühlt habe. Ich glaube, ich war eher wegen meines spitzen Kinns engagiert worden als wegen erkennbaren schauspielerischen Könnens oder Talents.

Paul Weiland war charmant und ungezwungen. Meine Erinnerungen an den exzeptionell entspannten Hugh Hudson bei den Dreharbeiten zu *Die Stunde des Siegers* hatten mich Gelassenheit beim Regisseur und hitziges Geschrei nur von den Assistenten erwarten lassen, und genauso kam es auch. Ich verbrachte die drei Tage auf einem Segeltuchstuhl und trank Tee, während weit oben in den Gerüsten die Vögel zwitscherten und schissen. Generationen von Tauben, Spatzen und Buchfinken haben ihr Leben in den Dachräumen der großen Tonbühnen von Pinewood und Shepperton verbracht. Sie haben ihren Mist auf einige der unsterblichen Szenen des britischen Films fallen lassen, und ihr Gekrächze hat Dialoge von Dirk Bogarde, John Mills, Kenneth Williams, Roger Moore und Tausenden anderen unterbrochen. Hauptsächlich haben sie jedoch herabgeblickt auf den weniger glamourösen Dreh von Werbespots und Popvideos, der für Studiostab, Filmcrews und händereibend überbezahlte Schauspieler das Alltagsgeschäft ausmacht. Ich weiß, dass ich mich für die Werbung schämen und das Gefühl haben sollte, sie sei entweder unter meiner Würde oder eine Art Verrat, aber ich kann mich nicht dazu überwinden, um Entschuldigung zu bitten oder mich in Reue zu ergehen. Orson Welles pflegte mir hochfahrend zu sagen: »Wenn es gut genug war für Toulouse-Lautrec und John Everett Millais, dann ist es auch gut genug für mich«, aber ich habe keineswegs das Gefühl, mich großer Namen aus der Vergangenheit bedienen zu müssen, sondern finde einfach nur, dass es Spaß macht.

Create! – Sei kreativ!

Im Oktober waren wir wieder in Manchester, um für *Alfresco* zu drehen, das anders als *There's Nothing to Worry About* landesweit ausgestrahlt werden sollte. Ben hatte für uns eine fiktive Welt geschaffen, die er »The Pretend Pub« nannte. Das Konzept ließ sich mit gutem Willen als spielerischer metatextueller Postmodernismus beschreiben. Die meisten Menschen besaßen jedoch keinen guten Willen und schienen die Show eher für unverständlichen und zügellosen Kokolores zu halten, und als das wird spielerischer metatextueller Postmodernismus vermutlich meistens rezipiert. Wir porträtierten erhöhte Versionen unserer selbst in einem sichtlich unwirklichen Studio-Pub. Ich war Stezzer, Hugh war Huzzer, Robbie Bobzer, Ben Bezzer, Emma Ezzer und Siobhan Shizzer. Bis heute rufen wir einander noch oft bei diesen Namen, obwohl Ben mich aus Gründen, die sich im Lauf der Zeit verflüchtigt haben, gewöhnlich Bing nennt.

In der ersten Episode komme ich herein, bedeckt von Styroporflocken Kunstschnees, und begrüße Robbie mit den Worten: »Glauben Sie mir, Pretend Landlord Bobzer, da draußen fällt gewaltig viel Theaterschnee ...« Wir führten diese Sketche vor einem zumeist schweigenden und verstörten Publikum auf und trösteten uns mit dem Gedanken, dass wir unserer Zeit voraus waren. Ich glaube, ein großer Teil unseres Problems erwuchs aus Unsicherheit. Ben wusste sehr wohl (weil er zum Teil direkt daran beteiligt war), was seine Zeitgenossen im Bereich alternativer Comedy taten, und Hugh und mir war schmerzhaft und sehr genau klar, was unsere Tradition auf dem Feld der Sketch-Comedy geleistet hatte, von Pete and Dud bis Python und *Not the Nine O'Clock News*. Infolgedessen hatten wir, wie man im Rückblick deutlich sieht, alles im Übermaß verkompliziert, weil wir fürchteten, für epigonenhaft und unoriginell gehalten zu werden. Wir strichen alle Parodien und sämtliche »Ach, Perkins, kommen Sie rein, machen Sie die Tür zu und setzen Sie sich«-Sketche, weil Python und *Not* sie präsentiert hatten. Surrealität und anarchischer Wahnwitz waren ebenfalls out, weil Rik, Ade und Alexei diesen Markt besetzt hatten. Und so schlingerten wir blind, mit schlechtem Gewissen und verwirrt daher, und zwar ohne das Selbstvertrauen, das zu tun, was wir am besten konnten. Das Publikum, wie mir jetzt bewusst ist (und wie mir, ehrlich gesagt, schon immer hätte sonnenklar sein müssen), denkt nicht in solchen Kategorien. Neu-artigkeit und Originalität entspringen nicht aus der Er-findung neuer Milieus, neuer Genres oder neuer Moda-litäten. Sie entspringen dem *Wie* und dem *Wer* und nicht dem *Was*. Es muss wohl kaum mehr darauf hingewiesen werden, dass niemand es zu etwas bringt, es sei denn, er gibt sein Bestes, und jeder weiß ganz allein und insge-heim sehr wohl, was er am besten kann.

Unterdessen beschwor uns Steve Morrison, der aus-führende Produzent, endlich mit dem Gejammer aufzu-hören. »Geh los, und lass dir was einfallen, Mann!«, rief er mir eines stürmischen Nachmittags über den Tisch zu, als ich mich mehr als gewöhnlich pedantisch gab oder skeptisch oder auf sonst eine Weise, die garantiert ärgerlich machte. Er stand auf und zeigte zur Tür. »Ich will Ayckbourn mit Ecken und Kanten«, schrie er. »Geh raus, und bring mir Ayckbourn mit Ecken und Kanten!« Klar, gerne.

Uns wurde zu verstehen gegeben, dass man in der Chefetage von Granada auf unser Schreibproblem auf-merksam geworden war. In Bens Fall mag es an übermä-ßiger Produktion und Mangel an Selbstzensur gelegen haben, bei mir und Hugh war genau das Gegenteil der Fall – lähmende Verstopfung und eine Form apologeti-scher, aber hochgestochener Kleinmütigkeit, die extrem genervt haben muss. Eine qualvolle Woche lang mussten wir eine Art Nachhilfeunterricht im Comedy-Schreiben bei Bernie Sahlins über uns ergehen lassen, einem der Produzenten der Fernsehshow und Revuegruppe Second City. Bernie, Bruder des Anthropologen Marshall Sah-lins, kam aus einer Tradition des Improvisierens, die er in den Tagen von Mike Nichols und Elaine May mit-entwickelt hatte, einer Tradition, die im Fernsehen und in jüngster Zeit auch im Film ihren Durchbruch mit der *Saturday Night Live*-Generation von Aykroyd, Chase, Murray, Belushi und Radner erlebt hatte. Ben schrieb allein und hatte nicht das geringste Interesse an Stilformen oder Techniken von Chicago Improv. Hugh und ich waren ziemlich entsetzt über das Konzept »eine Szene aufzubauen« durch den Dialog, der auf bewährte amerikanische Weise improvisiert wurde. Wenn wir zusammen schrieben, improvisierten wir in gewisser Weise auch, denn wir entwickelten einen Sketch mündlich, bevor wir ihn zu Papier brachten. Hätte man uns aber beschuldigt, zu improvisieren, wären wir vermutlich auf der Stelle vor Schreck erstarrt und nicht mehr in der Lage gewesen, fortzufahren. Die kulturelle Kluft zwischen unserer Arbeitsweise und der von Bernie Sahlin muss ihn verblüfft und sogar pikiert haben, aber sie war unüberbrückbar, und er reiste nach fünf Tagen aus Manchester ab, ohne bei uns deutliche Spuren hinterlassen zu haben. Er vermittelte uns jedoch, dass wir es, wären wir geborene Amerikaner, niemals im Comedy-Geschäft zu etwas gebracht hätten, und wir haben ihm vielleicht mitgegeben, dass die Briten stur sind, schüchtern und total beherrscht von einer einzigen vorherrschenden Gefühlsregung, einem Affekt, einem Laster, einer Charaktereigenschaft, einer Krankheit ... wie immer man es noch nennen mag: Kleinmütigkeit. Ben haute ein Skript nach dem anderen auf seine Weise heraus, und wir fuhren damit fort, auf unsere Weise so gut wie nichts herauszuhauen.

Außer Steve Morrison, Sandy Ross, Robbie und Siobhan hatten wir jetzt, in Form eines Produzenten namens John G. Temple, einen fünften Schotten an Bord. Hugh erzählte, dass Temple ihn eines frühen Morgens, als wir unsere Kostüme für den Tagesdreh anzogen, angesprochen und gefragt hatte, welche Drogen ich genommen hätte.

»Keine Drogen«, hatte Hugh gesagt. »Stephen ist einfach so.«

Als er mir von diesem Gespräch berichtete, war ich zutiefst schockiert. Was hatte ich an mir, das einen Fremden veranlassen konnte, so schnell zu dem Schluss zu kommen, dass ich unter Drogeneinfluss stehen musste? Hugh erklärte mir so taktvoll, wie er konnte, dass es möglicherweise an meiner exzessiven morgendlichen Energie liegen könnte. Ich war schon immer von den frühesten Stunden an laut und übersprudelnd gewesen, aber es war mir nie in den Kopf gekommen, dass diese Manie so extrem sein könnte, dass sie den Eindruck von Drogenmissbrauch erweckte. Jeder andere war an meinen oft unmäßigen Überschwang und Elan gewöhnt, aber die Ausbrüche waren anscheinend sonderbar genug, um einen Neuankömmling wie John zu den wildesten Spekulationen zu verleiten.

Vielleicht hätte mir das eine Mahnung sein sollen, mich etwas sorgfältiger um meinen jeweiligen Geisteszustand zu kümmern, aber wenn man jung ist, werden exzentrische Impulse, Stimmungsschwankungen und Verhaltensmarotten leicht übersehen, ignoriert oder lachend übergangen. Man ist noch flexibel. Man kann all die Barrikaden, Barrieren und Blockaden, die sich dem Leben und den Launen des Geistes in den Weg stellen, geschmeidiger überwinden. Wenn die Vierzig überschritten sind, ändert sich die Lage. Was einmal elastisch war und biegsam, bricht jetzt wie ein trockener Knochen. Vieles von dem, was in der Jugend sympathisch ist, ungewöhnlich, provokativ und bewundernswert seltsam, wird im mittleren Alter tragisch, einsam, krankhaft, schal und marode. Ein verletzter oder geplagter Geist nimmt einen Lebenslauf, nicht unähnlich dem eines Alkoholikers. Ein Zwanzigjähriger, der stark trinkt, hat ein bisschen was von einem Schlawiner; manchmal ist sein Gesicht vielleicht ein wenig gerötet, manchmal ist er zu betrunken, um zu diesem oder jenem Termin pünktlich zu erscheinen, aber in der Regel wird er (oder sie natürlich) liebenswert und regenerationsfähig genug sein, um mit dem Leben zurechtzukommen. Wann genau sich die Krampfadern, die Säufernase, die bedrohlichen blutunterlaufenen Augen und die scheußlichen Persönlichkeitsveränderungen unabänderlich einstellen, ist schwer zu sagen, aber eines Tages bemerkt jeder, wann ein dem Alkohol verfallener Freund nicht mehr unterhaltsam ist und nicht mehr charmant – er ist peinlich und zur Belastung geworden, und er geht einem auf die Nerven. Ich habe eben das bei kleinen Persönlichkeitsschrullen und Veranlagungen gesehen und erlebt, die zur Jugendzeit angenehm waren, gewinnend und anscheinend harmlos, sich aber in späteren Jahren als zerstörerisch bis zur Seelenangst, Sucht, Degeneration, Verzweiflung, Selbstverletzung und bis zum Selbstmord erwiesen. Beim Schreiben dieses Buchs hat es Momente gegeben, in denen ich auf so gut wie alle meine Freunde und Zeitgenossen zurückgeschaut habe (einschließlich meiner selbst natürlich), von denen so viele mit Talent, Verstand, Brillanz und Glück gesegnet waren, und ich habe mich zu der Ansicht genötigt gesehen, dass wir allesamt im Leben versagt haben. Oder dass das Leben uns hat versagen lassen. In unseren Fünfzigern ist der physische Verfall, mit dessen natürlichem Eintreten man gerechnet hat, bei weitem übertroffen worden von

Enttäuschungen, Verbitterungen, Verzweiflung, geistiger Labilität und Versagen.

Dann gebe ich mir einen Klaps auf den Mund und ermahne mich, nicht so hysterisch zu reagieren und die Dinge zu dramatisieren. Und doch dürfte die Episode mit dem Auto von einigen Ärzten als eine typische Episode hypomanischen Größenwahns angesehen werden ...

Car – Auto

Der sechste Schotte in der Besetzung von *Alfresco* war Dave McNiven, unser vom Haus angestellter musikalischer Direktor und Komponist. Selbstverständlich bekam ich ihn kaum zu Gesicht. Nachdem sein empfindliches Ohr mich einmal bei der Pantomime gehört hatte, sollten sich unsere professionellen Pfade nicht wieder kreuzen. Sie mögen sich fragen, wie er mich bei der Pantomime hat *hören* sollen, aber das weist nur auf die Tiefen der Unmusikalität hin, in die ich es zu sinken schaffte. Es ist sehr schwierig, in einem Chor zu sein und pantomimisch zu agieren, ohne dass sich die eigenen Stimmbänder gelegentlich hörbar machen. Ein musikalisches Ohr kann eine Dissonanz auf der Stelle heraushören, egal, wie viele Stimmen singen und wie niedrig oder wie ungewollt der winzige Laut ist, der ertönt. Ich werde niemals den Ausdruck des Entsetzens in Daves Gesicht vergessen, als er in meine Richtung herumwirbelte. Ich hatte diesen Gesichtsausdruck schon zuvor gesehen, und es war mir bestimmt, ihn noch oft zu sehen. Es war die ganz spezielle Bestürzung, die sich in die Miene eines Menschen gräbt, der noch ganz kurz zuvor in höchster Gewissheit und unerschütterlicher Überzeugung gesagt hatte: »Also, glauben Sie mir, *jeder* kann singen!« Ich existiere einzig und allein auf diesem Planeten, um solch starrköpfigen Optimisten zu beweisen, wie schief sie mit ihren Überzeugungen liegen können.

Weil die Nachmittage den Musikproben gewidmet waren, konnte ich mit meinen Fahrstunden weitermachen. Ich hatte schon einige genommen, als ich in Cundall Manor unterrichtete. Als ich damals den Austin Metro der Fahrschule bockend und ruckelnd über die Hauptstraße von Thirsk gequält hatte, war mir mit grimmiger Yorkshire-Verachtung zu verstehen gegeben worden: »Deine Kontrolle über Schaltung und Kupplung ist Mist, und wie du lenkst ist so wenig brauchbar wie 'ne Teekanne aus Schokolade.« Der Fahrlehrer aus Manchester vier Jahre später war wie so viele Menschen westlich der Pennines viel freundlicher, aber vielleicht lag es auch daran, dass sich mein kraftfahrerisches Geschick in der Zwischenzeit verbessert hatte. Jedenfalls summte der Lehrer leise vor sich hin und sah voller Interesse aus dem Fenster auf die Straßenszenen, die vorbeihuschten, denn offenbar vertraute er meinen Fahrkünsten so sehr, dass es ihn nicht kümmerte, was ich tat, als ich den Escort mit seiner doppelten Bedienung entlang seiner Lieblingsstrecke steuerte, die an den Studentenwohnheimen in Rusholme und Fallowfield vorbeiführte, den Kingsway hinunter und ins Labyrinth des Wohngebiets um Cheadle Hulme. Eines Nachmittags verkündete er dann unerwartet, dass ich so weit sei, meine Prüfung zu machen, und dass er mich für die folgende Woche angemeldet habe.

»Wenn Sie nichts dagegen haben?«

Eine halbe Stunde später fand ich mich in einem

Verkaufsraum von BMW wieder, wo ich einen Autokauf mit meinem Handschlag bekräftigte. Ich habe keine Ahnung, welcher Blutandrang im Gehirn mich an diesen Ort gejagt hatte, aber als ich wieder ging, war es zu spät, noch etwas zu ändern. Ich hatte bei meiner Bank angerufen und die Finanzierung gesichert, so dass ich jetzt der legale Besitzer eines metallicgrünen BMW 323i aus zweiter Hand war. Schiebedach, Blaupunkt-Stereoanlage und 16 000 Meilen auf dem Tacho.

Abends versammelten wir uns alle in meinem Zimmer im Midland, und ich hatte natürlich nicht gewagt, Hugh zu erzählen, dass ich etwas so unschlagbar Bescheuertes und tollkühn das Schicksal Herausforderndes getan hatte, wie ein Auto zu kaufen, noch bevor ich meine Führerscheinprüfung bestanden hatte. Ich ließ Wein kommen, Bier und Chips, und wir sahen uns eine Wiederholung unserer Footlights-Show an, die erstmals im Mai ausgestrahlt worden war. Zwei Tage später versammelten wir uns abermals bei noch mehr Wein, Bier und Chips, um uns den Start des neuen Channel 4 anzusehen, der an seinem Premierenabend auch *Comic Strip Presents … Five Go Mad in Dorset* sendete, den Film, in dem Robbie zwei Rollen spielte. Es war der erste neue Kanal im britischen Fernsehen seit 1964, als BBC 2 auf Sendung ging.

Ich bestand meine Fahrprüfung, hetzte durch Versicherungsbüros und stellte mich beim Autohändler mit den benötigten Papieren ein, die es mir erlaubten, im eigenen Wagen wegzufahren. Ich hatte mit dem Schicksal geflirtet und es herausgefordert, aber ich war davongekommen. Ich frage mich, was ich mit dem Auto gemacht hätte, wenn ich bei der Prüfung durchgefallen wäre? Ich hätte es einfach stehengelassen, vermute ich.

Eine Woche später trafen wir uns zum dritten Mal in meinem Hotelzimmer, und umgeben von so viel Wein, Bier und Chips, wie das Personal vom Midland zu liefern in der Lage war, schauten wir uns die erste Episode von *The Young Ones* an, an der Ben als Autor beteiligt war und in der er auch auftrat.

Innerhalb einer einzigen Woche hatten zwei seismische Ereignisse unsere kleine Welt erschüttert. Die leuchtenden primärfarbenen Blöcke, die angeflogen kamen, um die Zahl 4 zu bilden, die das Logo des Kanals darstellte, schienen in ihrer eleganten computerisierten Bewegung eine schöne neue Welt einzuleiten, und als Ade Edmondson als Vyvyan sich in den ersten fünf Minuten von *The Young Ones* den Weg durch die Küchenwand freischlug, hatte man das Gefühl, als hätte sich eine ganze neue Generation den Weg ins britische Kulturleben freigeschlagen, und nichts würde mehr sein wie früher.

The Young Ones war ein augenblicklicher Erfolg auf ebendiegleiche Weise, wie *Alfresco*, dessen erste Folgen nicht vor Mitte 1983 gesendet wurden, offenkundig keiner wurde. Besonders Rik Mayall errang in kürzester Zeit Starruhm als der neue King of Comedy: die brillant kindische, von Cliff Richard besessene Figur Rick in *The Young Ones* mit ihren übertriebenen artikulationsgestörten Ausbrüchen und unkontrolliert giggelndem und prustendem Schnauben besiegelte ein Renommee, das seit Riks ersten Szenen bei 20th Century Coyote zusammen mit Ade Edmondson und seinen himmlischen Auftritten in *A Kick Up the Eighties* als Kevin Turvey, der Chic Murray of Kidderminster, immer größer geworden war.

Die extreme Diskrepanz, die ich zwischen diesem glühenden Lavastrom neuer Talente und der verstopften, konventionellen Tradition wahrnahm, aus der ich kam, war stupend und ist, wie Sie sicher nachvollziehen können, inzwischen oft genug thematisiert worden. Aus der Distanz von dreißig Jahren kommt es mir selbstgefällig und paranoid vor, weiter darauf herumzureiten, aber die Verschiedenheit führte zumindest im Januar 1983 zu einem fruchtbaren Gespräch in der Bar des Midland. Ben, Rik und Lise hatten bereits mit der Arbeit an der zweiten Staffel von *The Young Ones* begonnen, und nachdem ich so viel Zeit in Granadaland verbracht und erlebt hatte, dass Undergraduates wie ich drei Jahre zuvor Schlange gestanden hatten, um zwischen den Raterunden von *University Challenge* in der Kantine zu Mittag zu essen, war mir der Gedanke gekommen, dass Rik, Vyvyan, Neil und Mike als Quartett aus Studenten in dem Quiz auftreten könnten, und zwar, wie die *Radio Times* es formulieren würde, mit hanebüchenen Folgen. Ich machte Ben diesen Vorschlag, und der war sofort begeistert. Er und die anderen produzierten »Bambi«, in dem die Young Ones gegen das Footlights College, Oxbridge, antreten, repräsentiert durch die hochnäsigen und privilegierten Individuen Hugh, Emma, Ben und mich. Ich trat in der Rolle des Lord Snot auf, eines unsäglich herausgeputzten feinen Pinkels im Stil von *Beanos* Lord Snooty.

Mag sein, dass Ben eine andere Erinnerung an die Entstehungsgeschichte jener Episode hat. Eine allseits bekannte ewige Wahrheit über die Kreation von Comedy lautet, dass eine gute Idee ein Dutzend Eltern hat, während eine miese für immer Waisenkind bleibt. Aber woher oder von wem diese Idee auch stammen mag:

Die Show wurde ungefähr ein Jahr später mit Griff Rhys Jones als Bambi Gascoigne und Mel Smith als Wachmann von Granada TV aufgezeichnet. Sie gilt noch immer, wie ich glaube, als eine der denkwürdigsten Episoden von *The Young Ones*, zum Teil wegen des ungewöhnlich starken und stimmigen Inhalts, zum Teil aber auch deswegen, weil die einem Elternmord gleichkommende Rache des Neuen und Radikalen so buchstäblich und befriedigend durchgespielt wird. Footlights College wird in der Fiktion so total vernichtet und gedemütigt, wie wir uns in Wahrheit vorkamen.

Ich habe schon erwähnt, dass wir uns durch mangelndes Selbstbewusstsein und ein törichtes Bedürfnis, nur nicht zu wiederholen, was unserer Meinung nach schon da gewesen war, freiwillig in Fesseln legten. Aber besaßen wir irgendeine Theorie der Comedy, war da ein Banner, das wir unbedingt hissen wollten?

Es war mir klar, dass Hugh mehr Comedy-Silber in seinem Besteckkasten hatte als ich, der gerade mal ein paar Kaffeerührer aus Plastik und ein, zwei archaische Schneidemesser mit Hirschhorngriff aus der Schublade holen konnte. Wie ich schon sagte, es war mir neidlos klar, aber es meldeten sich doch Betrübnis und Selbstmitleid, weil Hugh in drei äußerst wichtigen Comedy-Komponenten Meister war, in denen ich mich beschämend unfähig fühlte: Er war musikalisch. Er konnte jedes Instrument spielen, das ihm unter die Finger kam, und er konnte singen. Er hatte seinen Körper physisch unter Kontrolle. Als geborener Athlet konnte er fallen, abrollen, springen, tanzen und ausgelassen herumhüpfen, dass es komisch wirkte. Er besaß ein vergnügliches, anziehendes Gesicht, das ihn zum echten Clown machte. Große, traurige Augen und eine urkomische Oberlippe.

Und ich? Ich konnte verbal auftrumpfen und großspurige Autoritätspersonen verkörpern und … äh … das war's dann eigentlich schon. Würde ich mich als Schauspieler durchsetzen können, oder hatte mein Engagement in der Comedy mir diesen Weg bereits verstellt? In der Welt der Comedy besaß ich kein gesellschaftliches oder politisches Anliegen, hatte keine neue Stilrichtung zu propagieren. Mir gefiel die altmodische Sketch-Comedy, für die unsere Welt nur wenig Zeit aufbrachte.

Ich war besorgt, in erster Linie nur Autor sein zu müssen. Wieso besorgt, möchten Sie vielleicht wissen. Nun, obwohl es stimmt, dass man sich fantastisch fühlt, wenn man eine Schreibaufgabe *erfüllt* hat, bleibt das Schreiben doch eine grässliche Sache, *während* man damit beschäftigt ist. Sie werden daher verstehen, dass das Schreiben – schrecklich, solange man dabei ist, aber großartig hinterher – genau das Gegenteil von Sex ist. Man hält allein deswegen durch, weil man weiß, dass man sich gut fühlen wird, wenn es vorüber ist. Wie alle Autoren weiß ich, dass Darsteller ein weitaus leichteres Leben haben. Sie flanieren einher, werden bewundert, erkannt, verwöhnt, gepriesen und hören, wie wundervoll sie sind und welche *Energie* und welche *Reserven* und welche *Kraft* sie doch haben mussten, mit all diesem *Druck* zu leben. Pah! Sie arbeiten nur, wenn sie Proben haben, vor der Kamera oder auf der Bühne stehen; den Rest der Zeit stehen sie spät auf und faulenzen sich durchs Leben wie die Lords. Autoren hingegen befinden sich ständig in der Krisensituation, die Studenten vor dem Examen erleben. Abgabetermine krächzen und schlagen mit den Flügeln wie unheilverkündende Krähen; Produzenten, Verleger und Darsteller verlangen nörgelnd nach Neufassungen und Verbesserungen. Jeder Stillstand sieht nach Ausflucht oder nach Faulheit aus. Es gibt keinen Augenblick, an dem man nicht an seinem Schreibtisch zu sitzen braucht oder sitzen sollte. Es ist zudem ein schrecklich einsamer Beruf.

Es gibt aber Entschädigungen. Man muss ein Stück nur einmal schreiben, und dann kann man sich zurücklehnen und das Geld anrollen lassen, während die Schauspieler sechs Monate lang achtmal die Woche auftreten müssen, um ihre Gage zu verdienen.

Hugh und ich waren *Autoren-Schauspieler* – wir schrieben das Material, das wir aufführten. Ich konnte mich nicht entscheiden, ob es bedeutete, dass wir das Beste beider Welten genossen oder das Schlimmste erduldeten. Bis heute bin ich nicht sicher. Auf der Hand liegt, dass sich doppelte Gelegenheiten bieten, was die Arbeit betrifft. Was immer mir an physischen Eigenschaften als Clown fehlte, schien ich mit meiner *gravitas* aufzufangen, um Hughs Ausdruck zu verwenden. Die Leute schienen Vertrauen in meine Fähigkeiten als Autor zu haben, obwohl ich doch bis dahin nichts zustande gebracht hatte als *Latein!* Außerdem zusammen mit Hugh das Material von *The Cellar Tapes* und eine Handvoll *Alfresco*-Sketche, die sogar zur Ausstrahlung gekommen waren.

Vier Dinge geschahen jetzt in derart schneller Folge, dass man von gleichzeitig sprechen könnte. Sie festigten und stärkten die Selbstachtung, die durch die Erfahrung mit *Alfresco* wackelte.

Im Spätsommer 1982 schickte man mich zu einem Treffen mit einer Frau namens Jilly Gutteridge und einem Mann namens Don Boyd. Boyd hatte Alan Clarkes Kinoversion von *Abschaum* produziert (die ursprüngliche BBC-Fernsehproduktion von 1977 war durch den Einfluss der Sittenwächterin Mary Whitehouse vom Bildschirm verbannt worden) sowie Derek Jarmans *Sturm* und Julien Temples *The Great Rock 'n' Roll Swindle*. Jetzt plante er als Regisseur seinen ersten großen Spielfilm, der den Titel *Gossip* haben sollte. Don stellte sich eine britische Fassung von *Dein Schicksal in meiner Hand*, kombiniert mit *La Dolce Vita*, vor, belebt von Geist und Stil des Romans *Lust und Laster* von Evelyn Waugh. Es sollte ein Film werden, der eine neue und gruselige Seite von Thatchers Großbritannien einfing: die seit kurzem selbstbewusste, arrogante und vulgäre Sloaney-Welt, in der sich Nachtclub-Narzisse, Treuhandvermögen-Pack und kulturlose, drogensüchtige Aristos zusammen mit ebenfalls erst seit kurzem gehätschelten Ikonen der Finanzwelt, der Modeszene und der Prominenz tummelten. Es war ein seelenloses, unwertes, abstoßendes und miserables Milieu, das sich für das stilvolle gesellschaftliche Nonplusultra hielt, zu dessen glitzernden Gipfelhöhen das gemeine Volk mit hechelndem Neid und voller Verehrung aufschaute.

Die Brüder Michael und Stephen Tolkin hatten ein Drehbuch geschrieben. Obwohl ihr Skript in Großbritannien angesiedelt war, fand Don, dass sie als Amerikaner die Welt der Londoner »Society«, wie sie sich in der frühen Achtzigern darstellte, nicht so ganz getroffen hatten, und daher suchte er jemanden mit authentisch englischer Stimme, der das Buch umschreiben konnte. Jilly Gutteridge, die als Aufnahmeleiterin und Produktionsassistentin arbeiten sollte, war auf der Stelle von mir angetan und auf reizende Weise begeistert von meinen Talenten. So verließ ich das Treffen mit dem Auftrag, für die fürstliche Summe von £ 1.000 das Skript umzuschreiben. Man gab mir dafür drei Wochen Zeit. Die Hauptrolle einer *Beau-monde*-Klatschkolumnistin sollte Anne Louise Lambert spielen. Anthony Higgins, der schon in Peter Greenaways *Der Kontrakt des Zeichners* mit ihr gespielt hatte, sollte der Mann sein, in den sie sich verliebt und der sie aus der unwürdigen Welt befreit, in der sie lebt. Simon Callow und Gary Oldman standen ebenfalls auf der Besetzungsliste. Es sollte Oldmans erster Filmauftritt werden.

Ich schrieb das Buch mit fiebriger Begeisterung um, und Don schien zu gefallen, was dabei herausgekommen war. Die Vorbereitungen für die Dreharbeiten, die im Jargon »principal photography« heißen, wie ich bald lernen sollte, waren schon weit fortgeschritten. Ob ich nicht Lust hätte, fragte Don, mich mit Michael Tolkin zu treffen, der zufällig gerade in der Stadt sei. Als einer der ursprünglichen Autoren hatte er doch meine anglisierte Neufassung mit großem Interesse gelesen und hätte vielleicht den einen oder anderen wertvollen Vorschlag ...

Ich stimmte zu, und Tolkin und ich trafen uns in einem italienischen Restaurant namens Villa Puccini, das nur ein paar Meter von unserer Wohnung in Draycott Place entfernt lag.

»Die Villa Puccini«, sagte Kim. »Benannt, wie man annehmen muss, nach dem berühmten Komponisten Villa-Lobos.«

Das Mittagessen sollte weder zum Fest der Vernunft werden noch zum Verschmelzen der Seelen, wie P. G. Wodehouse und Alexander Pope es so liebevoll formuliert hatten. Tolkin missbilligte sehr, was ich seiner hochgeschätzten Story angetan hatte. Er war empört darüber, dass ich eine Synagogen-Szene gestrichen hatte.

»Der Fokus der Geschichte. Der Angelpunkt, um den sich der gesamte Film dreht. Der Kern. Der Grundpfeiler. Das emotionale Herzstück. Der Film verliert seinen Sinn ohne diese Szene. Ohne *sie* gibt es keinen Film. Das ist Ihnen *entgangen*?«

So gut es ging, versuchte ich zu erklären, warum ich das Gefühl hatte, die Szene sei fehl am Platze und auch nicht überzeugend.

»Und was Ihren Schluss betrifft ...«

Ich fürchte, dass er vielleicht recht hatte, was meinen Schluss betraf. Soweit ich mich erinnere, ließ ich Claire, die Heldin, in die Arme eines Dons aus Cambridge entfliehen, was weder sehr Fellini noch sehr Evelyn Waugh war, sondern wahrscheinlich auf seine Weise ebenso sentimental wie die Synagogen-Szene. Nichtsdestoweniger verteidigte ich den von mir vorgeschlagenen Schluss.

»Offenkundig haben wir nicht das Geringste gemeinsam«, sagte Tolkin, »und deswegen fehlt jede Basis für weitere Gespräche.« Er verließ das Restaurant, noch bevor die *primi piatti* serviert wurden. Er hat seither als Autor erfolgreich Karriere gemacht und ist zum Beispiel für *The Player*, *Deep Impact* und *Nine* verantwortlich. Vielleicht hatte er recht. Vielleicht hatte ich *Gossip* mit meinem zynischen britischen Widerstand gegen die Möglichkeit emotionaler Veränderung und mit meinem ungeschickten Schluss ruiniert. Jedenfalls wurde der

Film sowieso nie fertiggestellt. Die Geschichte dieser Katastrophe ist kompliziert, hat aber, wie ich erfreut sagen kann, nichts mit meinem Drehbuch zu tun, so gut oder schlecht es gewesen sein mag.

Es hat den Anschein, als sei Don Boyd von zwei durchaus glaubhaft klingenden Typen reingelegt worden, die behaupteten, eine Organisation zu vertreten, die sie Martini-Stiftung nannten. Reichlich mit Geldmitteln aus dem Verkauf des Wermut-Geschäfts ausgestattet, habe diese Stiftung vor, in die Filmfinanzierung einzusteigen. Die beiden Männer versprachen, Don zwanzig Millionen Dollar für eine ganze Palette von Spielfilmen zur Verfügung zu stellen. In der Zwischenzeit könne er *Gossip* dadurch finanzieren, dass er Geld gegen »Einlagenzertifikate« aufnahm, die bei einer Bank in den Niederlanden lagen. Für ihre Investition würden die Martini-Leute 50 % des Gewinns erhalten sowie £ 600.000 als Vorauszahlung.

Don gab die Arbeit an der enormen Kulisse eines von Andrew McAlpine gestalteten Nachtclubs in den Twickenham-Studios in Auftrag und begann irgendwann Ende Oktober mit den Dreharbeiten. Dazu benutzte er Gelder, die ihm von dritter Seite bis zum Erhalt dieser Einlagenzertifikate vorgeschossen worden waren. Hugh Laurie, John Sessions und andere waren engagiert und ungefähr ein Fünftel des gesamten Films auf Zelluloid gebannt, als die schreckliche Wahrheit offenbar wurde, dass gar keine Zertifikate existierten, dass die beiden glaubhaft klingenden Männer mit ihrer Wohnung in Mayfair und der Yacht in Cannes überhaupt keine Verbindung zur Martini-Stiftung oder deren Geld besaßen und dass Don einem Schwindel aufgesessen war. Vermutlich hatten die beiden sich vorgestellt, die Provision von £ 600.000 einzukassieren und anschließend auszubüxen. Glücklicherweise stürzte das ganze Kartenhaus ein, bevor sie von ihrem Betrug profitieren konnten, aber das war kein großer Trost. Alles brach zusammen. Die Technikergewerkschaft und die Schauspielergewerkschaft Equity wollten Blut sehen. Viele Mitglieder der Crew und der Besetzung waren noch nicht bezahlt worden, große Teile der Produktionskosten waren nicht getilgt (die Tolkins und ich waren, glücklicher Zufall, auf Heller und Pfennig ausgezahlt worden), und alles lag in Scherben. Gegenseitige Schuldzuweisungen wurden ausgesprochen, der Zorn war groß. Ergebnis war, dass der arme Don, ein Mann, wie man ihn freundlicher und besser nicht hätte finden können, auf die schwarze Liste gesetzt wurde und drei Jahre lang nicht mehr an einer Filmproduktion teilhaben durfte. Aber nicht einmal damit war es getan, denn als Don es schaffte, wieder den Einstieg zu finden, bestanden die Gewerkschaften darauf, dass er ihnen weiterreichte, was er an unerheblichen Produktionsgagen bekam. 1992 war er finanziell am Ende. Hätte er in dem Moment, als das Desaster kam, persönliche Insolvenz erklärt, hätte er sein Haus und seinen Besitz vielleicht retten können. Tatsächlich verkaufte er so gut wie alles, was er besaß, um davon Schulden zu bezahlen. Er hielt das für den einzigen ehrbaren Weg.

Von vielen Angehörigen der britischen Filmindustrie wurde Don Boyd geschnitten und verleumdet, denn sie beschuldigten ihn, entweder lächerlich naiv gewesen zu sein oder, schlimmer, irgendwie in die undurchsichtigen Geschäfte der betrügerischen Martini-Stiftung verwickelt zu sein. Viele klügere und erfahrenere Köpfe hatten ihm erklärt, das Finanzierungsmodell sei solide und es sei richtig, in dem Rahmen fortzufahren. Es war ein katastrophaler Fehler, mit der Produktion zu beginnen, ohne diese »Einlagenzertifikate« zu Gesicht bekommen zu haben, aber ein so talentierter, idealistischer und leidenschaftlich engagierter Filmemacher hatte es wahrhaftig nicht verdient, so viele Jahre lang schändlich und wie ein Aussätziger behandelt zu werden. Für mich war es ein Jahr nach Verlassen der Universität eine ziemlich hässliche Weise, in die trüben Gewässer des Filmgeschäfts gestoßen zu werden.

Church and Chekhov – Kirche und Tschechow

Ein paar Monate nach dem finanziellen Chaos bei *Gossip* rief mich der Theaterproduzent Richard Jackson an und lud mich in sein Büro in Knightsbridge ein. Er hatte *Latein!* in Edinburgh gesehen und wollte das Stück gern im Lyric Theatre in Hammersmith mit dem sehr jungen Nicholas Broadhurst als Regisseur produzieren. Ich stellte klar, dass die Verpflichtungen bei *Alfresco* es mir nicht erlaubten, die Rolle des Dominic zu spielen, die ich für mich geschrieben hatte. Das schien Jackson nichts auszumachen, aber ich war über alle Maßen erfreut. Sie mögen vielleicht denken, meine Selbstachtung als Schauspieler könne einen Knacks bekommen haben, als ich hören musste, dass ein Produzent die Nachricht, ich stünde nicht zur Verfügung, so unbekümmert zur Kenntnis nahm, aber tatsächlich erfuhr meine Selbstachtung als Autor ungemein Auftrieb bei der Vorstellung, dass ein Profi im Theaterbetrieb mein Stück für stark genug hielt, auch ohne mich ein Eigenleben zu verdienen.

Viele Monate zuvor hatte ich eine Unterredung mit dem Fernsehregisseur Geoffrey Sax gehabt, der darauf erpicht war, eine Bildschirmversion von *Latein!* zu machen. Ich stand die Nervosität und Aufregung durch, die ein Telefongespräch mit dem großen Michael Hordern verursachte, der sein Interesse an der Rolle des Herbert Brookshaw bekundet hatte und ebenso freundlich wie geduldig meinen zusammenhanglosen Plänen für die Fernsehadaption lauschte. Aus alledem wurde nichts, aber acht Jahre später sah ich Geoffrey Sax wieder, als er Regie bei einer Episode von *The New Statesman* führte, in der ich einen Gastauftritt hatte, und dann noch einmal zwanzig Jahre später war er mein Regisseur, als ich eine kleine Rolle in dem Film *Stormbreaker* spielte. Nur wenige Menschen gehen einem im Leben ganz verloren. Die meisten kehren wieder wie Figuren in einem Roman von Simon Raven. Es ist, als sei das Schicksal persönlich ein Filmproduzent, der es sich nicht leisten kann, neue Personen im Skript einzuführen, sondern aus jedem Schauspieler so viele Szenen wie nur irgend möglich herausholen muss.

Nicholas und Richard vertrauten darauf, dass sie *Latein!* ohne Schwierigkeiten auf die Bühne bringen konnten, aber die Rolle des Dominic war viel schwerer zu besetzen, als sie vorhergesehen hatten. Als ich oben in Manchester war, um an der zweiten Staffel von *Alfresco* zu arbeiten, ließen sie Aberdutzende junger Schauspieler vorsprechen und hatten bei keinem das Gefühl, er sei der Richtige. Bei einer Besprechung in Richards Büro machte ich nervös einen Vorschlag:

»Hört mal, ich weiß, wie übertrieben das jetzt klingt, aber da gibt es jemanden, mit dem ich studiert habe. Er ist ein echt guter Schauspieler und sehr witzig.«

»Ach ja?«

Richard und Nicholas waren höflich, aber es gibt nur wenige Sätze, die einen Produzenten mehr schaudern lassen als: »Ich habe da einen Freund ... der ist wahnsinnig gut ...«

Ich fuhr fort: »Er ist inzwischen nicht mehr in Cambridge, sondern an der Guildhall School. Da studiert er Musik. Um Opernsänger zu werden. Aber wie ich gehört habe, hat er gerade ins Schauspielfach gewechselt.«

»O ja?«

»Nun, wie ich schon sagte, ich weiß, es ist ... aber er ist wirklich sehr gut ...«

»O ja?«

Eine Woche später rief Richard an.

»Ich muss gestehen, dass wir nicht weiterkommen. Wie hieß noch dein Freund an der RADA?«

»Guildhall, nicht die Royal Academy, und er heißt Simon Beale.«

»Schon gut. Keine Widerrede. Wir sind so ziemlich am Ende. Nicholas wird mit ihm sprechen.«

Zwei Tage später rief Nicholas an. Er war hellauf begeistert. »Mein Gott, er ist brillant. Perfekt. Absolut perfekt.«

Ich wusste, dass er es sein würde. Seit ich mit ihm als dem sich am Hintern kratzenden Sir Politic Would-Be in *Volpone* auf der Bühne gestanden hatte, wusste ich nur zu gut, dass Simon es in sich hatte.

Einen Haken konnte die Sache haben. Würde Guildhall ihm erlauben, die Rolle zu spielen? Als Student musste er einem festgelegten Studienverlauf folgen, und außer den Auftritten, die seinen Tagesablauf stark beeinträchtigen würden (es ging um Mittagsaufführungen am Lyric), waren da noch die Proben zu bedenken. Zum

Direktor der Guildhall School of Music and Drama war gerade erst der Schauspieler Tony Church, Gründungsmitglied der Royal Shakespeare Company, ernannt worden. Er musste Simons Freistellung absegnen.

Die Antwort, die er gab, war in ihrer Affektiertheit und der absurden Selbstherrlichkeit des Schauspielers einfach großartig.

»Ich sehe ein, dass Simon dieses Engagement sehr gern annehmen möchte«, sagte er, »denn es handelt sich um eine exzellente Rolle für ihn, und über das hinaus wäre ihm dadurch seine vorläufige Aufnahme bei Equity gesichert ...« In jenen Tagen war die Equity-Mitgliedskarte für jeden Schauspieler unverzichtbar. Die Theaterwelt wartete mit jener unübertrefflich grausamen Catch-22-Regel auf, die überall dort zur Anwendung kommt, wo Gewerkschaftszwang herrscht: Nur Equity-Mitglieder konnten einen Schauspielerjob bekommen, und man konnte kein Equity-Mitglied werden, ohne einen Schauspielerjob zu haben. Hugh und ich hatten unsere Mitgliedsausweise bekommen, weil wir bei Granada TV unter Vertrag standen und als Autoren/Darsteller Nachweis führen konnten, dass kein Equity-Mitglied uns zufriedenstellend würde ersetzen können. Tony Church sah also durchaus, wie hervorragend die Gelegenheit war, die Simon Beale geboten wurde. »Ja«, sagte er. »Ich will ihm nicht im Weg stehen. *Jedoch* ...«

Nicholas und Richard (ich war nicht zugegen) erbleichten.

»Jedoch«, fuhr Church fort, »wird er in dem Zeitraum seiner Abwesenheit, um zu proben und aufzutreten, die drei Wochen versäumen, während derer wir Charakterisierung und Darstellung im Werk Tschechows behandeln. *Meine Pflicht gebietet* es mir daher, Simon warnend darauf hinzuweisen, dass er mit einem großen Erkenntnismangel bezüglich Tschechows Technik rechnen muss, sollte er die Rolle annehmen.«

Er war ein feiner Mann, dieser Tony Church, und er hatte einen noch feineren Sinn für Humor, und daher hätte er mir hoffentlich nachgesehen, dass ich sein Verhalten hier noch mal schildere. Die Idee, allein die *Idee*, dass ein Schauspieler einen Erkenntnismangel erleiden würde, wenn er drei Wochen lang den Tschechow-Unterricht an der Schauspielschule versäumte, ist so absurd, ja, so *wahnwitzig*, dass einem absolut die Worte fehlen. Wenn ich je von aufstrebenden jungen Schauspielern oder deren Eltern gefragt werde, ob sie eine Schauspielschule besuchen sollten oder nicht, bringt mich die Erinnerung an Tony Church und seine Angst um Simons Tschechow-Technik in Versuchung, ihnen zu raten, keinesfalls einem dieser nutzlosen Paläste der eitlen Torheit und Selbsttäuschung auch nur um einen Schritt zu nahe zu kommen. Natürlich gebe ich letztlich keinen anderen Rat, als dass angehende Schauspieler ihrem Herzen folgen sollten, oder ähnliche schulmeisterhafte und harmlose Plattitüden, aber man fragt sich doch ... wirklich.

Simon Beale ist unter seinem Equity-Namen Simon Russell Beale zum beinahe einhellig anerkannten besten Bühnenschauspieler seiner Generation herangereift. Viele sind der Überzeugung, dass seine großartigsten schauspielerischen Leistungen die Interpretationen – ja, natürlich – von Figuren in Tschechows Bühnenstücken sind. Seine überwältigenden Auftritte in *Die Möwe*, *Onkel Wanja* im Donmar Warehouse (für den er einen Olivier Award zugesprochen bekam) und *Der Kirschgarten* im Old Vic und in New York haben ihm ungeteiltes

Lob eingebracht. Ich frage mich, ob einer seiner Kommilitonen an der Guildhall School, die von Glück sagen konnten, an den Vorlesungen teilgenommen zu haben, um jene lebenswichtigen Erkenntnisvorteile bezüglich der Technik zu sammeln, jemals mit Tschechow einen vergleichbaren Erfolg feiern durften.

Die Produktion von *Latein!* wurde auf ihre eigene bescheidene Weise ein Erfolg. Simon spielte brillant, und eine überschwängliche Besprechung des großen Harold Hobson machte mich sehr glücklich.

Cockney Capers – Cockney-Kapriolen

Am Wochenende, nachdem *Latein!* seine kurze Spielzeit beendet hatte, war ich zu Besuch im Haus von Richard Armitage in Essex. Das schöne, alte Herrenhaus trug den Namen »Stebbing Park« und war umgeben von vielen Morgen sanfter Hügellandschaft. Das Dorf Stebbing liegt nicht weit von Dunmow entfernt in einem Teil von Essex, der den bedauerlichen und unverdienten Ruf des Countys Lügen straft.

Stebbing Park erwachte jeden Sommer zu besonderem Leben, wenn Richard sein Cricket-Fest veranstaltete. David Frost, einer seiner ersten Klienten, verteidigte das Wicket, Russell Harty hing am Begrenzungsseil und bewunderte die Muskeln von Michael Pread und anderen hübschen jungen Schauspielern, Andrew Lloyd Webber flog im Helikopter ein, die Controller von BBC 1 und BBC 2 zogen sich mit Bill Cotton und dem Generaldirektor in die Ecken zurück. Es hatte den Anschein, als übe Richard eine magische Anziehungskraft auf alle wichtigen Personen von Film und Bühne in Großbritannien aus. Rowan Atkinson, Emma Thompson, Hugh, Tom Slattery, Tilda Swinton, Howard Goodall und ich kamen jedes Jahr, desgleichen Dutzende anderer Klienten von Noel Gay, Richard Stilgoe, Chris Barrie, Hinge and Bracket, Dollar, die Cambridge Buskers, Jan Leeming, Manuel and the Music of the Mountains, die King's Singers, Geoff Love – es war eine überaus exzentrische Mischung.

Diesmal waren es nur ich, Richard und Lorraine Hamilton, die bezaubernde, schüchterne junge Frau, mit der er sein Leben teilte und die als seine Assistentin arbeitete. Wir drei hatten Richards Koch/Butler ganz für uns allein.

Als uns Ken nach einem ausgezeichneten Dinner am Freitagabend im Salon Kaffee einschenkte, sprach Richard zu meiner Überraschung auf einmal von seinem Vater. Reginald Armitage war der Sohn eines Lakritztaler-Herstellers in Süd-Yorkshire. Er hatte die Queen Elizabeth Grammar School in Wakefield, das Royal College of Music und das Christ's College in Cambridge besucht. Sein musikalisches Können hatte ihm in frühem Alter zur Anstellung als musikalischer Direktor und Organist an der St. Anne's Kirche in Soho verholfen. Ragtime, Jazz und Swing, die in dem Teil Londons damals allgegenwärtig waren, müssen auch Reginald infiziert haben, und er merkte sehr bald, dass ihm die leichten, heiteren und ins Ohr gehenden modernen Melodien außergewöhnlich gut lagen. Um seine ehrbaren Eltern in Yorkshire und die Kircheninstanzen, die seine Arbeitgeber waren, nicht zu verärgern, komponierte er seine Songs unter dem Pseudonym Noel Gay. Für unsere Ohren ein nicht besonders glücklicher Name, aber in den späten Zwanzigern und den Dreißigern gemahnte er an die glückliche und fröhliche Welt leuchtender Sonnenstrahlenmuster an vorstädtischen Eingangstüren, die überlebt haben, und das Design mancher Rundfunkgeräte jener Zeit. Wenn es einen Song gibt, der dieses Image perfekt vermittelt, ist es sein eigener: »The Sun Has Got His Hat On«.

Der Komponist Noel Gay hatte riesigen Erfolg. Es gab einen Zeitpunkt, da wurden vier seiner Musicals im West End gleichzeitig aufgeführt, eine Bravourleistung, mit der nur Andrew Lloyd Webber mithalten konnte. Seine berühmteste Komposition, »The Lambeth Walk«, bleibt der einzige Song, über den je in einem Leitartikel der *Times* geschrieben wurde. Außerdem verschaffte er, wie Richard mir erzählte, Noel Gay einen Eintrag im legendären schwarzen Buch mit den Namen derer, die nach einer Invasion der Nazis als Erste an die Wand gestellt worden wären. Wie es hieß, hatte Hitler nicht amüsiert auf einen Wochenschauausschnitt reagiert, der während des Krieges in englischen Kinos sehr beliebt war und den Führer zeigt, wie er einem Kader im Stechschritt marschierender SA-Männer salutiert. Als Soundtrack war die Filmschleife mit »The Lambeth Walk« unterlegt worden.

Ich wusste nur sehr wenig darüber und war gerührt, dass Richard meinte, ich könne Interesse an den Heldentaten seines berühmten Vaters haben.

»Sein größter Erfolg«, sagte Richard, »war natürlich das Musical, in dem ›The Lambeth Walk‹ vorgestellt wurde – *Me and My Girl*.«

»Genau«, sagte ich und dachte in meiner Verwirrung an den Standard von Gene Kelly und Judy Garland: »The bells are ringing, for me and my gal …« – aber war das nicht ein amerikanischer Song?

»Natürlich nicht zu verwechseln«, sagte Richard, »mit der Nummer ›For Me and My Gal‹ von Edgar Leslie.«

»Aber nein doch. Natürlich nicht«, sagte ich, schockiert bei dem Gedanken, das könne tatsächlich jemandem passieren.

»Me and My Girl«, sagte Richard, »war das erfolgreichste britische Musical seiner Zeit. Es ist erst kürzlich von Cats übertroffen worden.«

Richard besaß eine dieser gewinnenden Angewohnheiten, die Agenten, Produzenten und Magnaten häufig eigen sind: Er beschrieb alles und jeden, das oder den er kannte, als das mehr oder weniger wichtigste, erfolgreichste und respektierteste Beispiel seiner Art und aller Zeiten: »ganz sicher der bedeutsamste Choreograph seiner Generation«, »der beste Weinhändler in Großbritannien«, »unbestreitbar der am meisten bewunderte Koch Asiens« – und dergleichen. Es ist für Menschen wie Richard auch völlig unmöglich, nicht den besten Arzt Londons zu haben, den fähigsten Zahnarzt Europas und mehr noch als alles andere und ewig aufs Neue aufgetischt, sobald jemand auch nur das leiseste dorsale Zipperlein erwähnt, »den weltbesten Mann für den Rücken«. Ich hatte diese Eigenart Richards bereits durchschaut und konnte mir daher nicht ganz sicher sein, wie viel von dem, was er über Me and My Girl sagte, der Wahrheit entsprach und wie viel einer Mischung aus seinem typischen Übertreibungseifer und nachzuvollziehendem Stolz des Sohnes auf den Vater entsprang. Um der Wahrheit die Ehre zu geben: Ich hatte weder von dem Musical gehört noch von seiner Titelmelodie. Natürlich kannte ich »The Lambeth Walk«. Der Song zählt zu den berühmtesten aller Zeiten, ist ein Ohrwurm, wie man auf Deutsch sagt, ein »ear worm«, der sich bereits nach einmaligem Hören ins Gehirn bohrt und nicht wieder loszuwerden ist. Eigentlich hatte ich den Titel immer für einen Folksong gehalten, der auf einer uralten Melodie basierte, die über Generationen weitergegeben worden war. Ganz sicher wäre ich nie auf die Idee gekommen, dass ein Kirchenorganist sie in den dreißiger Jahren komponiert hatte.

Noel Gay hatte seinen Sohn Richard nach Eton geschickt, von wo aus er wie sein Vater nach Cambridge gegangen war. 1950 gründete der junge Richard Armitage die Firma Noel Gay Artists, eine Talentagentur, deren Ziel es war, den Noel-Gay-Musikverlag seines Vaters und dessen Produktionen zu fördern, indem man Sänger und Sängerinnen fand, die das Material von Noel Gay interpretierten oder aufführten. Nach sechs oder sieben Jahren, als der »Satire-Boom« losging, streckte Richard seine Fühler in die neue Welt der »Graduate Comedy« aus und machte es sich zur Gewohnheit, jedes Jahr einmal in Cambridge die Netze nach jungen Comedy-Könnern auszuwerfen. Schon stand David Frost auf seiner Klientenliste, dann folgten John Cleese und andere. In den späten Siebzigern, in einem ungestümen anarchischen Ausbruch von Originalität, blickte er nach Westen und holte sich in Oxford Rowan Atkinson und Howard Goodall. 1981 war er dann zurück in Cambridge und hatte sich Emma Thompson, Hugh Laurie, Paul Shearer, Tony Slattery und mich geschnappt.

Wie er mir sagte, stellte Richard jetzt mit Mitte fünfzig fest, dass er immer häufiger auf den Anfang zurückschaute. Das alles war sehr interessant, und es rührte mich, dass jemand, der normalerweise so schroff war, so altmodisch und zugeknöpft, was persönliche Dinge betraf, mir die wahre Geschichte seines Vaters und der Gründung von Noel Gay Artists anvertraute. Abwechselnd nickte ich oder schüttelte den Kopf in der Hoffnung, damit zu demonstrieren, wie sehr ich die Ehre zu schätzen wusste, die er mir erwiesen hatte, und dann ging ich dazu über, mit diskreten Gesten unterdrückten Gähnens anzudeuten, dass ich reif für Bad, Bett und Buch war.

»Das alles bringt mich nun«, sagte Richard, sich für die Nichtbeachtung der Andeutungen entscheidend, »zu meinem Anliegen.«

»Anliegen?«

Richard nestelte an den Laschen seiner alten, ledernen Aktentasche. »Hier, nehmen Sie.«

Er händigte mir ein dickes Typoskript auf dem Kanzleipapier Foolscap aus. Für diejenigen, die noch keine vierzig sind: Foolscap war ein englisches Briefpapierformat, das dem inzwischen europaweit verbreiteten DIN-A4-Standard vorausging.

Ich sah mir den Stapel näher an. Rostflecken, verursacht von den Heftern, zierten die Titelseite, aber der doppelt unterstrichene Titel war deutlich genug. »Oh«, sagte ich, »*Me and My Girl!* Etwa das Originalskript?«

»Um genau zu sein«, sagte Richard, »handelt es sich um das Exemplar, das aus dem Zensurbüro Lord Chamberlains zurückkam. Es gibt eine Acting Edition von French, aber was Sie in Händen halten, ist, soweit ich weiß, die Version, die dem Originaltext, so wie er im Victoria Palace aufgeführt wurde, am nächsten kommt. Ich hätte gern, dass Sie sie lesen. Und dann hätte ich gern, dass Sie in Betracht ziehen, eine neue Fassung zu schreiben.«

Ich schleppte mich nach oben und las das Typoskript

noch in der Nacht. Es war fast unmöglich zu verstehen. Der Held war ein Cockney-Straßenhändler namens Bill Snibson, der sich als rechtmäßiger Erbe einer Grafschaft erweist. So viel konnte ich mir zusammenreimen. Bill trifft in Hareford Hall ein, dem Sitz der Vorfahren, um in den ererbten Stand zu treten, und wird in einer Abfolge rätselhafter Szenen abwechselnd von einem aristokratischen Vamp verführt, über seine Familiengeschichte aufgeklärt und von Nichtsnutzen aus seiner Vergangenheit umlagert, die ihn schröpfen wollen. Der Faden, der sich durch all das zieht, sind seine Anstrengungen, nur nicht seine Sally zu verlieren, das Mädel aus dem Titel. Sie ist eine echte Cockney mit edlem Herzen, und *au fond* ist er das nicht minder.

Ich spreche von »fast unmöglich« zu verstehen und nenne die Szenen rätselhaft wegen des völlig unbegreiflichen »bus«, das fast jeder der freizügig mit Ausrufezeichen versehenen Dialogzeilen angehängt war.

BILL: Wovon redest du denn, Mädchen? (bus)
SALLY: Bill, das weißt du nur zu gut! (bus)
BILL: Du kommst jetzt her! (bus)

oder

SIR JOHN: (nimmt Buch) Hier! Gib es mir! (bus)
BILL: Oi! (bus)

Und so weiter. Durchs gesamte Skript hindurch tauchten immer wieder blaue Bleistiftanmerkungen in kräftiger Handschrift auf: *Nein! Absolut nicht. Umschreiben. Völlig inakzeptabel!* Sowie weitere wütende Kommentare manischer Missbilligung.

Beim Frühstück am nächsten Morgen wollte Richard unbedingt meine Meinung wissen.

»Nun, man könnte es ja fast als historisches Stück bezeichnen«, sagte ich.

»Richtig erkannt! Und darum muss es meiner Ansicht nach ja auch für das Publikum der achtziger Jahre adaptiert werden.«

»Der Cockney ›Rhyming Slang‹ scheint ein wenig … das ist irgendwie ein alter Hut …«

Es gab da eine seitenlange Szene, in der Bill die Familie in aller Ausführlichkeit mit den Prinzipien des »Rhyming Slang« bekanntmacht.

»Ja, aber bedenken Sie, dass *Me and My Girl* die britischen Theaterfreunde aus der Mittelschicht zum ersten Mal mit ›Rhyming Slang‹ bekanntgemacht hat«, sagte Richard. »Bis dahin hatte er sich niemals aus dem East End verirrt.«

»Ich verstehe. Aber sagen Sie, hat der ursprüngliche Produzent das Stück wirklich so gehasst?«

»Was meinen Sie?«

»Diese vielen Kommentare. ›Unannehmbar‹, ›Hier streichen‹ und so weiter. Was hat das zu bedeuten?«

»Ich hab es Ihnen doch gesagt«, antwortete Richard. »Das war das Lord-Chamberlain-Exemplar.«

Meine verdutzte Miene verriet das unverzeihliche Ausmaß meiner Ignoranz.

»Bis 1968 mussten sämtliche Stücke, die in London aufgeführt wurden, vom Büro des Ersten Oberhofmeisters geprüft und genehmigt werden.«

»Oh, das war also die Zensurbehörde?«

»In der Tat. Das Exemplar, das Sie haben, zeigt die Streichungen, auf denen er oder vielmehr seine Behörde bestanden hat, bevor man 1937 *Me and My Girl* die

Aufführungslizenz erteilte. Sie werden bemerken, dass man Wörter wie ›cissy‹ streicht.«

»Also buchstäblich mit einem Blaustift.«

»Genau so. Aber was halten Sie ansonsten von dem Stück?«

»Gott, es ist großartig, aber … nun … ich muss sagen, ich verstehe nicht so ganz, was die vielen ›bus‹ zu sagen haben.«

»Die ›bus‹?«

»Ich dachte, vielleicht soll es das alte Wort für küssen sein, wissen Sie, ›busserln‹ oder so. Aber die können doch einander nicht unentwegt küssen. Und außerdem steht da oft ein ›bus‹ in Szenen zwischen zwei Männern.«

Richard sah einen Moment lang verwirrt aus, bevor ein breites Lächeln auf seine Lippen trat. »Ha!« Sein Lachen begann immer mit dem Peitschenknall »Ha!« und endete mit einem Geräusch, das er zwischen den Zähnen hervorstieß und das halbwegs zwischen dem amerikanischen »Sheesh!« und einem gedämpften falsetthaften »Siss!« lag.

Ich hatte das Typoskript an Lorraine Hamilton weitergereicht und stieß mit dem Finger auf ein »bus«. »Da!«, sagte ich. »»Verstehen Sie das?«

»Also«, sagte Lorraine. »Ich bin mir nicht sicher … es kommt mir schon ziemlich komisch vor. Vielleicht … hm, nein, ich kann mir nicht …«

Richard blickte mit wachsendem Vergnügen zwischen uns hin und her. »Business, ihr Schwachköpfe!«

»Wie bitte?«

»Bus ist die Abkürzung von ›business‹.« Ich bin mir nicht sicher, dass wir den Eindruck gemacht hätten, klüger geworden zu sein.

»Bill wurde von Lupino Lane gespielt. Lupino entstammte einer Music-Hall-Dynastie. Er war der beste Körperkomiker seiner Zeit. Ein großer Teil seines Erfolgs rührte von den bemerkenswerten Slapstick-Nummern her, die er sich einfallen ließ. Sein Kampf mit dem Umhang in *Me and My Girl* wurde zu einer Sehenswürdigkeit auf der Londoner Bühne.«

Nun, ich werde Ihnen nicht jede Drehung und Wendung der Geschichte zumuten, die in die 80er-Jahre-Fassung von Noel Gays Musical eingearbeitet wurde. Richard, der als Produzent agierte, gewann Mike Ockrent als Regisseur, und als Koproduzenten holte er David Aukin an Bord, der das Royal Theatre in Leicester leitete, wo die Show auf die Bühne gebracht werden sollte. Wenn sie dort ein Erfolg wurde, plante man, sie ins West End zu bringen. Robert Lindsay wurde für die Hauptrolle des Bill genannt und Leslie Ash für Sally. In der Zwischenzeit war es meine Aufgabe, das Skript anhand des Lord-Chamberlain-Exemplars umzuschreiben.

»Übrigens«, hatte Richard gesagt, »lassen Sie sich nicht davon abhalten, andere Songs meines Vaters einzubauen, wenn Sie es für passend halten.«

Das Skript eines Musicals teilt sich in drei Bereiche auf: Musik, Liedtexte und Buch. Als Buch könnte man alles betrachten, was nicht Musik ist und auch nicht Liedtexte – mit anderen Worten Dialoge und Story. Niemand besucht ein Musical wegen des Buchs, da geht man lieber gleich in ein Theaterstück. Andererseits ist das Buch aber auch das Rückgrat eines Musicals. Wie das Rückgrat wird es nur wahrgenommen, wenn es aus dem Lot gerät, und wie ein Rückgrat stützt das Buch den gesamten Rahmen und übermittelt die Signale, Botschaften und Impulse, die es dem Körper ermöglichen, zu fühlen, sich zu bewegen und sich auszudrücken. Die großen Komponisten Sondheim, Rogers, Porter und der Rest haben immer darauf bestanden – und in der Tat ist dieses Insistieren eines der Klischees des Musiktheaters –, dass alles auf dem Buch aufbaut. Das Publikum singt nicht das Buch mit, niemandem verschlägt es den Atem, niemand klatscht oder ist entzückt über das Buch, aber ohne es hat man nichts. Es gibt viele unentbehrliche Jobs auf der Welt, denen die Menschen nur wenig Beachtung schenken, und das Buch für ein Musical zu schreiben zählt zu den am wenigsten mühevollen und gleichzeitig bestentlohnten Jobs von allen.

1983 wusste ich von einem Musical-Buch genauso wenig, wie ich wusste, dass ein »ball change« ein Schritt beim Steptanz ist und ein »torch song« ein sentimentales Liebeslied. Tatsächlich hatte ich nicht die geringste Ahnung von Musicals. Ich war Mitte zwanzig und hatte gerade erst anderthalb Jahre zuvor mein Universitätsstudium abgeschlossen. Bei Bedarf konnte ich tagelang über Shakespeare, Ibsen, Beckett oder Tennessee Williams schwafeln. Mein Wissen über die Geschichte und die Helden der Radio- und Fernseh-Comedy war fundiert, zumal es sich bei dem Metier trotz der kläglichen Resonanz auf *Alfresco* um meinen Beruf handelte. Ich kannte mich gut im Kino aus, besonders bei den Filmen von Warner Brothers aus den dreißiger und vierziger und den britischen Filmen aus den vierziger und fünfziger Jahren. Meine Kenntnisse über die Musical-Klassiker und über das Opern-Repertoire waren annehmbar, und ich kannte die Songs von Porter, Kern und Gershwin sehr gut. Aber nur wenige der Musicals, für die diese Songs geschrieben worden waren, hatte ich auch gesehen. Die geheime Wahrheit bestand darin, dass ich das gesamte Genre eher geringschätzte. Ausnahmen machte ich für *Cabaret*, *My Fair Lady*, *West Side Story* und *Guys and Dolls*, die ich als Filme und auf Schallplatten kannte und von denen ich viel hielt. *Singin' in the Rain*, *Mary Poppins*, *Oliver!* und *The Sound of Music* kannte und achtete ich nur als Filme und … nun, das war es eigentlich auch schon, abgesehen von den gelegentlichen Sonntagnachmittagvorführungen eines Klassikers von Fred Astaire oder Gene Kelly auf BBC 2. *Cats* wurde im West End bereits seit anderthalb Jahren gespielt, aber ich hatte es noch nicht gesehen. Immer noch nicht. Ich muss es endlich mal nachholen. Desgleichen *Les Misérables*, *The Phantom of the Opera* und *Miss Saigon* und all die anderen, die gekommen sind und gegangen und seither auch wiedergekommen sind. Ich bezweifle nicht, dass mir etwas entgangen ist.

Der Regisseur Mike Ockrent, der sich hauptsächlich dadurch einen Namen gemacht hatte, dass er neue Theaterautoren auf den weniger namhaften Bühnen Englands und Schottlands vorstellte, war in der Welt der Musicals noch weniger zu Hause als ich. Aber während wir an dem Skript für *Me and My Girl* arbeiteten, entdeckten wir sehr bald, dass wir es mit einem Projekt zu tun hatten, das dem Broadway und Hollywood nichts verdankte, sondern alles der Music Hall. Ob die Wiederaufführung Erfolg hatte oder nicht, würde davon abhängen, inwieweit ein modernes Publikum bereit war für den Slapstick, die Albernheiten und die schwungvolle Dreistigkeit, die der späte Stil der Music Hall verkörperte.

Als ich mich von Fassung zu Fassung quälte, erteilte mir David Aukin einen unschätzbaren Rat. Viele Jahre lang hatte er dem Hampstead Theatre vorgestanden, wo er Mike Leighs legendäres Stück *Abigail's Party* aus der

Taufe gehoben hatte und zudem so manches neue Stück von Dennis Potter, Michael Frayn, Harold Pinter und vielen anderen. Als er sich meine erste Fassung ansah, die gerade aus dem Typenraddrucker gekommen war, lächelte er.

»Deine Arbeit besteht darin, dich arbeitslos zu machen. Je kürzer der Abstand zwischen den Musiknummern, desto besser.«

»Noch ist da viel zu viel Dialog, nicht wahr?«, sagte ich.

»Viel zu viel.«

Schließlich strich ich und strich ich und strich ich. Auf Empfehlung von jemandem las ich *The Street Where I Live*, Alan Jay Lerners vorzügliche Memoiren eines Songtexters und Buchautors. Wenn es in der Handlung eines Musicals Zeit wurde für eine emotionale oder erzählerische Veränderung, sagte Lerner, dürfe dieser Augenblick nicht durch gesprochenes Wort beschrieben, sondern müsse in Song oder Tanz ausgedrückt werden, denn warum sonst hätte man sich überhaupt einer musikalischen Darstellungsform bedient und nicht gleich ein Stück geschrieben? In einem guten Musical hält die Handlung nicht wegen eines Songs inne – die Songs *sind* die Handlung. Ich studierte dieses einleuchtende Rezept, betrachtete mir das Skript, das ich bis dahin abgefasst hatte, und stellte fest, dass ich nichts als ein Stop-Start-Drama geschrieben hatte, in dem alles Wichtige in den Szenen mit gesprochenem Dialog ausgeführt wurde, die von Zeit zu Zeit von Song- oder Tanznummern unterbrochen wurden. Douglas Furber und Arthur Rose, die das Originalbuch und die Songtexte geschrieben hatten, stammten aus der Zeit vor Lerners Grundsatzaussage. Bei der Bühnentechnik jener Zeit tanzten die Chorsängerinnen vor einem Vordervorhang, während hinter ihnen das Szenenbild umgebaut wurde. Das moderne Theater verlangte offene Veränderungen des Bühnenbilds, und bei denen wird geschleppt, fliegen und schweben die Dinge durch die Gegend und werden mit Maschinentechnik Wunder vollbracht. Was diesen Bereich betraf, machte mir Mike Ockrent ungeheuer viel Mut. Er hatte an der Universität Physik studiert, war kurzzeitig Erfinder gewesen und verfügte über sehr viel Ingenieursverstand.

»Schreiben Sie einfach die extravagantesten und verblüffendsten Szenenwechsel, die Sie sich vorstellen können«, sagte er. »Wir werden dafür sorgen, dass sie funktionieren. Und schreiben Sie keinesfalls im Hinblick auf Geldersparnis. Der Bühnenbildner und ich werden das schon hinkriegen.«

Bei der nächsten Fassung kannte ich kein Halten. Die Show wurde von einer Nummer mit dem Titel »A Weekend at Hareford« eröffnet. Ich trickste ein wenig am Songtext herum und schrieb Bühnenanweisungen, die auf den ersten Blick absurd erscheinen mussten. Ich beschrieb Wochenendausflügler, die in offenen Autos aus London in ihre Landhäuser chauffiert wurden und dabei den Song sangen. Sie fuhren durch das Tor von Hareford Hall bis vor die wuchtige Fassade, die sich drehen und in einen Innenraum verwandeln sollte, wo die Gäste vom Hauspersonal begrüßt wurden. Schreiben ließ sich das leicht; sollten Martin Johns, der Bühnenbildner, und Mike Ockrent damit machen, was sie wollten.

Ich kürzte den Dialog so drastisch, wie ich konnte. Der Gedanke war, wie David Aukin vorgeschlagen hatte, von Musikstück zu Musikstück zu springen, mit so wenig Dialog wie möglich, aber auch bestimmte komische Szenen – wie zum Beispiel Lupino Lane mit dem Umhang, wovon Richard gesprochen hatte, sowie eine Verführungsszene, zu der Kissen und ein Sofa gehörten – als selbständige Nummern zu behandeln. Ich fügte noch zwei bekannte Songs von Noel Gay hinzu: »The Sun Has Got His Hat On« und »Leaning On a Lamp-post«.

Mike besuchte mich in Chichester, um seine Anmerkungen zu dieser Fassung durchzugehen. Er fand großen Gefallen an jedem überzogenen, absurden und unmöglichen Ansinnen, das ich an seinen Einfallsreichtum gerichtet hatte.

»Mehr noch«, sagte er. »Lassen Sie uns noch viel weiter gehen!«

Aber warum, werden Sie wissen wollen, befand ich mich in Chichester?

Chichester 1 – Chichester, zum Ersten

Anfang 1982 lud Richard Armitage mich und Hugh ins L'Escargot zum Mittagessen ein.

»Damit ich mir eine Vorstellung machen kann, in welche Richtung ich euer Schicksal lenken soll«, sagte er, »solltet ihr beide mir sagen, wen ihr am meisten bewundert und wem ihr unbedingt nacheifern möchtet.«

Hugh fragte sich, ob es jemanden zwischen Peter Ustinov und Clint Eastwood geben könne. Vielleicht noch mit einer Prise Mick Jagger dazu.

Richard nickte, machte sich eine Notiz in seinem ledernen schwarzen Notizbuch von Smythson und wandte sich mir zu.

»Alan Bennett«, sagte. »Eindeutig Alan Bennett.«

Ich war zu jung, um Bennetts TV-Comedy *On The*

Margin gesehen zu haben, deren Bänder die BBC schändlicherweise schon Wochen nach der Ausstrahlung gelöscht hatte, wie es in jenen Tagen üblich war, aber ich besaß einen Rundfunkmitschnitt der Höhepunkte, die ich ebenso auswendig kannte wie die Predigt aus *Beyond the Fringe* und seinen »Klappen«-Sketch aus *The Secret Policeman's Other Ball*. Ich hatte sein Stück *Habeas Corpus* gelesen, aber nie gesehen, und es hatte sich einmal eine Kassette von *Forty Years On* in meinem Besitz befunden, in dem er als Lehrer namens Tempest auftrat. Leider war sie mir abhandengekommen. Doch es reichte mir, um ihn für einen Heroen zu halten. *Talking Heads, Magere Zeiten, An Englishman Abroad, King George – Ein Königreich für mehr Verstand* und *Die History Boys – Fürs Leben lernen* erschienen erst viele Jahre später.

»Alan Bennett, hm?«

War es Paranoia, oder ahnte ich, dass Richard meine Antwort enttäuschend fand? Peter Cook und John Cleese waren größere Comedy-Stars, besaßen Rock-'n'-Roll-Status und Charisma, aber Alan Bennetts Miniaturismus, seine Fragilität in Kombination mit seinem Sprachgefühl und den literarischen, fast akademischen Verweisen, sagte mir als Leitbild mehr zu. Die Geschichte hat natürlich erwiesen, dass sein Karriereweg für mich genauso unerreichbar war wie der von Cook und Cleese, aber ein Mann sollte immer die Hand weiter ausstrecken als bis zu dem, was er greifen kann, oder wofür könnte ein Himmel sonst gut sein?

Ein Jahr nach diesem Lunch, als *Gossip* in finanzielle Schwierigkeiten geriet und ich an den ersten Fassungen von *Me and My Girl* arbeitete, aber trotz schlimmster Schweißausbrüche kein Material für *Alfresco 2* mit Hugh zustande brachte, rief mich Richard an.

»Ha!«, sagte er. »Ich hab was für dich, das dir gefallen dürfte. Sei am Donnerstag um halb vier im Garrick Theatre, um für Patrick Garland und John Gale vorzusprechen. Bereite dich auf die Rolle von Tempest in *Forty Years On* vor.«

»W-a-a-a ...?

»Fürs Chichester Festival im nächsten April.«

»B-i-i-i ...«

»Viel Glück.«

Alan Bennetts ureigene Rolle. Und das unter der Regie desselben Mannes, der die Originalproduktion um 1960 herum inszeniert hatte. Ich hechtete zum Bücherregal. Ich wusste, dass ich irgendwo ein Exemplar hatte, aber es befand sich wohl in einer Kiste in meinem Elternhaus in Norfolk oder an jenem unauffindlichen Ort, an dem aller Teenagerbesitz verloren geht, all die Lieblingsschallplatten, die Poster und Pullover, die man nie mehr wiedersieht. Ich rannte zu John Sandoe's hinüber, wo der Verkäufer sicher war, dass sie ein Exemplar hatten. Wenn er nur wüsste, wo ... lassen wir ihn nachdenken. Ich hätte vor Ungeduld fast laut hinausgeschrien, als er sich frohgemut und mit unerträglicher Bedächtigkeit auf die Suche machte.

»Da wären wir. Unser einziges Exemplar. Leider ein wenig abgegriffen – aber Sie können es für ein Pfund haben.«

Ich verbrachte die nächsten paar Stunden damit, mich wieder in dieses erste abendfüllende Theaterstück von Alan Bennett einzulesen. *Forty Years On* spielt in einer fiktiven britischen Public School namens Albion House, wo man an der jährlichen Schultheateraufführung arbeitet. Diesmal handelt es sich um das speziell erarbeitete Werk »Speak for England, Arthur«, das vom Kollegium und den Jungen aufgeführt wird. Dieses Stück im Stück führt eine Familie durch die Weltkriege mit Hilfe einer Reihe effektvoller Sketche, Monologe und Parodien, in denen es auf Bennetts einzigartige Weise gelingt, das Lebensfroh-Komische mit dem Traurig-Elegischen zu verbinden. Die ursprüngliche Produktion, in der John Gielgud den Headmaster spielte, Paul Eddington den Senior Master und Alan Bennett den etwas begriffsstutzigen Junior Master Tempest, war von Anfang an ein großer Erfolg. Der Name der Schule, Albion House, verwies das Publikum auf die durchaus nicht zu weit hergeholte Möglichkeit, dass sie vielleicht als Symbol für England stehen könnte.

Ich lernte die »Confirmation Class« von Tempest auswendig, in der er sich bemüht, die Jungen über die wichtigen Tatsachen des Lebens aufzuklären.

TEMPEST: Das ist Ihr Intimbereich, Foster. Und wenn jemand Sie zu berühren versucht, haben Sie zu sagen: ›Das ist mein Intimbereich, und den haben Sie nicht zu berühren.‹

FOSTER: Das ist mein Intimbereich, und den haben Sie nicht zu berühren.

TEMPEST: Das gilt nicht für mich, Foster! Das gilt nicht für mich!

Ich prägte mir auch einen Monolog ein, in dem Tempest durch seine Darstellung einer affektierten und verblassten literarischen Figur an die großen Tage von Bloomsbury erinnert.

Mit diesen und anderen Szenen im Kopf fuhr ich mit Bus und U-Bahn zum Garrick Theatre in der Charing Cross Road. Ich fand den Bühneneingang, wo ich von einem freundlichen jungen Mann begrüßt wurde, der mich in einen kleinen, grünen Raum hinter der Bühne führte.

»Ich bin Michael«, sagte er. »Sie sind ein *bisschen* zu früh. Hoffentlich macht es Ihnen nichts aus, hier zu warten, während wir noch ein paar andere Leute anschauen.«

Ich sah auf meine Uhr. Es war zehn vor drei. Vielleicht war ja die Angemessenheit der Minutenanzahl, die ich zu früh war, als gutes Omen zu betrachten. Vierzig Minuten später betrat ich nervös die Bühne. Ich schirmte mir mit der Hand die Augen ab, um hinunter in den Zuschauerraum zu sehen.

»Hallo«, sagte eine prägnante, freundliche und präzise Stimme. »Ich bin Patrick, und das hier ist John Gale, der das Chichester Festival Theatre leitet.«

»Hallo«, dröhnte ein satter Bariton aus dem Dunkeln.

»Und dann ist da noch«, fuhr Patrick fort, »Alan Bennett.«

Das »Hallo«, gesungen in hoher Tenorlage mit fröhlichem und abgemildertem Yorkshire-Akzent, schwebte aus dem Parkett hinauf an meine ungläubigen Ohren. *Alan Bennett?* Hier! Beim Vorsprechen! Jedes einzelne Organ in meinem Körper kreischte. Ein Hämmern drang mir in die Ohren, und meine Knie wurden weich. *Alan Bennett?*

Ich kann mich an keine Minute oder Sekunde der halben Stunde erinnern, die dann folgte. Ich weiß, dass ich Passagen rezitiert und Szenen gelesen haben muss, und ich weiß noch, dass ich, von Qualen der Verzweiflung und Enttäuschung zermartert, durch Londoner Straßen gewankt bin. Ich muss mich also verabschiedet und das Theater auf die eine oder andere Weise verlassen haben.

Richard Armitage rief mich am selben Abend in der Wohnung an. »Und wie ist es dir ergangen, mein Guter?«

»O, Richard, es war schrecklich. Ich war furchtbar. Abscheulich. Ganz schlimm. Unsagbar schlecht. *Alan Bennett war da!* Im Theater!«

»Ja, und? Ist das so schlecht?«

»Nun, ich wäre nie auf die Idee gekommen, dass er dabei sein könnte. Niemals. Ich war stumm vor Schreck. Wie vor den Kopf geschlagen. So nervös, dass ich kaum mehr sprechen konnte. Oh Gott, es war *grauenvoll*.«

»Ich bin sicher, dass du so schlecht gar nicht gewesen sein kannst ...« Er gab eine Reihe jener besänftigenden Gluckser von sich, mit deren Hilfe Agenten hysterische Klienten zu beruhigen suchen. Sie waren mir kein Trost.

Am nächsten Tag rief Lorraine an. »Darling, könntest du heute wieder um drei Uhr im Garrick sein? Zu einem zweiten Vorsprechen.«

»Einem zweiten Vorsprechen?«

»Sie möchten dich noch einmal sehen und hören.«

»Du meinst, ich bin noch nicht ausgeschieden?«

Ich war pünktlich auf die Minute im Garrick, entschlossen, zumindest den Versuch zu machen, die Nerven zu behalten. Michael begrüßte mich wie einen alten Freund und führte mich direkt auf die Bühne. Das Licht im Zuschauerraum war an, und unten im Parkett konnte ich John Gale und Patrick Garland erkennen, aber diesmal keinen Alan Bennett. Eine Welle der Erleichterung erfasste mich.

»Nochmals hallo!«, rief Patrick fröhlich. »Wir haben überlegt, ob wir vielleicht diesmal den Bloomsbury-Monolog hören dürfen?«

Sie durften.

»Danke!«, sagte Patrick. »Danke ... ich glaube ...«
Er besprach sich mit John Gale, nickte und senkte den
Blick, als suche er auf dem Fußboden nach Erleuchtung.
Von meinem Standpunkt aus hatte es den Anschein, als
würde er dem Teppich etwas zuflüstern. »Ja ...«, raunte
er. »Finde ich auch.« Er blickte lächelnd zu mir auf und
sagte lauter: »Stephen, John und ich würden Sie sehr
gerne bitten, in unserer Produktion die Rolle des Tempest zu spielen. Würden Sie das wollen?«

»Ob ich das will? Und ob!«, sagte ich. »Haben Sie
vielen, vielen Dank.«

»Das hört sich ja ausgezeichnet an«, sagte Patrick.
»Wir sind begeistert. Nicht wahr?«, fügte er hinzu, an
den Teppich gewandt.

Es folgte ein Gewühle, und eine Gestalt rappelte sich
hinter den Sitzen auf, wo sie sich verkrochen hatte. Der
hochgewachsene, hagere Alan Bennett entfaltete sich
mit einem entschuldigenden Hüsteln. »O ja«, sagte er,
wischte sich den Staub von den Knien seiner grauen Flanellhosen, »ganz begeistert.«

Patrick bemerkte meine Verblüffung. »Ihr Agent war
so freundlich, uns gegenüber zu erwähnen, dass Alans
Anwesenheit Sie ein wenig nervös gemacht hatte. Daher
fand er, es sei wohl besser, sich zu verstecken.«

Eine derartige Rücksichtnahme von einem Helden
war fast mehr, als ich ertragen konnte. Dämlack, der ich
war, drückte ich meine Dankbarkeit natürlich dadurch
aus, dass ich es nicht über mich brachte, sie auszudrücken. Bis zum heutigen Tag glaube ich nicht, dass ich
Alan angemessen für das an jenem Nachmittag erwie-
sene Wohlwollen und die Liebenswürdigkeit gedankt
habe.

Bei den meisten von uns erfreut sich Alan Bennett insofern eines Riesenvorteils, als seine Scheu bekannt ist
und erwartet wird; tatsächlich ist sie sogar eine der Eigenschaften, die man am meisten an ihm bewundert.
Sie beweist seine Authentizität, seine Bescheidenheit
und die noble Distanz zu jener gruseligen Medienbande
lauter, dreister, seichter und selbstgefälliger Wichser, zu
denen ich wohl leider auch gehöre und die von der restlichen Gesellschaft zu Recht verabscheut werden. Niemand scheint von mir zu erwarten, dass ich schüchtern
bin, oder mir zu glauben, wenn ich behaupte, ich sei es.
Ich kann den Leuten deswegen keinen Vorwurf machen,
denn ich scheine mit großer Leichtigkeit durchs Leben
zu gehen. Erst gestern Nachmittag wurde ich daran erinnert. Ich war in der CBS-Sendung *The Late Late Show with
Craig Ferguson* zu Gast. Craig ist der schottische Comedian, der inzwischen nach Meinung vieler, einschließlich meiner, zum besten Talkshow-Gastgeber Amerikas
geworden ist. Er sagte mir zu Beginn des Interviews, als
er damals in den achtziger Jahren regelmäßig in der britischen Comedy-Szene zu Gast war, sei ich ihm immer
beinahe widernatürlich gelassen, beherrscht und kontrolliert vorgekommen, und zwar so sehr, dass ihn etwas
wie zornige Ehrfurcht vor mir gepackt habe. Ich sollte
mich daran gewöhnt haben, dergleichen zu hören, aber
wieder machte es mich sprachlos. Ich erinnere mich an
keinen einzigen Zeitpunkt meines Lebens, an dem ich
das Gefühl gehabt hätte, auch nur im Geringsten selbst-
gewiss, kontrolliert und entspannt gewesen zu sein. Je
länger ich lebe, desto klarer stellt sich für mich eine
Wahrheit heraus: Die Menschen werden nur sehr sel-

ten ihre vorgefasste Meinung von einer Person revidieren, völlig unabhängig davon, welche Beweise dazu den Anstoß geben. Ich bin Engländer. In Tweed gekleidet. Waschecht. Voller Selbstvertrauen. Establishment. Arrogant. Befugt. So sehen mich die Menschen gern, mag sich die Wahrheit noch so sehr davon unterscheiden. Mag sein, dass ich ein jüdischer Mischling bin und einen suchtgleichen Hang zur Selbstzerstörung besitze, den niederzukämpfen ich Jahre gebraucht habe. Es mag der Fall sein, dass schwankende Launen und Verstimmungen mich gelegentlich in Selbstmordgedanken treiben und mich häufig in Verzweiflung versinken lassen, zerfressen von Selbsthass und Selbstekel. Es mag so sein, dass ich chronisch einem Gefühl des Versagens und der Leistungsschwäche unterliege sowie der furchtbaren Gewissheit, dass ich die Talente, mit der die Natur mich gesegnet hat, verraten, missbraucht oder vernachlässigt habe. Es mag so sein, dass ich Zweifel hege, jemals die Befähigung zu gewinnen, glücklich zu sein. Es mag der Fall sein, dass ich um meine geistige Gesundheit fürchte, meinen moralischen Angelpunkt und sogar um meine Zukunft. Gegen alle diese Fälle mögen Einwände erhoben werden, und ich mag ihre Wahrheit noch so oft beteuern, aber die Wiederholung wird mein »Image« um nicht ein Pixel ändern. Es ist dasselbe Image, das ich schon besaß, als ich noch keine bekannte Person des öffentlichen Lebens war. Ein Image, das eine Delegation von Kommilitonen aus dem ersten Studienjahr veranlasste, mich in meinen Räumen zu besuchen, um mein »Geheimnis« zu erkunden. Ein Image, das manche befriedigt und beeindruckt, andere wütend macht und zweifellos viele mehr langweilt, provoziert oder aufregt. Ich wäre ein tragischer Fall, hätte ich inzwischen nicht gelernt, mit dieser Rolle zu leben. Wie viele Masken sitzt auch diese gelassen lächelnde allmählich so fest und gut, dass man von ihr sagen könnte, sie habe die Züge welch wahren Gesichts auch immer verwandelt, das hinter ihr verborgen seine Schreie ausgestoßen hatte. Doch sie ist nichts als eine Maske, und die Gefühle, die sie verbirgt, sind so, wie sie immer waren.

Was ich zu all diesem Gejammer sagen möchte, ist nicht, dass ich Ihr Mitleid erwarte oder Ihr Verständnis (obwohl ich keines von beiden aus meinem Bett werfen würde), sondern vielleicht eher, dass ich derjenige bin, der hier in Wirklichkeit Mitleid und Verständnis bietet. Denn ich muss glauben, dass die Gefühle, die ich beschrieben habe, nicht einzig und allein von mir empfunden werden, sondern uns allen gemein sind. Der Eindruck, zu versagen, die Furcht vor ewig währendem Kummer, die Unsicherheit, die Nöte, der Selbstekel und das schreckliche Bewusstsein minderer Leistungsfähigkeit, die ich beschrieben habe. Fallen Sie nicht alledem ebenfalls zum Opfer? Das kann ich nur hoffen. Anderenfalls würde ich mir nämlich vorkommen wie das augenfälligste Kuriosum. Ich gebe zu, dass meine Momente »suizidaler Gedanken« und Stimmungsschwankungen extremer und pathologischer sind, als die meisten sie zu ertragen haben, aber andererseits beschreibe ich doch sicherlich nichts anderes als die Ängste, die Schrecken und Neurosen, die wir alle teilen. Nein? Mehr oder weniger? *Mutatis mutandis?* Wobei alle übrigen Dinge gleich sind? Ach bitte, sagen Sie doch ja.

Das ist ein Problem, dem sich viele Autoren und Comedians stellen müssen: Wir besitzen die grundlegende Arroganz, die uns mit der Überzeugung ausstattet, dass unsere Einsichten, Fixierungen und Gewohnheiten zum größten Teil miteinander geteilte Charakteristika sind, die ans Licht zu bringen und zu benennen wir allein die Kühnheit, das Verständnis und die Geistesfreiheit besitzen. Und wir genießen daher das Privileg oder beglückwünschen uns zumindest dazu, Fürsprecher der Menschlichkeit zu sein. Wenn ein Stand-up-Comedian das Nasebohren beschreibt oder das Pinkeln unter der Dusche oder was auch immer sonst, können wir unser Lachen als eine »Ich doch auch«-Befreiung interpretieren, die wiederum Lachen auslöst: Wir lachen nochmals, weil unser ursprüngliches Lachen und das der Person, die im Publikum neben uns sitzt, Komplizenschaft und geteilte Schuld beweist. So viel ist bei Beobachtungskomik offenkundig und eine Binsenwahrheit. Als Krönung kann natürlich das bewusste Spiel dienen, in dem Komiker zwischen den verbreiteten gemeinsamen Ängstlichkeiten und denen, die allein ihre sind, hin- und herpendeln. Und da, nehme ich an, lachen wir darüber, wie *verschieden* wir sind. Wie ähnlich, aber doch verschieden. Wie der Komiker stellvertretend für uns ein Leben extremerer Neurosen und Ängste führt. Eine Art »Gott sei Dank bin ich nicht so verrückt«-Lachen ist das Resultat. Wenn ein Comedian oder Autor seine Glaubwürdigkeit nachgewiesen hat, indem er ans Licht bringt, wie viel von dem, was er empfindet oder tut, dem entspricht, was auch wir empfinden und tun, kann er weitergehen und ein Ausmaß von Aktivitäten und Gefühlen offenbaren, die wir vielleicht nicht teilen, die uns eventuell sogar mit Abscheu erfüllen oder die wir möglicherweise doch teilen, aber lieber nicht ans Licht gezerrt haben wollen. Und Komiker, die sie nun einmal sind, wissen damit sehr wohl umzugehen.

Man hört nur allzu oft folgende Nummer: »Sie wissen doch, meine Damen und Herren, Sie wissen doch, wenn Sie so dasitzen und fernsehen und Sie stecken sich den Finger in den Hintern und bohren damit so schön hin und her? ... Nein? Oh, richtig. Dann bin ich wohl der Einzige, der so was tut. Entschuldigung. Uups. Machen wir weiter ...« Nun, bei einem durchschnittlichen Stand-up-Comedian, der von physischen Dingen spricht wie vom Pinkeln unter der Dusche und dem Nase- und Hinternbohren, ist der Unterschied zwischen dem, was für die Allgemeinheit gilt und was individuell ist, leicht zu erkennen. Aber es sind eigenständige und bestimmbare Handlungen, deren man sich entweder »schuldig« macht oder nicht. Manche Menschen pinkeln unter der Dusche, andere tun es nicht. Ich muss zugeben, dass ich es tue. Ich versuche, brav zu sein und es mir unter der Dusche anderer Leute zu verkneifen, aber ansonsten fühle ich mich schuldlos, was diese logische, vernünftige und hygienisch untadelige Handlung betrifft. Ich bohre mir auch in der Nase. Aus Furcht, Sie oder mich in Verlegenheit zu bringen, werde ich aber damit mein Geständnis beenden. Sie können entscheiden, ob Sie das Buch jetzt aus der Hand legen wollen, um ins Leere zu sprechen: »Auch ich bohre in der Nase und pinkle unter der Dusche.« Viele Menschen tun keins von beidem und werden hoffentlich denjenigen von uns verzeihen, die in ihren Gewohnheiten weniger pingelig sind. Ob sie es tun oder nicht, ist aber in beiden Fällen keine Frage der Interpretation. *Gefühle* hingegen ... Ich weiß vielleicht, ob ich mir in der Nase bohre oder nicht, aber weiß ich wirklich, ob ich mich als Versager fühle oder nicht? Mir mag vielleicht bewusst sein, dass ich mich oft niedergeschlagen fühle und unglücklich oder gebeutelt von namenlosem Schrecken, aber habe ich recht damit, diese Empfindungen als ein Gefühl moralischer Schwäche oder persönlicher Unzulänglichkeit oder dergleichen zu interpretieren? Ursprung des Gefühls könnte schließlich hormonelle Unausgeglichenheit sein, Sodbrennen, eine unverhofft ausgelöste unbewusste Erinnerung, zu wenig Sonnenlicht, ein schlechter Traum, alles Mögliche. Wie bei der Farbwahrnehmung oder Schmerzempfindung können wir nie wissen, ob unsere Eindrücke und Erlebnisse dieselben sind wie bei anderen Menschen. Daher kann es durchaus sein, dass ich nur eine ganz große Memme bin und meine Qualen und Sorgen nichts sind im Vergleich zu den Ihren. Vielleicht bin ich aber auch der tapferste Mann auf Erden, und wenn jemand von Ihnen auch nur ein Zehntel des Kummers ertragen müsste, mit dem ich mich tagtäglich plage, würde er wehklagen wie in Todespein. Aber wie wir uns alle einig sind, was Rot ist, wenngleich wir nie wissen werden, ob ein jeder von uns es auf dieselbe Weise wahrnimmt, können wir doch alle einig sein – oder etwa nicht? –, dass unabhängig davon, wie selbstsicher wir anderen gegenüber erscheinen, wir doch im Inneren allesamt die meiste Zeit schluchzen, unter Angst leiden und unter Unsicherheit. Oder vielleicht ergeht es ja auch nur mir allein so.

Mein Gott, vielleicht ergeht es ja *wirklich* nur mir allein so.

Letztlich ist es aber auch egal. Sollte es tatsächlich mir allein so gehen, lesen Sie hier die Aufzeichnungen eines ausgeflippten Freaks. Sie dürfen dieses Buch wie Science-Fiction behandeln, wie Fantasy oder exotische Reiseliteratur. Gibt es wirklich Menschen wie Stephen Fry auf diesem Planeten? Meine Güte, wie außerirdisch fremdartig manche Leute sind. Und wenn ich nicht allein sein sollte, dann sind Sie es auch nicht, und Hand in Hand können wir staunen über die Seltsamkeiten der »condition humaine«.

Celebrity – Prominenz

Abgesehen von *University Challenge*, war die Ausstrahlung von *The Cellar Tapes* das erste Mal, dass ich im landesweiten Fernsehen auftrat. *There's Nothing to Worry About* zähle ich nicht mit, weil es nur den Zuschauern im nordwestlichen ITV-Sendegebiet zugemutet wurde.

Am Morgen nachdem *The Cellar Tapes* auf BBC 2 gelaufen war, machte ich mich auf zu einem Spaziergang entlang der King's Road. Wie sollte ich diejenigen behandeln, die mich ansprachen? Ich setzte ein sanftmütiges Lächeln auf und übte eine »Wer? … ich?«-Reaktion, zu der es gehörte, mich zuerst umzuschauen und mir dann ungläubig fragend auf die eigene unwürdige Brust zu tippen. Bevor ich mich auf den Weg begab, hatte ich sichergestellt, dass sich genügend Stifte in meiner Tasche befanden und einige kunstvoll zufällig eingesteckte Zettel für Autogrammwünsche. Sollte ich »Mit freundlichen Grüßen« schreiben oder »Mit den besten Wünschen«? Ich beschloss, beides einige Male zu versuchen und dann zu entscheiden, was besser aussah.

Als ich die Blacklands Terrace hinaufging, waren die ersten Menschen, denen ich begegnete, ein älteres Ehepaar, und die beiden schenkten mir keine Beachtung. Wahrscheinlich Ausländer oder solche Bewohner von Chelsea, die es für smart hielten, keinen Fernsehapparat zu besitzen. Ein junges Mädchen kam mir mit einem West-Highland-Terrier an der Leine entgegen. Ich versüßte mein sanftmütiges Lächeln mit einer großzügigen Prise gefühlsseliger Selbstbescheidung und wartete auf ihre Entzückensschreie. Sie und ihr Terrier gingen ohne auch nur das geringste Aufflackern des Wiedererkennens an mir vorbei. Höchst seltsam. Ich bog an der King's Road nach links, ging am Peter-Jones-Warenhaus vorbei und umrundete zweimal den Sloane Square. Nicht ein einziger Mensch hielt mich an, warf mir einen Seitenblick bewundernden Wiedererkennens zu oder bedachte mich auch nur mit jenem verwirrten Gesichtsausdruck, der verriet, dass er mein Gesicht kannte, aber im Moment nicht wusste, wo er es einordnen sollte. Es war einfach keine einzige Reaktion von irgendjemandem irgendwo zu bemerken. Ich betrat ein Geschäft von W. H. Smith und hielt mich eine Weile bei den Wochenzeitschriften auf, ganz in der Nähe der Stapel von Veranstaltungsmagazinen. Um eine *Radio Times* in die Hand zu bekommen, mussten die Leute mich bitten, beiseitezutreten, und obwohl diese Personen per Definition Fernsehzuschauer sein mussten, sagten ihnen meine Gesichtszüge, die sich inzwischen zu einem hoffnungslos verzweifelten Grinsen verzerrt hatten, nichts. Das war höchst seltsam. Wie jeder Mensch auf der Welt wusste, bedeutete ein Fernsehauftritt unmittelbaren Ruhm. Eines Morgens verkündest du auf BBC 1 noch den Wetterbericht, am nächsten Morgen wirst du bereits in der Schlange vor der Supermarktkasse belagert. Stattdessen war ich in diesen Tag gestartet, um feststellen zu müssen, dass ich anonym und immer noch nicht mehr als nur ein Gesicht in der Londoner Menge geblieben war. Vielleicht hatte sich fast niemand die Footlights-Show angesehen. Oder vielleicht hatten es Millionen getan, aber ich besaß eines jener nichtssagenden und leicht zu vergessenden Gesichter, so dass es mein Schicksal sein würde, unbekannt zu bleiben. Aber das war doch wohl unwahrscheinlich? Ich hatte meinem Gesicht in der Vergangenheit eine Menge bitterer und unversöhnlicher Wahrheiten gesagt, aber ich hatte ihm nie vorgeworfen, leicht zu vergessen oder nichtssagend zu sein.

Ich zog ein *BBC-Micro*-Alibimagazin aus dem Regal und ging. Als ich enttäuscht zurück zu unserer Wohnung schlich, hörte ich hinter mir eine Stimme:

»Entschuldigen Sie, entschuldigen Sie!«

Ich drehte mich um und sah ein aufgeregtes junges Mädchen. Endlich. »Ja?«

»Sie haben Ihr Wechselgeld vergessen.«

Hier sind die ersten Zeilen von *Verlorene Liebesmüh*:

Mag Ruhm, den jeder sucht, solang er lebt,
Leben in Schrift auf unserm erznen Grabe
Und dann uns zieren in des Todes Unzier.

Das ist die Eröffnungsrede des Königs von Navarra, mit der Hugh 1981 in der Produktion der Marlowe Society seine Schwierigkeiten gehabt hatte. Aus den Worten spricht eine noble Gesinnung, aber nichts könnte der heutigen Lebensauffassung mehr widersprechen. Sicher hat es den Anschein, als strebten alle weiterhin nach Ruhm, aber wie viele würden sich damit zufriedengeben, dass er sich erst in Form einer Grabinschrift kundtäte? Man will ihn auf der Stelle. Und das wollte ich auch. Solange ich zurückdenken kann, habe ich davon geträumt, berühmt zu sein. Ich weiß, wie peinlich dieses Eingeständnis ist. Ich könnte versuchen, es in hübschere Wörter zu kleiden, vielschichtige psychologische Begründungen aufzufahren und ihm anzudichten, komplexe Entwicklungsursachen, die diesen Seelenzustand zu einem Syndrom erhöhen, anzuführen und zu implizieren, aber es hat keinen Sinn, es in feine Tücher zu wickeln. Vom ersten Moment, da ich gewahr wurde, dass eine Menschengruppe aus Prominenten existierte, hatte ich dazugehören wollen. Wir beten einander missbilligend vor, dass wir in einer Kultur leben, die von dem Gedanken der Prominenz besessen ist; viele Menschen beklagen alltäglich händeringend, wie sehr die Fassade dem Inhalt vorgezogen wird und wie viel mehr der Schein gilt als das Sein. Ruhm zu *begehren* zeugt von einer inhaltsleeren und wahnhaften Einstellung. So viel wissen wir alle. Aber wenn wir Cleveren so klar erkennen, dass der Ruhm eine Falle und Illusion ist, können wir doch wohl ebenso deutlich sehen, dass sich ein Jahr für Jahr wachsender Anteil der westlichen Jugend in seinen Fallstricken verfängt und von seinen Illusionen blenden lässt.

Wir haben das grässliche Bild Tausender vor Augen, die sich so mitleiderregend um die Teilnahme an TV-Talentshows bewerben und deren Nasen unentwegt in grellbunten Promizeitschriften zu stecken scheinen. Wir bedauern und verachten sie wegen ihres begrenzten Blickfeldes. Besonders die weiblichen Teenager sind unserer Ansicht nach Sklaven des Körperbilds und der Modephantasien, sind süchtig nach der Droge Ruhm. Wie kann unsere Kultur nur so kaputt und krank sein, fragen wir uns, dass sie eine Horde von talentlosen Nobodys zu Objekten der Idealisierung erhöht, die weder moralische, spirituelle oder intellektuelle Substanz zu bieten haben und über keine erkennbaren Talente verfügen, außer dass sie klinisch saubere Erotik und unverfängliche Fotogenität spiegeln?

Ich würde die üblichen Gegenargumente aufbieten. Erstens ist das Phänomen längst nicht so neu, wie alle denken. Dass es inzwischen mehr Absatzkanäle, Pipelines, Verfahren und Instrumente zur Übermittlung und zum Erhalt von Nachrichten und Bildern gibt, ist klar, aber man lese einen beliebigen Roman, der im frühen 20. Jahrhundert erschienen ist, und man wird auf ungebildete Frauen stoßen, die in ihrer geringen Freizeit von Filmstars träumen, Tennisspielern, Entdeckern, Rennfahrern und wagemutigen Kunstfliegern. Man findet diese verträumten Verkäuferinnen und versponnenen Hausmädchen bei Evelyn Waugh, Agatha Christie, P. G. Wodehouse und sämtlichen Genre-Autoren dazwischen. Die Neigung, Idole abgöttisch zu verehren, ist nicht neu. Ebenso wenig die wütende Verachtung, die uns jene spüren lassen, die glauben, sie allein wüssten zwischen den falschen und den wahren Göttern zu unterscheiden. Bei der Geschichte der Zehn Gebote war ich stets auf Seiten von Aaron. Mir gefiel das Goldene Kalb. Bunte biblische Bildtafeln für Kinder zeigten es geschmückt mit Blumengirlanden, dazu schwelgerische Götzendiener, die es glückselig umtanzen, ihre Zimbeln schlagend und einander im ungestümen Freudenrausch in die Arme schließend. Die Musik und die Umarmungen galten in den Köpfen der viktorianischen Illustratoren als schlagender Beweis (besonders die Zimbeln) dafür, dass Aarons Gefolgsleute degeneriert, dekadent, verderbt und zur ewigen Verdammnis verurteilt waren. Als die Party schwer in Schwung ist, kehrt Moses mit den albernen Tafeln unterm Arm zurück, schmettert sie bockig zu Boden, schmilzt das Goldene Kalb ein, zermahlt es zu Pulver, mischt es in ein Getränk und zwingt alle Israeliten, davon zu trinken. Obwohl er doch ein so heiliger Mann Gottes ist, lässt er dreitausend Menschen abschlachten, bevor er seinen rachsüchtigen Hintern wieder hinauf auf den Berg Sinai schwingt, um einen zweiten Satz Gebote zu besorgen. Ich denke, wir sollten die Tatsache feiern, dass wir jetzt unter kulturellen Gegebenheiten leben, die, mögen sie auch ihre Mängel haben oder nicht, uns auf den ersten Blick erkennen lassen, dass Aaron womöglich ein charakterschwacher Hedonist sein mag, sein Bruder aber ein gefährlicher Fanatiker ist. Der Goldbulle ist dem Bullshit von der Schuld allemal vorzuziehen, wie man es auch betrachtet. Wir Menschen sind von der Natur prädestiniert, Götter und Helden anzubeten, unsere Pantheons und Walhallas zu errichten. Ich sehe es lieber, dass sich der Bewunderungsdrang auf alberne Sänger, begriffsstutzige Fußballer und hohlköpfige Filmschauspieler richtet als auf dogmatische Eiferer, fanatische Prediger, militante Politiker und verbissen provokante Kulturkommentatoren.

Und gilt nicht zweitens die Lebensregel, dass niemand ganz so dumm ist, wie wir ihn gerne hätten? Sprecher vom anderen Ende des politischen Spektrums sind smarter, als uns lieb ist, irre Mullahs und verrückte Nationalisten sind ganz und gar nicht so stupide, wie wir uns wünschten. Filmproduzenten, obszöne Radiomoderatoren, Journalisten, amerikanische Militärs – alle erdenklichen Leute, die wir meinen, halbwegs zu Recht als geistig bedeutungslos abschreiben zu können, verfügen über ein Ausmaß an Gerissenheit, Durchblick und Verstand, das weit über das hinausgeht, was uns angenehm ist. Diese unbequeme Wahrheit trifft auch auf diejenigen zu, die wir mit unserem gönnerhaften Mitgefühl überschütten. Wenn uns die sozialen Netzwerkdienste des digitalen Zeitalters etwas lehren, dann doch, dass nur ein Narr die Intelligenz, Intuition und kognitiven Fähigkeiten der »Massen« unterschätzen würde. Ich spreche hier von mehr als nur der »Weisheit der vielen«. Wenn man über Trivialitäten hinaussieht wie die verwirrende Unfähigkeit der Mehrheit, zwischen *your* und *you're*, *its* und *it's* und *there*, *they're* und *their* (wobei es bei allen Beispielen um Unterschiede geht, die nichts mit Sprache zu tun haben, sondern nur mit Grammatik und orthographischer Konvention: Schließlich würden Logik und stilistische Konsistenz die Einfügung eines Genitivapostrophs in das Possessivpronomen *its* anregen, aber die Konvention hat beschlossen, vielleicht um eine Verwechslung mit dem elidierten *it is* zu vermeiden, darauf zu verzichten), wenn man also über solche pingeligen Pedanterien hinausblickt, wird man feststellen können, dass es möglich ist, auch als Fan von Reality-TV, Talentshows und Bubblegum-Pop über Verstand zu verfügen. Man wird auch gewahr werden, dass sehr viele Menschen ganz genau wissen, wie albern und kitschig und trivial ihr Verhalten als Fan ist. Sie geben nicht ihren Verstand ab, bevor sie sich auf einer Fan-Site einloggen. *Oh Urteil, du entflohst zum blöden Vieh. Der Mensch ward unvernünftig.* Angesichts all dessen fragt man sich, ob die Heldenverehrung in der Popkultur wirklich die Psyche so schädigt, die kognitiven Fähigkeiten so auffrisst und die Seele der Menschheit so verunreinigt, wie man es uns so oft vorhält.

Drittens sehe man sich die Leute an, die am lautesten wettern, die Promikultur sei kindisch und billig. Möchte man sich wirklich diesen schlaganfallsreifen und aufgeblasenen Langweilern an die Seite stellen? Ich sollte es wissen, denn ich erwische mich oft dabei, auch so einer zu sein, und schön ist das nicht. Ich werde natürlich die Überzeugung verteidigen, dass Mozart, absolut gesehen, von größerem Wert ist als Miley Cyrus, aber wir sollten uns vor unangebrachten Dichotomien hüten. Man braucht nicht zwischen dem einen und dem anderen zu wählen. Man kann beides haben. Der Dschungel menschlicher Kultur sollte so mannigfaltig und vielgestaltig sein wie der Regenwald am Amazonas. Die biologische Vielfalt macht uns reich. Wir mögen vielleicht entscheiden, dass uns ein Puma mehr wert ist als eine Raupe, aber wir können uns doch sicherlich einigen, dass unser Habitat viel dadurch gewinnt, dass es in der Lage ist, beide zu erhalten. Monokulturen sind unbewohnbar öde und enden als Wüsten.

Gegen das alles mag eingewendet werden, dass es bei der Auseinandersetzung nicht um harmlose Idolisierung geht. Das Problem bestehe darin, würden manche einwenden, dass nicht nur jeder der Prominenz huldige, sondern sie auch *für sich selbst anstrebe.* Von den Nutzern selbst ins Netz gestellter Informationsgehalt und die wachsende Beliebtheit von Talentshows und Reality-TV haben eine Generation geprägt, der es nicht mehr reicht, in Fanmagazinen zu blättern, sondern die selbst nach dem Starruhm greifen möchte. Zudem will man auf direktem Wege Ruhm und Reichtum erlangen, ohne lästige Überlegungen anstellen zu müssen oder den Umweg über harte Arbeit oder Pflege des Talents zu nehmen. Nun, wir wissen alle, wie befriedigend es sein kann, die Unzulänglichkeit und Hohlheit anderer anzuprangern – besonders derer, die im Gegensatz zu uns Geld haben und sich in Anerkennung sonnen. Das ist unbestreitbar erfreulicher, als unsere eigenen Unzulänglichkeiten zu beleuchten. Ich nehme mir das Recht, zu sagen, dass wir in einer wohlfeilen Zeit leben, einer Zeit, in der Dinge, die von Wert sein sollten, zu geringem Preis zu haben sind, und Dinge, denen kein Wert innewohnt, zu hoch im Kurs stehen. Aber wer, um Himmels willen, würde auch nur eine Sekunde lang denken, das sei unserer Rasse neu? Jeder, der vertraut ist mit Aristophanes, Martial, Catull, Shakespeare, Jonson, Dryden, Johnson, Pope, Swift ... Sie merken, worauf ich hinauswill. Seit die Menschen ihre Gedanken aufzuzeichnen gelernt haben, ist es schon immer so gewesen, dass man die »falschen Leute« in die höchsten Positionen hat aufsteigen sehen. Die Kaiser, Könige, Aristokraten, die herrschende Klasse, der niedere Adel, die Emporkömmlinge, die Parvenüs und Neureichen, die Finanziers, die Handelsherren und Industriellen, die Künstler, Designer, Literaten, die Elite auf dem Kultursektor, die Schauspieler, Sportler, Fernsehstars, Popsänger und Moderatoren, sie alle sind ungerechterweise in Positionen erhoben worden, die sie nicht verdienen. »In einer gerechten und wohlgeordneten Welt«, klagen die Zornigen, »sollte auch *ich* dort oben sein, aber ich bin zu stolz, um darauf hinzuweisen, also werde ich nörgeln und Giftpfeile schießen und vor Empörung schelten und meine Verachtung für den ganzen Sud zeigen. Aber tief im Innern wünsche ich mir doch Anerkennung. Ich möchte eben zählen.«

Während meiner gesamten Teenagerjahre und noch mit Anfang zwanzig war ich so. Erpicht darauf, berühmt zu werden, aber auch ganz, ganz schnell bereit, wenn ich es nicht schaffen sollte, mit Verachtung diejenigen zu schmähen, die es geschafft hatten. Ich behaupte, dass Menschen wie ich, die vor Ehrgeiz brennen, berühmt und anerkannt zu werden, viel seltener sind, als allgemein angenommen. Ich schätze meinen Bruder Roger und seine Familie als Prüfstein für alles, was vernünftig ist und anständig sowie gesund an Geist und Seele. Sie sind nicht weniger modern und weltoffen als andere Menschen, die ich kenne. Ich erinnere mich – und ich scheine in der Lage zu sein, mir das Bild in gestochen scharfer 3-D-High-Definition-Breitbildschirm-Qualität vor Augen zu rufen – an einen Märchenspielabend in Norwich, als ich sieben war und Roger neun. Buttons trat auf und fragte, ob Jungen oder Mädchen im Publikum seien, die Lust hätten, zu ihm auf die Bühne zu kommen. Roger verkroch sich tief in seinen Sitz, um sich unsichtbar zu machen. Die Vorstellung, dort oben im Scheinwerferlicht den Blicken der Zuschauer ausgesetzt zu sein, war ihm ein Graus. Ich hingegen hüpfte auf und ab und schwenkte hartnäckig die Hand in der Luft, beseelt von dem unbändigen Wunsch ausgewählt zu werden. Zwei Jungen mit einem Altersunterschied von achtzehn Monaten, unter denselben Bedingungen aufgewachsen und von denselben Eltern erzogen. Es gibt, Gott sei Dank, viel mehr Rogers auf der Welt als Stephens.

Vielleicht teilt sich das kindliche Bedürfnis nach Aufmerksamkeit, das ich damals verspürte, eine Herkunft mit meinem kindlichen Verlangen nach Süßigkeiten. Der Wunsch, berühmt zu sein, ist infantil, und die Menschheit hat noch kein Zeitalter erlebt, in dem Infantilismus so sanktioniert und ermuntert wurde wie heute. Infantile Nahrungsmittel in Form von Chips, süßen Sprudelgetränken und pappigen Hamburgern oder Hot Dogs, die in zuckrigen Soßen serviert werden, gelten inzwischen als Hauptnahrung für Millionen von Erwachsenen. Berauschende Drinks, die als Milkshakes und Limonaden getarnt sind, stehen denjenigen zur

Verfügung, deren Geschmacksknospen noch nicht so erwachsen sind, dass sie sich am Geschmack von Alkohol erfreuen können. Wie auf dem Nahrungssektor schaut es auch auf dem Feld der Kultur aus. Alles Herbe, Pikante, Scharfe, Vielschichtige, nicht eindeutig Erkennbare und Schwierige wird zugunsten des Farbenfrohen, Süßen, des Inhaltslosen und Simplen ignoriert. Ich weiß, dass Ruhm für mich als Kind so etwas war wie Zuckerwatte. Sie sah geheimnisvoll aus, aufgebauscht und dramatisch und aufsehenerregend. Ich komme in Versuchung, hier und jetzt zu schreiben, dass der Ruhm sich wie die Zuckerwatte als kaum mehr denn Luft am Stiel erwies und dass der kleine Anteil an Substanz, der ihm eigen ist, widerwärtig süßlich schmeckte, bei mir Übelkeit erregte und sich als zerstörerische Kraft entpuppte, aber ich werde mir solche Gedanken, wenn ich sie wahrlich gehegt habe, für später aufsparen. Ich bin bis zu diesem Punkt in meiner geschilderten Geschichte noch ganz und gar nicht berühmt und kann nicht sagen, wie sich Ruhm anfühlt – nur dass es sich um einen Zustand handelt, nach dem ich mich sehne.

Ich denke, dass tatsächlich nur wenige Menschen wirklich so besessen davon sind, berühmt zu sein, wie ich es war. Die meisten schrecken vor dem Gedanken zurück, möchten bei der Vorstellung, der Öffentlichkeit preisgegeben zu werden, am liebsten in ihrem Sitz versinken. Vielleicht stellen sie sich von Zeit zu Zeit vor, wie es wäre, berühmt zu sein, und malen sich in Gedankenexperimenten aus, im Blitzlichtgewitter auf dem roten Teppich zu flanieren, aber das ist nicht mehr als die ganz normale Phantasievorstellung, als Schlagmann England im Cricket zu vertreten oder in Wimbledon mit einem Volley den Turniersieg zu holen. Die meisten Menschen streben ein ruhiges Leben außerhalb des Lichts der Öffentlichkeit an und besitzen ein gesundes Gespür dafür, wie seltsam der Ruhm sein muss. Sie sind so feinfühlig, die Prominenten nicht alle über einen Kamm zu scheren, weil sie das Verbrechen begangen haben, Popsänger zu sein, Golfer oder Politiker. Die meisten Menschen sind tolerant, verständig, freundlich und rücksichtsvoll. Meistens. Menschen wie ich, zerfressen von Ehrgeiz, brodelnd vor Missgunst, eben noch weißglühend vor Begehrlichkeit und im nächsten Moment verdrießlich vor Frustration und Enttäuschung, wir sind diejenigen, bei denen sich alles um Ruhm und Status dreht, und das beschert uns nichts als Enttäuschung, Ärger und gruselige Panikattacken.

All das zuzugeben ist mir peinlich. Diejenigen, die in meinem Metier zu Hause sind, bekennen sich nicht zu so vulgären, schnöden und würdelosen Sehnsüchten. Ihnen geht es einzig und allein um die *Arbeit*. Wenn diese Arbeit, anders als der Versicherungsjob, die Buchhaltung oder Lehrtätigkeit, ganz zufällig auch Prominenz im Schlepptau hat oder Reichtümer – auch gut. Im Visier hat man das Wildgeflügel namens Leistung; Ruhm und Reichtum sind nur die Federn, mit deren Hilfe es fliegt. Ja, genau. Wir kennen diese erhabenen Grundsätze, ich unterstreiche und unterschreibe sie. Aber das hungrige Kind, das in dem Mann in Tweed versteckt ist, schrie danach, gefüttert zu werden, und wie immer wollte das hungrige Kind etwas, das im Nu sättigte und im Nu belohnte, egal, wie oberflächlich und unaufrichtig es ihn dadurch erscheinen ließ. Oberflächlich und unaufrichtig war ich (und werde es wahrscheinlich immer bleiben), und wenn Sie bis jetzt nicht erkannt haben, wie tiefgründig oberflächlich und aufrichtig unaufrichtig ich bin, dann dürfte ich meinen Job nicht gut erledigt haben.

Arbeit kam massig und rasant. Das Musical, das Filmdrehbuch und haufenweise Aufträge für Artikel und Radiosendungen, zu denen wir schon bald kommen werden. Zweifellos galt ich bei Zeitschriften- und Zeitungsredakteuren, Produzenten für Radio, Fernsehen und Film, bei Regisseuren, bei Auftraggebern und Besetzungsagenten als ein kommender Mann, ein junger Spund, den man für allen Klimbim einsetzen konnte. Aber berühmt war ich nicht. Ab und zu trudelte eine Einladung zu einer Film- oder Theaterpremiere ein, aber ich stellte fest, dass ich total unbehelligt über den roten Teppich spazieren konnte. Ich erinnere mich, dass ich zusammen mit Rowan Atkinson zu irgendeiner Veranstaltung ging, ich glaube, es war die Presseaufführung eines neuen Stücks. Zu hören, wie sein Name von den Fotografen gerufen wurde, und zu sehen, wie sich die Fans seinetwegen gegen die Absperrungen drängten, entfachte heftige Erregung in mir, verbunden mit Verdruss und Wogen wüster Wut darüber, dass niemand, keine einzige Person, *mich* erkannte oder ein Foto von *mir* wollte. Oh, Stephen. Ich habe diesen Satz angeklickt und ausgewählt, ihn gelöscht und wiederhergestellt, gelöscht und abermals wiederhergestellt. Ich würde es wirklich vorziehen, dass Sie nicht erfahren, wie nichtig, verblendet und töricht ich bin, aber wichtiger noch ist die Anerkennung, dass wir diese Abmachung haben. Ich kann nicht für andere sprechen oder mir anmaßen, ihr Innerstes zur öffentlichen Inspektion hervorzukehren, aber ich kann für (und gegen) mich selbst sprechen. Vielleicht war ich die Vorhut für eine neue britische Wesensart: fanatisch ruhmbesessen, unersättlich, oberflächlich, technischen Spielereien verfallen und dezidiert infantil. Vielleicht war ich aber auch, um es etwas freundlicher zu definieren, der lebende Beweis, dass es möglich war, berühmt sein zu wollen *und* die Arbeit zu leisten, dass man den roten Teppich reizvoll finden *und* es ebenso für reizvoll halten konnte, bis in die frühen Morgenstunden bei künstlichem Licht zu barabern und mit echter Freude und Erfüllung Artikel, Skripte, Sketche und Szenarien zu produzieren.

Commercials, Covent Garden, Compact Discs,
Cappuccinos and Croissants – Werbung, Covent Garden,
Compact Discs, Cappuccinos und Croissants

Über die großen Projekte für Film und Fernsehen hinaus trudelten weitere Arbeitsangebote aller möglichen Art ein. Lo Hamilton von Noel Gay Artists sortierte sie und reichte sie weiter. Ich glaube, ich wusste sehr wohl, dass mir die Möglichkeit offenstand, mich zu verweigern, abzulehnen oder um nähere Informationen zu ersuchen, aber ich kann mich nicht erinnern, das jemals getan zu haben. Wenn ich auf jene Zeit zurückschaue, kommt sie mir vor wie ein Paradies, in dem die Auswahlmöglichkeit riesig war und ohne Druck und der Reiz des Neuen groß und ohne Nervenkrise. Alles war so fantastisch neu, aufregend, schmeichelhaft und reizvoll.

Manchmal gemeinsam und manchmal getrennt fanden Hugh und ich Einlass in die Welt der Studiosprecher. Keiner von uns beiden besaß schon die stimmliche Ausdruckskraft, die uns zur Chance verholfen hätte, mit dem wirklich sexy Teil der Arbeit betraut zu werden, dem Schlusssatz – jenem abschließenden

Slogan, der gewöhnlich die Domäne der massiv rauchenden und trinkenden Fünfzigjährigen wie des legendären Bill Mitchell blieb, dessen Stimmbänder für jene volltönende und gebieterische Resonanz sorgten, mit deren Hilfe der Auftraggeber seine Werbebotschaft überzeugend an den Konsumenten brachte, oder die Spielwiese der Vokalzauberer wie Martin Jarvis, Ray Brooks, Enn Reitel und Michael Jayston, die so sehr gefragt waren, dass sie kleine Pager am Gürtel trugen, damit ihre Agenten sie auf schnellstem Wege von Job zu Job dirigieren konnten. Ich erinnere mich daran, wie David Jason, auch einer dieser vielbeschäftigten und talentierten Stimmkünstler, mir zeigte, wie diese Pager funktionierten. Allein mit einem Piepslaut signalisierten sie, dass der Agent auf einen Anruf wartete. Ich war schwer beeindruckt. Eines Tages, sagte ich mir, würde auch ich ein solches Objekt besitzen und ewig hüten wie einen Schatz. Irgendwo hab ich eine Schublade, in der mindestens ein Dutzend alte Pager unterschiedlichsten Designs und vielfältiger Farbgebung liegen. Keiner von ihnen wurde wie ein Schatz gehütet: Sie wurden so gut wie nie benutzt.

Bei unserem Anfängerniveau als Studiosprecher wurden Hugh und ich gewöhnlich engagiert, die albernen Sprüche von Comedyfiguren für die Radiowerbung vorzutragen, ein blühender neuer Geschäftszweig, der sich die zunehmende Verbreitung unabhängiger Sender zunutze machte, die während der frühen achtziger Jahre überall in Großbritannien dank der Lizenzverträge der »zweiten Tranche« wie Pilze aus der Erde schossen. Es ist sehr verlockend, auf eine Zeitspanne zurückzublicken und sich einzubilden, dass sie eine glückliche war, aber ich glaube wirklich, dass wir es damals waren.

Das Leben in der gläsernen Kabine war simpel, wartete aber auch mit netten Herausforderungen auf. Oft drückte ein Toningenieur oder Produzent auf die Kommunikationstaste und sagte etwas wie: »Ja, das war zwei Sekunden drüber. Könnt ihr's noch mal machen und drei Sekunden runterhobeln, aber nicht schneller werden?« Diese Art anscheinend absurden Ansinnens ergibt nach einer Weile durchaus Sinn, und Hugh und ich waren sehr stolz, schon bald damit umgehen zu können. Im Gehirn tickt eine innere Uhr, so dass wir schon nach kurzer Zeit beide sagen konnten: »Das war doch voll drauf, oder? Vielleicht eine halbe Sekunde drunter?«, oder: »Verdammt, das waren mindestens fünfunddreißig, wir machen's noch mal …«, und wenn der Ingenieur es abspielte und mit seiner Stoppuhr überprüfte, erwies sich, dass wir genau richtig lagen. Eine banale Fähigkeit, deren stolzer Erwerb manche als Verschwendung einer teuren Eliteerziehung ansehen dürften, aber wie ich gesagt habe, wir waren glücklich. Wieso ich das weiß? Nun, wir sprachen es aus. Wir wagten tatsächlich, es zu sagen.

In jenen Tagen waren wir meistens in den Studios von Angell Sound in Covent Garden zu finden, gegenüber vom Bühneneingang des Royal Opera House. Wenn Hugh und ich nach einer Aufnahmesession ins Freie traten, blinzelten wir ins helle Tageslicht, sagten nur »Oberhemd«, gingen in südwestlicher Richtung die Floral Street entlang und überquerten die James Street, um zu Paul Smith's zu gelangen. Zu jener Zeit befand sich dort der einzige Londoner Stützpunkt des großen Designers. Vielleicht hatte er ein Geschäft in seinem Geburtsort Nottingham, aber die Filiale in der Floral Street war definitiv die einzige in London. Wie David

Jason ist er inzwischen zum Ritter geschlagen worden, aber damals setzte Paul Smith gerade erst dazu an, sich als Designer der Wahl für Männer einen Namen zu machen, denen man kurz darauf das Etikett »Yuppie« verpasste. Anders als das des Yuppies ist sein Ansehen ruinösem Rufmord nicht zum Opfer gefallen. In den frühen bis mittleren achtziger Jahren machten sich die in der Folgezeit des »Big Bang« neureich gewordenen Schichten und eben zum Selbstbewusstsein erwachten Angehörigen gehobener Berufe bemerkbar und verlangten lauthals nach schicken Socken und Hemden, nach Croissants und Kaffee mit aufgeschäumter Milch sowie nach – Gott stehe uns allen bei! – auffälligen Zahnklammern. Ich nehme an, Hugh und ich zählten zu einer Untergruppe dieser neuen Kategorie.

Ich erinnere mich genau, dass wir eines Morgens, als wir aus Angell's herauskamen, ein Gespräch führten, das ungefähr so geklungen haben muss:

»Gütiger Himmel, ist das ein Leben.«

»Wir haben aber auch ein verdammtes Glück.«

»Zwanzig Minuten in einem Studio, keine Minute länger.«

»Kein Geld ist leichter verdient … und verdienter!«

»Wir sollten uns zur Feier des Tages ein Hemd kaufen.«

»Wir sollten zur Feier *jeden Tages* ein Hemd kaufen.«

»Und dann vielleicht noch eine CD oder zwei.«

»*Auf jeden Fall* eine CD oder zwei!«

»Und dann vielleicht einen Kaffee und ein Croissant.«

»*Unbedingt* Kaffee und Croissant.«

»Ich wette, wir werden auf diese Tage als die besten unseres Lebens zurückblicken!«

»Wenn wir alt sind, fett, verbittert und depressive Alkoholiker, werden wir uns an die Zeit erinnern, als wir kurz mal in ein Tonstudio gegangen sind und schon bald wieder herausgeschlendert kamen und uns anschließend ein Oberhemd und eine CD gekauft und in einem Café einen Cappuccino und ein Croissant gegönnt haben.«

Bis jetzt haben wir es nicht zu Alkoholikern gebracht, und Hugh ist keinen Tag lang dick gewesen. Ich bin nicht sicher, ob wir verbittert sind, aber wir sind zweifellos ältlich, und ich glaube, jeder von uns beiden würde einräumen, dass die Einsicht, wahrscheinlich nie wieder so glücklich zu sein, zutreffend war. Wir können tatsächlich zurückblicken und erklären, dass es perfekte Tage waren. Augenblicke äußerst tief empfundener Liebe und Elternfreude sowie des Hochgefühls über eine Errungenschaft mögen dem einen oder anderen von uns beschert werden oder bereits beschert worden sein, aber niemals wieder sollten wir eine solche Zeitspanne chronischen Wohlbehagens erleben. Uns mangelte es an nichts, wir bauten uns langsam unseren Ruf auf, und wir verdienten Geld, ohne von Status und Reichtum erdrückt zu werden. Das Leben meinte es gut. Das Ungewöhnliche daran ist jedoch, dass wir uns dessen damals bewusst waren. Wer einem Schulkind erzählt, dass es irgendwann auf die Schulzeit als die beste seines Lebens zurückschauen wird, dem wird es nur einen finsteren Blick schenken oder höchstens noch mitteilen, dass er dummes Zeug quatsche.

London empfand ich als außerordentlich aufregend. Die CDs, Cappuccinos und Croissants waren der Gipfel der Weltläufigkeit und symbolisch für den weitreichenden gesellschaftlichen und politischen Umbruch, der sich abzeichnete. Den Prozess der Gentrifizierung, der bereits dafür gesorgt hatte, dass heruntergekommene Teile von Islington und Fulham neu gestaltet wurden, bezeichneten jene, die mit Besorgnis dem entgegenblickten, was sich anbahnte, verächtlich als »Croissantification«. Der Falklandkrieg hatte Margaret Thatcher von der unpopulärsten Premierministerin seit fünfzig Jahren zur populärsten seit Churchill gemacht. Eine Woge des Patriotismus und des neuen Selbstbewusstseins brandete in der Politik auf. Sie sollte schon sehr bald zu einem Tsunami des demonstrativen Konsums der Glücklichen werden, die auf dem Kamm der Welle ritten, und eine Sintflut der Verschuldung und Entbehrung für die Opfer der »harschen Realitäten des Marktes«, wie Keith Joseph und die Anhänger von Milton Friedman den Kollateralschaden des Monetarismus gerne nannten. Ich wünschte, ich könnte sagen, dass ich zu jener Zeit politisch wachsamer, zorniger oder auch nur interessierter gewesen wäre. Nächte mit vielen Zigaretten und viel Alkohol oben in der Bar des Midland Hotel zusammen mit Ben Elton hatten schon viel dazu beigetragen, mir allmählich die instinktive Aversion gegenüber der Labour-Partei und mein Grauen vor ihr zu nehmen; die pure Impertinenz und die lieblos erbärmliche Geisteshaltung von Margaret Thatcher und so vieler ihrer Minister machten es schwer, auch nur die geringste Zuneigung oder Bewunderung für sie aufzubringen, aber mein Blick war zu fest auf mein Inneres und auf die günstigen Gelegenheiten gerichtet, die sich mir boten, als dass ich an irgendetwas anderes hätte denken können. Wenn ich mir jedoch zu viel Asche aufs Haupt streute und mich zu drastisch schämte für das unauffällige und lässliche Versagen eines so jungen Menschen, würde es nicht gerade überzeugend wirken. Nach den Teenagerjahren, die ich durchgemacht hatte, mag ich mir nur ungern vorwerfen, dass ich mich an den Früchten labte, die mir das Leben aus seinem Füllhorn spendete.

Crystal Cube – Kristallwürfel

Zusätzlich zu den individuellen Aufgaben, die sich mir boten – das Musical, der Film und das Angebot einer Rolle in *Forty Years On* –, hatten Hugh und ich uns vorgenommen, weiterhin gemeinsam zu schreiben und aufzutreten. Ungeachtet der Dämpfer, die Bens überbordende Schaffenskraft unserem Selbstvertrauen versetzt hatte, hofften wir weiterhin (und glaubten es auch irgendwo in unserem Inneren), dass wir in der Comedy eine Zukunft hätten. Und entsprechend schickte uns Richard Armitage zu einem Termin bei der BBC.

In jenen Tagen war das Haus der Leichten Unterhaltung in zwei Abteilungen gegliedert: Comedy und Variety. Sitcoms und Sketch-Shows segelten unter der Comedy-Flagge, und Programme wie *The Generation Game* und *The Paul Daniels Magic Show* zählten zu Variety. Der Chef der Leichten Unterhaltung war ein vergnüglicher, rotgesichtiger Mann, den man leicht für einen der Redcoats aus Butlins Ferienlagern oder das Vorbild für einen bierseligen Ehemann auf einer der frivolen Postkarten von Donald McGill hätte halten können. Er hieß Jim Moir, zufällig auch der wahre Name von Vic Reeves, aber der hatte zu jener Zeit, irgendwann 1983, noch nicht von sich reden gemacht. Hugh und ich hatten Jim Moir bereits beim Cricket-Wochenende in Stebbing kennengelernt. Dort hatte er mit dem sicheren Timing eines Conferenciers aus Blackpool gesagt: »Darf ich Ihnen meine Frau vorstellen, aber lachen Sie nicht.«

Hugh und ich wurden in sein Büro geleitet. Er ließ uns auf einem Sofa gegenüber seinem Schreibtisch Platz nehmen und fragte, ob wir Comedy-Pläne hätten. Nur hätte er das nicht so einfach gefragt, sondern wahrscheinlich so was gesagt wie: »Zieht euch aus und zeigt mir eure Schwänze«, denn das war eigentlich seine Art, zu fragen: »Worüber möchten Sie denn reden?« Jim benutzte immer wieder liebend gern anschauliche und verblüffende Metaphern erstaunlich gewagter Art. »Wichsen wir auf den Tisch, mischen unseren Saft und schmieren wir ihn uns gegenseitig auf die Bäuche«, hätte seine Formulierung der Frage »Wollen wir zusammenarbeiten?« lauten können. Ich hatte immer angenommen, dass er nur mit Männern so sprach, aber vor nicht langer Zeit bestätigten Dawn French und Jennifer Saunders, dass er auch ihnen mit seiner Ausdrucksweise Tränen in die Augen getrieben hatte. Ben Elton kreierte und Mel Smith spielte schließlich, orientiert an dem Vorbild Jim Moir, einen fiktiven Chef der Leichten Unterhaltung namens Jumbo Whiffy in der Sitcom *Filthy Rich & Catflap*. Ich hoffe, Sie bekommen durch meine Beschreibung seiner Ausdrucksweise keinen falschen Eindruck von Moir. Menschen wie er werden schnell unterschätzt, aber mir ist von niemandem, der mit ihm zusammengearbeitet hat, je ein schlechtes Wort zu Ohren gekommen. In den vergangenen vierzig Jahren hat die BBC keinen gewiefteren, fähigeren, loyaleren, ehrbareren und erfolgreicheren leitenden Angestellten gehabt und ganz gewiss keinen mit einer so ausschweifenden verbalen Phantasie.

Hugh und ich waren nach dem Treffen ziemlich

sprachlos, aber auch ausgestattet mit einem Auftrag. John Kilby, der bei *The Cellar Tapes* Regie geführt hatte, würde die Pilotshow inszenieren und produzieren, die wir jetzt zu schreiben hatten. Wir entwickelten eine Serie, die den Titel *The Crystal Cube* tragen sollte, eine pseudoernsthafte Magazinsendung, die in jeder Ausgabe das eine oder andere Phänomen behandeln würde: Woche für Woche würden wir »durch den Kristallwürfel gehen«. Hugh, Emma, Paul Shearer und ich waren die Stammbesetzung, und wir würden über ein Ensemble von recht regelmäßig auftretenden Gastdarstellern verfügen, die andere Rollen spielten.

Während wir in Manchester *Alfresco* drehten, begannen wir in unserer Freizeit damit, das Skript abzufassen. Da wir uns nicht mehr genötigt fühlten, mit Bens unnatürlich produktiver Potenz zu wetteifern, produzierten wir das Buch in einer nach unseren Maßstäben rekordverdächtigen Zeit, die von Ben jedoch als unerträgliche Schreibblockade angesehen worden wäre. Das Buch war ziemlich gut. Ich denke, ich darf das sagen, obwohl sich die BBC entschloss, keine Serie in Auftrag zu geben: In Anbetracht dessen und meines archetypischen britischen Stolzes auf Scheitern wird es kaum als angeberisch wirken, wenn ich sage, dass ich zufrieden war. Irgendwo auf YouTube ist es da draußen zu finden, so gut wie alles andere auch. Sollten Sie es aufspüren, werden Sie feststellen, dass während der ersten vierzig Sekunden nichts zu hören ist, es aber bald danach besser wird. Auffallen dürfte Ihnen, dass, abgesehen von den technischen Peinlichkeiten, auch, was die Komik betrifft, eine ganze Menge nicht stimmt. Wir waren unbeholfen, jung und auch oft unfähig, aber nichtsdestoweniger gibt es da einige unbestreitbar gute Ideen, die an Licht und Luft drängen. John Savident, inzwischen wohlbekannt für seine Auftritte in *Coronation Street*, gibt einen großartigen Bischof von Horley, Arthur Bostrom, der später in *'Allo 'Allo* den mit bizarrem Akzent ausgestatteten Officer »Good moaning« Crabtree spielte, trat in der Gastrolle eines exquisit dämlichen genetischen Versuchsobjekts auf, und Robbie Coltrane verkleidete sein wie gewöhnlich makelloses Selbst als absurd übertriebenen machomäßigen Filmemacher.

Wenn ich enttäuscht, bestürzt oder beschämt war, weil die BBC entschieden hatte, *The Crystal Cube* nicht ins Programm zu nehmen, so gebot mir doch der Stolz, es nicht zu zeigen. Außerdem gab es eine Menge Comedy und sonstige Jobs, die sich mir eröffneten. Einer davon war die Zusammenarbeit mit Rowan Atkinson an einem Drehbuch für David Puttnam. Es ging um eine englische Version von *Die Ferien des Monsieur Hulot*, in der Rowan, ein Argloser auf Reisen, feststellen musste, dass er unwissentlich in eine Art Kriminalkomödie geraten war. Die Figur war im Grunde bereits Mr Bean, wenn auch zehn Jahre zu früh.

Zwischen meinen Besuchen in Manchester, wo wir *Alfresco 2* aufzeichneten, fuhr ich zu Rowan und seiner Freundin Leslie Ash nach Oxfordshire. Ich muss gestehen, dass ihr Haus für mich ein prächtiges Symbol dafür war, was man sich mit Hilfe von Comedy leisten konnte. Der Aston Martin in der Auffahrt, die Glyzinien, die am mürben Mauerwerk der georgianischen Fassade emporwuchsen, das Cottage auf dem Grundstück, der Tennisplatz, die Rasenflächen und Obstgärten, die sich bis hinunter an den Fluss erstreckten – all das wirkte auf mich so phantastisch grandios, so ungeahnt erwachsen und so unerreichbar.

Wir saßen im Cottage, und ich tippte auf dem BBC Micro, das ich mitgebracht hatte, mit dem Finger den Takt. Wir verfassten eine Szene, in der ein französisches Mädchen Rowans Figur einen Zungenbrecher beibringt: »Dido dined, they say, of the enormous back of an enormous turkey«, was sich auf Französisch anhört wie »Dido dinâ, dit-on, du dos dodu d'un dodu dindon«. Rowan probte die Bean-ähnliche Figur, die sich ernsthaft an dem Zungenbrecher versuchte. Wir beschlossen, dass er in jedem handlungslosen Moment des Films, der sich ergab, zur Verwirrung der Umgebung sein »doo doo doo doo doo« übte. Mehr weiß ich nicht mehr von jenem Film, der im Laufe der nächsten paar Monate heimlich, still und leise im Sande verlief, wie es 99 Prozent aller Filmprojekte tun. Inzwischen beanspruchte der Journalismus immer mehr von meiner Zeit.

Columnist — Kolumnist

Großbritanniens Zeitschriftenindustrie erlebte von Anfang bis Mitte der achtziger Jahre eine Blütezeit. *Tatler*, *Harper's & Queen* und die wieder ins Leben gerufene *Vanity Fair*, als »Princess Di«-Presse zu bezeichnen, stillten den Informationshunger, was das Treiben der Sloane Rangers betraf, den Stil ihrer Kücheneinrichtungen, ihre Landhäuser und die Gästelisten ihrer Partys. *Vogue* und *Cosmopolitan* standen bei den Modebewussten und sexuell Versierten hoch im Kurs, *City Limits* und *Time Out* verkauften sich überall, und Nick Logans *The Face* dominierte die Jugendmode und trendige Stile aller Art zu einer Zeit, als es noch trendig war, das Wort »trendy« zu benutzen. Ein paar Jahre später bewies Logan, dass auch Männer Hochglanz-Illus lesen, als er das *avant-la-lettre* metrosexuelle *Arena* gründete. Für dieses Magazin schrieb ich eine Reihe von Artikeln, dazu Literaturbesprechungen für den inzwischen eingestellten *Listener*, die Wochenzeitschrift der BBC.

Als ich zum *Listener* kam, war Russell Twisk dort Chefredakteur. Für jemanden mit einem Nachnamen von so unübertrefflicher Schönheit hätte ich auch Artikel geschrieben, wäre er Chef des *Satanic Child-Slaughter Monthly* gewesen. Seine Literaturredakteurin war Lynne Truss, die später als Autorin von *Eats, Shoots and Leaves* zu großem Ruhm kam. Ich kann mich nicht erinnern, je unter ihrem eigenartigen Konzept »Null Toleranz bei Interpunktion« gelitten zu haben; vielleicht hat sie meine Manuskripte korrigiert, ohne mich darüber zu informieren.

Einige Zeit später wurde Twisk durch Alan Coren ersetzt, der seit seinen Tagen als Chefredakteur von *Punch* einer meiner Helden gewesen war. Er schlug vor, dass ich statt der Buchkritiken eine regelmäßige Kolumne schrieb, und ungefähr ein Jahr lang lieferte ich wöchentlich einen Artikel zu einem beliebigen Thema, das sich mir anbot.

Inzwischen hatte ich mir ein Faxgerät angeschafft. Während des ersten Jahres oder so in meinem Besitz stand dieses neue und hinreißende Wunderwerk der Technik ungeliebt und unbenutzt auf meinem Schreibtisch. Ich kannte niemanden sonst, der ebenfalls eins besaß, und daher hatte das arme Ding keinen Korrespondenzpartner. Die einzige Person im Bekanntenkreis zu sein, die über ein Faxgerät verfügt, ist ein wenig so, als sei man der einzige mit einem Tennisschläger ausgestattete Mensch, den man kennt.

Eines Tages (ich schalte in Schneller Vorlauf, denn hier scheint mir der richtige Platz für diese Story zu sein) rief mich Mike Ockrent an. *Me and My Girl* wurde inzwischen im West End gespielt, und wir alle hatten mit großer Begeisterung vernommen, dass Stephen Sondheim und Hal Prince es sich angesehen und in einem Brief an Mike ihre Bewunderung ausgedrückt hatten.

»Ich habe Sondheim erzählt, dass du ein Faxgerät hast«, sagte Mike.

»Richtig.« Ich war mir nicht sicher, was ich mit seinen Worten anfangen sollte. »Verstehe … äh … wieso denn eigentlich?

»Er hat mich gefragt, ob ich jemanden kenne, der eins hat. Du warst der Einzige, der mir eingefallen ist. Er wird dich anrufen. Geht das in Ordnung?«

Dass Stephen Sondheim, Texter von *West Side Story*, Komponist von *Sunday in the Park with George*, *Merrily We Roll Along*, *Company*, *Sweeney Todd* und *A Little Night Music*, mich anrufe, sei, nun ja, im Grunde eigentlich ganz in Ordnung, versicherte ich Mike. »Worum geht es denn genau?«

»Ach, das wird er dir erklären …

Du liebe Zeit … Gütiger Gott im Himmel! Er wollte, dass ich das Buch für sein nächstes Musical schrieb! Was sonst sollte es sein? Heiliger Strohsack. Stephen Sondheim, der größte Songschreiber/Texter seit Cole Porter, würde mich anrufen. Seltsam, dass ihn mein Faxgerät interessierte. Vielleicht stellte er sich vor, dass wir auf diese Weise zusammenarbeiten könnten. Ich faxe ihm Dialoge und Story-Entwicklung rüber, und er faxt mir seine Gedanken und Verbesserungen zurück. Wenn ich es mir recht überlegte, war es eigentlich eine wundervolle Idee, die einer Zusammenarbeit ganz neue Wege eröffnete.

Abends klingelte das Telefon. Ich wohnte in Dalton in einem Haus, dass ich mir mit Hugh und Katie teilte, und hatte sie vorgewarnt, dass ich die ganze Nacht am Telefon sitzen würde.

»Hi, ist da Stephen Fry?«

»A-a-am Telefon.«

»Hier ist Stephen Sondheim.«

»Richtig. Ja, natürlich. Wow. Ja. Es ist mir ... ich bin ...«

»He, ich möchte Ihnen zu dem guten Job gratulieren, den Sie an dem Buch von *Me and My Girl* geleistet haben. Tolle Show.«

»Oh, Mann. Vielen Dank. Das aus Ihrem Mund, also das ist ...«

»Gut. Hören Sie, man hat mir gesagt, dass Sie ein Faxgerät besitzen?

»Ja. Tue ich. Sicher. Ja, ein Brother F120. Äh, nicht dass es auf die Modellnummer ankommt. Gar nicht, nein. Aber ja. Ich habe eins. Wahrhaftig. Mhm.«

»Sind Sie an diesem Wochenende zu Hause?«

»Äh, ja, ich glaub schon ... ja, bin ich.«

»Abends, und auch noch spät nachts?«

»Ja.«

Langsam wurde es sonderbar.

»Okay, folgendermaßen. Ich habe ein Haus auf dem Land, und es macht mir Spaß, Schatzsuchen zu veranstalten und ähnliche Spiele. Sie wissen schon, mit verzwickten Hinweisen?«

»Ja ... ha ...«

»Und ich hab mir gedacht, wie toll es wäre, einen

Hinweis zu haben, der nur aus einer langen Nummer besteht. Ihre Faxnummer? Und wenn die Leute die Antwort bekommen, werden sie sehen, dass es eine Nummer ist, und vielleicht kommen sie ja darauf, dass es eine Telefonnummer ist, und rufen an. Aber sie kriegen nur diesen *Ton*. Sie wissen schon, der Ton, den ein Faxgerät macht?«

»Ja ...«

»Sie werden es hören und denken: ›Was war denn das?‹ Aber einer von ihnen wird vielleicht wissen, dass nur ein Faxgerät solche Töne macht. Wenn er zum Beispiel im Büro eins hat oder so. Und der sagt: ›He, das ist ein Faxgerät. Also werden wir ihm vielleicht eine Nachricht schicken müssen. Auf einem Stück Papier.‹ Und sie werden Ihnen einen Hilferuf per Fax schicken.«

»Und was mache ich dann?«

»Ich sag es Ihnen: Im Voraus werde ich den nächsten Hinweis gefaxt haben. Wenn die Ihnen also faxen und um Hilfe bitte, faxen Sie ihnen diesen Hinweis zurück. Verstehen Sie?«

»Ja, ich glaube schon. Sie schicken mir ein Fax mit dem nächsten Hinweis. Dann warte ich Sonnabend nachmittags am Faxgerät ...«

»Abends und nachts. In Connecticut wird es Nachmittag sein, aber in London ist es dann bereits neun, zehn, vielleicht sogar elf Uhr. Sie gehen auf keinen Fall aus?«

»Nein, nein.«

»Es ist nämlich von *entscheidender* Bedeutung, dass Sie die ganze Zeit zu Hause sind und auch in der Nähe des Faxgerätes, damit Sie hören, wenn es anspringt.«

»Absolut. Ich werde da sein. Also, lassen Sie mich

noch einmal wiederholen, damit ich sicher sein kann, dass ich alles richtig verstanden habe. Sonnabend warte ich abends am Faxgerät. Wenn ich ein Fax bekomme, in dem nach einem Hinweis gefragt wird, schicke ich, was immer Sie mir vorher gefaxt haben, an Ihre Faxnummer in Connecticut?«

»Richtig. Ist das nicht toll? Es wird die erste Fax-Schatzsuche aller Zeiten sein. Aber Sie *müssen* auch den ganzen Abend am Telefon ausharren. Machen Sie das?«

»Ich werde da sein. Ich werde da sein.«

»O. k. Ich gebe Ihnen meine Faxnummer. Die sollte natürlich ohnehin oben auf dem Fax stehen, aber ich gebe sie Ihnen trotzdem. Und ich brauche Ihre Faxnummer.«

Wir tauschten die Nummern aus.

»Danke Ihnen, Stephen.«

»Nein, ich danke Ihnen, Stephen.«

Zwischen diesem Anruf und Sonnabend rief er noch vier oder fünf Mal an, um sicherzugehen, dass ich meine Pläne nicht geändert hatte und immer noch mit Freuden darauf wartete, neben meinem Faxgerät sitzen und der Dinge harren zu können, die da kamen. Gegen vier Uhr nachmittags am Sonnabend erhielt ich ein Fax von ihm. Darauf war ein unergründliches Diagramm zu sehen, neben dem eine Art Code geschrieben stand.

Ich faxte die Bestätigung zurück, dass ich den Hinweis erhalten hatte und ihn sofort faxen würde, sobald ich eine Anfrage von einem der Teilnehmer an seiner Schatzsuche erhalten hatte.

Die nächsten fünf Stunden saß ich mit gespitzten Ohren und einem Buch in der Nähe des Geräts. Ich bildete mir zwar immer noch ein, dass Sondheim mich möglicherweise bitten könnte, an seinem nächsten Musical mitzuarbeiten, aber der Gedanke, dass er nichts als mein technisches Spielzeug von mir wollte, ließ sich nicht völlig ausschließen.

Irgendwann vor zehn läutete das Faxgerät. Ich legte mein Buch zur Seite. Ich erinnere mich sehr gut: *Atlas wirft die Welt ab* von Ayn Rand, so grauenhaft, dass man es nicht aus der Hand legen konnte. Ich sah auf das Faxgerät, als es auf den Anruf reagierte. Der schrille Schrei brach ab. Der Anrufer hatte aufgelegt. Ich stellte mir einen Garten in New England vor, darin eine übermütige Gruppe von Sondheim-Freunden.

»Wie komisch! Es war nur dieses schreckliche Zwitschern zu hören.«

»Oh! Oh! Oh! Ich weiß, was das ist. Ein Faxgerät.«

»Ein was?«

»Ihr *wisst* doch? Um Dokumente zu senden? Stephen hat eins davon in seinem Arbeitszimmer. Ich bin sicher, dass ich da eins gesehen habe. Gehen wir mal hin. Meine Güte, was für ein Jux!«

Ich zählte die Minuten, während die Bande sich (zumindest in meiner Phantasie) in Stephens Arbeitszimmer trollte, wo er auf dem Kaminsims seine Tonys aufgereiht hatte. Und ich stellte mir vor, dass auf eben dem Flügel, an dem er »Send in the Clowns« komponiert hatte, in silbernen Rahmen signierte Fotos von Lenny Bernstein, Ethel Merman, Oscar Hammerstein und Noël Coward standen.

Im selben Moment, als ich mich fragte, ob ich mir vielleicht ein falsches Bild gemacht hatte, erwachte mein Fax kreischend wieder zum Leben. Diesmal kam es über den Großen Teich hinweg zu einem Händedruck, und ein Fax kroch hervor. Ich riss es ab, und da auf dem sich rollenden Thermopapier war ein gekritzeltes »Hi! Haben Sie etwas für uns?« zu lesen.

Pflichtbewusst legte ich das Fax ein, das Sondheim mir gesendet hatte, wählte die Nummer und drückte auf »Senden«.

Ein fröhliches »Danke schön!« kam ein paar Minuten später zurück.

Um drei Uhr nachts wachte ich auf, *Atlas wirft die Welt ab* auf dem Schoß. Das Faxgerät wartete untätig auf weiteren Verkehr.

Eine Woche später traf eine Kiste Haut-Batailley-Bordeaux mit knappen Worten des Danks von Stephen Sondheim ein.

> Die Schatzsuche war ein Riesenerfolg. Nicht zuletzt auch dank Ihrer freundlichen Teilnahme.
> Vielen Dank,
> Stephen

Nicht die geringste Andeutung eines Aufrufs zur Zusammenarbeit. Ich warte bis heute darauf.

Als Alan Coren Chefredakteur des *Listener* wurde, gehörten Faxgeräte bereits zur allgegenwärtigen Grundausstattung, und es war nichts Besonderes, dass ich meine Manuskripte auf diese Weise übermittelte, ohne die Büros in der Marylebone High Street Monat für Monat zu besuchen. Bei meinem nächsten Kampf, sieben oder acht Jahre später, sollte es darum gehen, Zeitungsredaktionen und Sendeanstalten zu veranlassen, sich ins Internet einzuloggen und E-Mail-Adressen anzulegen, aber das ist eine ganz andere Geschichte für ein ganz anderes Buch für eine ganz andere Leserschaft.

Die vielleicht stilvollste und verführerischste Gestalt in der Zeitschriftenwelt Londons jener Tage war der Karikaturist, Chefredakteur und stadtbekannte Flaneur Mark Boxer. Unter dem Pseudonym »Marc« hatte er die Umschlagseiten aller zwölf Bände des Romanzyklus *A Dance to the Music of Time* illustriert. Sie standen auf meinem Bücherbord neben der Romanreihe *Alms for Oblivion* von Simon Raven (die ich bevorzugte und immer noch bevorzuge). In den sechziger Jahren hatte Boxer für *The Sunday Times* Geburt und Leben des ersten vierfarbigen Beilagemagazins einer Zeitung begleitet und war jetzt Chefredakteur des *Tatler*. Eines Tages zwischen Mitte und Ende der Achtziger bekam ich einen Brief von ihm mit der Bitte, ihn in seinem Büro anzurufen.

»Ach ja, Stephen Fry. Wie geht's? Lassen Sie sich von mir zum Lunch einladen. Morgen bei Langan's?«

Ich hatte von Langan's Brasserie gehört, war aber noch nie dort gewesen. Gegründet von Peter Langan, Richard Shepherd und dem Schauspieler Michael Caine, hat es sich den Ruf erworben, eines der glamourösesten und exzentrischsten Restaurants Londons zu sein. Für den Glamour sorgten die Kunstsammlung, die Speisekartengestaltung von Patrick Procktor und die alltägliche Anwesenheit von Filmstars, Aristokraten und Millionären; die Exzentrizität lieferte Peter Langan persönlich. Der wegweisende Gastronom, ein irischer Alkoholiker unberechenbarer Launenhaftigkeit, war berüchtigt dafür, dass er Gäste, die aus unerfindlichen Gründen seine Missbilligung erregten, beleidigte, Rechnungen derjenigen zerriss, die sich zu beschweren wagten, Zigaretten in ihrem Salat ausdrückte und die Gäste aus dem Lokal warf. Eine Flasche Krug in der einen und eine Zigarette oder Zigarre in der anderen Hand, schwankte er von Tisch zu Tisch, freudestrahlend und blaffend, grinsend und grummelnd, manche umarmend, andere umrempelnd. Das Essen war gut, wenn auch nicht großartig, die Atmosphäre magisch, und das Erlebnis, wenn Peter da war, unvergesslich. Don Boyd erzählte mir, dass seine Frau Hilary eine Nacktschnecke in ihrem Salat gefunden hatte. Als Peter, von Schluckauf heimgesucht, an ihrem Tisch vorüberwankte, hielt Don ihn an und deutete auf den unwillkommenen Bauchfüßler im Grünzeug seiner Frau.

In der Taille einknickend, beugte sich Peter tief vor, um den Teller zu inspizieren.

»Vielen Dank auch«, sagte er und ergriff die pulsende lebende Nacktschnecke mit Daumen und Zeigefinger. »Seien Sie sehr bedankt, Herzchen.« Er ließ die Schnecke in sein Glas Champagner fallen, kippte es sich hinter die Binde und rülpste. »Wie eine schön saftige Schnecke, aber ohne das störende Gehäuse. Scheißköstlich.«

Ich kam früh, wie ich es bei Verabredungen stets zu tun pflege, und wurde nach oben geführt. Mark traf auf die Minute pünktlich ein.

»Hoffe, Sie haben nichts dagegen, hier oben zu sitzen«, sagte er. »Für den Fall, dass Peter umherstreicht, sind wir ungestörter. Kennen Sie ihn?«

Ich gestand, ihn nicht zu kennen.

»Belassen Sie es dabei«, sagte Mark.

Boxer war ein attraktiv aussehender Mann von ungefähr fünfzig, nehme ich an, aber jugendlich auf sprühende, beinahe elfenhafte Weise. Verheiratet war er mit Anna Ford, der Nachrichtensprecherin und Mitbegründerin von TV-AM. Während der ersten beiden Gänge gab sich Mark charmant, witzig und unverbindlich, als sei der Grund für unser gemeinsames Mittagessen rein privat. Er fesselte mich mit Geschichten über seine Zeit in Cambridge.

»Es war eine ziemlich große Sache damals, sich als homosexuell zu präsentieren. Ich pflegte fantastisch enge weiße Hosen zu tragen und den Rugbyspielern zu sagen, sie seien die herzigsten Sahnestückchen auf der Welt. Es war eigentlich eher seltsam, wenn man sich nicht so verhielt. Zumindest in meinem Kreis. Niemand zuckte auch nur mit der Wimper, wenn man sich als Gay gab. Und natürlich brachte es die Mädchen dazu, sich dir an den Hals zu werfen. Wussten Sie, dass ich außer Shelley der Einzige bin, den man wegen Atheismus von der Universität verwiesen hat?«

»Nein! Tatsächlich?«

»Nun, ganz so war es nicht. Ich war Chefredakteur von *Granta* und veröffentlichte ein Gedicht von irgend-jemandem, das nach Ansicht der Universitätsinstanzen blasphemisch war. Man verlangte, dass ich als verant-wortlicher Chefredakteur relegiert wurde, aber E. M. Forster und Noel Annan und andere sprangen mir zur Seite und verteidigten mich. Man gab sich also mit ei-ner Suspendierung zufrieden, die sie fieserweise auf die May Week legten, so dass ich den May Ball verpassen würde. Aber natürlich übersahen sie die Tatsache, dass Bälle bis weit nach Mitternacht dauern. Also kehrte ich Schlag zwölf im Frack ins King's zurück und wurde wie ein siegreicher Held auf den Schultern von Zelt zu Zelt getragen. Es war einfach zu herrlich.«

Es war schwer, zu glauben, dass dieser Mann genauso alt war wie mein Vater. Er besaß die Gabe, wenn es denn eine Gabe ist, in mir das Gefühl zu wecken, bürgerlicher, gewöhnlicher und fader zu sein, als ich mich eh schon empfand.

»Also, *à nos moutons*«, sagte er, als der Käse kam. »*Tatler*. Ich weiß, dass Sie bereits einmal für uns geschrieben haben. Nebenbei, wunderbarer Text. Entspricht er tatsächlich der Wahrheit?«

Er bezog sich auf einen Artikel, den ich zu Beginn des Jahres beigesteuert hatte und zu dem wir später noch kommen werden. Wie immer, wenn jener Artikel erwähnt wurde, lief ich hochrot an.

»Ja. Absolut wahr.«

»Guter Gott. Jedenfalls, unser Magazin … lesen Sie es eigentlich?«

»Manchmal … Ich meine, es ist nicht so, dass ich es bewusst *nicht* lese, aber ich glaube nicht, dass ich mir je ein Exemplar gekauft habe. Außer natürlich in dem Monat, als mein Beitrag erschien.«

»Das ist völlig in Ordnung«, sagte er. »Hier haben Sie die Ausgabe vom nächsten Monat. Dieser Tage sind die Titelseiten wundervoll. Michael Roberts ist unser Artdirector. Er ist so brillant, dass einem die Worte fehlen.«

Ich nahm das angebotene Magazin entgegen und blätterte darin.

»Alles gut und schön«, sagte Mark. »Nichts auszusetzen. Es ist nur so, dass etwas … etwas *fehlt*.«

»Nun, was auch immer es sein mag«, sagte ich. »Anzeigen sind es jedenfalls nicht.«

»Ha! Nein, da sind wir sehr gut im Geschäft. Aber ich brauche jemanden, der jeden Monat vorbeikommt, um … um die Ausgabe zu beschnuppern, bevor sie in Druck geht.«

»Beschnuppern?«

»Mhm … Sie wissen schon. Sich die Gesamtheit der

Artikel und Fotostrecken anzusehen und darüber nachzudenken, wie man sie zu einem Gesamtbild formt. An den Textzeilen für das Cover zu feilen und an den *spinelines...*

»Spinelines?«

»Der Text, der auf dem Rücken des Heftes steht.«

»Natürlich. Rückenzeile, ja.«

»Ich brauche jemanden zum Drübergucken, der nichts mit der täglichen Heftproduktion zu tun hat. Der die Ausgabe beschnuppert und dann ...«

Mir kam ein Gedanke. »Wollen Sie damit sagen«, fragte ich, »Sie suchen jemanden, der mit den Wörtern jongliert?«

Er schlug die Hand auf den Tisch. »Ich *wusste*, dass Sie mich verstehen.«

Seit Tina Browns bahnbrechendem Regiment am Ruder des *Tatler* war das Magazin neben anderen Dingen auch berühmt-berüchtigt für die Wortspiele in den Schlagzeilen, den Unterzeilen und Anlauftexten und – wie ich gerade gelernt hatte – den Rückenzeilen.

»Das wäre also abgemacht. Sie sind von jetzt an unser OCP – der Officer Commanding Puns.« Er leerte seine Kaffeetasse mit nicht zu übersehender Genugtuung. »Oh, da wäre noch etwas, das mir auf dem Herweg eingefallen ist. Wir bekommen alle möglichen Bücher zugeschickt. Größtenteils unerträglich langweilige Anleitungen zum Fliegenfischen oder die Memoiren uninteressanter Herzoginnen, aber manchmal flattern uns auch interessantere Titel ins Haus. Wir haben keinen Literaturkritiker. Warum lasse ich nicht alle Bücher, die uns erreichen, einmal die Woche per Kurier auf einen Schwung zu Ihnen bringen, und Sie können ...«

»Sie beschnuppern?«

»Richtig. Sie beschnuppern und dann eine Kolumne schreiben, in der sie Bücher besprechen oder einfach nur kommentieren, was für Bücher die Verlage heutzutage auf den Markt werfen. So eine Art zeitgeistiges Bücherschnuppern. Was halten Sie davon?«

Ich erwiderte, dass zeitgeistiges Buchgeschnupper dieser Art mir überaus zusage.

»Schön. Warum begleiten Sie mich nicht eben mal zum Hanover Square, und ich stelle Sie den anderen vor?«

»Werde ich oft ins Büro kommen müssen?«

»Nur von Zeit zu Zeit, um mal zu ...«

»Zu schnuppern?«

»Genau. Um zu schnuppern.«

Die erste Ausgabe, der ich als hauptamtlicher Schnupperer diente, war die Juni-Ausgabe. »June Know Where You're Going« glänzte mit dem Monatsnamenwortspiel. Michael Roberts' Cover eines Modells in einem tief purpurroten Kleid präsentierte sich mit der Schlagzeile »Red Dress the Balance«. Ein Artikel über aristokratische katholische Familien trug den Untertitel »The Smart Sect«. Die Zeit hat gnädigerweise die restlichen gruseligen Verbalverrenkungen, deren ich mich schuldig gemacht habe, aus meinem Gedächtnis gelöscht, aber für jede Ausgabe, an der ich beteiligt war, habe ich mir mehr als ein Dutzend davon ausgedacht.

Critics and Couriers – Kritiker und Kuriere

Die Bücher kamen kistenweise. Statt sie unter meinem eigenen Namen zu rezensieren, bediente ich mich eines erdachten Verfassernamens:

Williver Hendry, Herausgeber von *Eine höchst seltsame Freundschaft: Der Briefwechsel zwischen Lord Alfred Douglas und Jack Dempsey* und Autor von *Der aufgehenden Sonne entgegen* sowie *Notate aus einer purpurnen Ferne: Erinnerungen an Ischia* wirft einen wohlwollenden Blick auf einige Erscheinungen im Juni ...

Nur dass es ganz und gar kein wohlwollender Blick war. Feige hinter diesem *nom de guerre* in Deckung gegangen, war ich scheußlich gemein zu einem gewissen Baron de Massy, einem Neffen von Fürst Rainier, der eine Autobiographie geschrieben hatte, die sich in hinternlähmendem, snobistischem Monaco-Gefasel über Ferraris, Polospieler und Kokain schniefende Tennisspieler erging. »Hier ist die Verbindung von Stil und Inhalt, die wir bei großer Literatur zu finden hoffen«, schrieb ich, oder eher Williver. »Ein verheerend vulgäres und wertloses Leben, das in verheerend vulgärer und wertloser Prosa geschildert wird.«

Meine Karriere als Literaturrezensent war kurzlebig, dauerte aber lange genug, um mich spüren zu lassen, dass es nicht mein Metier war. Glücklicherweise oder leider (vielleicht vergleichbar mit dem, was Fußballer einen Fifty-fifty-Ball nennen) kann ich es nicht ertragen, andere Menschen zu verärgern. Vielleicht sollte ich um der Wahrheit willen lieber sagen, dass ich es nicht ertragen kann, zu wissen, dass Menschen herumlaufen, die ich verärgert habe und die deswegen Schlechtes von mir denken. Mein überwältigendes Bedürfnis, zu gefallen und gemocht zu werden, ist bestimmt nicht unbemerkt geblieben. Manchmal stelle ich mir voller Hoffnung vor, dass es sich dabei um eine letztlich annehmbare und akzeptable charakterliche Marotte handelt, aber ich bin lange genug auf der Welt, um zu wissen, dass diese Eigenschaft eher abstößt als anzieht.

Selbstverständlich sind Kritiker dazu da, ihre Meinung zu den Werken, die man ihnen geschickt hat, kundzutun. Im Leben eines Rezensenten wird schnell der Tag kommen, an dem ein Buch eintrifft, das zu schlecht ist, um ihm mit anderem zu begegnen als dem schonungslosen Verriss, den es seiner Meinung nach verdient. Er schilt es und seinen Autor dazu, verspottet es, entlarvt es, stellt es an den Pranger und haut es in die Pfanne. Für kurze Zeit ist es ein herrliches Gefühl, einen Autor herunterzuputzen, sich in beißender Prosa über seine Unzulänglichkeiten lustig zu machen und seine Prätentionen zu zerfetzen. Schließlich ist man wochenlang gezwungen gewesen, Romane zu lesen, Autobiographien, Historien, Reiseführer, Ratgeber und Sammlungen, von denen die meisten – furchtbares Wort, würde Wallace Arnold sagen – *ansprechend* sind. Sie sind qualitätsvoll genug, um ihre Veröffentlichung zu rechtfertigen, und wenn man spitzfindig ist und milde gesonnen wie ich, fällt es meist nicht schwer, etwas an ihnen zu finden, das einem gefällt. Aber ob du es willst oder nicht, wappnet sich deine Seele, und du siehst unter den Autoren und Verlegern nur noch Feinde. Sie hämmern zu jeder Tages- oder Nachtzeit an deine Tür und fordern lauthals deine Aufmerksamkeit. So viele von ihnen, und alle haben so viel zu sagen. Ihre Schrullen, kleinen Fehler und Manierismen werden zur Belastung, aber du appellierst an die eigene Vernunft, solange du kannst. Eines Tages, während all das immer mehr in dir hochkocht, summt die Sprechanlage, und ein Motorradkurier steht draußen im Regen mit einem Paket, das du quittieren musst. Nachdem der in Leder gekleidete Gesandte der

Großstadt die vertrauten Sprüche wie: »Hätten Sie was dagegen, wenn ich Ihre Toilette benutzen würde?«, und: »Oh, dürfte ich vielleicht Ihr Telefon benutzen, um bei mir in der Zentrale anzurufen?«, oder gar: »Sollen wir gleich hier und jetzt Sex haben?«, losgeworden ist, bleibe ich allein mit der Lieferung zurück. Und diesmal ist das eine Buch darunter. Das Mistding.

Nebenbei bemerkt hat wohl niemand, der meint, ein Literaturrezensent habe ja zumindest das Privileg, jeden Montag Hunderte Bücher umsonst ins Haus zu bekommen, die sein schlimmes Schicksal lindern, je von den unkorrigierten gebundenen Fahnen gehört: Dabei handelt es sich um dünnblättrige, eilig zusammengebastelte Vorabexemplare, die an Rezensenten und allerlei Menschen geschickt werden, die aller Wahrscheinlichkeit nach mit einem zündenden Satz aufwarten können, der sich auf den Schutzumschlag der späteren Originalausgabe drucken lässt – »›Herrlich hintergründig, cool und ironisch‹, Wayne Rooney«; »›Ein Buch wie eine Fahrt mit der Achterbahn, atemberaubend, furios, schwindelerregend und süchtig machend‹, Iris Murdoch«; »›Das Härteste vom Harten: Bukowski wird von Burroughs und Gibson gemeinsam vergewaltigt, und ein Bastard wird geboren‹, Ann Widdecombe« – so was in der Art. Inzwischen gibt es online einen Auktionsmarkt für die gebundenen Druckfahnen bekannterer Autoren, aber Mitte der Achtziger waren sie einfach nur Makulatur und wurden weggeworfen, sobald man sie gelesen und rezensiert hatte. Heutzutage sorgen E-Mail, PDF-Dateien, das E-Buch und iPad allmählich für das Ende der gebundenen Druckfahnen, so wie sie allmählich auch die Motorradkuriere überflüssig machen. In den Achtzigern waren in jedem Telefongespräch zwischen

Redakteuren und Journalisten, Agenten und Klienten, Produzenten und Autoren, Anwälten und Anwälten Sätze zu hören wie: »Ich werd's Ihnen gleich per Bike bringen lassen«, »Schicken Sie's per Bike rüber, ich unterschreibe und schick's per Bike zurück«, »Ist es klein genug für ein Bike, oder brauchen wir ein Cab?« Mitte der achtziger Jahre dröhnten, brummten und bratzten die 550er Hondas und 750er Kawasakis durch London, attackierten pfeilschnell, schlingerten im Slalom durch den dichten Verkehr, rasierten Außenspiegel ab, ließen die Motoren an der Ampel ohrenbetäubend aufheulen und terrorisierten die brave Bürgerschaft mit ihrem rücksichtslosen Rowdytum.

Ich möchte abschweifen, um eine erhellende Geschichte zu erwähnen, die mir zu jener Zeit eine Freundin erzählte. Ihre Tante war ins Moorfields Eye Hospital eingeliefert worden, wo sie ein Hornhauttransplantat bekommen, am grauen Star operiert werden oder einem ähnlichen augenärztlichen Eingriff unterzogen werden sollte, der zwar inzwischen Routine war, sich aber auch als heikel erweisen konnte. Sie lag im Bett und fragte sich, was wohl als Nächstes passieren würde, als der Chefarzt eintrat.

»Hallo, Miss Tredway, wie geht es Ihnen? Hat man Ihnen die Operation erklärt? Was wir machen werden: Wir schneiden Ihre miese alte trübe Linse heraus und ersetzen sie durch eine funkelnagelneue Spenderlinse. Nichts einfacher als das. Das Problem ist nur, dass wir im Moment keine Spenderaugen zur Verfügung haben.«

»Oh.«

»Ich würde mir an Ihrer Stelle aber keine Sorgen machen.« Er ging ans Fenster und sah hinaus auf den

Stadtring. »Es regnet, also wird es nicht mehr sehr lange dauern.«

Man weiß, dass irgendwas nicht stimmt, wenn ein Arzt absolut garantieren kann, dass bei rutschigen Straßen irgendwo in der Stadt ein Kurierfahrer einen tödlichen Unfall haben wird und dass anschließend ein frisches, gesundes Augenpaar im Eiltempo in den Operationssaal geliefert wird, schön verpackt in einer Kühlbox. Einer Kühlbox, die aller Wahrscheinlichkeit nach auf dem Soziussitz eines Motorrads festgeschnürt war …

Nun, das war London in den Prä-Fax- und Prä-Internet-Achtzigern. Kuriere und Autos taten die Arbeit, und es war Material in Form massenhafter Atome und nicht Inhalt in Form masseloser Elektronen, das von einem Ort zum anderen geschafft werden musste.

Aber ich sprach doch von dem Mistding. Es war unausweichlich, dass ich als Literaturkritiker früher oder später das Package eines Kuriers öffnen (klingt doch verlockend, oder?) und ein Buch finden würde, über das es auch nicht ein Körnchen Gutes zu sagen gab.

»Nun, wenn du nichts Nettes zu sagen hast, dann sag lieber gar nichts«, lautet die Empfehlung der meisten Mütter, und wie immer ist ihr Rat bedenkenswert. Die Schwierigkeit stellt sich ein, wenn, wie schon erwähnt, ein Panzer deine Seele umgibt und Nächstenliebe, Mitgefühl und Anteilnahme aus ihr entwichen sind.

Ich werde es unterlassen, Namen und Buchtitel zu nennen, aber das Mistding war ein Werk, das mich in die reine Boshaftigkeit trieb. Ich spitzte den Federkiel, tauchte ihn in das gefährlichste Ätzmittel, das ich auftreiben konnte, und machte mich daran, mich meiner Gefühle zu entäußern. Genau wie ein schöner Mensch in all seinen Zügen und körperlichen Merkmalen schön ist – Haar, Nase, Fesseln, Augenwimpern und Nacken –, scheint ein schlechter Autor in jeder Hinsicht schlecht zu sein, vom Stil und von der Syntax bis zur moralischen Haltung und spirituellen Substanz. Es wird unter den Lesern dieses Buchs Menschen geben, die zum selben Urteil über mich gekommen sind, obwohl sie es wahrscheinlich schon lange angewidert aus der Hand gelegt haben, bevor sie bis hierher gekommen wären. Es sei denn, sie lesen mein Buch ebenfalls, um es zu rezensieren. In dem Fall ergibt sich für mich Grund, zu schaudern. Oder eher für meine Mutter, denn ich lese keine Rezensionen.

Ich hätte hoffen können, dass der namenlose Autor des namenlosen Buchs, das ich mir so gnadenlos vornahm, ebenfalls keine Rezensionen las und deswegen auch meine nicht zu Gesicht bekam, aber zufällig weiß ich, dass es anders war. Oh, ich war gescheit und witzig, vernichtend und – gewiss für jeden Leser – unwiderlegbar überzeugend und unbestreitbar korrekt. Um den armen Autor verächtlich zu machen, führte ich Zitate an, die aus seinem/ihrem eigenen Mund stammten. Ich stellte den Geisteszustand, den Verstand und den Intellekt des Autors in Frage. Ich »wies nach«, dass das Buch nicht nur schlecht war, sondern auch gefährlich, nicht nur mit Mängeln belastet, sondern opportunistisch, gruselig und abwegig. Von alledem war ich aufrichtig überzeugt. Es handelte sich bei diesem Buch tatsächlich um das denkbar schlimmste Machwerk. Wäre es ungeschickt und inkompetent, aber gut gemeint und in seiner Tendenz gefällig gewesen, ich bin sicher, ich hätte es durchgehen lassen. Da es jedoch »Das Mistding« war, fand sich keine Eigenschaft, die es hätte retten können, und ich kannte kein Halten. Ich möchte aber nicht übertreiben. Sie sollten bedenken, dass viele noch schlimmere Besprechungen dieses Buchs und anderer Bücher in jener Woche geschrieben wurden, und viele gemeinere und missbilligendere Artikel werden über Bücher allwöchentlich geschrieben. Nichtsdestoweniger würde meine Besprechung jeden Leser zusammenzucken und Partei für den Autor ergreifen lassen. Aber warum halte ich mich so lange bei diesem Buch und meiner Besprechung auf?

Während eines langen Lebens der Darbietung meiner Werke zur öffentlichen Inspektion habe ich meinen eigenen Anteil negativer Kritik eingeheimst. Ich habe keinen Blick mehr dafür übrig, und meine Freunde hüten sich, mit mir wegen einer Besprechung, die ich niemals lesen werde, zu leiden (oder gelegentlich ihre Glückwünsche auszusprechen). Aber in all den Jahren, in denen ich dem Drang nicht widerstehen konnte, die Kritiken zu meinen Arbeiten zu lesen, und mich dabei gebeutelt, erniedrigt und von den unzivilisierten Anwürfen oder dem grausamen Scharfblick entmutigt fühlte, bin ich mir auch nur annähernd so elend vorgekommen wie in den Wochen nach der Veröffentlichung meiner Attacke auf Das Mistding. Ich lag nachts wach und malte mir seine/ihre Reaktion aus. Im Feigheitsmodus stellte ich mir vor, dass mir eines Tages, wenn ich es am wenigsten erwartete, dieser inzwischen völlig verwirrte und verarmte Exautor auflauerte und mir eine Ladung echtes Vitriol ins Gesicht schüttete, um sich für den Schwall virtuelles Vitriol zu rächen, mit dem ich ihn malträtiert hatte. In weniger egoistischen Stimmungsmomenten malte ich mir sein Elend aus und seine Erniedrigung, und ich kam mir vor wie der übelste Peiniger. Welches Recht hatte ich, den Autor oder die Autorin ins Unglück zu stürzen? Wieso war es mein Geschäft, die Ungeschicklichkeiten seiner Formulierungen und die Unrichtigkeiten seiner Gedankengänge zu beleuchten? Anders gesagt: Wo, verdammte Scheiße, ging mir dabei einer ab?

Jede Menge Rezensenten und Kritiker werden sagen, wenn sich jemand entschließe, sein Werk für Geld auf dem Markt anzubieten, dann sollte die Öffentlichkeit gewarnt werden, bevor sie eine Ausgabe tätigt, die unwiederbringlich ist. Wenn ihr Schreiber und Darsteller die Hitze nicht ertragen könnt, sagen sie, müsst ihr aus der Küche verschwinden. Und sie werden hinzufügen, indem sie die Frage umdrehen, welches Recht die Ausführenden von Theater, Literatur, Film, Fernsehen oder sonst einer Kunstrichtung denn hätten, dass sie sich anheischig machten, Immunität gegenüber informierter Meinung zu besitzen? Darf man sich ihnen nur mit Lob und Applaus zuwenden, müssen sie immerfort gepriesen, gehätschelt und gestreichelt werden?

Ich kann keinem einzigen Wort dieser und so mancher anderer schlüssiger *plaidoyers* widersprechen, die von den Apologeten der Kritik routinemäßig gehalten werden. Es gibt alle möglichen Reaktionen und Einstellungen, mit deren Hilfe sich die Kunst und Praxis des Rezensierens rechtfertigen lassen, aber keine von ihnen, nicht eine Einzige, widmet sich der Frage, wie man mit sich selbst leben kann, wenn man mit perfidem Witz, scharfsinniger Entlarvung und verächtlichem Urteil jemanden verletzt hat, wenn man verursacht hat, dass er/sie sich in den Schlaf weint. Oder, schlimmer noch, wie vermag man mit sich selbst zu leben, wenn man feststellt, dass man zu einem Menschen geworden ist, der sich nicht darum schert, dass er bei denen, die versuchen, in ihrem Metier den Lebensunterhalt zu verdienen, regelmäßig Schmerz verursacht, Leiden schürt, für Mutlosigkeit sorgt und die Selbstachtung untergräbt?

Es ist zimperlich, es ist memmenhaft, und es ist wahrscheinlich ein Verrat an allem, was das Ethos der Literaturwissenschaft in Cambridge von Leavis bis Kermode beinhaltet, aber ich bin weit weniger an künstlerischen Normen, literarischen Werten, ästhetischer Authentizität und kritischer Lauterkeit interessiert als an den Gefühlen anderer. Oder an meinen eigenen Gefühlen, sollte ich vielleicht sagen, denn ich kann das Gefühl nicht ertragen, jemanden verletzt oder mir zum Feind gemacht zu haben. Es *ist* zimperlich, es *ist* memmenhaft, aber so ist es nun mal. Und aus dem Grunde war ich erleichtert, als Alan Coren den *Listener* übernahm und vorschlug, dass ich die Literaturkritik aufgab und stattdessen eine wöchentliche Kolumne zu einem allgemeinen Thema übernahm, das mich reizte. Von dem Tag an habe ich mich nur dann einverstanden erklärt, ein Buch, einen Film oder eine Fernsehsendung zu besprechen, wenn im Voraus eine Bedingung von dem Redakteur, der mich beauftragt, akzeptiert wurde: Die Besprechung wird wohlmeinend sein, oder wenn das Produkt so grässlich ist, dass nicht mal ich ein gutes Wort dazu sagen kann, wird es eben gar keinen Artikel geben. Was freundliche Kommentare betrifft, bin ich nicht ganz so penibel, wenn es sich um digitale Geräte handelt, um Smartfones oder Peripherieausstattung für Computer, zu denen ich mich manchmal äußere. Aber die sind gewöhnlich ja auch viel eher industrieller und weniger persönlicher Herkunft. Sollte es mir jedoch jemals zu Ohren kommen, dass die Designer einer Kamera oder die Autoren einer neuen

Software in Tränen ausgebrochen sind, weil ich grausam über sie geschrieben habe, dann würde ich wahrscheinlich umgehend darauf verzichten, weitere Technofreak-Besprechungen abzusondern.

In erster Linie aber weigere ich mich, je etwas Schlechtes über die Arbeit eines Freundes zu sagen. Meine literarische Integrität kann mir gestohlen bleiben, aber Freundschaft ist heilig. Da ich Ihnen das jetzt sage, können Sie natürlich – wenn Ihnen danach ist – all die Waschzettel und Klappentexte überprüfen, die ich für mir bekannte Autoren verfasst habe, und darüber spekulieren, ob ich »brillant, ergreifend, zwerchfellerschütternd lustig« geschrieben, aber eigentlich »gruselig, furchtbar, himmelschreiend inkompetent« gedacht habe. Das werden Sie nie erfahren.

Eine von Alan Corens Lieblingsgeschichten aus dem akademischen Milieu zählte auch zu meinen Favoriten. Sie betrifft einen Don, hinter dem oft Sir Arthur Quiller-Couch vermutet wird, der große schnauzbärtige edwardianische Gelehrte und Altmeister der Belletristik, Autor von Abenteuergeschichten für Kinder und als »Q« verantwortlich für die große Ausgabe des *Oxford Book of English Verse.* Offenbar hieß er einen neuen Fellow im Senior Combination Room im Jesus willkommen, dem College in Cambridge, in dem er sich die letzten dreißig Jahre seines Lebens ausruhte.

»Wir sind entzückt, Sie hier bei uns zu haben«, sagte er und legte dem jungen Mann den Arm um die Schulter, »aber gestatten Sie mir ein Wort des Rates. Versuchen Sie nie, geistreich zu sein. Das sind wir hier alle. Versuchen Sie nur, nett zu sein, ein wenig nett.«

Wie die meisten Universitätsanekdoten wird auch diese den verschiedensten Personen zugeschrieben und hat wahrscheinlich keinen wahren Kern, aber wie die Italiener sagen, *se non è vero, è ben trovato* – selbst wenn es nicht wahr ist, ist es doch gut erfunden.

Ich schrieb noch ein Jahr lang die wöchentliche Kolumne für den *Listener*. Die Schnupperdienste für den *Tatler* dauerten nur noch einige Monate, bevor Boxer und ich uns in gegenseitigem Einverständnis trennten: Die Wortspiele setzten meiner geistigen Gesundheit unerträglich zu. Aber ich blieb dabei, auf meiner Tastatur zu tippen und andere Publikationen zu bedienen, sooft ich darum gebeten wurde. Die Nachfrage nach mir schien fast grenzenlos zu sein, und solange ich nicht meine ganz persönlichen Rezensionsregeln zu brechen brauchte, war alles gut.

Confirmed Celibate – Eingefleischt zölibatär

Wie war es zu alledem gekommen? Warum richteten die Redakteure ihr Augenmerk überhaupt auf mich? Was motivierte Mark Boxer, sich mit mir in Verbindung zu setzen? Warum trat Russell Twisk an mich heran? Also, es ist durchaus möglich, dass ich meine Karriere als Journalist einem Mann namens Jonathan Meades verdanke. Wenn Sie anspruchsvolles Fernsehen mögen, werden Sie wissen, wen ich meine. Er trägt anthrazitfarbene Anzüge und Sonnenbrille, und er redet über Architektur, Speisen und Getränke und Kultur (hoch und niedrig) so brillant wie niemand sonst: Viele Jahre lang war er der Restaurantkritiker von *The Times*, und viele dürften der Meinung sein, dass er – ohne Giles Coren und seiner Generation zu nahe treten zu wollen – auf diesem Feld noch niemals übertroffen worden ist. Mitte der achtziger Jahre bekleidete er eine Position beim *Tatler*, die man wohl am besten mit »Kulturredakteur« bezeichnet. Irgendwie kam er in den Besitz meiner Telefonnummer, vielleicht durch Don Boyd, der ja jeden kannte.

»Vergeben Sie mir, dass ich so aus heiterem Himmel anrufe«, sagte er. »Mein Name ist Jonathan Meades, und ich arbeite für das Magazin *Tatler*. Ihre Nummer habe ich vielleicht von Don Boyd bekommen, der ja jeden kennt.«

»Hallo. Was kann ich für Sie tun?«

»Ich stelle einen Artikel zusammen, in dem Menschen von etwas berichten, das sie *nicht* tun. Gavin Stamp zum Beispiel erklärt, warum er sich nicht ans Steuer setzt, und Brian Sewell schreibt, warum er niemals in Urlaub fährt. Ich habe mich gefragt, ob Sie sich vielleicht beteiligen würden.«

»Gütiger! Äh ...«

»Na? Gibt es etwas, das Sie nicht tun?«

»Hm.« Ich kramte hektisch in den entlegensten Hinterstübchen meines Hirns. »Tut mir leid, aber mir fällt wirklich nichts ein. Also, ich erwürge keine kleinen Katzen und vergewaltige auch keine Nonnen, aber ich nehme an, hier geht es um Dinge, die ...«

»... um Dinge, die wir nicht tun, der größte Teil der Menschheit aber tut. Genau. Nichts?«

»Oh!« Mir kam plötzlich ein Gedanke. »Ich betreibe keinen *Sex*. Was meinen Sie, würde das auch zählen?«

Es folgte eine Pause, und ich fragte mich bereits, ob die Leitung tot war.

»Hallo? ... Jonathan?«

»Vierhundert Wörter bis Freitagnachmittag. Kann nicht mehr anbieten als zweihundert Pfund. Abgemacht?«

So ganz verstehe ich bis zum heutigen Tag nicht, warum ich meinen Körper vom sexuellen Verkehr mit einem zweiten so lange fernhielt, wie es damals geschah. Kim und ich waren in uneingeschränktem und wahrstem Sinne in Cambridge zu Partnern geworden und es ungefähr einen Monat lang auch geblieben. Seither verspürte ich immer weniger Interesse am Sex, während Kim einem konventionelleren und erfüllten erotischen Lebenslauf folgte und inzwischen einen neuen Partner gefunden hatte, den attraktiven Gräcoamerikaner Steve. Kim und ich schätzten einander noch immer über alles und teilten uns weiterhin die Wohnung in Chelsea. Er hatte Steve, und ich hatte … ich hatte meine Arbeit.

Wenn ich eine Theorie dazu habe, wie sich das Zölibat erklären ließe, das 1982 begann und erst 1996 enden sollte, dann die, dass mir in jenem Zeitabschnitt die Arbeit alles andere in meinem Leben ersetzte. Welche Wirkung auch immer die mehrfachen Schulverweise, die sozialen und akademischen Misserfolge und die endgültige Erniedrigung durch den Gefängnisaufenthalt auf mich gehabt haben mögen, ich bin davon überzeugt, dass meine Flucht nach Cambridge in letzter Minute und die Entdeckung, dass es Aufgaben gab, die ich leisten konnte und für die ich Wertschätzung erfuhr, mich wachrüttelten und in eine Orgie konzentrierter Arbeit katapultierten, von der ich nicht abgelenkt werden konnte und auch nicht wollte, nicht einmal durch die Aussicht auf sexuelle oder romantische Erfüllung. Vielleicht waren Karriere, Konzentration, Kreativität und Kraftanstrengung meine neue Lieblingsdroge geworden.

Arbeit kann zur Sucht werden wie alles andere auch. Liebe zur Arbeit kann das Familienleben ruinieren, wenn sie zur Besessenheit wird, die nahestehende Mitmenschen anödet, ärgerlich macht, beleidigt oder mit Besorgnis erfüllt. Wir alle wissen, dass Drogen, Alkohol und Tabak schlecht sind, aber man hat uns in dem Glauben erzogen, dass Arbeit gut ist. Als Resultat füllt sich die Welt mit Familien, deren Mitglieder erzürnt sind, dass man sie im Stich lässt, und Ernährern, die noch zorniger sind, weil man anscheinend nicht zu schätzen weiß, wie sehr sie sich abarbeiten. »Ich tue das doch nur für euch!«, rufen sie. Es mag ja wahr sein, dass Arbeit das Essen auf den Tisch bringt, aber jeder, der sich in der Umgebung hart Arbeitender aufhält, weiß, dass sie es um ihrer selbst willen tun. Die meisten Kinder von Workaholics würden lieber weniger Geld sehen und dafür mehr von ihrem Elternteil haben.

Kaum hatte ich Cambridge ein Jahr hinter mir gelassen, spielten Freunde und Familie schon auf meine offenkundige Unfähigkeit an, das Wort »nein« zu gebrauchen. Schon bald bekam ich mit, dass man mich als Workaholic bezeichnete. Kim zog das Wort »ergomanisch« vor, zum Teil weil er Altsprachler war, und andererseits, wie ich vermute, weil der Wortteil »manisch« besser die absurde Raserei beschrieb, mit der ich mich immer häufiger auf jedes Angebot stürzte, das sich mir bot. Bis zum heutigen Tag werde ich oft von denjenigen, die um mich sind, daran erinnert, dass ich nicht zu allem ja sagen muss und dass es so etwas wie Ferien gibt. Ich glaube ihnen natürlich nicht, egal wie oft sie bekräftigen, dass es stimmt.

Allerdings stellt sich immer wieder die Frage, ob meine Produktivität, Ubiquität und, ja … Karrierehurerei … mich daran gehindert haben, zu erkennen, was in der Welt der Väter, Lehrer und Erwachsenen allgemein

»mein volles Potential« genannt werden könnte. Hugh und Emma, um die beiden mir besonders nahestehenden Zeitgenossen zu nennen, sind nie so unbekümmert, verschwenderisch und leichtsinnig mit ihren Talenten umgegangen wie ich. Damit will ich sagen, dass sie immer Grund genug hatten, mehr an ihre Talente zu glauben, als ich an meine glauben konnte. Aber ich möchte auch sagen, dass ich mehr Spaß hatte als sie, und:

Denn wenn der große Abrechner kommt,
Um deinem Namen das Ergebnis zuzuschreiben,
Dann notiert er nicht – dass du Sieger warst oder Verlierer,
Sondern nur, wie du dein Spiel gespielt.

Was ja gut und schön sein mag, aber wenngleich ich alle möglichen Dinge sagen möchte, bin ich nicht sicher, dass sie notwendigerweise auch stimmen würden. Ich möchte nicht so weit gehen, zu behaupten, dass ich jede Nacht vorm Einschlafen verpassten Gelegenheiten nachtrauere. »Jeden Abend« wäre eine Übertreibung. Es gibt jedoch ein Traumbild, das sich häufig einstellt:
Ich sehe mich auf der Oberfläche eines Ozeans: Der Lauf meines Lebens stellt sich dar als das Absinken auf den Meeresgrund. Während ich sinke, versuche ich, unscharfe, aber verlockende Bilder zu greifen und festzuhalten, die jeweils die Berufung zum Autor, Schauspieler, Comedian, Filmregisseur, Politiker oder Akademiker repräsentieren, aber sie alle winden und kräuseln sich spielerisch aufreizend, bis sie außer Reichweite sind, oder vielleicht sollte ich wahrheitsgemäß sagen, dass ich einfach Angst habe, vorzuschnellen und eines von ihnen zu packen und an mich zu pressen.

Aus Furcht, mich auf eines von ihnen festzulegen, lege ich mich auf keines fest und lande mit leeren Händen und unerfüllt auf dem Grund. Das ist eine selbstglorifizierende, klägliche und absurde Phantasie der Reue, ich weiß, aber ich erlebe sie häufig. Ich schließe das Buch, das ich im Bett gelesen habe, und derselbe Film läuft immer wieder und wieder vor meinem inneren Auge ab, bevor ich einschlafe. Ich weiß, dass ich im Ruf stehe, klug und redegewandt zu sein, aber ich weiß auch, dass sich die Leute fragen müssen, warum ich nichts Besseres aus meinem Leben und meinen Talenten gemacht habe. Ein Eleve in so vielen Metiers und ganz gewiss kein Meister in einem einzigen. In selbstgewissen Augenblicken bin ich völlig zufrieden mit diesem Ergebnis, denn mir widerstrebt es, im Studierzimmer eines Schulrektors auf dem Teppich zu stehen und sein abgeklärtes Kopfschütteln ebenso ertragen zu müssen wie die mit Grabesstimme vorgetragenen Zeugnisanmerkungen zu meinen Unzulänglichkeiten. Derlei Gebaren ist grotesk, dreist und irrelevant. »Könnte besser sein« ist eine belanglose Schlussfolgerung. »Könnte glücklicher sein« ist die einzige, die zählt. Mir boten sich fünfmal mehr Gelegenheiten und Erlebnisse, als den meisten Menschen zuteilwurden, und wenn das Ergebnis die Nachwelt enttäuscht, kann mich die Nachwelt mal. In weniger selbstbewussten Augenblicken jedoch gehe ich natürlich mit den Urteilen der Kopfschüttler und Schulzeugnisrezitierer konform. Was für eine Verschwendung! Was für eine törichte, egoistische, hohlköpfige, indolente und freche Verschwendung mein Leben gewesen ist!

Es mag nicht gerade überraschen, aber vielleicht ist es auch nicht ganz so selbstverständlich, wenn ich darauf verweise, dass es weitaus dünkelhafter von mir wäre, mein Leben als Verschwendung zu beklagen, als einigermaßen zufrieden damit zu sein, wie es sich entwickelt hat. Jegliches Bedauern über mangelnde Errungenschaften unterstellt doch, dass ich wirklich daran glaube, das Talent besessen zu haben – wenn ich mich denn auf eine einzige Sache konzentriert hätte –, einen *großen* Roman zu schreiben oder einer der *großen* Schauspieler, Regisseure, Stückeschreiber, Poeten und Staatsmänner zu werden, oder wozu sonst auch immer ich mir vormachte, die Befähigung zu besitzen. Aber ob ich dazu die Fähigkeit hätte oder nicht, ist unerheblich, denn ich weiß genau, dass es mir an Ehrgeiz fehlt, an Konzentration, an Zielstrebigkeit und ganz besonders am *Willen,* und ohne das sind Talente nutzlos wie ein Motor ohne Treibstoff. Womit ich aber nicht sagen will, dass ich faul und ohne Ehrgeiz bin, wenn es um kurzfristige Ziele geht. Man könnte vielleicht sagen, ich sei ein guter Taktiker, aber hoffnungslos als Stratege, froh, mich abzuplagen mit dem, was ich vor der Nase habe, aber nicht in der Lage, auf lange Sicht zu planen oder mir die Zukunft auszumalen. Ein guter Golfspieler, sagt man, muss ein Bild von seinem Schwung im Kopf haben, bevor er den Ball anspricht, um ihn zu schlagen. Mein gesamtes Leben war ein Abenteuer aus Abschlagen und Hoffen.

Aber Sex. Ja, ich fürchte, wir müssen auf Sex zurückkommen. Wir sprachen über den Auftrag für den *Tatler.* Ich schrieb den Artikel für Jonathan Meades und skizzierte darin meinen Widerwillen dagegen, von der Natur mit dem brennenden Instinkt gegeißelt zu sein, in »jenen feuchten, dunklen, übelriechenden und ekelhaft buschigen Körperregionen« zu schürfen, die »auf dem Bankett der Liebe die Hauptspeisen abgeben«, und wies auf meine Empfindung hin, dass die gesamte Angelegenheit erniedrigend, geschmacklos und lästig sei. Ich behauptete, dass ein Leben ohne Sex und ohne die Gegenwart eines Partners zahlreiche Vorteile biete. Die Abstinenz erlaube Produktivität, Unabhängigkeit und Muße, frei von den Zwängen, den Willen und die Wünsche eines anderen Menschen zu beschwichtigen oder zu erfüllen: Erlöst von den erniedrigenden Imperativen erotischen Verkehrs lasse sich ein neues und besseres Leben führen. Sex sei überbewertet und eine Zumutung. »Außerdem«, gestand ich am Ende des Artikels ein, »habe ich Angst, dass ich dabei nicht besonders gut bin.«

Der Artikel wurde in diversen Zeitungen zitiert und ganz oder in Auszügen nachgedruckt, und während der nächsten zwölf Jahre wurde es fast zur Gewohnheit, dass dieses spezielle Wort mir beigeordnet wurde, so wie Gwyneth Paltrow das Adjektiv makrobiotisch und Sting der Begriff tantrisch. Ich gesellte mich zu Cliff Richard und Morrissey als eines der merkwürdigen Aushängeschilder des Zölibats. Profiler, Talkshow-Gastgeber und Interviewer fragten mich in den folgenden Jahren, ob ich immer noch »bei der Stange« geblieben sei (haha!), ob ich sexuelle Abstinenz als Lebensweise empfehlen würde und wie ich mit der Einsamkeit des Single-Daseins umginge. Ich hatte mir mit diesem Artikel den Knüppel, mit dem man auf mich einprügelte, selbst geschnitzt, aber ich habe es niemals bedauert, ihn geschrieben zu haben. Ich sagte darin aber die Wahrheit, mehr oder weniger, wie es bei solchen Dingen immer ist. *Tatsächlich* empfand ich die Angelegenheiten des Eros als lästig und peinlich. Ich genoss die Unabhängigkeit und Freiheit, die sich mir boten, weil ich ungebunden war, und ich befürchtete tatsächlich, beim Sex nicht besonders gut zu sein. Sollte ich meine panische Angst, abgelehnt zu werden, etwa leugnen oder die Geringschätzung, die ich für meine physische Erscheinung empfand?

Je mehr Jahre verstrichen, desto geringer wurden die Chancen, eine echte Beziehung zu knüpfen, denn ich fühlte mich immer weniger versiert in der Kunst der Liebe und immer weniger sicher, wie ich es anstellen sollte, je einen Partner zu finden. Für den Fall, dass ich überhaupt einen wollte. Es gab einfach so viel zu *tun*. Ich probte in London, bevor es hinunter nach Chichester ging, um mit *Forty Years On* zu beginnen, ich arbeitete an *Me and My Girl*, schrieb zuhauf journalistisch und unternahm enthusiastische Schritte in Richtung eines anderen Mediums: Radio.

Characters and the Corporation

Solange ich denken kann, habe ich den Rundfunk geliebt, besonders die Art Talkradio, die nur der BBC Home Service, später Radio 4, bietet. Während meiner gesamten von Schlaflosigkeit geplagten Jugend hörte ich den ganzen Tag Radio bis zur Nationalhymne und wechselte dann zum BBC World Service. »England erschuf mich«, sagt Anthony Farrant zu sich in Graham Greenes Roman desselben Titels. Mich hat England ebenfalls erschaffen, aber es war ein England, das auf Langwelle, 1.500 Meter, gesendet wurde.

Folgendes schrieb ich als Einleitung eines Artikels über den World Service für das *Arena*-Magazin:

BBC World Service. Nachrichten, am Mikrofon Roger Collinge … Die warmen, braunen Töne tropfen aus Bush House heraus wie Honig aus einem Glas: voll und nachhallend auf Lang- und Mittelwelle für die Zuhörer in der Heimat oder hell und zischend auf Kurzwelle für hundert Millionen Englisch sprechender Menschen auf dem ganzen Globus, zu deren Nutz und Frommen das heißgeliebte Signal, an der Ionosphäre reflektiert, durch Ionenstürme und den rüde rempelnden Verkehr von hunderttausend ausländischen Sendern von Relaisstation zu Relaisstation weitergegeben wird, um dann frisch und knackend auf dem Verandatisch zu landen. Denk ich an England voller Pracht, so bin ums Weltreich ich gebracht. Der World Service, ein kleines Bakelittor zur Welt von Sydney Box, *Charters and Caldicott*, Tee aus Mazawattee, Kennedys Lateinfibel und dunklen, regennassen Straßen. Ein England, das es nie gegeben hat, im Äther heraufbeschworen durch nichts als Akzente, Marschrhythmen und einen bescheidenen, selbstironischen Stil, der in seiner Unehrlichkeit dreister und frecher ist als Disneyland. Ein Mary-Poppins-Sender, glanzvoll in seiner düsteren Rauheit, fröhlich in seiner strengen Routine und seinen unerschöpflichen Ressourcen: eine augenzwinkernde Autorität, die einfach dadurch, dass sie sich nie verändert hat, all unsere verborgensten Wünsche erfüllt, auch wenn der Wind sich längst gedreht hat. Ooh, ich liebe ihn …

Ich bin sicher, dass ich zu jener Zeit wusste, was ich mit »Unehrlichkeit« des World Service meinte, aber in Wahrheit verehrte ich das Radio noch immer und zog es dem Fernsehen vor. Radio 4s Mischung aus Comedy, Nachrichten, Dokumentarsendungen, Theater, Magazinen, Ratespielen und verschrobenen Diskussionen ist einmalig und war von zentraler Bedeutung für die Ausformung meiner Standpunkte und meines Auftretens. Ich wuchs auf zum Klang freundlich souveräner und besonnen maßgebender BBC-Stimmen, die den Stoffbezug der Lautsprecher der Röhrenempfänger aus der Herstellung von Bush, Ferguson, Roberts oder Pye vibrieren ließen. In einer meiner frühesten Erinnerungen sitze ich unter dem Stuhl meiner Mutter in unserem Haus in Chesham, während sie auf ihrer Schreibmaschine tippt. Im Hintergrund streiten sich Personen aus *The Archers* über ihre Milchkühe. *My Music, My Word!, A Word in Edgeways, Stop the Week, Start the Week, Any Answers, Any Questions, Twenty Questions, Many a Slip, Does the Team Think?, Brain of Britain, From Our Own Correspondent, The Petticoat Line, File on Four, Down Your Way, The World at One, Today, PM, You and Yours, Woman's Hour, Letter from America, Jack de Manio Precisely, The Men from the Ministry, Gardener's Question Time, The Burkiss Way, The Jason Explanation, Round Britain Quiz, Just a Minute, I'm Sorry I Haven't a Clue, Desert Island Discs* und hundert andere Dramen, Komödien, Quizshows und Features haben mich von frühester Jugend an amüsiert, verblüfft, bereichert, erzürnt, informiert und entflammt. Ich glaube, meine Stimme verdankt mehr dem BBC-Mikrofon und der angestaubten und sich nur langsam erwärmenden Mullard-Röhre als den Akzenten und dem Tonfall meiner Familie, meiner Freunde und meiner Schulkameraden. So wie aus träger Bequemlichkeit ausgelutschte Knochen von Wodehouse, Wilde und Waugh in meinem Schreibstil zu finden sind, wenn denn Stil das berechtigte Wort dafür ist, haben die Intonationen von John Ebden, Robert Robinson, Franklin »Jingle« Engelmann, Richard »Stinker« Murdoch, Derek Guyler, Margaret Howard, David Jacobs, Kenneth Robinson, Richard Baker, Anthony Quinton, John Julius Norwich, Alistair Cooke, David Jason, Brian Johnston, John Timpson, Jack de Manio, Steve Race, Frank Muir, Dennis Norden, Nicholas Parsons, Kenneth Williams, Derek Nimmo, Peter Jones, Nelson Gabriel, Derek Cooper, Clive Jacobs, Martin Muncaster und Brian Perkins meine Gehirnzellen und mein Wesen in einem solchen Maße durchdrungen, dass sie – wie sich schwermetallene Schadstoffe in Haar und Haut und Nägeln und Gewebe einlagern – sowohl zu einem physischen als auch einem emotionalen und intellektuellen Teil von mir geworden sind. Wir alle sind die Summe zahlloser Einflüsse. Mir gefällt der Gedanke, dass Shakespeare, Keats, Dickens, Austen, Joyce, Eliot, Auden und die großen und noblen Granden der Literatur ihren Einfluss auf mich hatten, aber die Wahrheit ist, dass sie nur entfernte Onkel und Tanten waren, gut für einen Fünfer zu Weihnachten und das obligatorische Buch zum Geburtstag, während Radio 4 und der BBC World Service meine Mutter und mein Vater waren, alltäglich präsent und ewiges Beispiel.

Seit früher Jugend glaubte ich, Zufriedenheit darin finden zu können, mein ganzes Leben lang fürs Radio zu arbeiten. Wie glücklich es mich machen würde, wenn ich nur Zwischentextansager sein könnte oder ein regelmäßig beschäftigter Rundfunkmann irgendeiner Sparte. Das Missfallen an den eigenen Gesichtszügen und meiner physischen Erscheinung trug zu dieser Zielsetzung bei. Ich hatte, wie es in einem alten Witz immer wieder heißt, das richtige Gesicht fürs Radio. Ansager und Sprecher müssen weder in die Maske noch Bühnengarderobe tragen. Jemandem wie mir, der glaubte, jeder Verschönerungsversuch an ihm würde nur die Aufmerksamkeit auf seine vermaledeiten Mängel lenken, scheint ein Leben vorm Mikrofon die perfekte Karriere zu versprechen. Wie viel realistischer war doch für mich eine Radiostation als eine Venusstation.

Meine ersten Besuche im Broadcasting House, dem Heim der BBC am Portland Place, hatten bereits 1982 stattgefunden, als ich einen fiktiven Nachrichtenreporter für eine Sendung von Radio 1 spielte, die, *glaube ich*, *B15* hieß. Die Studios im Basement des Broadcasting House hießen alle B*x*, und ich kann mich, ehrlich gesagt, nicht mehr daran erinnern, welchen Wert das *x* hatte, das unserer Sendung den Namen gab. Während seiner kurzen Laufzeit wurde *B14* oder *B12*, oder wie immer es geheißen haben mag, von David »Kid« Jensen präsentiert, einem umgänglichen kanadischen DJ, der nach Aussagen eines in diesen Dingen versierten Freundes in der langen Geschichte von *Top of the Pops* der am wenigsten unangenehme Moderator gewesen war. Meine Figur in *Bwasauchimmer*, Bevis Marchant, hatte ihren eigenen kleinen Platz in der Sendung: *Beatnews*, eine unverhohlene Parodie von *Newsbeat*, der lachhaft emphatischen, trivialen und selbstgefälligen Nachrichtensendung von Radio 1. Meine Mitwirkung bei diesem Programm dauerte keine zwei Wochen, da hatte Margaret Thatcher eine Kampfgruppe losgeschickt, um die Falklandinseln zurückzuerobern, und eine Woche später wurde ich vom Sender genommen. Meine Parodien des Auslandskorrespondenten Brian Hanrahan und anderer wurden für respektlos erklärt. Ich schrie mit lauter Stimme über dem Geräusch eines elektrischen Rührbesens in einem Eimer, um den Klang eines Liveberichts direkt von Bord eines Hubschrauber zu imitieren. Ich wollte damit den großtönenden und gekünstelt maskulinen Reportagestil verspotten und nicht etwa die Gefahren verniedlichen, in denen sich das Militär befand, aber genau das ist schon immer der Unterschied gewesen, den dumme Menschen sich weigern zu verstehen. Es herrschte Krieg, ich versuchte, witzig zu sein, und damit missachtete ich den Mut der Soldaten und das Opfer, das sie brachten. Mein Unernst kam Verrat gleich, und mir musste Einhalt geboten werden. Ich glaube, ich ärgere mich heutzutage noch mehr darüber als damals. Wichtigtuerei und Entrüstung wachsen im Alter, so wie die Haare in den Nasenlöchern und an den Ohrläppchen wachsen.

Nicht lange nach *Beatnews* setzte sich der BBC-Produzent Ian Gardhouse mit mir in Verbindung und fragte, ob ich an seiner Sendung *Late Night Sherrin* bei Radio 4 mitarbeiten wolle. Ned Sherrin war ein bekannter Radiomann, der als Fernsehproduzent begonnen hatte, zuerst bei Val Parnells ATV und anschließend bei der BBC. Seine berühmteste Errungenschaft während jenes Lebensabschnitts war *That Was The Week That Was*, üblicherweise *TW3* abgekürzt, die Live-Comedy-Show, die den Satire-Boom ausgelöst und David Frost hervorgebracht hatte. Seither hatte Nedwin, wie ich ihn gern nannte, der Welt *Up Pompeii!*, *Side by Side by Sondheim* und einen Haufen Gemeinschaftsarbeiten mit Caryl Brahms und anderen geschenkt. Er war Anwalt und bekannt für seine Liebe zur Tin Pan Alley, Klatsch und Tratsch und hübschen jungen Männern. Er hatte am Exeter College in Oxford Jura studiert, aber zuvor als Junge eine Lehranstalt besucht, die einen so vorzüglich passenden Namen trug wie keine andere auf der Welt – Sexey's School in Somerset.

Ich fühlte mich sofort zu ihm hingezogen. Er glich einer strengen Tante, die nach etwas zu viel Gin zwinkerte und kicherte. Das Konzept von *Late Night Sherrin* bestand darin, einen männlichen oder weiblichen Stargast der Woche zu haben, der oder die von Ned und einer Reihe junger, witziger Typen, zu denen ich auch gehören sollte, befragt, auf den Arm genommen und gereizt wurde. Ned nannte uns seine »Jungtürken«. *Late Night Sherrin* verwandelte sich aus Gründen, an die weder ich noch Ian Gardhouse uns erinnern können, in *And So to Ned*. Beides waren spätabendliche Liveshows. Wir pflegten uns alle zum Abendessen oben im St. George's Hotel direkt am Broadcasting House zu treffen. Laut Ian wurde damit bezweckt, dass er und Ned ein Auge auf den Gast der Woche halten und sicherstellen konnten, dass die Stars relativ nüchtern blieben. Eine Kriegslist, die im Fall von Daniel Farson und Zsa Zsa Gabor grausam versagte.

Auf das kurzlebige *And So to Ned* folgte *Extra Dry Sherrin I*, und ich kann mich nicht erinnern, dass sich dessen Format wirklich von den anderen unterschied: Vielleicht gab es Livemusik oder keine Livemusik, oder es kamen drei Gäste und nicht nur zwei. *Extra Dry Sherrin* erlebte nur eine Staffel, bevor Ian mich in einer neuen Sherrin-freien, hundertminütigen Livesendung mit dem Titel *The Colour Supplement* willkommen hieß – einer, wie der Name schon andeutet, sonntäglichen Magazin-Show, die aus diversen Features bestand, von denen eines von mir nach eigenem Gutdünken konzipiert und ausgestaltet werden durfte. Jede Woche hielt ich also als eine jeweils neue Figur einen Monolog: als Immobilienmakler, als Architekt, als Journalist – ich entsinne mich nicht an die gesamte Vielfalt. Ihre Nachnamen entlehnte ich jedenfalls von Dörfern in Norfolk, und daher erinnere ich mich an einen gewissen Simon Mulbarton, an Sandy Crimplesham und Gerald Clenchwarton.

Unglücklicherweise bewiesen die Lohntüten, dass das Radio beim Rest der Welt nicht gerade großes Ansehen genoss. Als ich aufwuchs, hatte ich gehört, wie Kenneth Williams und andere sich in komisch greinendem Tonfall über die beleidigend unbedeutenden Entlohnungen beschwert hatten, die man ihnen für ihre Dienste bot, und jetzt fand ich schon bald heraus, dass im Gegensatz zu ihrem ins Auge fallenden jüngeren Bruder, dem Fernsehen, die erlauchte Dame Rundfunk in der Tat ein höchst genügsames und frugales Leben führte. Das hat mich jedoch nie geschert. Ich hätte meine Arbeit ohne Lohn getan, aber es war manchmal schwierig, Richard Armitage davon zu überzeugen, dass die Stunden, in denen ich Radiomonologe dichtete, in Comedys und dramatischen Hörspielen auftrat und an Spielshows teilnahm, keine Zeitvergeudung und auch nicht unter meiner Würde waren, wie er anzunehmen schien. Das Radio ist ein armer Verwandter des Fernsehens, was monetäre Angelegenheiten betrifft, aber ein reicher, wenn es ums Wesentliche geht – nämlich Ausdrucksstärke und Intimität.

Der Autor Tony Sarchet und der Produzent Paul Mayhew-Archer baten mich, in *Delve Special*, einer neuen Comedy-Serie, die sie entwickelten, einen investigativen Reporter namens David Lander zu spielen. Es handelte sich im Grunde um eine Parodie von *Checkpoint*, der äußerst populären Sendung von Radio 4 mit dem beherzten Neuseeländer Roger Cook, der sich jede

Woche um einen anderen Nepper, Schlepper oder Bauernfänger kümmerte. Im ersten Teil seiner Sendung wurden Elend und Kummer der Unglücklichen geschildert, die man ausgenutzt und übers Ohr gehauen hatte: Einigen war das Haus durch teuren, aber nichtsnutzigen Kieselrauputz ruiniert worden, andere hatten sich beschwatzen lassen, einen Zeitanteil an einer Villa zu erwerben, die gar nicht existierte – Möglichkeiten, vertrauensseligen Unschuldslämmern das Fell über die Ohren zu ziehen, gab es für hinterhältige Halunken jede Menge, und die Konfrontation mit ihnen an der Haustür machte den zweiten und fast unentrinnbar unterhaltsamen Teil der Sendung aus. Cook war berühmt für die Szenen, in denen er verhöhnt wurde, beleidigt, angerempelt, verprügelt und sogar von den zornigen Tätern ernsthaft verletzt, die er mit seinen Recherchen entlarvt hatte. *Delve Special* brauchte die Geschichten, die *Checkpoint* und der Nachfolger *Face the Facts* von John Waite bereits geliefert hatten, kaum noch zu übertreiben. In den nächsten drei Jahren produzierten wir vier Staffeln, und dann, als Roger Cook zum Fernsehen absprang, sprangen wir mit ihm und erschienen bei Channel 4 unter dem Titel *This Is David Lander* sechsmal auf dem Bildschirm. Ich trug bei diesen Sendungen eine geradezu monströse blonde Perücke. Als meine Arbeitsbelastung zu groß war, um noch bei einer zweiten Staffel mitzuwirken, ersetzte mich Tony Slattery, und die Show bekam den neuen Titel *This Is David Harper*.

Delve fürs Radio zu produzieren war nicht nur deswegen ein Vergnügen, weil ich keine Perücke tragen und mich auch sonst nicht um mein Aussehen kümmern musste, sondern weil es Spaß machte, mit den Gastdarstellern zu arbeiten, die dazukamen, um die Opfer und Täter zu spielen. Brenda Blethyn, Harry Enfield, Dawn French, Andrew Sachs, Felicity Montagu, Jack Klaff, Janine Duvitski und viele andere kamen ins Studio und gaben brillant ihr Bestes. »Ins Studio« ist eigentlich nicht ganz richtig. Um akustische Authentizität zu erreichen, postierte uns Paul Mayhew-Archer sehr häufig auf der Straße, auf dem Dach des Broadcasting House, in Besenkammern, im Gastronomiebereich, in Büros und auf Korridoren und Fluren, damit er und der Toningenieur den glaubhaften Ton und die Atmosphäre der Szene einfangen konnten. Rundfunkaufnahmen an Originalschauplätzen sind ungewöhnlich, und die »Sir, Sir! Das Wetter ist so schön, dürfen wir den Unterricht im Freien abhalten?«-Stimmung, die dabei entsteht, machte die Aufnahmesessions so launig, wie sie nur sein können.

Im Radio wurde *The Colour Supplement* bald eingestellt, und Ian lud mich ein, bei einer weiteren Sherrinerei mitzumachen. Diesmal handelte es sich um eine Liveshow Sonnabend morgens, die *Loose Ends* hieß, aber von den regelmäßigen Teilnehmern gern »Loose Neds« genannt wurde. Im Laufe der Jahre zählten zu ihnen unter anderen Victoria Mather, Carol Thatcher, Emma Freud, Graham Norton, Arthur Smith, Brian Sewell, Robert Elms und Victor Lewis-Smith. Das Format war immer dasselbe: An einem Tisch, der mit grünem Billardtuch abgedeckt war, saßen die regelmäßigen Teilnehmer und einige Gäste: Autoren, Schauspieler oder Musiker, die für irgendeine Neuerscheinung Werbung machen wollten. Ned eröffnete mit einem Monolog, in dem er die Neuigkeiten der Woche scherzhaft kommentierte. Er würdigte stets die Autoren des Monologs; in den Anfangsjahren waren das gewöhnlich Neil Shand oder Alistair Beaton, sein Mitarbeiter an zwei satirischen Gilbert-and-Sullivan-Adaptionen, *The Ratepayer's Iolanthe* und *The Metropolitan Mikado*, aufgekratzte Parodien auf die Konfrontation zwischen Ken Livingstone und Margaret Thatcher, die Mitte der achtziger Jahre aufgeführt und mit viel Beifall bedacht wurden. Nach dem Monolog leitete Ned zu einem Beitrag über, der von einem der regelmäßigen Mitarbeiter aufgezeichnet worden war.

»Carol, wie ich höre, sind Sie unterwegs gewesen, um ein bestimmtes Phänomen zu untersuchen?«

»Well, Ned …«, pflegte Carol zu sagen, bevor sie eine Einführung zu ihrem Beitrag gab.

»Emma, Sie haben sich im Morgengrauen nach Beachy Head gewagt, um sich mit eigenen Augen zu überzeugen, nicht wahr?«

»Well, Ned …«

Emma, Carol und Victoria, die ich die WellNeds taufte, nahmen so lange wie alle anderen an der Sendung teil.

In meinen ersten Beiträgen zu *Loose Ends* präsentierte ich eine Reihe verschiedener Charaktere, wie ich es auch schon bei *The Colour Supplement* gemacht hatte. Eines Tages war in einer Nachrichtenstory die Rede von einem Akademiker, der sich bereiterklärt hatte, Stunden um Stunden vor dem Fernsehapparat zu sitzen, um einen Bericht darüber zu erstellen, ob das Programm einen schädlichen Einfluss auf das britische Publikum, besonders die Jugend, hatte. Damals wurde viel über die schlimmen Gewaltszenen in Polizeiserien und ihren schädlichen Einfluss auf leicht beeinflussbare Jugendliche diskutiert. Aus Gründen, die mit Phantasie allein nur schwer zu rekonstruieren sind, wurde aus allen Programmen ausgerechnet *Starsky and Hutch* als hauptschuldig und Symbol all dessen herausgefischt, was falsch war. »Der nette Mister Gardhouse«, wie Ian von Ned genannt wurde, schlug vor, dass ich einen Kommentar aus der Sicht eines Akademikers schrieb, der gezwungen wird, fernzusehen. Ich haute also an jenem Freitagnachmittag in die Tasten und wartete am nächsten Tag mit einem Beitrag auf, der aus der Perspektive eines Professor Donald Trefusis geschrieben war, eines außerordentlichen Fellows am St. Matthew's College, Cambridge, Philologe und Inhaber des Regius-Lehrstuhls für vergleichende Linguistik. Wie sich herausstellte, war Trefusis in der Tat erschüttert von der Gewalt im britischen Fernsehen. Die Gewalt, die von Noel Edmonds und Terry Wogan und anderen seinem eigenen Feingefühl sowie den sensiblen Empfindungen einer jungen und verletzlichen Generation angetan wurde, ließ ihn schaudern und erzittern. Man könne nur dankbar sein, schloss er, für die lustigen Verfolgungs-jagden in Autos und die Kampfszenen, in denen die Schauspieler, die sich als Polizisten verkleidet hatten, so taten, als würden sie aufeinander schießen – ohne unschuldige Fröhlichkeit dieser Art würde das Fernsehen auf nicht zu rechtfertigende Weise verderblich auf die Jugend wirken.

Ironie wie mit der Dampfwalze, nehme ich an, aber aus dem Munde eines nörglerisch brabbelnden Dons, der zu alt ist, um sich darum zu scheren, wen er beleidigen könnte, erschien es durchaus glaubhaft und funktionierte so gut, dass ich mich ermutigt fühlte, bei der Figur zu bleiben und in der nächsten Woche etwas Ähnliches zu versuchen. Bald schon wurde Trefusis zu meinem einzigen wöchentlichen Beitrag. In einer kurzen Einleitung wurde der Eindruck erweckt, als habe ich, Stephen Fry, ihn in seiner Zimmerflucht in St. Matthew's besucht, um ein Interview mit ihm zu führen. Den Professor erreichte schon bald das erste Rinnsal Fanpost, und eine Sendung, in der er gnadenlos gegen das in Mode gekommene Konzept der »Parent Power« in der Erziehung wetterte, ließ das Rinnsal zu einer Flut aus hunderten Briefen werden, in denen zumeist um ein Transkript der Darlegung oder des »Rundfunk-Essays«, wie er es lieber nannte, gebeten wurde. Das Alter von Trefusis, seine vermeintliche Weisheit und Autorität erlaubten mir, viel rüder und hemmungslos satirischer zu sein, als ich es je mit meiner eigenen Stimme hätte sein dürfen. So sind die Briten eben, besonders die Mittelschicht-Hörerschaft von Radio 4: Eine junge bissige und zornige Person verärgert sie, und sie schimpfen gegen das Radio an, er solle mehr Respekt beweisen und sich so etwas wie einen gepflegteren spirituellen und intellektuellen Haarschnitt zulegen. Wenn jedoch Wort für Wort dieselben Ansichten in einem hochakademischen Tonfall ausgesprochen werden, formuliert wie von einem Konglomorat aus G. E. Moore, Bertrand Russell und Anthony Quinton, dann fangen sie behaglich zu schnurren an.

Während der nächsten vier oder fünf Jahre fütterte ich *Loose Ends* fast ausschließlich mit Trefusis-Tiraden. Nur ganz selten trat ich im Gewand einer anderen Figur auf. Neds bevorzugte Alternative zum Professor war Rosina, Lady Madding, eine Art überkandidelte Diana-Cooper-Figur. Ihre Stimme klang sowohl nach Edith Evans wie nach meiner Sprecherzieherin in der Prep School:

Ich hoffe, Sie haben nichts dagegen, hier drinnen zu sitzen, in meinem Alter gewinnt man eine Vorliebe für Zugluft. Ich weiß, dass junge Leute wie Sie schrecklich kälteempfindlich sind, aber ich muss eingestehen, mir behagt sie durchaus. Das stimmt. Ja, ist doch sehr hübsch, nicht wahr? Doch ein Kissen würde ich es eigentlich nicht nennen, Pekinese ist der gängigere Name dafür. Nein, keine Sorge, er war sehr alt – werfen Sie ihn doch bitte einfach ins Feuer, ja?

Colonel and Mrs Chichester

Im April 1984 fuhr ich nach Sussex hinunter, um meinen Sommer bei *Forty Years On* zu beginnen. Sehen wir uns die Besetzungsliste an:

Paul Eddington war in die Rolle befördert worden, die er fast sechzehn Jahre zuvor John Gielgud hatte spielen sehen, die des Schulrektors. Eddington war ein großer Star der Situation Comedy im Fernsehen, bekannt als Penelope Keiths drangsalierter Ehemann in *The Good Life* und in jüngerer Vergangenheit als Jim Hacker, der inkompetente und glücklose Minister for Administrative Affairs in der ungeheuer populären Serie *Yes, Minister*. Er war während der Proben in London sehr freundlich gewesen, aber ich konnte eine gewisse Ehrfurcht vor ihm nicht verhehlen. Ich hatte bis dahin noch nie mit jemandem, der so berühmt war, täglich auf Tuchfühlung gearbeitet.

John Fortune übernahm die Rolle von Franklin, die Paul in der ursprünglichen Produktion gespielt hatte. John war zusammen mit John Bird, Eleanor Bron und Timothy Birdsall Ende der fünfziger Jahre eine der Comedy-Größen in Cambridge gewesen. Zusammen mit Eleanor Bron hatte er die legendäre (und eingestellte) Serie *Where Was Spring?* kreiert. Seine Zusammenarbeit mit John Bird sollte ihm in den späten Neunzigern und darüber hinaus durch die unbändig intelligenten und weitblickenden satirischen Beiträge zu *Bremner, Bird und Fortune* noch einmal einen hohen Bekanntheitsgrad bescheren.

Annette Crosby spielte die Hausmutter. Sie ist inzwischen allseits bekannt als Victor Meldrews Ehefrau in *One Foot in the Grave*, aber ich erinnerte mich an sie als äußerst glamouröse Queen Victoria in *Edward VII* und als eine geradezu unmöglich kecke und köstliche gute Fee in *Cinderellas silberner Schuh*. Doris Hare trat als die alte Großmutter auf. Sie war neunundsiebzig und eine gebieterische Komödiantin der alten Schule, geliebt für ihre vielen Jahre als Reg Varneys Mutter in *On the Buses*. Ein begabter junger Schauspieler namens Stephen Rashbrook übernahm die Rolle des obersten Aufsichtsschülers, und der Rest der Schülerschaft wurde von einheimischen Jungen aus West-Sussex gespielt.

Das Chichester Festival, das in den Sechzigern von Leslie Evershed-Martin und Laurence Olivier ins Leben gerufen worden war, präsentierte jedes Jahr über einen langen Sommer Theaterstücke und Musicals in einem großen, zweckgebauten Theater mit nach drei Seiten offener Bühne. Die Saison 1984 bot *Der Kaufmann von Venedig*, *The Way of the World* und *Oh, Kay!* sowie die *Forty Years On*, deretwegen ich angereist war. Ein Zelt, das inzwischen durch ein voll funktionsfähiges zweites Haus mit Namen Minerva ersetzt worden ist, diente damals als Spielstätte für kleinere experimentelle Produktionen. Als Auftritt, als ein Engagement, stand Chichester in hohem Ansehen bei Schauspielern alter Schule, denen die entspannte Atmosphäre einer wohlhabenden Stadt an der Südküste behagte, die lange Repertoire-Saison, die keine zu großen Ansprüche stellte, und schließlich auch die garantierte Gewissheit, sich auf ein treues Festivalpublikum verlassen zu können. Dieses regelmäßig erscheinende lokale Publikum wurde aufgrund seines kategorischen und engstirnigen Geschmacks kollektiv als Colonel und Mrs Chichester bezeichnet – Rattigan schien der einzige Bühnenautor der Nachkriegszeit zu sein, den sie verkraften konnten. Colonel und Mrs Chichester scheuten sich nicht, die aufregende Nachricht kundzutun, dass sie ins Theater gingen, um sich *unterhalten* zu lassen.

Patrick Garland war ein wundervoller Regisseur, höflich, intelligent, wohlwollend und feinsinnig taktvoll. Bei den Proben pflegte er die verdutzten Jungs im Ensemble so charmant respektvoll anzusprechen, als säßen sie in einem Gemeinschaftsraum in Oxbridge. »Wenn Sie mir die Anmerkung verzeihen wollen, Gentlemen, so sehe ich mich doch gezwungen zu erwähnen, dass die schleppende Art und Weise des gemeinsamen Abgangs, der direkt auf Pauls Exordium im zweiten Akt folgt, dem Tempo und der Dynamik der Szene unzuträglich ist. Ich wäre sehr dankbar, würde hier Abhilfe geschaffen. Seien Sie bedankt.«

Der Bühnenbildner unseres Stücks war Peter Rice, mit dessen Sohn Matthew ich mich bald anfreundete und der ein lebenslanger Freund blieb. Wenn er nicht seinem Vater half, grub er den Garten des kleinen Hauses um, das er für die Saison gemietet hatte, schoss Kaninchen und Tauben, häutete und rupfte sie und bereitete daraus vorzügliche Abendessen. Er spielte Klavier, sang, zeichnete und malte. Seine Stimme war der von Prinzessin Margaret nicht unähnlich: hoch, vornehm und schneidend. Vielleicht hatte er zu viel Zeit in ihrer

Gegenwart verbracht, denn er war ein enger Freund ihres Sohnes David Linley, mit dem zusammen er in Bedales die Schule besucht hatte.

Anders als Matthew, dessen Häuschen ein sympathischer ländlicher Rückzugsort auf dem Besitz des Earl of Bessborough war, hatte ich mir eine ziemlich öde moderne Wohnung genommen, von der aus ich das Festival Theatre leicht zu Fuß erreichen konnte. Meine Freizeit widmete ich dem Skript von *Me and My Girl*. Ein- oder zweimal kam Mike Ockrent, um mit mir daran zu arbeiten. Robert Lindsay war plangemäß als Bill besetzt worden, und die Rolle von Sally sollte Leslie Ash übernehmen, wenn sie denn Unterricht im Stepptanz und Gesangsstunden nahm. Die wichtigste Charakterrolle war Frank Thornton übertragen worden, besser bekannt als Abteilungsleiter Captain Peacock des Kaufhauses Grace Brothers in der BBC-Serie *Are You Being Served?* Unsere Show sollte im Herbst in Leicester ihre Premiere haben, wenn es mir gelänge, nächsten Monat das endgültige Probenskript zu liefern.

Meine Eltern kamen zum Premierenabend von *Forty Years On* aus Norfolk nach Chichester, und stolz stellte ich sie Alan Bennett und Paul Eddington vor. Alan wiederum stellte uns seinen Freunden Alan Bates und Russell Harty vor.

»Ich liebe Stücke, in denen gelacht wird und geschluchzt«, sagte Alan Bates mit viel affektierterer Stimme, als ich sie von den Lippen des Ted Burgess aus *Der Mittler* und des Gabriel Oak aus *Die Herrin von Thornhill* erwartet hätte, zwei der männlichsten Männer im britischen Film. »Ich finde, ein bisschen Kichern und ein bisschen Schluchzen muss doch drin sein, oder wozu soll das Theater sonst gut sein?«

Russell Harty nannte Alan Bates mit anagrammatischer Bosheit Anal Beast oder, in gemischter Gesellschaft, Lana Beast.

Ich glaube, ich war als Tempest enttäuschend. Ich glaubte, die Rolle spielen zu können, und das sogar brillant, aber irgendetwas hinderte mich daran, besser als nur kompetent zu agieren. Ich war okay. Tadellos. *Schön*. Letzteres ist das schlimmste Wort am Theater. Wenn Freunde hinter die Bühne kommen und das Wort »schön« in Bezug auf ein Stück, eine Inszenierung oder deinen Auftritt benutzen, dann weißt du sofort, dass sie es gehasst haben. Oft stellen sie auch, wie aus heiterem Himmel, das Wort »nein« voran, und das ist äußerst verräterisch.

»Nein, es war *schön*!«

»Nein, wirklich, ich fand, es war … du weißt schon …«

Warum sollten sie einen Satz mit einem »Nein« anfangen, wenn man ihnen doch gar keine Frage gestellt hatte? Dafür kann es nur eine Erklärung geben. Während sie die Flure hinter der Bühne zu deiner Garderobe entlanggehen, ist ihnen durch den Kopf gegangen: »Mein Gott, was für ein Mist. Peinlich, wie furchtbar schlecht Stephen war. Die ganz Chose war *schauderhaft*.« Dann treten sie ein, und als ob sie sich selbst antworteten und gleichzeitig widersprächen, sagen sie: »Nein, wirklich, ich fand, es war großartig … nein, echt, ich …mhm… mir hat es gefallen.« Ich weiß, dass es sich so verhält, weil ich mich selbst oft genug dabei erwische, ohne es zu wollen, genau dasselbe zu sagen. »Nein … wirklich, es war schön.«

Die Produktion insgesamt galt jedoch als Erfolg. Colonel und Mrs Chichester waren hingerissen, und bald schon wurde davon gesprochen, dass ein »Transfer« bevorstände.

»Ausgezeichnete Neuigkeiten«, sagte Paul Eddington eines Abends zu mir, als wir auf unseren Auftritt warteten. Ich hätte fast geschrieben, »als wir in den Kulissen standen«, aber die Vorbühne in Chichester reichte an drei Seiten hinaus ins Publikum, und daher müssen wir wohl hinter der Bühne gestanden haben.

»Oh!«, sagte ich. »Was denn für gute Neuigkeiten?«

»Es ist offiziell. Der Transfer ist klar.«

»Wow!« Ich führte einen kleinen Freudentanz auf. Ich hatte nicht die geringste Ahnung, wovon er sprach.

Ich brauchte zwei Tage, bis ich die Bedeutung von »Transfer« herausbekommen hatte. Die Jungs im Ensemble schienen es zu wissen, die Frauen, die in der Kantine bedienten, wussten es, der Zigarettenhändler an der Ecke wusste es ebenso wie die Vermieterin meiner Wohnung. Alle wussten es, nur ich nicht.

»Wundervolle Nachricht mit dem Transfer«, sagte Doris Hare. »The Queen's, glaube ich.«

»Äh …?« Bedeutete Transfer vielleicht einen Besuch aus dem Königshaus? Jetzt war ich noch verwirrter.

»Ich habe in den meisten Häusern an der Avenue gespielt, aber es wird das erste Mal im Queen's sein.«

Die Avenue? Ich sah uns an einem baumgesäumten Boulevard im Freien eine Vorstellung für eine gelangweilte und brüskierte Monarchin geben. Der Gedanke war grotesk.

Später sagte Patrick zu mir: »Du wirst sicher die gute Nachricht vom Transfer gehört haben?«

»Hab ich. Ja. Toll, nicht?«

»Es wird dein Debüt im West End sein, oder?«

Das hieß es also! Die Produktion würde aus Chichester ins West End transferiert werden. Ein Transfer. Aber natürlich. D'uh.

Ich brachte die Chichester-Saison in angespannter Hektik zu Ende. Eine Woche vor unserer letzten Vorstellung kam Mike Ockrent, um meine Endfassung von *Me and My Girl* abzuholen.

In London beschloss ich dann, weil Kim und Steve in Draycott Place so glücklich zu sein schienen, dass es Zeit sei, Chelsea hinter mir zu lassen und eine eigene Wohnung zu beziehen. Für hundert Pfund die Woche wurde ich zum Mieter einer möblierten One-Bedroom-Wohnung am Regent Square in Bloomsbury. Nur ich und die neue Liebe meines Lebens.

Computer 2 – Computer, zum Zweiten

Anfang des Jahres hatte ich Hugh begeistert angerufen: »Ich hab mir gerade einen Macintosh gekauft. Tausend Pfund hab ich dafür hingelegt.«

»*Was?*«

Hugh hatte ungefähr eine Woche lang seinen Spaß daran, die Kunde von meiner absurd exorbitanten Ausgabe für so etwas Simples wie einen Regenmantel zu verbreiten, bevor er herausfand, dass Macintosh ein neuer Typ von Computer war.

Ich war in dies eigentümlich schöne Stück Technologie hemmungsloser verliebt als in alles, was ich je zuvor besessen hatte. Ein Kabel führte aus dem Macintosh heraus und endete an einem kleinen Gerät, das »Maus« genannt wurde. Der Bildschirm war *weiß*, wenn man den Computer anwarf und die Systemdiskette lud. Der Text, der sichtbar wurde, war schwarz auf weiß wie auf Papier und nicht so unscharf grün oder orange auf schwarz schimmernd wie bei all den anderen Computern. Ein kleiner Pfeil auf dem Bildschirm ließ sich durch Bewegungen mit der Maus auf dem Schreibtisch neben dem Computer aktivieren. Zeichnungen einer Diskette, auch Floppy Disk genannt, und eines Papierkorbs erschienen auf dem Bildschirm, und am oberen Rand standen Wörter auf einer Leiste, die, wenn durch einen Mausklick geöffnet, eine Art graphischer Jalousie herunterließen, auf der die Menüoptionen zu lesen waren. Man konnte mit Doppelklicks Dokumente, Ordner und Fenster öffnen. Ich hatte dergleichen weder gesehen, noch mir je vorstellen können. Keiner hatte es gekonnt. Nur Apples kurzlebiger Lisa-Computer hatte zuvor diese Bedienungsmethode genutzt, aber nie seinen Platz auf dem Heimcomputer-Markt gefunden.

Während ihrer Entwicklung hatte man diese spezielle Benutzeroberfläche WIMP genannt, was für Windows, Icons, Menus, Pointing-device stand. Ich wurde auf der Stelle zum sklavischen Bewunderer der Eleganz, des Bedienungskomforts, der Anwendungsmöglichkeiten und des Esprits. Die meisten von Ihnen, die das hier lesen, werden zu jung sein, um sich eine Zeit vorzustellen, in der die Computer in irgendeiner anderen Form hätten angeboten werden können, aber damals war die Technologie neu und revolutionär. Seltsamerweise setzte sie sich lange Zeit nicht durch. Noch jahrelang nach der Einführung des Apple Macintosh im Januar 1984 taten die Rivalen – IBM, Microsoft, Apricot, DEC, Amstrad und andere – sämtlich die Maus, das Icon und den graphischen Schreibtisch als »Gag«, »kindisch« und »kurzlebige Mode« ab. Nun, ich werde darauf verzichten, noch weiter in diese Materie einzudringen. Mir ist völlig klar, dass meine Liebe zu all diesem depperten Zauberwerk zum Minderheitenvergnügen zählt. Und Sie müssen nur wissen, dass ich, mein 128-Kilobyte-Macintosh, Imagewriter-Bitmap-Drucker und eine kleine Sammlung von Floppy Disks alle sehr, *sehr* glücklich miteinander sind. Welches denkbare Bedürfnis nach Sex oder menschlichen Beziehungen könnte ich darüber hinaus noch haben?

Hugh, Katie und Nick Symons teilten sich ein Haus in Leighton Grove, Kentish Town; ich hatte meine Wohnung in Bloomsbury; Kim blieb weiterhin in Chelsea. Wir sahen einander so oft wie möglich, aber mir standen die Auftritte auf einer Bühne im West End bevor, und zwar achtmal die Woche.

Richard Armitage hatte mit Patrick und den Produzenten von *Forty Years On* vereinbart, dass ich im November für einige Tage der Spielzeit beurlaubt wurde, damit ich nach Leicester reisen könnte, um bei der Premiere von *Me and My Girl* anwesend zu sein: Auf dieser Vertragsklausel hatte Richard nicht deswegen bestanden, weil er freundlicherweise meinte, mir sei zu gönnen, dass ich an der Premiere eines Musicals teilnahm, zu dem ich ein Skript geliefert hatte, sondern weil er sicherstellen wollte, dass ich zur Stelle war, sollten die Generalprobe und die Premiere zeigen, dass unvorhergesehen dringende Textkorrekturen gemacht werden müssten.

Wir hatten in den vergangenen Monaten an einigen seltsamen Unterhaltungen teilgenommen, in denen Richard bewies, dass er mitten in einem Satz umschalten konnte und dann zwischen seiner Identität als Produzent der Show, der als Erbe und Manager des Nachlasses des Komponisten, und zuletzt, aber nicht am unwichtigsten, soweit es mich betraf, der meines Agenten hin und her sprang. »Ich habe mich mit mir beraten«, sagte er zum Beispiel, »und ich habe mich mit meinen unverschämt hohen Forderungen, was deine finanzielle Teilhaberschaft an diesem Projekt betrifft, einverstanden erklärt. Ich wollte dich von jeder Gewinnbeteiligung ausschließen, aber ich habe absolut darauf bestanden, so dass du jetzt zu meinem Ärger prozentualen Anteil an der Show hast, was mich sehr erfreut.«

Zu Anfang der Proben stellte sich heraus, dass Leslie Ash nicht viel aus ihren Tanz- und Gesangsstunden gemacht hatte, und in gegenseitigem Einverständnis war sie aus dem Ensemble entlassen worden. Ich saß eines Nachmittags in Richards Büro, und er rieb sich nervös das Kinn. Wer, um Himmels willen, sollte unsere Sally spielen?

»Wie wär's mit Emma?«, sagte ich. »Sie singt wunderbar und hat sich vielleicht noch nie mit Stepptanz vertraut gemacht, aber sie zählt zu den Menschen, die alles fertigbringen, wenn sie es sich in den Kopf gesetzt haben.«

Richard Persönlichkeit spaltete sich abermals direkt vor meinen Augen und Ohren. »Aber natürlich. Brillant. Die will ich«, sagte er, bevor er wieder umschwenkte: »Also, wenn du sie willst, dann musst du verdammt noch mal damit rechnen, einen Batzen für sie hinzulegen. Aber bleib jetzt mal auf dem Teppich. Sie hat keine Erfahrung, keinen richtigen Namen. Das mag ja sein, aber sie ist auch eines der größten Talente ihrer Generation, und deswegen wird sie dich was kosten.«

Ich überließ Richard seinem Gewissenskonflikt und merkte, dass er kurz davor stand, sich mit sich selbst zu prügeln. Doch er schaffte es relativ bald, die zähen

Verhandlungen per Handschlag zu einem Abschluss zu bringen, der beiden zur Zufriedenheit gereichte.

Emma schloss sich dem Ensemble an. Sie kannte Robert Lindsay gut, weil sie am Royal Exchange in Manchester mit ihm zusammengearbeitet hatte, wo Robert seinen äußerst wohlmeinend aufgenommenen Hamlet präsentiert hatte. Ich glaube sogar, zu Recht sagen zu dürfen, dass Emma und Robert einander damals *sehr* gut gekannt hatten. Ja, das kann man wohl sagen, wirklich gut. O ja.

Bevor *Forty Years On* seine Laufzeit im West End beginnen konnte, mussten ein oder zwei Veränderungen im Ensemble vorgenommen werden. John Fortune und Annette Crosbie konnten den Transfer nicht mitmachen, und ihre Rollen gingen an David Horovitch und Emmas Mutter Phyllida Law. Auch die Jungs wurden ausgetauscht. Die einheimischen Chichester-Burschen, die sich mit so viel Aplomb und Überschwang in ihre Rollen gestürzt hatten, wurden jetzt von Londoner Schauspielschülern ersetzt, die mit ebenso viel Feuer und Freude bei der Sache waren, sich aber auf größere Pfiffigkeit und Erfahrung stützen konnten.

Während der Unterbrechung zwischen dem technischen Durchlauf und der abendlichen Generalprobe am Tag vor der Premiere verließ ich das Queen's Theatre zusammen mit David Horovitch und einer Gruppe dieser Jungs durch den Bühneneingang. Wir wollten in ein Pasta-Restaurant gehen, das sie als Soho-Kenner empfohlen hatten. Alan Bennett war draußen auf der Straße und befestigte Fahrradklammern an seinen Hosenbeinen.

»Wollen Sie nicht mit uns kommen und Spaghetti essen?«, fragte ich ihn.

»Ja, kommen Sie doch mit!«, sagten die Jungs.

»O nein«, sagte Alan in geschocktem Tonfall, als würden wir ihn zu einer Orgie in einer Opiumhöhle einladen. »Ich werde nach Hause radeln und mir ein pochiertes Ei machen.« Alan Bennett verkörpert stets Alan Bennett auf so exzellente Art, wie man es sich nur wünschen kann. Ein scharfer Verstand, ein immenses künstlerisches Feingefühl, ein unbeugsames politisches und soziales Gewissen – aber ein Mann der Fahrradklammern und pochierten Eier. Ist es da ein Wunder, dass er so geliebt wird?

Mein Name leuchtete jetzt in Neon über der Shaftesbury Avenue. Es war mir zu peinlich, davon ein Foto zu machen, was ich jetzt natürlich bedaure. Ich besitze jedoch ein Foto von der Premierenparty. Ich muss wohl annehmen, dass ich sehr glücklich war. Ich hatte dazu auch jeden Grund.

Paul Eddington war ebenfalls glücklich, denn er konnte eine gefestigte und fruchtbare Spanne seiner Karriere genießen. Er war eben vom Garrick Club aufgenommen worden, worüber er sich ungemein freute, und er und Nigel Hawthorne hatten eine hohe Summe für einen TV-Werbespot bekommen, was ihn beinahe genauso erfreute.

»Eine *sehr* hohe Summe«, sagte er glückstrahlend. »In dem Spot wird für Wispa, einen neuen Schokoladenriegel von Cadburys, geworben. In seiner Rolle als Sir Humphrey flüstert mir Nigel etwas ins Ohr – ein halber Tag Arbeit für eine höchst ansehnliche Gage.«

»Meine Güte«, sagte ich, »und bekommen Tony Jay und Jonathan Lynn auch ein Stück von dem Kuchen?«

»Ach!« Paul zuckte bei der Nennung der beiden Autoren und Schöpfer von *Yes, Minister* leicht zusammen. Ich hatte sie völlig ohne Hintergedanken ausgesprochen, denn ich war neugierig, wie diese Dinge abliefen. »Ja. Nigel und ich hatten deswegen kein so gutes Gewissen, und daher schicken wir jedem eine Kiste Bordeaux. Besonders feiner Bordeaux.«

Es gähnt eine Kluft zwischen Autoren und Darstellern: Beiden erscheint das Leben auf der anderen Seite oft besser zu sein, und wenngleich ich sicher bin, dass Tony und Jonathan sich über den besonders feinen Bordeaux gefreut haben, zweifle ich nicht daran, dass sie die Art Vergütung vorgezogen hätten, derer Paul und Nigel sich erfreuten. Wie ich jedoch entdecken sollte, bleiben auch Autoren nicht unentlohnt.

Als eines Abends der Vorhang gefallen war, flüsterte mir Paul freudig und unverhohlen triumphierend ins Ohr: »Jetzt kann ich es dir ja sagen. Es ist offiziell. Ich bin Premierminister.«

An diesem Abend war die letzte Episode von *Yes, Minister* gesendet worden. Sie endete damit, dass Jim Hacker die Führung seiner Partei und des Landes übertragen wurde. Dieses Geheimnis für sich zu behalten, gestand mir Paul, war die schwierigste Pflicht gewesen, die er je hatte erfüllen müssen.

Ich arrangierte mich mit den Aufführungsterminen: Unser Stück wurde an sechs Abenden der Woche gegeben, dazu fanden am Mittwoch und Sonnabend Matinees statt. Ich würde während der nächsten sechs Monate achtmal die Woche denselben Text zu denselben Leute sprechen, dieselbe Kleidung tragen und mit denselben Requisiten hantieren. Nebenan im Globe Theatre (inzwischen in Gielgud umbenannt) wurde eine Show aufgeführt, die in einer Mädchenschule spielte und den Titel *Daisy Pulls it Off* trug. Unsere Jungs und die Schulmädchen kamen sehr gut miteinander aus, wie man sich denken kann. Jeden Mittwochnachmittag zwischen Matinee und Abendvorstellung wurde hinter der Bühne ein Schulfest gefeiert. Eine Woche spielten die Jungs im Queen's Gastgeber, in der nächsten die Mädchen im Globe. Weiter die Straße hinunter befand sich das Lyric Theatre, in dem Leonard Rossiter in einer Neuaufführung von Joe Ortons *Beute* den Polizeikommissar Truscott spielte. Erschüttert mussten wir eines Abends hören, dass er kurz vor seinem Auftritt an einem Herzinfarkt gestorben war. Erst einige Monate zuvor waren auch Tommy Cooper und Eric Morecambe auf der Bühne gestorben. Beschämt, aber egoistisch, wie ich bin, muss ich eingestehen, dass ich es schade fand, nun ganz sicher diese drei Genies nicht mehr kennenlernen oder mit ihnen arbeiten zu können, aber ich bedauerte natürlich ihr Dahinscheiden und konnte nachempfinden, wie untröstlich ihre Familien über den plötzlichen Tod gewesen sein müssen.

Der November kam, und es wurde für mich Zeit, zur Premiere von *Me and My Girl* nach Leicester fahren. Geplant war, am Donnerstag zur Generalprobe einzutreffen, am Freitag zur Premiere zu bleiben und rechtzeitig zur Matinee am Sonnabend und zur Abendvorstellung von *Forty Years On* wieder in London zu sein. Wer sollte während meiner Abwesenheit den Tempest spielen? Zu meinem Entsetzen musste ich erfahren, dass es Alan Bennett persönlich sein würde, der damit noch einmal in seine ursprüngliche Rolle aus dem Jahr 1968 schlüpfen wollte. Entsetzt war ich natürlich nur deswegen, weil ich keine Gelegenheit haben würde, ihn darin zu bewundern.

Am Montagabend jener Woche kam er in die Garderobe, die ich mir mit David Horovitch teilte.

»Stephen, ich habe eine eigenartige Bitte. Ich weiß nicht, ob Sie sie mir erfüllen wollen, aber ich werde sie dennoch aussprechen.«

»Ja?«

»Ich weiß, dass Sie erst Donnerstag abreisen, aber hätten Sie etwas dagegen, wenn ich am Mittwoch bereits in der Matineevorstellung und auch abends als Tempest auf die Bühne ginge?«

»Um Gottes willen, nein, nichts. Nicht *das Geringste*.« Der liebenswerte Kerl war offenbar ein wenig nervös und wollte erst einmal Bühnenluft schnuppern und sich vor einem kleineren Matineepublikum in die Rolle finden. Das Wunderbare war, dass ich jetzt auch im Theater sitzen und ihm zuschauen konnte. In zwei Aufführungen. Es geschieht nicht oft, dass ein Schauspieler sich die Inszenierung ansehen kann, an der er beteiligt ist, und während viele nicht besonders gern zuschauen, wenn jemand anders ihre Rolle spielt, besonders nicht, wenn es ein Meister wie Bennett ist, war ich viel zu sehr Fan, um mir darüber Gedanken zu machen, ob er mich in den Schatten stellen könnte. Was er ja tun würde, wovon ich überzeugt war. Schließlich hatte er die Rolle des Tempest für sich höchstpersönlich geschrieben, und schließlich war er niemand anders als Alan Bennett, um Himmels willen!

Ich schaute ihm beide Male zu und besuchte ihn anschließend in der Garderobe.

»Oh, Alan, Sie waren erstaunlich. Erstaunlich.«

»So, meinen Sie wirklich?«

»Ich bin ja so froh, dass Sie heute aufgetreten sind, aber wissen Sie«, sagte ich, »Sie hätten es absolut nicht nötig gehabt, sich in einer Matineevorstellung wieder hineinzufinden. Sie waren von Anfang an perfekt.«

»Oh, deswegen habe ich gar nicht gefragt, ob ich bereits heute auftreten durfte.«

»Nein?«

»Um ehrlich zu sein, nein.«

»Nun, warum dann?«

»Wissen Sie, dass ich diesen Film habe?«

Und ob ich das wusste. Alan hatte das Drehbuch für den Film *Magere Zeiten* geschrieben, in dem Maggie Smith, Michael Palin und Denholm Elliott mitspielten. Ich hatte mir vorgenommen, am Wochenende ins Kino zu gehen.

»Sehen Sie«, sagte er, »heute Abend ist die Royal-Command-Premiere, und ich brauchte einen überzeugenden Grund, warum ich nicht dabei sein konnte ...«

Das war die für Bennett so typische Scheu, die es für weniger strapaziös erachtet, vor Hunderten Fremden auf der Bühne zu stehen, als eine Party besuchen zu müssen.

Die Erinnerung an Leicester ist verschwommen. Die Generalprobe von *Me and My Girl* war wohl okay, aber ohne Publikum ließ sich unmöglich sagen, ob die Slapsticks und die großen Comedy-Nummern wirklich ankommen würden. Robert und Emma harmonierten wundervoll miteinander. Roberts komische Szenen mit seinem Umhang und dem Bowler, mit den Zigaretten, Kissen und all den anderen Requisiten, mit denen er es zu tun bekam, wurden meisterhaft von ihm gespielt. Höchstens im Stummfilm hatte ich Körperkomik von dieser Güte gesehen.

Mit Champagner machte ich die Runde durch die Garderoben, um aufs Gelingen anzustoßen, dazu mit

Karten, Rosensträußen und Bekundungen von Zuversicht, Hoffnung und Dankbarkeit.

»Also, jetzt warten wir nur noch auf den entscheidenden Regisseur …«, sagte Frank Thornton und fügte mit höchst bekümmerter Miene die Antwort auf meine unausgesprochene Frage hinzu, »… das Publikum!«

»Aha!« Ich bejahte diesen klugen Schauspielergedanken mit einem Kopfnicken.

Schlussendlich reckte der entscheidende Regisseur seine vielen Daumen in die Höhe und ließ dazu ein lautes »Lambeth Walk« – »Oi!« hören. Am Schluss standen sie da und applaudierten fast eine halbe Stunde lang, wie es uns vorkam. Es war ein triumphaler Erfolg, und alle umarmten einander und schluchzten vor Freude, so wie man es in den Backstage-Szenen der besten Hollywood-Musicals sieht. Mike Ockrents magische und in komischen Details ausgefeilte Regiearbeit, Gillian Gregorys Choreographie, Mike Walkers Arrangements und ein Chor und ein Ensemble, die jede Sekunde der zweistündigen Dauer mit Körper und Seele leidenschaftlich bei der Sache waren, sorgten für einen so geglückten Theaterabend, wie ich ihn kaum sonst im Gedächtnis habe.

Ich möchte nicht missverstanden werden. Musicals sind immer noch nicht so ganz meine Sache, und ich bin sicher, dass unter Ihnen viele sein dürften, die beim Gedanken an Pearly Kings und Queens und begeistert in die Luft geschmissene Beine zu »Rum-tata-rum-tata«-Orchestermusik aus den Dreißigern zusammenzucken. Nichtsdestoweniger gefiel es mir, teilzuhaben an etwas, das so weit entfernt von meinem normalen Geschmack angesiedelt war und vor ungekünstelter Leichtigkeit, warmherziger Albernheit und unverfrorener Ausgelassenheit übersprudelte. Wir steuerten gegen den Trend zu selbstgefälligen, hochgestochenen opernhaften Melodramen, in denen ausschließlich gesungen wird. Wir steuerten nicht nur dagegen, sondern wir steppten einfach drüber hinweg. Mir gefiel es sehr, dass wir einen Abend präsentierten, an dem wir dem Ursprung des Wortes »musical« Ehrerbietung erwiesen, und zwar dem Adjektiv und nicht dem Substantiv. Von seinem Ursprung an war das Genre Musical Comedy, und wir hatten alle gehofft, dass an dieser Art Theater weiterhin Interesse bestand. Bei der Party beugte ich mich dem strahlenden Richard Armitage entgegen.

»Meinen Sie«, rief ich ihm ins Ohr, mit meinem Theaterjargon protzend, »dass es zum Transfer kommt?«

»Sicher doch«, sagte Richard. »Vielen Dank, mein Lieber. Mein Vater sieht auf uns herunter und zwinkert uns zu.«

Ich wandte mich ab, eine Träne im Auge. Ich weiß, wie wichtig für einen Mann das Gefühl ist, endlich die Anerkennung seines Vaters erlangt zu haben.

Conspicuous Consumption – Geltungskonsum
Country Cottage, Cheques, Credit Carts and Classic Cars –
Landhäuschen, Schecks, Kreditkarten und Oldtimer

In London stand *Forty Years On* noch über Weihnachten und Neujahr auf dem Spielplan. Ich hatte begonnen, die Tage auf einer Liste in der Garderobe abzuhaken, wie ein Sträfling Striche in seine Zellenwand ritzt. Unangenehmes geschieht mit dem Gehirn, wenn man gezwungen ist, bestimmte Handlungen zu wiederholen und immer wieder dasselbe zu sagen. Alle erfahrenen Bühnenschauspieler wissen, wie oft es geschieht, dass man auf der Bühne eine Art von außerkörperlicher Erfahrung macht, bei der man von oben auf sich hinabblickt und sich völlig hilflos fühlt. Dann kommt der Moment, in dem man seinen Text sprechen muss, und entweder ist man plötzlich wie versteinert und bekommt kein Wort heraus, oder man spricht denselben Text drei- oder viermal hintereinander, ohne dass es einem auffällt. Man ist nur zu retten, wenn man von einem Kollegen auf der Bühne gezwickt wird oder einen kleinen Tritt bekommt.

Es gab eine Szene in *Forty Years On*, in der ich einen Schüler wegen irgendeiner Sache rüffeln musste. Dabei tippte ich im Takt meiner tadelnden Worte kräftig mit dem Zeigefinger auf die Ecke eines Tisches. Während einer nur halb vollen Matineevorstellung sah ich hinunter und erkannte, dass der Firnis auf der Tischplatte wegen der ständigen Berührung durch meinen Finger abgeschabt war. Aus unerfindlichem Grund machte mir das erheblich zu schaffen, und ich beschloss, in der Abendvorstellung eine andere Stelle anzutippen. Als der Augenblick kam, hob ich die Hand, zielte knappe fünfzehn Zentimeter nach links und ließ meinen Finger mit Schwung *auf exakt die gewohnte Stelle* niedersausen. Während der nächsten paar Tage versuchte ich es wieder und wieder, aber irgendeine extreme und dämliche Muskelerinnerung bestand darauf, dass mein Finger immer denselben Punkt traf. Das verwirrte mich zutiefst, und allmählich sah ich die zwei oder drei noch ausstehenden Wochen als einen entsetzlichen Kerkeraufenthalt an, dem ich niemals würde entrinnen können. Diese erstickenden Folterqualen wurden jedoch von David, Phyllida oder Paul nicht geteilt, denn sie schienen aufgrund ihrer größeren Erfahrung ruhig und gelassen bleiben zu können.

Doris Hare, die inzwischen achtzig war, besaß mehr Energie als der Rest von uns zusammen. Sie war die einzige Hauptdarstellerin im Ensemble, die nicht sofort nach Hause ging, nachdem die Vorstellung vorüber war. Sie und ich gingen meistens abends noch zu Joe Allen's. Wenn Doris ein Restaurant betrat, hatte man den Eindruck, dass sie keinen Wollschal um den Hals trug, sondern einen Fuchspelz, der mit einer Smaragdspange zusammengehalten wurde, und dass ihr Begleiter kein unbeholfener und schüchterner junger Schauspieler war, sondern eine elegante Melange aus Noël Coward, Ivor Novello und Binkie Beaumont.

»Das Geheimnis, mein Lieber«, sagte sie mir, »liegt darin, zu genießen ... Warum sollten wir am Theater sein, wenn wir nicht jede Minute davon lieben würden? Rollenbesetzung, Proben, Matinees, Tourneen ... wie *herrlich* ist das alles!« Davon war sie überzeugt.

Joe Allen's, ein Restaurant im Stil eines American Diner, ist ein beliebter Treffpunkt für Schauspieler, Tänzer, Agenten, Produzenten und Theaterautoren. Die für ihre Unfreundlichkeit berühmten Kellner und Kellnerinnen kommen oft auch aus dem Showbusiness. Ein amerikanischer Produzent hat sich damit unvergesslich gemacht, dass er eines Abends, ungeduldig wegen der schleppenden Bedienung, mit den Fingern nach einem Kellner schnippte und laut rief: »Schauspieler! He, Schauspieler!«

Eines Abends saß ich im Joe Allen's mit Russell Harty, Alan Bennett und Alan Bates zusammen. Aller Augen waren auf unseren Tisch gerichtet, bis sich die Köpfe plötzlich zur Tür drehten. Laurence Olivier und Dustin Hoffman kamen herein. Unser Tisch existierte nicht mehr.

»Jetzt sind wir abgemeldet«, sagte Russell.

Olivier ging an uns vorbei und strahlte dabei in alle Richtungen und in keine.

»Warum gehst du nicht rüber und begrüßt ihn?«, sagte Alan Bennett zu Russell. »Du kennst ihn doch gut.«

»Das könnte ich niemals machen. Alle würden doch sagen: ›Seht mal, wie sich dieser widerwärtige Russell Harty an Larry Olivier ranschmeißt!‹«

Harty und Bennett waren sehr gute Freunde. Beide besaßen ein Haus in North Yorkshire. Am Wochenende pflegte Alan sie in seinem Wagen hinzubringen. Man erzählt sich, dass Alan während einer solchen Autofahrt sagte: »Warum spielen wir nicht irgendein Spiel, um uns die Zeit zu vertreiben?«

»Wie wär's mit Botticelli?«, fragte Russell.

»Nein, bloß nicht. Dabei wird's zu ehrgeizig.«

Sie dachten eine Weile nach, und dann meldete sich Alan. »Ich weiß. Jeder denkt sich die Person aus, deren Unterhosen auf dem Kopf tragen zu müssen er als die ekligste Zumutung empfinden würde.«

»Colin Welland«, sagte Russell, ohne eine Sekunde zu zögern.

»Das ist nicht fair«, sagte Alan, »du hast jetzt schon gewonnen.«

Bei einer anderen Gelegenheit, als sie durch Leeds fuhren, kurbelte Russell die Scheibe runter und rief einer verdrossen aussehenden Frau zu, die in prasselndem Regen auf den Bus wartete: »Hallo, Beste! Alles in Ordnung?«

Als sie verblüfft aufsah, drehte er die Scheibe wieder hoch, lehnte sich zurück und sagte hochbefriedigt: »Welch ein Privileg, ein ansonsten trübes und kaum bemerkenswertes Leben mit einem goldenen Sonnenstrahl zu erleuchten.«

Sobald ich aus den Fesseln von *Forty Years On* befreit war, schien mein Leben dreifach schneller und intensiver zu werden. Ich zog aus der Bloomsbury-Wohnung aus und in ein großes möbliertes Haus an der Southgate Road am Rande des The Beauvoir Estate, zwischen Islington und der Balls Pond Road. Nick Symons, Hugh, Katie und ich teilten uns dieses wunderbar exzentrische Haus fast ein ganzes Jahr lang. Aus Hughs wohlwollender Sicht war es ein Haus, wie die Rolling Stones es 1968 hätten gemietet haben können. Es war bis unter die Decke vollgestopft mit gehämmerten Messingtabletts aus Benares, Alabasterlampen, exotischen Intarsienschränkchen, ausgestopften Vögeln und Wachsblumen unter Glassturz, lackierten Paravents, Schüsseln aus Papiermaché, Mahagonischränken mit Schreibplatte, Ölgemälden verschiedenster Qualität in abblätternden goldenen Gipsrahmen, unidentifizierbaren geschnitzten Holzobjekten, unmöglichen Silbertapeten und furchtbar angelaufenen Spiegeln. Unser Vermieter, der sich gelegentlich blicken ließ, war ein kartoffelnasiger Mann namens Stanley. Er wirkte sehr entspannt und unbesorgt, was unsere Gruppe von jungen Leuten betraf, die kürzlich noch Studenten gewesen waren und jetzt ihr ungeordnetes Leben zwischen seinem antiken Nippes und Schnickschnack führten.

Die zweite Staffel von *Alfresco* war inzwischen landesweit gesendet worden, hatte aber nicht den geringsten Eindruck im Bewusstsein der Öffentlichkeit hinterlassen. Ich hatte genügend zu tun mit dem *Listener*, Radio, letzten Korrekturen für den Transfer von *Me and My Girl* ins West End und meiner ersten echten Filmrolle. Der Regisseur hieß Mike Newell und der Film *Die Liebe eines*

Vaters, nach dem Roman von Peter Prince adaptiert von Christopher Hampton.

Bei der Leseprobe blickte ich nervös umher und versuchte so auszusehen, als gehörte ich an diesen Tisch. Da saß Simon Callow, dessen kontroverses neues Buch als erster Trompetenstoß gegen das ungeheuerliche Regiment tyrannischer Theaterregisseure ertönt war; neben ihm saß Harriet Walter, eine meiner Lieblingsschauspielerinnen; daneben Joanne Whalley, die gerade dabei war, sich einen Namen zu machen und sich selbst einen langwährenden Status als Teen-Traum zu schaffen, indem sie Michael Gambon in *The Singing Detective* klarmacht; und neben ihr saß eine Hälfte des National Theatre of Brent, Jim Broadbent. Und schließlich war da noch der Star des Films, Anthony Hopkins, ein Mann, der Charisma, Stärke und Männlichkeit mit einer derartigen Intensität ausstrahlte, dass man es mit der Angst zu tun bekam. Ich hatte eine Schwäche für ihn, seit der brennende Blick seiner blauen Augen in Richard Attenboroughs *Der junge Löwe* mich von der Leinwand herab getroffen hatte.

Zu spät für die Präliminarien, aber rechtzeitig zum Beginn der Lesung und mit viel Trara war Miriam Margolyes hereingeschneit. Anschließend kam sie zu mir.

»Wie geht's, wie steht's? Ich bin Mir...« Sie hielt inne und zupfte mit Daumen und Zeigefinger an ihrer Zunge. »... Miriam Margolyes. Sorry, aber ich hab letzte Nacht meine Freundin geleckt und noch jede Menge Mösenhaare im Mund.« Miriam ist womöglich die freundlichste, loyalste und unbestechlich ehrlichste Schauspielerin auf der Mitgliederliste von Equity, aber zur Teestunde beim Erzdiakon sollte man sie lieber nicht mitnehmen.

In dem Film spielte ich einen Mann namens Creighton, geschieden und gebeutelt vom Leben, von Kindern und Alimentenzahlungen. Ich trat in nur einer Szene auf, aber da ich sie mit Hopkins persönlich zu spielen hatte, kam es mir vor, als sei meine Rolle gewichtig wie die von Michael Corleone und Rhett Butler zusammen. Aber die Handlung verlangte es, dass ich mit Simon Callow die Schule besucht hatte, und das kränkte mich, denn er war gut acht Jahre älter als ich. Für jemanden in den Zwanzigern sind acht Jahre wie ein ganzes Leben. Ich wusste, dass ich nicht gerade der Typ war, den man schlanke und ranke junge Männer spielen ließ oder attraktive junge Liebhaber, aber ich tat mich doch ein wenig schwer damit, in meiner allerersten Filmrolle gleich einen Mann mittleren Alters verkörpern zu müssen.

Beim Casting geschehen die seltsamsten Dinge.

Zu ungefähr dieser Zeit feiern wir eine Party in der Southgate Road. Ich laufe herum mit einer Nebukadnezar-Flasche Champagner, um den Gästen nachzuschenken, und gebe mir alle Mühe, die Dämpfe nicht einzuatmen, denn ich weiß sehr wohl, welche Folgen meine Champagner-Allergie haben kann. Als ich an ihm vorbeikomme, fragt ein Schauspielerkollege, was bei mir so läuft, und ich erwähne *Die Liebe eines Vaters*.

»Und in was für einer Rolle?«

»Ach, ich spiele diesen gescheiterten Vater und Ehemann, der gerade geschieden wird.«

»Du!« Der Schauspieler kann oder will die Verachtung, Empörung und das Missfallen in seiner Stimme nicht verhehlen. »Du lieber Himmel, was für eine Ahnung hast *du* denn von so was?«

Ich lächle verkniffen und gehe weiter. Ich sollte also nichts anderes spielen als zölibatäre schwule Männer?

Funktioniert so die Schauspielerei? Ich schätze, der verheiratete Schauspieler, der gerade zum zweiten Mal Vater wird und nicht besonders gefragt ist, reagiert sauer, weil er arbeitslos ist und die reizvollen Rollen an Glückspilze wie mich gehen: Das boshafte und ungläubige Kichern zeigt wohl die Art, wie er damit umgeht. Menschen, die keine Schauspielschule besucht haben, riesige Lücken in ihrer Tschechow-Technik aufweisen und Rollen angetragen bekommen, die sie keinesfalls aus eigener persönlicher Erfahrung spielen können, müssen auf echte Schauspieler äußerst ärgerlich wirken. Das verstehe ich zwar, aber ich bin dennoch leicht gekränkt.

Wir sind ziemlich aufgeregt, Kate Bush als Gast auf unserer Party zu haben. Hugh hat gerade im Video ihres neuesten Songs mitgespielt. Zwei Nebukadnezar-Flaschen Champagner reichen perfekt für den Abend, und da wir alle noch in dem Alter sind, in dem man als Partygast Getränke mitbringt, ist genug Rotwein da, um uns ebenfalls in Stimmung zu versetzen. Da wir gerade von Rotwein sprechen: Auf der Straße draußen vor dem Haus parkt mein neuer bordeauxroter Daimler Sovereign, mein ganzer Stolz und meine Freude. Was für ein perfektes Leben ich doch führe. Mir kommen die Tränen, wenn ich zurückschaue. Genügend Geld für Zigaretten, Hemden und ein schickes neues Auto, aber nicht so viel, dass es mich hindern würde, an diesem reizvollen Studentenleben in einem gemeinsam bewohnten Haus in Boheme-Atmosphäre teilzuhaben und leichtfertigen Vergnügungen zu frönen. Die Erlebnisse sind immer noch neu und aufregend, mein Gaumen ist nicht abgestumpft, das Leben ist nicht lau.

Wir waren glücklich, und uns ging es bestens, aber

wir lebten in Thatchers Großbritannien, und wir ließen keinen Augenblick verstreichen, ohne Thatchers Großbritannien erbittert anzuklagen. Entschuldigen Sie die Phrase. Wir waren eigentlich noch Kinder, und wie wir es sahen, gehörte Thatchers Großbritannien erbittert angeklagt, je erbitterter, desto besser. Man könnte denken, es habe uns doch so gut behandelt, dass wir auf die Knie fallen sollten, um für die Filmrollen zu danken, für die Arbeitsmöglichkeiten, die erschwinglichen Immobilienpreise, die Daimler Sovereigns und den blühenden Wohlstand, der uns in den Schoß gefallen war. Aber so sahen wir es nicht. Erstens hatten wir unsere Bildung und Erziehung unter Labour und den liberaleren und auf einem Geist des Miteinanders beruhenden Lastenverteilungen unter Edward Heath genossen. Die neue Gefühlskälte und streitlustige Selbstgewissheit von Thatcher und ihrem vulgären Kuriositätenkabinett hatten so gar nichts gemein mit den Werten, mit denen wir aufgewachsen waren, und sie stanken uns. Ich weiß, man soll eigentlich nicht an einem System mäkeln, unter dem es einem gutgeht. Klingt undankbar. Man kann nicht alles haben. Etwa den Ast absägen, auf dem man sitzt. Im Kaschmirpullover lässt sich auf moralischer Überlegenheit weitaus leichter ausruhen. Laberndes Klassenbewusstsein. Trendy Liberale. Pah. Das sehe ich auch. Schlimm genug von jemandem in einem ganz normalen Job, aber erbitterte Anklagen gegen Thatchers Großbritannien von einem *Schauspieler* ...

Die Welt empfindet es als schwierig, diesem Menschenschlag den Verstand oder das Maß an Ernsthaftigkeit, Verständnis und Alltagserfahrung zuzugestehen, das notwendig ist für eine politische Aussage, der auch nur der geringste Wert beizumessen wäre. Schwachsinnige Hohlköpfe, alle, wie sie da sind – so lautet mehr oder weniger die gängige Ansicht. Es ist schwierig, ihr nicht zuzustimmen, und ich spreche als vollgültiges Mitglied von Equity sowie der Screen Actors Guild. Das liegt zum Teil daran, dass bei aller Liebe – es ist schwer, einen freundlicheren, lustigeren, loyaleren Haufen zu finden, usw. usw. – wahrscheinlich mehr peinliche Strohköpfe und lächerliche Naivlinge in der Berufssparte der Schauspieler zu finden sind als in jeder anderen. Vielleicht deswegen, weil man, um eine Rolle wirklich zu durchdringen, zuerst den Kopf frei machen muss von allen Zynismen, von Selbstwahrnehmung und so irrelevanten Hürden wie Logik, Vernunft und Erfahrung. Gewiss müssen sich manche, wenn auch nicht alle, der besten Schauspieler, die ich kennengelernt habe, ohnehin nicht mit derlei Belastungen plagen. Mir ist aufgefallen, wenn ich den Fehler gemacht habe, mich in die eine oder andere öffentliche Kontroverse hineinziehen zu lassen, dass dann die Seite, die gegensätzlicher Meinung ist, von mir immer als einem Schauspieler spricht. Damit entwertet sie erfolgreich, was immer ich gesagt haben mag. Ich habe mehr Zeit mit Schreiben verbracht als mit der Schauspielerei, aber »Schließlich ist er ja nur Autor«, besitzt nicht dieselbe höhnische Entschiedenheit wie »Warum sollten uns die Ansichten eines *Schauspielers* kümmern?«. Ich bin nicht immer so einfältig, davon überrascht zu sein oder gar gekränkt. Wir alle wählen die Waffen, die wir zur Hand haben, wenn es in den Kampf geht, und wenn wir dicht herankommen an den Gegner, dann schlagen und treten wir ihn da, wo er am schwächsten und verletzlichsten ist.

Ich erwähne das alles, weil ich einen Abschnitt einleiten will, in dem ich Sie durch weitere leidige Beispiele meines Glücks, meines Amüsements, meiner wollüstigen Verschwendungssucht und der schieren Geringwertigkeit meines Geistes sowie des niedrigen Niveaus meines sozialen oder moralischen Tuns leiten möchte.

Me and My Girl erlebte den Transfer ins Adelphi Theatre. Matthew Rice, David Linley und ich gingen zu Fuß vom Bühneneingang in der Maiden Lane zur Premierenfeier bei Smith's in Covent Garden. Unterwegs umschwärmten Paparazzi David wie die Wespen eine Picknicktafel. »Hierher, Lord Linley.« Blitz. »Lord Linley, Lord Linley!« Blitz, Pop, Blitz. Ab und zu verscheuchte er sie mit einem Knurren. Dann wichen sie zurück, sammelten sich und schwärmten wieder herbei. Das ging so während unseres gesamten Spaziergangs.

»Wie kommt man sich da vor?«, fragte ich David.

»Das wirst du noch früh genug erleben«, sagte er.

Eine sehr nette Bemerkung, aber einen großen Wert legte ich nicht darauf. Mein Name bedeutete allmählich ein wenig in der Welt, aber es bestand immer noch nicht die Gefahr, dass die Fotografen ihn am roten Teppich laut herausriefen. Als ich verstanden hatte, dass ein paar Auftritte im Fernsehen, besonders in einer Show wie *Alfresco*, an der nur wenige Zuschauer Interesse fanden, nicht über Nacht berühmt machten, hatte ich mich entspannt im Leben eingerichtet und meiner Arbeit zugewendet, ohne mich sonderlich mit alledem zu belasten. Briefe kamen, einige von *Alfresco* … Zuschauern, ich würde nicht Fans sagen, und manche von *Loose-Ends*-Hörern und von Lesern der Zeitschriften, für die ich schrieb. Das eine oder andere Mal wurde ich auf der Straße angehalten.

»Sie sind … dieser Mann …« Finger wurden geschnippt, und mit dem Fuß wurde gestampft, um dem Gedächtnis nachzuhelfen.

»Ich weiß, dass ich Ähnlichkeit mit ihm habe, aber ich bin es nicht«, versuchte ich zu sagen. Wie ich bald merkte, wussten sie ganz genau, dass ich niemandes Doppelgänger war, auch wenn sie sich meinen Namen nicht hatten merken können oder sich nicht erinnern konnten, wo sie mich gesehen hatten. Ob es mir gefiel oder nicht: Meine Gesichtszüge waren unverwechselbar. Seit jener Zeit habe ich eingesehen, dass es nicht gut ist, so zu tun, als sei ich nicht ich. Manche können sich vielleicht auf diese Tour durchlavieren. Ich nicht. Sonnenbrillen, in die Stirn gezogene Mützen und aufgetürmte Schals nützen nichts. Ich könnte genauso gut ein Namensschild vor mir hertragen.

Im Laufe des Jahres 1985 erwies sich *Me and My Girl* als großer Hit, und von Noel Gay Music trudelten Tantiemenabrechnungen ein. Die Gewinnbeteiligung, die zu akzeptieren der Agent Richard Armitage dem Produzenten Richard Armitage abgerungen hatte, trug allmählich Früchte.

Mit seiner gewohnten Allwissenheit sagte Martin Bergman voller Überzeugung zu mir: »Aber ja, Stephen, eine Million holst du da auf jeden Fall raus, keine Frage.«

Ich glaubte ihm keine Sekunde, aber die wöchentlichen Schecks waren ein herrliches neues Element in meinem Leben.

Als ich begriffen hatte, dass mein »Netto-Wert« sich steigerte, ließ ich mich als Erstes für sämtliche erdenklichen Plastikkarten registrieren. Wenn man die Karte von Diner's Club beantragte, konnte man sich zwei Karten schicken lassen, eine für den Privatgebrauch und eine zu Geschäftszwecken. Ich brauchte diese Trennung in meinem Leben nicht, aber zwei Karten, hurra! Ich besaß eine goldene American-Express-Karte, zu jener Zeit das ultimative Statussymbol, sowie die normale grüne. Ich hatte die normale Bankkarte, zwei Mastercards (eine davon: Access – Your Flexible Friend) und zwei Karten von Visa. Hinzu kamen diverse Karten von Kaufhäusern, Abos und Mitgliedschaften. Erinnern Sie sich an Clifton James als Sheriff J. W. Pepper in *Leben und sterben lassen* und *Der Mann mit dem goldenen Colt*? Großer, schmerbäuchiger Amerikaner im Hawaiihemd, der ewig kaut und sich die Stirn mit einen Halstuch abtupft? Es gibt da eine Szene, in der er seine Brieftasche herausholt und das Leporello mit Dutzenden seiner Kreditkarten fast bis auf den Boden klappt. Meine Brieftasche.

Warum? Nun, ich misstraue zu großer Gewissheit bei der Selbstanalyse, aber ich glaube nicht, dass kein Zusammenhang zwischen dieser törichten und infantilen Zurschaustellung von »Wert« und dem Verbrechen besteht, das mir die Festnahme einbrachte. Mit siebzehn hatte ich mit fremden Kreditkarten – einer von Diner's Club und einer Access-Karte – England unsicher gemacht. Und das hatte mir einen Aufenthalt im Gefängnis von Pucklechurch eingebracht.[†] Ich nehme an, auch acht Jahre später konnte ich es noch kaum glauben, dass ich eigene Karten verdient hatte. Ich war jetzt kreditwürdig. Diese Karten erinnerten mich tagtäglich daran, dass der lange Alptraum vorüber war und ich endlich als respektabler und anständiger Bürger mit beiden Beinen auf der richtigen Seite des Gesetzes stand. Nicht dass es für mich so etwas wie ein Endpunkt gewesen wäre. Keinesfalls. Dieselben alten selbstzerstörerischen Triebe lauerten dicht unter der Oberfläche. In allzu kurzer Zeit würden diese selben Kreditkarten, ob nun Symbole für

Rechtmäßigkeit und Respektabilität oder nicht, zahllose Linien von ganz und gar nicht legalem und wenig respektablem Kokain hacken und legen.

Unterdessen klammerte ich mich an diese Beweise für Wert und Wertigkeit, Kredit und Kreditwürdigkeit. Ich gab 7.000 Pfund für einen Laserdrucker aus, den ich an meinen Macintosh-Computer anschloss. Das war eine ungeheure Summe, in den Augen der meisten Leute ungerechtfertigt und absurd. Aber niemand hatte je zuvor einen so außerordentlich scharfen und qualitativ hervorragenden Computerausdruck gesehen. Die Standardmaschinen, Dot-Matrix-Printer, druckten auf speziellem Papier, das an den Seiten Löcher hatte, und produzierten Buchstaben, die, wie der Name schon andeutet, aus Dots bestanden, was zu einer zerfransten und niedrigen Auflösung führte. Im Radiostudio konnte ich jetzt mit Trefusis-Skripts auftrumpfen, die aussahen, als seien sie professionell gesetzt. Feierlich eröffnete ich den Gästen und Mitarbeitern am Tisch von *Loose Ends*, dass ich mein Skript mit der Hand schrieb und dann beim Drucker abgab, der mir drei Exemplare lieferte: eins für Ian Gardhouse, eins für den Toningenieur und eins für mich. Ich wurde angestarrt, als hätte ich auf tragische und gefährliche Weise den Verstand verloren, aber die Tatsache, dass sie eine so lachhafte Geschichte schluckten, zeigt nur, wie selten damals mit Laser gedruckte Seiten waren.

Außer mir selbst kannte ich keine Privatperson, die ein Autotelefon besaß. Wenn ich im Verkehr stand, lehnte ich mich genüsslich in das aufgearbeitete Leder des Sovereign und rief Leute nur wegen der Genugtuung an, ihnen sagen zu können: »Moment mal, es wird gerade Grün«, und dann sozusagen zu erleben, wie der

Gesprächspartner ebenfalls grün anläuft. Und zwar vor Neid. Natürlich dachten die anderen wahrscheinlich nur: »Was für ein Wichser!«, aber das kümmerte mich nicht, so glücklich, wie ich war.

Ich beschloss, ein Haus auf dem Lande haben zu müssen. Hören Sie, ich kann mich nicht ständig entschuldigen, aber ich möchte noch einmal sagen, dass ich weiß, wie schrecklich es sein muss, das hier zu lesen. Eine Katze, die immer wieder auf die Füße fällt, selbst wenn sie auf relativ problematische Katzenkindertage zurückblicken muss, ist kein sonderlich interessanter oder bewundernswerter Protagonist. Ich muss die Tatsachen darlegen, so wie ich mich an sie entsinne und im vollen Bewusstsein, dass ich ihretwegen nur wenig oder gar keine Anerkennung verdient habe. Das Bargeld flog mir zu, und ich war staunendes Opfer meiner eigenen Gier und des vulgären Vergnügens an den Reichtümern, die über mir auszuschütten die Welt anscheinend so erpicht war.

Nachdem ich als Kind aus einem Familienheim auf dem Lande davongelaufen war, das ich im Rückblick als ein glückliches erkenne, wollte ich mir jetzt ein eigenes Heim auf dem Land schaffen. Land bedeutete für mich jedoch nur das eine: Norfolk. Es gab aber ein kleines Problem. Ich wusste, dass meine Eltern, und besonders mein Vater, jede Zurschaustellung, Protz und Angeberei hassten. Ich genierte mich, sie wissen zu lassen, wie viel ich verdiente. Es hörte sich obszön an und ungerechtfertigt. Meinen Vater assoziierte ich mit gnadenloser Arbeitsmoral und Verachtung des Geldes oder zumindest doch einem totalen Mangel an Interesse daran. Dass ich im Garten des Lebens umherrannte und meine Schürze weit aufspannte, um all die Goldmünzen aufzufangen, die es vom Himmel regnete, hätte er meiner

Meinung nach für grotesk und widerwärtig gehalten. In seinen Augen würde es sich um ein ebenso unehrenhaft erworbenes Einkommen handeln – so sagte ich mir zumindest – wie das Geld, das ich mir in meiner Jugend zusammenstibitzt hatte.

Stephens Umgang mit peinlichen Problemen hat schon immer darin bestanden, davonzulaufen oder, wie in diesem Fall, sich aus dem Schlamassel herauslügen. Man braucht nicht allzu viele Jahre auf unserem Planeten gelebt zu haben, um zu wissen, dass man sich mit eben dieser Methode geradewegs in die Scherereien *hinein*lügt. Ich entschied mich, meinen Eltern zu sagen, dass ich in Norfolk ein Haus kaufen wolle, um ein Restaurant zu eröffnen. Das hörte sich weniger sybaritisch und selbstgefällig an als der Plan, ein Haus nur so als zweites Heim zu kaufen. Meine Eltern schienen mir zu glauben oder waren wie gewöhnlich einfach nur so nett, den Anschein zu erwecken und die Lüge nicht sofort aufzudecken.

Ich bin der schnellste und ungeduldigste Käufer der Welt. Ich räume die Regale leer wie ein *Supermarket-Sweep*-Kandidat auf Crystal Meth. Ich probiere Kleidungsstücke niemals an. Schlangestehen und Warten machen mich wahnsinnig. Es stellte sich heraus, dass ich beim Hauskauf ebenso verfuhr. Ich kontaktierte einen Immobilienhändler und kaufte das dritte Haus, das ich mir ansah. Die ersten beiden waren reizvoll, aber erforderten zu viel Arbeit. Dasjenige, für das ich mich entschied, war ein solides Bauernhaus mit sechs Schlafzimmern, ursprünglich aus dem 16. Jahrhundert, aber zum größten Teil verkleidet mit viktorianischen Ziegeln von jener gelblich grauen Farbe, die für den Teil Norfolks charakteristisch ist. Ich führte meine Eltern umher. Restauranttische stellte man sich im großen Speisezimmer vor und im Salon, und es war die Rede davon, Wände zu durchbrechen, um Durchreichen zu schaffen. Es wurde davon gesprochen, eine Bar zu errichten und Platz für einen Kühlraum zu schaffen. Ein Koch müsse angestellt und Bedienungspersonal gesucht werden. Taktvollerweise wurde all das nie wieder erwähnt. Selbstverständlich würde ich in dem Haus wohnen, und wenn ich tatsächlich mit dem Gedanken gespielt hatte, mich als Restaurantbesitzer zu betätigen, war das nicht mehr als eine Flause. Peinlich berührt davon, wie unangemessen das Haus für mein Alter und meinen Status als Single war, verlegte ich mich darauf, den Leuten zu sagen, dass ich eine »Kate« in Norfolk besaß. Ein kleines Häuschen fürs Wochenende.

Da war ich also: ein zölibatärer Mann mit einem lachhaft großen Haus und einem lachhaft großen Automobil. *Einem* lachhaft großen Auto? Es wurde langsam wirklich Zeit, das zu korrigieren. Ich begann die Einkaufstour, die zu einem sechs- oder siebenjährigen Oldtimer-Kaufrausch ausarten sollte, mit dem Erwerb eines Aston Martin V8 aus den frühen Siebzigern. Er war grellrot wie die Uniform der königlichen Leibgardisten, als ich ihn kaufte, und daher ließ ich ihn in ein elegantes und diskretes Mitternachtsblau umspritzen. Ich kann mich nicht erinnern, was ich mehr liebte: mein kleines Haus auf dem Lande, meinen Aston Martin, meinen Apple-Computer oder meine goldene AmEx-Karte. Was für ein stilloses Arschloch ich doch war, was für ein verschwenderischer Trottel, was für ein hohlköpfiger Stenz. Ich blicke zurück und sehe nur Verschwendung, Eitelkeit, Leere und infantilen Dünkel. Dass ich glücklich war, bietet mir jetzt keinen Trost.

Im reuigen Rückblick, der vor meinem geistigen Auge flimmert, stelle ich mir vor, wie ich das Geld hätte nutzen können, das in Hülle und Fülle auf mich niederregnete. War ich in London nicht glücklich genug gewesen? Hugh, Katie, Nick und ich liebten Southgate Road, und jetzt war es so weit, dass wir unsere Mittel zusammenlegen und gemeinsam ein Haus kaufen konnten. Warum brauchte ich auch noch ein großes Haus auf dem Lande? Ich liebte meinen Daimler Sovereign, wozu brauchte ich noch ein Auto und noch ein Auto und noch eins? Ein Mann kann doch nur eins zur Zeit fahren, verdammt. Ich liebte meinen Macintosh, also warum musste ich ihn jedes Mal ersetzen, wenn Apple ein neues Modell auf den Markt brachte? Warum brauchte ich überhaupt all das Spielzeug, für das ich mein Geld zum Fenster hinauswarf? Was zum Teufel ging in mir vor? Ich hätte das Geld sparen können, investieren oder damit haushalten. Da könnte ich mir ebenso gut sagen, ich hätte Don Giovanni in Covent Garden singen können oder als Schlagmann Cricket im Lord's spielen. Wie Dirty Harry in *Dirty Harry II – Calahan* zu Hal Holbrook sagt: »Ein Mann sollte seine Grenzen kennen.« Ich werde niemals weitblickend, weise oder visionär sein. Niemals. Ich trage es nicht in meinen Genen, so zu sein. Ich glaube, dass Wandel, Verbesserung, heuristische Entwicklung und der Erwerb und die Förderung von Wissen und Weisheit durch Erfahrung allesamt möglich und erstrebenswert sind. Ich glaube aber auch, dass Leoparden für alle Zeit Flecken haben, Stinktiere immer stinken und alle Stephens idiotisch verschwenderisch und extravagant bleiben werden. Manche Dinge fallen dem Wandel eben nicht anheim.

»Sie werden nie wieder arbeiten müssen«, sagte jemand auf einer Party zu mir. Für mich klang das wie ein Glückwunsch zur Tetraplegie – »Hurra! Sie brauchen nie wieder zu gehen! Sie können den ganzen Tag im Bett bleiben!« Vielleicht brachte ich das Geld so freigebig unter die Leute, damit ich immer wieder den Anreiz spürte, zu arbeiten.

Eine andere Motivation, sich der Arbeit zu widmen, bot das Beispiel von Ben Elton. Die zweite Staffel war die letzte, die die Welt von *Alfresco* zu Gesicht bekam. Während er dem letzten Sketch der ungefähr hundert, die er für die Fernsehserie geschrieben hatte, den letzten Schliff verpasste und seine Mitautorschaft an der zweiten Staffel von *The Young Ones* beendete, hatte er es irgendwie zuwege gebracht, alle sechs Episoden einer völlig neuen Comedy-Serie eigener Erfindung zu schreiben, die er *Happy Families* nannte. Jennifer Saunders spielte darin die fünf Rollen der alten Großmutter und ihrer vier verlorenen Enkeltöchter. Ade Edmondson, der bald darauf Jennifers Ehemann werden sollte, spielte den unglückseligen Enkel, der die ganze Welt durchsuchen muss, um alle wiederzuvereinen. Ich bekam die Rolle desselben nonchalant gleichgültigen Dr. de Quincy, die ich neben Hugh als Jim, meinem Kipling'schen Freund und Begleiter, bereits in einigen *Alfresco*-Sketchen gespielt hatte. Regie bei der Serie führte Paul Jackson, Produzent/Regisseur von *The Young Ones*. Während der Dreharbeiten, die in und um Denstone in Staffordshire stattfanden, keine fünf Minuten entfernt von den Schönheiten Uttoxeters und den Grässlichkeiten von Alton Towers, erwähnte Paul, dass er im nächsten Jahr eine Live-Comedy-Show für Channel 4 zusammenstellen würde. Er frage sich, ob Hugh und ich vielleicht Interesse hätten, daran teilzunehmen. Am selben Abend führten wir in der Bar eine erregte Unterhaltung. Bei dieser »gewagten«, »alternativen« und »bahnbrechenden« Show würde die neue Welt der jungen Stand-up-Comedy präsentiert werden. Stand-up war ein weiterer Pfeil aus Ben Eltons Köcher: Er trat regelmäßig im Comedy Store als Conférencier auf und würde mit Gewissheit auch in der neuen Serie ein oder zwei Sessions bekommen. Andere Comedy-Teams würden dabei sein, zum Beispiel Mark Arden und Steve Frost, die als Oblivion Boys auftraten, und Rik Mayall und Ade Edmondson, die wieder zusammengekommen waren, diesmal als Dangerous Brothers. Hugh und ich fragten uns, ob wir nicht wie zwei klägliche und unpassende Tweed-Träger hervorstechen würden. Trotz der für uns charakteristischen Bedenken und unguter Vorahnungen beschlossen wir, bei der Show mitzumachen. Am Ende wussten Hugh und ich tief im Innern, wo die Quellen unseres Nonsens sprudelten und dass wir gemeinsam Comedy machen konnten und sollten. Es war wohl unser Schicksal.

Nach den Dreharbeiten wieder in London, kaufte ich zusammen mit Hugh, Katie und Nick Symons einen Teil eines großen Hauses in St. Mark's Rise, Dalston. Nur etwas abseits der Sandringham Road gelegen, die wegen ihrer hauptsächlich mit Drogen handelnden Bewohner, den Yardies genannten jamaikanischen Gangmitgliedern, den Beinamen Da Front Line trug, war das Haus ziemlich reparaturbedürftig, und wir machten uns sofort an die Renovierung. Was heißen soll, dass wir ein Team von tatkräftigen jungen Stuckateuren und Raumgestaltern anheuerten, die Arbeit für uns zu erledigen. Sie waren sehr gut, und ich sollte von ihnen erzählen.

Oh, mein Gott, Stephen wird über die Qualität der Arbeit referieren, die das Team geleistet hat, das zur Renovierung seines Hauses angetreten ist. WTF?

Wie man an jedem Beratungstelefon zu hören bekommt: Bleiben Sie bitte in der Leitung ...

Martin, einer der Stuckateure, war tatsächlich ein ausgezeichneter Fachmann. Wundervoll, wie er Deckenrosetten und alle möglichen anderen Gipsornamente formte. Die anderen beiden, Paul und Charlie, verstanden sich mehr als kompetent aufs Rauverputzen, aufs Glätten, Härten, Schmirgeln, Streichen und auf die anderen zusätzlichen Tätigkeiten, deren Beherrschung man von einem vielseitigen Bauarbeiter erwartet, aber sie besaßen darüber hinaus noch eine weitere Eigenart: Sie waren außerordentlich witzig. Ich brachte ihnen Kaffee, wie man es eben tut, wenn man Arbeiter im Haus hat, und ich unterhielt mich auf eine freundliche Weise mit ihnen, die hoffentlich nicht gönnerhaft wirkte. Ich konnte jedoch kaum fassen, wie sehr sie mich zum Lachen brachten. Sie hatten die University of East Anglia in Norwich besucht, diesem Hort höherer Bildung jedoch sehr bald den Rücken gekehrt und waren nach London gezogen, hatten Arbeit im Baugewerbe gefunden und sich gefragt, ob Comedy wohl je ein erreichbares Ziel sein könnte. Charlie war der Leadsänger einer Punk-Truppe, die von ihrer Fan-Gemeinde kultisch verehrt wurde. Paul unterhielt unsere Hausgemeinschaft mit Imitationen Londoner Typen, wobei das absolute Lieblingsexemplar ein griechischer Cockney war, der sich auf extrem exzentrische Weise in einem cockneyfizierten Englisch ausdrückte. Diese Figur war einem echten Kebab-Imbiss-Besitzer namens Adam aus Hackney nachempfunden. Hugh und ich glaubten, so exzellent sich Paul und Charlie mit dem Härten, Glätten, Rauverputzen usw. auskannten, sollten sie doch versuchen, in der Comedy ihren Weg zu machen. Paul war nicht sicher, ob ihm Bühnenauftritte behagen würden, meinte aber, vielleicht eines Tages als Autor bestehen zu können.

Der erfolgreichste Comedy-Autor, den ich kannte, wohnte nur ein Stück weiter die Straße hinauf in Islington. Er hieß Douglas Adams. Der Erfolg seiner Radiosendungen, seiner Bücher und der TV-Adaption von *Per Anhalter durch die Galaxis* hatte ihm weltweit Respekt, Reputation und Reichtum eingebracht. Er war ein Riese von Mann, der mich um mindestens zehn Zentimeter überragte und sogar noch viel größer wirkte. Wenn er die Treppen rauf- und runterlief, wackelte das Haus. Neugierig und begeistert begegnete er unbelebten Artikeln und Objekten aller Art, lebenden Pflanzen und allen Kreaturen, sich selbst, anderen Menschen, der Welt und dem gesamten Universum. Die fundamentalen Gesetze, Prinzipien und akzeptierten Systeme, die allem zugrunde liegen und von fast allen als selbstverständlich hingenommen werden, erschienen ihm faszinierend, zum Schmunzeln und auf reizvolle Weise abwegig. Mehr als jeder Mensch, den ich je kennengelernt habe, verband er kindliche Einfachheit mit höchst differenziertem Verständnis und komplexer Intelligenz.

Wenn ich nicht arbeitete, pflegte ich fast jeden Tag zu seinem Haus an der Upper Street zu gehen und wie ein schüchterner Schulbub seine Frau Jane zu fragen, ob er Zeit zum Spielen habe. Er hatte natürlich nie Zeit zum Spielen, weil er ewig von Deadlines bedroht war, und deswegen spielten wir. Natürlich. Eine Bemerkung von Douglas zum Thema Deadlines bleibt der ultimative

Kommentar: »Ich liebe Deadlines, und besonders liebe ich das Rauschen, mit dem sie vorüberfliegen.«

Wie sah unser Spiel aus? Worum ging es dabei? Autorennbahn? Spielzeugeisenbahn? Jam-Sessions? Verkleiden? Nein – ich fürchte, Sie dürften es bereits erraten haben. Douglas war die einzige Person, die ich kannte, die wie ich einen Macintosh-Computer besaß. Und wie ich war er immer auf dem neuesten Stand: Kaum brachte Apple eine neue Maschine heraus, kaufte er sie. Und wie mir gefiel sie ihm nicht nur, sondern er liebte sie, glaubte an sie, wollte sie am liebsten von höchster Warte laut preisen für ihre wegweisende, weltverbessernde Bedeutsamkeit. Wie ich konnte er nicht fassen, wie viele Menschen sich an die IBM-kompatiblen Betriebssysteme CP/M oder das neue Disk-Operating-System MS-DOS gekettet hatten, die nicht mehr vollbrachten, als Text auf den Bildschirm zu bringen. Wir glaubten daran, dass die Maus, die Icons, die aufklappenden Auswahlmenüs und die Idee der graphischen Bildschirmoberfläche der zukunftsweisende Weg sein mussten, und wir regten uns sehr schnell auf und wüteten gegen diejenigen, die es nicht so sahen. Wie alle Fanatiker müssen wir furchtbar langweilig, lümmelhaft und lästig gewesen sein. Zusammen nahmen wir den Weg vom 512 »Big Mac« zum Mac Plus mit seiner magischen SCSI-Schnittstelle und von dort zum Mac II mit Farbmonitor. Douglas konnte es sich ohne Probleme leisten, und als der Rubel für *Me and My Girl* weiterhin rollte, vermochte ich allmählich, bei seiner Ausgabenfreude Pfund für Pfund mitzuhalten. Ein Segen war es, in jenen Aufbruchzeiten zu leben, aber überdies auch Geld zu haben war paradiesisch.

Bis das Internet nennenswerte Bedeutung bekam,

sollten noch Jahre vergehen. Es gab noch kein World Wide Web, auch Server, Dienste und Protokolle wie WAIS, Gopher, Veronica, Jughead, SuperJANET und Archie, heute längst todgeweiht, waren damals Träume der Futuristen. Es hatte Prestel gegeben, einen frühen Online-Dienst, der vom Post Office betrieben wurde und ohne Murren auf meinem alten BBC Micro lief und das Versenden einfacher Mails und Nachrichten erlaubte, und es gab auch noch Compuserve, einen kommerziellen Online-Dienst, in den sich der normale Nutzer mit Hilfe eines simplen Akustikkopplermodems einloggen konnte. Zu den aufregenden Aspekten des sich entfaltenden Internets wie E-Mail, Telnet und FTP hatten wir zu unserer Qual keinen Zugang, denn sie waren der akademischen Welt und der Regierung vorbehalten. Die meiste Zeit verbrachten Douglas und ich damit, kleine Programme herunterzuladen (besonders solche, die »Inits« hießen) und sie auf unseren Maschinen auszuprobieren, bis sie abstürzten. Wirklicher Sinn stand hinter alledem nicht. Wenn Jane uns fragte, warum wir das tun mussten, was wir taten, und was der *Zweck* dessen sei, wie sie es als realistische, scharfsinnige und pragmatische Anwältin von Zeit zu Zeit tat, sahen wir einander entgeistert an.

»Zweck?« Douglas kostete das Wort aus, als nehme er es zum ersten Mal in den Mund.

Und ich zitierte in solchen Fällen König Lear: »Oh, streite nicht, was nötig sei.«

Für manche Menschen sind Computer, digitale Geräte und Maschinen dieser Art funktionelle Objekte, deren Zweck es ist, sich als dienstbar zu erweisen, indem sie spezielle Aufgaben erledigen. Wenn ein wenig Getüftel nötig ist, um dafür zu sorgen, dass diese Funktionen besser erfüllt werden, gut, dann muss eben getüftelt werden. Für andere Menschen, für Leute wie Douglas und mich, aber gilt: Das *Tüfteln* ist die Funktion. Einen Computer zu benutzen, um ein Buch zu schreiben, die Steuererklärung zu machen oder eine Rechnung auszudrucken, sind Dinge, die man tun *könnte*, aber es macht doch viel mehr Spaß, alles mögliche Andere auszuprobieren. Menschen wie Douglas und ich bauen zu ihren digitalen Geräten eine Beziehung auf, wie sie Hundebesitzer zu ihren Hunden pflegen. Nur wenn man blind ist, Schafhirte, Polizist oder Wachmann, haben Hunde eine Funktion, ansonsten sind sie ausschließlich dazu da, geliebt zu werden, gehätschelt und gestreichelt – um Freude zu bereiten. Ich nehme an, noch verbreiteter ist das Faible, das Menschen mit ihren Autos verbindet. Rowan Atkinson, Steve Coogan und Robbie Coltrane zum Beispiel. Sie benutzen zwar ihre Autos, um einzukaufen, nach Hause zu fahren und so weiter, aber das ist es nicht, was ihr Verhalten und Verhältnis zu ihnen dominiert. Wenn Sie nicht mit starken emotionalen Bindungen zu Maschinen gesegnet oder verdammt sind, werden Sie mich abtun als Depp oder Computer-Geek, so wie Sie die drei vielleicht als Autofreaks und Amateurrennfahrer abtun würden. Enthusiasten sind gewohnt, verspottet zu werden, verlästert und falsch verstanden. Wir können damit leben. Tatsächlich ist es mehr als wahrscheinlich, dass Douglas und ich es als esoterische Hobbyisten genossen, unsere abstruse Sprache zu sprechen und viel Zeit für fruchtlose Vorhaben zu opfern. Ich schäme mich zu gestehen, dass mich ein leichtes Bedauern erfasste, als Microsoft schließlich auch auf den Trichter kam und eine eigene graphische Benutzeroberfläche anbot. Sie hieß Windows, und 1992 hatte die Version 3.1 einen

Stand erreicht, der sie fast benutzbar machte. Drei weitere Jahre brauchte es, bevor Windows 95 ein eigenständiges Betriebssystem genannt werden konnte und nicht mehr nur ein Anhängsel von MS-DOS war. Das geschah elf Jahre nach der Einführung des Mac, eine Ewigkeit in der Computertechnologie, und Douglas und ich fühlten uns einerseits bestätigt, aber andererseits auch ein wenig ernüchtert, als habe die gemeine Masse Einlass in unseren geheimen Paradiesgarten gefunden. Einer der unsympathischsten menschlichen Charakterzüge, dem man aber nur allzu leicht verfällt, ist die Neigung, mit Groll darauf zu reagieren, dass ein lange genossenes Privatvergnügen plötzlich geteilt werden muss, weil es zum populären Allgemeingut geworden ist. Wer von uns ist nicht verärgert gewesen, wenn eine Band, ein Autor, ein Künstler oder eine Fernsehserie, die nur unser ureigenes Minoritätsinteresse fanden, plötzlich Popularität im Mainstream erlangten. Solange sie ihren Kultstatus bewahrten, beklagten wir das Philistertum einer Welt, in der sie keinen Anklang fanden, und jetzt, da man sie schätzen *gelernt* hat, sind wir erbost und gerieren uns als Spielverderber. Ich bin alt genug, um mich an die langhaarigen Jungs in der Schule zu erinnern, die ernstlich sauer auf den Erfolg von *Dark Side of the Moon* reagierten. Sie liefen durch die Gegend und nörgelten von »Ausverkauf«, obgleich sie noch einen Monat zuvor jeden, der ihnen über den Weg lief, mit dem Gejammer gelangweilt hatten, wie unverstanden die Brillanz von Pink Floyd sei und dass die Welt eh zu beschränkt sei, um das Genie dieser Musiker würdigen zu können.

Douglas und ich hatten jedoch Jahre einsamen Vergnügens vor uns, und die zwei- oder dreijährige Periode, in der wir einander so begeistert besuchten, Disks austauschten und über Computertechnik fachsimpelten, zählt zu den glücklichsten Zeiten meines Lebens.

Für Douglas war das Schreiben extrem mühsam. Sue Freestone, seine Verlegerin bei Heinemann, pflegte vorbeizukommen und mit Tränen in den Augen um Seiten aus dem Drucker zu betteln. Dann stürzte sich Douglas nach unten zur Kaffeemaschine, tobte wieder nach oben, stampfte zum Schreibtisch und setzte sich vor den Computer. Nachdem er eine Stunde oder länger mit dem Bildschirmschoner rumgefummelt hatte, dem Wallpaper, dem Namen des Dokuments, der Position des Ordners, in dem das Dokument gespeichert wurde, auf dem Schreibtisch, nachdem er das Dokument formatiert, die Schrift ausgesucht, die Größe, die Farbe, die Ränder, die Formatvorlage festgelegt hatte, schrieb er vielleicht eine Zeile. Er sah sie sich an, wandelte die Schrift in kursiv um, veränderte die Wortanordnung, stand auf, starrte noch ein wenig länger auf die Zeile. Brumm, fluch, knurr und ächz – und dann löschen! Danach versuchte er es mit einem weiteren Satz. Den sah er sich nochmals an und stieß eventuell einen leisen Laut des Behagens aus. Er stand auf, schritt durchs Zimmer und stürzte sich hinunter in die Küche, wo Sue und ich am Tisch saßen, ratschten und rauchten. Er machte sich einen weiteren unglaublich starken Kaffee.

»Darf ich fragen?«, sagte Sue in solchem Fall.

»Läuft gut. Den ersten Satz hab ich!«

»Oh.« Es mochte vielleicht Juli sein, und der neue Roman war seit vergangenem September überfällig. Bisher ein Satz niedergeschrieben. Sue lächelte verkniffen. »Na ja, ein Anfang ist wenigstens gemacht ...«

Douglas nickte enthusiastisch und tobte kaffeeschwappend wieder die Treppe hinauf. Wir hörten seine

Füße über unseren Köpfen stampfen, und dann ertönte ein gepeinigter Aufschrei: »Nein! Hoffnungslos!« Wir wussten, dass der stolze erste Satz doch nicht die erhoffte Wucht besaß, und das Hämmern auf der Tastatur sagte uns, dass er voller Ingrimm gelöscht wurde. Jedes Autors Arbeit ist ein hartes Brot, aber die Schreiberfron von Douglas Adams war auf eine Weise qualvoll, wie ich sie noch nie bei jemandem erlebt habe.

Carlton Club Crustiness – Carlton-Club-Verkrustung

Von Ben Elton, dessen kreative Kraft keine Schranken oder Grenzen kannte, war nicht zu erwarten, dass er sich mit seinen tausend *Alfresco*-Sketchen zufriedengab, den beiden Staffeln von *The Young Ones*, der Erfindung einer völlig neuen Comedy-Drama-Serie und der Aussicht auf Paul Jacksons Show bei Channel 4. Unmittelbar nachdem er von den Dreharbeiten für *Happy Families* in Staffordshire zurückgekehrt war, begann er seine Arbeit als Mitautor einer neuen Situation Comedy bei der BBC. Sie neu zu nennen war eigentlich nicht ganz richtig; in Wahrheit handelte es sich um eine zweite Staffel, aber eine, in der das Original völlig umgearbeitet worden war.

The Black Adder mit Rowan Atkinson in der Hauptrolle und von ihm auch zusammen mit seinem langjährigen Kollaborateur und Oxford-Kommilitonen Richard Curtis geschrieben, war zwei oder sogar drei Jahre zuvor gesendet worden, und obwohl die Show von der ersten bis zur letzten Minute randvoll war mit exzellenten Auftritten und brillant komischen Szenen, hatte man sie allgemein als Enttäuschung angesehen. Die BBC entschied, dass die Show, mochte sie noch so viele Quali-

täten besitzen, in erster Linie zu teuer war, um sie fort-
zusetzen: Ihr Produzent John Lloyd beschrieb sie dann
auch als »die Show, die nach einer Million Dollar aussah
und eine Million Pfund kostete«.

Rowan hatte in dieser Phase bereits beschlossen,
selbst wenn eine zweite Staffel der Show geplant würde,
nicht mehr dafür zu schreiben, wodurch seinem Mit-
schöpfer Richard Curtis die Entscheidung überlassen
blieb, ob er allein weitermachen oder einen Mitautor
finden wollte. Er entschied sich für den zweiten Weg,
und der Autor seiner Wahl war Ben Elton. Richard Armitage, der auch Rowan Atkinsons Agent war, glaubte, dass
Blackadder so viel Potential besaß, dass er es verantwor-
ten konnte, die BBC unter Druck zu setzen, aber er hegte
erhebliche Zweifel daran, dass Ben Elton für das Projekt
geeignet war. Er rief mich in sein Büro.

»Elton«, sagte er. »Richard Curtis scheint für die
nächste *Blackadder* mit ihm arbeiten zu wollen.«

»Eine großartige Idee!«

»Wirklich? Und was ist mit seinen vielen Furzwit-
zen?« Richard hatte Ben immer noch nicht den Colonel
Sodom und seinen explodierenden Hintern in *There's
Nothing to Worry About* verziehen.

»Nein, Ben ist perfekt dafür, ehrlich.«

»Hm ...« Richard nuckelte an seiner Villiger-Zigarre
und verfiel für eine Weile in tiefes Grübeln.

Ben ist lieb, freundlich, ehrlich und wahrhaftig. Er ist
einer der talentiertesten Menschen, die ich jemals kennengelernt habe. Aber so begabt er ist, so sehr scheint er
auch geschlagen mit dem beklagenswerten Talent, Menschen zu veranlassen, ihn abzulehnen und angewidert
und verächtlich die Nase zu rümpfen. Sie misstrauen
dem, was sie für seinen gekünstelten Cockney-Akzent

halten (der ist aber nicht gekünstelt, und Ben hat schon immer so gesprochen, genau wie sein Bruder und seine Schwester), der ernstgemeinten Selbstgerechtigkeit seiner politischen Ansichten und der (vermeintlich) salbungsvollen Weise, wie er sie ausdrückt. Ben hat viele Facetten, aber er ist gewiss kein Dummkopf, und deswegen weiß er sehr wohl darum, aber die eine Eigenschaft, die ihm anscheinend nicht gegönnt wurde, ist die Fähigkeit, etwas daran zu ändern. Richard Armitage zählte ganz sicher zu diesen Menschen, die ihn nur schwer ertragen konnten, war aber zu scharfsinnig, um nicht zu ahnen, dass niemand seinen Finger dichter am Comedy-Puls des Jahrzehnts hatte – wenn es den denn gab – als dieser selbe Benjamin Charles Elton mit dem brummigen, wenig liebenswerten Akzent und der nach Richards Empfinden unangenehmen Vorliebe für Hintern, Penisse und einen Humor, der vorzugsweise mit den Entweichen unangenehmer Gase zu tun hatte.

»Das meinst du also wirklich?« Er sah mich mit der Mischung aus Ungläubigkeit und Enttäuschung an, die man auf dem Gesicht des Schriftführers eines Pall Mall Gentlemen's Club erwartet hätte, der hören musste, dass ein Mitglied vorgeschlagen hatte, Pete Doherty ins Wein-Komitee zu wählen.

Ich fühlte mich geschmeichelt, dass meine Meinung so geschätzt wurde. Mein Beitrag zum Erfolg von *Me and My Girl*, der Richard zum glücklichsten Menschen in London gemacht hatte, und die Tatsache, dass ich zu jedem Wochenendtreffen oder zu jeder Dinnerparty eingeladen werden konnte, ohne eine Blamage zu verursachen, hatten ihn dazu veranlasst, auf mich als eine Art Mittler zwischen seiner Welt und der schönen neuen Welt zu setzen, die um ihn heraufbrach.

»Absolut«, sagte ich. »Es wird also tatsächlich eine neue Staffel geben, oder?«

»Die Frage«, sagte Richard und langte blind nach dem Hörer, der am komplizierten Switchboard hinter seiner rechten Schulter hing, »ist nur, ob wir die BBC überreden können, der Show eine zweite Chance zu geben. Man will das Budget dezimieren.«

»Das ist ja gar nicht so schlimm. Nur zehn Prozent.«

»He?«

»Dezimieren bedeutet doch, um einen Teil von zehn zu kürzen.«

Diese Art pedantischer Wortklauberei löst bei den meisten Menschen den Wunsch aus, mir einen Fußtritt zu versetzen, aber Richard hatte seinen Spaß daran. »Ha!«, sagte er und dann, als eine Stimme in die Leitung kam: »Geben Sie mir John Howard Davies. Übrigens ...«, fügte er an mich gerichtet hinzu, als ich aufstand, um zu gehen, »wir müssen uns ziemlich bald mal über *Me and My Girl* am Broadway unterhalten. Leb wohl.«

Ich war natürlich nicht eingeweiht in die Diskussionen, die Richard Curtis, Rowan, Ben und John Lloyd führten, als sie die zweite *Blackadder*-Staffel konzipierten, aber ich weiß, dass die Entscheidung, das Ausmaß der Show zu reduzieren, von Bens Standpunkt aus für die *Comedy* notwendig war. Die Tatsache, dass es aus Sicht der BBC eine *finanzielle* Notwendigkeit war, könnte man als einen seltenen und glücklichen Konflikt verschiedener Interessen bezeichnen. Als die leitenden Angestellten der BBC die Skripts zu Gesicht bekamen, die Ben und Richard produziert hatten, seufzten sie hörbar vor Erleichterung. Das Budget wurde mehr als dezimiert, nämlich auf ein Viertel gekürzt.

Es steht mir nicht an, für Ben zu sprechen, aber folgendermaßen interpretiere ich seine Überzeugung, dass es um der Comedy willen notwendig war, die Show zu reduzieren. *The Black Adder* war mit großem Aufwand gefilmt worden, mit vielen Außenaufnahmen und an beeindruckenden Drehorten. Statisten liefen überall umher, es gab Massenszenen auf Schlachtfeldern, es wurde geritten, und die Ritterrüstungen schepperten. Das Material jeder Episode wurde zusammengeschnitten und dann einem Publikum vorgeführt, dessen Lachen aufgenommen und unterlegt wurde. Der daraus resultierenden Sendung fehlte Atmosphäre, aber wichtiger noch: *der Fokus*. Ich habe eine Theorie zur Situation Comedy, mit der ich jeden behellige, der mir zuhören mag oder, wie in unserem Fall, meine Worte lesen mag. Ich sehe eine Sitcom wie ein Tennismatch, in dem es für den Zuschauer nichts Wichtigeres gibt, als den *Ball zu sehen.* Es ist gleichgültig, wie athletisch, geschmeidig, elegant, schnell und geschickt die Spieler sind – wenn man den Ball nicht sehen kann, besteht ihr athletisch sportlicher Einsatz aus kaum mehr als bedeutungslosen Gesten, unerklärlichem Gerenne, wildem Schwingen und Schlagen mit dem Racket. Wenn man jedoch den Ball sieht, ergibt alles im selben Moment schon Sinn. Das Problem bei *The Black Adder* bestand meiner Meinung nach darin, dass man den Ball nie sah. Wundervoll und köstlich waren das wüste Geschrei, das verschwörerische Gewisper, das machiavellische Taktieren, das possenhafte Versteckspielen, das dramatische Galoppieren und die verschlagen geführten Schwerthiebe, aber der Ball dessen, was von Augenblick zu Augenblick auf dem Spiel stand, was die Charaktere dachten, sagten oder planten, ging in dem überfrachteten Ambiente verloren: Wachen an jedem Tor, weiträumige Ausblicke, geschäftige Pagen, Knappen und Ordner, alle heftig bemüht, zu pagen und zu knappen und zu ordnen und dadurch unbeabsichtigt den Blick des Publikums vom Ball abzulenken. Ben wollte, dass rigoros gekappt wurde, bis nur das Wesentliche blieb, und er hielt es für unabdingbar, dass die Shows im Studio vor Publikum aufgeführt und mit mehreren Kameras in jenem wahren Sitcom-Stil aufgezeichnet wurden, der uns *Fawlty Towers*, *Dad's Army* (eine Show, die er verehrte) und all die anderen Klassiker der TV-Comedy beschert hatte.

Ich möchte nicht so weit gehen zu behaupten, einen Anteil daran zu haben, dass die Serie fortgesetzt wurde, aber ich weiß, dass Richard Armitage enormen Einfluss bei der BBC hatte – und außerdem war sein Jugendfreund Bill Cotton, Managing Director im Fernsehbereich und allgemeiner Königsmacher, einer der mächtigsten Männer in der Corporation. Sie beide waren Kinder von Musikstars der 30er Jahre. Billy Cotton, der Bandleader, und Noel Gay, der Komponist, waren die besten Freunde und herrschten auf der Tin Pan Alley, und ihre Söhne waren die besten Freunde und bestimmten eine Menge dessen, was sich in der nachfolgenden Welt populärer Unterhaltung tat. Rowan und Ben waren meine Freunde, und ich war über alle Maßen froh, dass man der Idee einer historischen Comedy-Serie, an der sie mit ihrem einzigartigen Talent teilhatten, noch mal eine Chance gab. Ich machte mir dazu keine weiteren Gedanken, sondern hätschelte höchstens die Vorstellung, Richard Armitage überzeugt zu haben, dass Ben eine gute Wahl war.

Daher überraschte es mich sehr, gefragt zu werden, ob ich mir vorstellen könne, in der Serie eine feste Rolle zu übernehmen. Zum ersten Mal hörte ich davon, als ich mit Ben auf einem »crusty« unterwegs war, wie er es nannte.

Bei seiner (völlig falsch eingeschätzten) Reputation als freudloser und puritanischer Sozialist war Ben schon immer, und so habe ich ihn auch kennengelernt, höchst angetan vom altmodischen und sehr englischen Lebensstil, von vornehmen Gepflogenheiten, von Glanz und Gloria. Er liebt P. G. Wodehouse und Noël Coward und hat ein leidenschaftliches Interesse an englischer Geschichte. Ich teile viel davon. Ich liebe die Welt der Clubs, altmodische Fünf-Sterne-Hotels, die Straßen von St. James's und absonderliche traditionelle Institutionen vom Lord's Cricket Ground bis zum Beefsteak Club, von Wilton's zu Wartski's, von Trumper's in der Jermyn Street bis zum Sandpit im Savile Club.

Da wir beide aus Familien europäischer Juden stammen, die der Verfolgung durch die Nazis entkommen konnten, verschafft uns vielleicht das gelegentliche und marginale Eindringen in die Festungen des Establishments das Gefühl, stärker in den Codes und der Kultur verankert zu sein, die kennenzulernen wir um ein Haar gar nicht die Möglichkeit gehabt hätten. Meine irrsinnig große Sammlung von Kreditkarten und mein Bekanntheitsgrad bei den Portiers und Oberkellnern der elegantesten Institutionen halfen mir vielleicht, davon überzeugt zu sein, dass man mich niemals festnehmen würde.

Seit Verlassen der Universität war ich Mitglied des Oxford and Cambridge Club in Pall Mall, einem klassischen St. James's-Palast mit Raucherräumen, ledernen Ohrensesseln mit Knopfheftung und pompösen Marmortreppen. Fackeln an den Außenwänden ließen abends ihre Flammen in die Höhe steigen, und von unten hört man die Geräusche von Racquetball und das Klacken von Billardkugeln. Man musste natürlich an einer der Universitäten studieren, um dem Club beitreten zu dürfen, und obwohl die beiden Institutionen seit siebzig Jahren koedukativ geführt wurden, akzeptierte der Club ausschließlich männliche Mitglieder. Zu ihrem Unwillen war es Frauen nur erlaubt, sich in einem speziellen Flügel des Hauses und in einem dafür reservierten Salon als Besucherinnen aufzuhalten. Das mir wohl wichtigste Privileg, das sich aus der Mitgliedschaft ergab, war der Zugang zu anderen Clubs in London und auf der ganzen Welt. Die wechselseitigen Vereinbarungen kamen im August zum Tragen, wenn der Oxford and Cambridge Club wegen der Personalferien die Tore schloss. Während der Zeit öffneten der Reform Club (auf alle Zeit in meinem Gedächtnis verbunden mit Phileas Fogg in *In 80 Tagen um die Welt*), der Traveller's Club (Heim des privaten Oratoriums des mysteriösen und finsteren Monsignor Alfred Gilbey), der RAF Club, der Naval and Military (gewöhnlich bezeichnet als der »In and Out«), der absurd benannte East India, Devonshire, Sports and Public Schools Club in St. James's Square und ein halbes Dutzend anderer Clubs ihre Pforten für die bedauernswerten Mitglieder von Oxford and Cambridge, die dringend clubmäßige Verhätschelung brauchten. Der Carlton Club, ein hocharistokratisches Gebäude in der St. James's Street, mehr oder weniger gegenüber dem Triumvirat historischer Ruhmesstätten gelegen, das aus der Weinhandlung Berry Bros and Rudd, Lock, dem Hutmacher, und Lobb, dem Stiefelmacher, bestand, stand ebenfalls auf der Liste der Häuser, die uns im August erlauchtes Refugium boten.

Ich hatte Ben in den Oxford and Cambridge mitgenommen, und er hatte in den Wunderlichkeiten und Absurditäten des Ortes geschwelgt. Die Katheder auf den Tischen im Speisesaal für jene einzelgängerischen Mittag- oder Abendesser, die lesen wollten, die seltsamen Waagen aus Messing und Mahagoni mit einem uralten Buch an ihrer Seite, in das die Mitglieder ihr Gewicht eintragen konnten, die Bibliothek, der Friseursalon und das Billardzimmer hatten allesamt seinen Hang zu schrullig Traditionellem angesprochen. Sein Wort für all das war »crusty« wie die Eigenschaft von altem Port und »crusty« wie die griesgrämigen und störrischen alten Männer, die solche Orte heimsuchen.

Ende Juli 1985 rief ich ihn eines Tages an.

»Ben, Zeit für einen ›crusty‹.«

»Ich bin dabei, Bing. Passt hervorragend, ich wollte mich sowieso mit dir unterhalten.« Ben nannte mich immer Bing oder Bingable und nennt mich noch heute so. Ich kann mich jedoch nicht recht erinnern, warum.

»Wenn wir nächste Woche losziehen«, sagte ich, »kann ich dir allerhand verschiedene Clubs bieten, aber am meisten Spaß werden wir, glaube ich, im Carlton haben.«

»Den Namen liebe ich jetzt schon.«

Wir trafen uns am Abend des folgenden Donnerstags zu einem Auftaktgläschen im Ritz. Sie mögen es eventuell für falsch oder heuchlerisch oder snobistisch oder grotesk oder armselig halten, dass zwei Typen in den Zwanzigern wie wir durch die Gegend ziehen, als seien sie Figuren aus einem Roman von Wodehouse oder Waugh, und vielleicht war es das auch. Ich möchte Sie gerne glauben machen, dass es ein Element – ich sage nicht von Ironie – aber vielleicht von *Verspieltheit* gab, von durchaus wahrgenommener Einsicht, wie lächerlich unser Handeln war und was für alberne Gestalten wir abgaben. Zwei junge jüdische Komiker, die so taten, als seien sie Flaneure alter Schule. Ben wirkte in dieser Welt eher wie ein Besucher, ich hingegen unentschuldbarer oder erfolgreicher mit ihr verbunden und deswegen umso gruseliger, so wie ich mich aufspielte, als würde ich dazugehören. Aber schließlich war ich doch ordentliches Mitglied eines Clubs in London, und im Laufe der nächsten Jahrzehnte sollte ich in mindestens vier weitere eintreten sowie in ein halbes Dutzend jener modernen Pinten, die ausschließlich Mitgliedern der Medienmeute offenstehen und im Lebensraum der Soho-Boheme wie Pilze aus dem Boden schossen.

Wir spazierten die St. James's Street hinunter, und ich erzählte Ben von Brooks's und White's, den Whig- und Tory-Bastionen, die einander von gegenüberliegenden Straßenseiten finster beäugen. White's war und ist der aristokratischste und exklusivste aller Londoner Clubs, aber der Carlton, dem wir uns jetzt näherten, war der unverhohlen politischste.

Wir traten über die Schwelle, und ich winkte dem uniformierten Portier in seinem Empfangsschalter aus Mahagoni hoffentlich hinreichend ungezwungen zu.

»Oxford and Cambridge«, sagte ich. »Ich habe meine Mitgliedskarte irgendwo ...«

»Schon recht, Sir«, sagte der Portier und registrierte Ben, ohne mit der Wimper zu zucken. Da er wusste, was sich an diesen Orten gehörte, trug Ben Anzug und Krawatte, aber es gibt eben solche und solche Anzüge und Krawatten, und es gibt auch solche und solche Arten, Anzüge und Krawatten zu tragen. Mein anthrazitfarbener dreiteiliger Maßanzug, mein Hemd von New und

Lingwood mit der leicht mitgenommenen Cherubs-Krawatte machten den Eindruck, dazuzugehören, während der bei Mr Byrite eingekleidete Ben an einen (und ich meine das warmherzig und liebevoll) Busfahrer gemahnte, der sich zur Hochzeit seiner Schwester widerwillig in Schale geworfen hat.

Wir stiegen in den Speisesaal im ersten Stock hinauf. Ben rastete beinahe aus, als wir am Fuß der Treppe an der Büste einer Frau vorüberkamen.

»Bing«, zischte er mir zu, »das ist Thatch!«

»Aber sicher«, sagte ich mit hoffentlich überzeugend entspannter Leichtigkeit. »Schließlich sind wir hier im Carlton Club.«

Als wir uns gesetzt hatten, eröffnete ich ihm, dass er sich in der Zitadelle des modernen Konservatismus befand, dem Club, in dem die gegenwärtige Regierungspartei geboren und konstituiert worden war. Selbstverständlich war das Bild Margaret Thatchers präsent, ebenso wie die Bilder aller Tory-Leader seit Peel. Ben war benommen und beglückt, sich mittenmang im Zentrum des Feindeslagers zu befinden. Wir kamen uns beide spitzbübisch vor, wie Kinder, die den Schlüssel zum Barschrank ihrer Eltern gefunden haben.

»Nicht viele Leute hier«, sagte Ben.

»Wir haben August, da sind die meisten Clubmitglieder gar nicht in der Stadt. Rechtzeitig zur Moorhuhnjagd kommen sie von der Riviera zurück.«

»Wir fahren auch nächste Woche ins Moor«, sagte Ben. »Ich bin dann dein *scamp*.«

Scamp war das Wort, das Ben als generische Bezeichnung für eine Mischung aus Oxford Scout, Cambridge Gyp, Diener, altem Faktotum und loyalem Pagen benutzte. Wir hatten uns eine komische Konstellation erdichtet, in der ich ein verschrobener alter Gutsherr war und Ben mein getreuer Scamp. Crusty und Trusty.

»Na ja«, sagte ich, »da wäre er also, der Carlton Club. Das pochende Herz des Establishments. Aber am Telefon hast du gesagt, du willst was mit mir besprechen?«

»Stimmt. Das Ding ist, Bing, du weißt doch wohl, dass Dickie C und ich an diesem neuen *Blackadder* gearbeitet haben.«

»Und ob«, sagte ich.

»Wir hätten da auch eine Rolle für dich.«

»Tatsächlich?«

»Ich will ehrlich zu dir sein«, sagte er. »Der Kerl ist nicht gerade sympathisch. Er heißt Lord Melchett und steht ständig hinter der Queen, um sich einzuschleimen. Er und Blackadder hassen einander. Er ist so was wie ein Haushofmeister, verstehst du?«

»Ben, natürlich bin ich dabei.«

»Ja? Das ist toll!«

Aus dem Augenwinkel bemerkte ich, dass ein uralter Gentleman ein paar Tische weiter Schwierigkeiten damit hatte, Bens Vokallaute zu akzeptieren, die wie Querschläger von Porträts, die Wellington zeigten und Churchill, abprallten und ihren Weg in seine Ohren fanden. Seit zehn Minuten hatte er mit zunehmend giftigem Missbehagen in seine Suppe gegrummelt und gebrabbelt. Er sah bei Bens letztem Ausruf auf, und ich erkannte das altersfleckige, hängebackige und in diesem Moment zornentbrannte Gesicht des Lord Chancellor Quintin Hogg, jetzt Lord Hailsham. Er hatte die Serviette hinter den Hemdkragen gesteckt wie Oliver Hardy, und seine Miene, in der sich Empörung, Fassungslosigkeit und der widerstrebende Wunsch widerspiegelten, mehr zu erfahren, ließ mich an eine jungfräuliche Tante denken, die gerade hatte miterleben müssen, wie ein Exhibitionist im Teezimmer der Kirche vor ihren Augen seinen Regenmantel geöffnet hatte.

Alles in allem war unser Abenteuerabend im Carlton Club einer der angenehmeren und erinnernswerteren Abende meines Lebens.

Courtley Comedy – Höfische Comedy

Wenn Sie sich die Mühe gemacht haben, dieses Buch zu kaufen, zu stehlen oder zu borgen, haben Sie wahrscheinlich *Blackadder* gesehen oder zumindest davon gehört, aber Sie werden mir verzeihen, dass ich im Interesse von Amerikanern und anderen, die weniger mit der Materie vertraut sind, die wichtigsten Grundzüge beschreibe. Die zweite Staffel dieser »historischen Sitcom« spielt im elisabethanischen England mit Rowan Atkinson in der Titelrolle als Edmund, Lord Blackadder, ein bedachtsamer, intriganter, manipulativer und attraktiv amoralischer Höfling. Tony Robinson und Tim McInnerny spielen wie schon in der ersten Staffel seinen schmuddeligen Handlanger und Diener Baldrick und seinen leicht behämmerten Freund Lord Percy. Am königlichen Hof spielt Miranda Richardson die junge Königin Elizabeth, Patsy Byrne ihr brustfixiertes Kindermädchen Nursie und ich die Figur, die Ben mir beschrieben hatte, Lord Melchett – nicht unähnlich William Cecil, Lord Burghley: gespaltener Bart, gespaltene Zunge und pelzgefütterter Umhang.

Wir übten in den Probenräumen der BBC in North Acton, wie ich es schon für *The Cellar Tapes*, *The Crystal Cube* und die »Bambi«-Episode von *The Young Ones* getan hatte. Regisseurin war die sehr charmante und fähige Mandy Fletcher. Ich sollte vielleicht den Unterschied zwischen einem Regisseur für Multikamera-TV und einem für Filme oder das Theater erklären. In beiden letzteren Welten ist der Regisseur der Alleinherrscher, zuständig für sämtliche kreativen Entscheidungen und letztendlich verantwortlich für das, was auf der Bühne oder der Leinwand zu sehen ist. Beim Fernsehen ist es der *Producer*, der diese Rolle übernimmt. Unser Fernsehproduzent war John Lloyd. Mandys Aufgabe bestand darin, sich zu überlegen, wie die Kameras sich bewegen und koordiniert werden sollten, um bestmöglich einzufangen, was John und das Ensemble entwickelten. Damit soll weder ihre Rolle noch ihr Können herabgesetzt werden, es geht nur darum, dass die meisten Menschen denken könnten, der Regisseur sei derjenige, der die Show im Hinblick auf das Skript, auf die Ausführung, auf komische Ideen und die Führung der Schauspieler bestimmt. All das kam von unserem Produzenten, zumal weder Richard Curtis noch Ben Elton gerne an Proben teilnahmen.

In einer Geschichte der britischen Fernseh-Comedy wird der Name John Lloyd mit Gewissheit an herausragender Stelle zu finden sein. Der Absolvent von Cambridge und den Footlights war Zeitgenosse seines Freundes und gelegentlichen Arbeitspartners Douglas Adams. Nach Cambridge war er zu BBC Radio gegangen, wo er *The News Quiz*, *Quote Unquote* sowie andere Quizsendungen und Comedy-Shows aus der Taufe gehoben hatte, bevor er mit *Not the Nine O'Clock News* zum Fernsehen gewechselt war. Richard Curtis war Hauptautor jener Show gewesen und Rowan Atkinson einer ihrer Stars. Es lag daher auf der Hand, dass John jetzt *The Black Adder* von

Rowan und Richard produzierte. Im Jahr danach produzierte er die erste Staffel von *Spitting Image* und arbeitete bis zum Ende daran mit. Er produzierte die drei aufeinander folgenden Staffeln von *Blackadder* und dazu die gelegentlich gedrehten Wohltätigkeits- und sonstigen Specials. 2003 arbeiteten er und ich an *QI* zusammen, einem weiteren seiner zahlreichen Geisteskinder. Außerdem hatte er, auch wenn er mir nicht dankbar sein wird, dass ich es erwähne, als Drehbuchberater an einigen *Alfresco*-Episoden mitgearbeitet, und daher darf ich wohl sagen, dass unsere Karrieren fast dreißig Jahre lang miteinander verbunden waren. Er ist, das sollte ich an dieser Stelle deutlich sagen, ganz schön irre.

Der Erfolg hat ein Dutzend Väter, und das Scheitern ist ein Waisenkind, wie ich bereits erwähnte, als ich von der Entstehung der »Bambi«-Episode von *The Young Ones* sprach. Wie sich herausstellte, wurde *Blackadder II* vom Publikum bestens angenommen, was wir während der Proben absolut nicht vorausgeahnt hatten. Wenn es um eine Erklärung geht, warum das so war, verfüge ich über nicht mehr Sachverstand als sonst jemand, ob nun mit dem Projekt verbunden oder nicht. Was Ben Elton zur Party beitrug an Energie, fantastischer Wortzauberei, brillanten Anachronismen und allgemeinem *jeux d'esprit* ist gar nicht hoch genug zu schätzen, ebenso wie das Ohr, der Witz und das Können von Richard Curtis, der zudem noch über ein unheimliches Einfühlungsvermögen in Rowans Ausdrucksbreite und Leistungskraft verfügte. Die Verwandlung, die Tony Robinsons Baldrick von einem cleveren Kumpan in der ersten Staffel zu einem furchtbar einfältigen und zwielichtigen Gesellen durchmachte, war mitentscheidend für den Erfolg der Show. Tim McInnernys Lord Percy war göttlich, nicht weniger

Patsy Byrnes Nursie. Viele würden Miranda Richardsons Auftritt als eine junge und schrecklich labile Queenie als einen der absoluten Höhepunkte der Staffel bezeichnen und zu den besten komischen Charakterporträts zählen, die je im britischen Fernsehen zu sehen waren.

Wir hatten außerdem glänzende Gäste. Tom Baker spielte einen Seebären namens Captain Redbeard Rum. Sein Spiel war umwerfend und er selbst höchst liebenswert. Wenn eine Szene geprobt wurde, in der er nicht mitspielte, verschwand er und kam mit einem Tablett zurück, das mit Süßigkeiten, Chips, Schokolade, Sandwiches, Nüssen und sonstigen Snacks beladen war. Er ließ es bei allen herumgehen und verschwand oft, um es aufs Neue zu beladen. Während seiner Tage bei *Doctor Who* war er gerne durch die Pubs und Clubs von London gezogen und oft um drei oder vier Uhr morgens in den Proberäumen von North Acton gelandet. Freundliche Wachleute ließen ihn herein und auf einer der Matten schlafen. Produktionsassistenten pflegten ihn aufzuwecken, damit er an die Arbeit ging. Er sah die Leute mit seinen ernsten Glubschaugen so an, dass sie nie recht wussten, ob er sie für einen Dummkopf oder für Gott hielt.

In einer Episode mit dem Titel »Bier« trat Miriam Margolyes als die extrem puritanische Lady Whiteadder auf. Rik Mayalls Captain Flashheart explodierte wie ein Feuerwerk, und zu meiner Freude spielte auch Hugh zweimal als Gast mit. Einmal gehörte er zu Blackadders von Flatulenzen geplagten Saufkumpanen, dann spielte er in der letzten Episode weitaus beeindruckender einen geistesgestörten germanischen Oberschurken und Meister der Verkleidung. Am Ende dieser Episode kamen wir allesamt irgendwie ums Leben.

Nachdem ich all diesen großartigen Mitwirkenden Lob gespendet und mich vor ihnen verbeugt habe, muss ich mich dem zuwenden, was sich in meinen Augen als ein wahres Wunder erwies: Rowan Atkinsons Auftritt als Edmund. Wenn ich ihm bei den Proben zuschaute, klappte mir vor Staunen und Bewunderung die Kinnlade herunter. Nie zuvor war ich einem so außerordentlichen Komikertalent nahe gekommen. Ich hatte ihn in Edinburgh auf der Bühne gesehen und gelacht, bis mir die Tränen kamen. Ich hatte ihn in *Not the Nine O'Clock News* bewundert, und ich hatte mir seine recht beunruhigende Figur in der ersten Staffel angeschaut, aber der Edmund von *Blackadder II* war eine Offenbarung. Urbanität, Sarkasmus, Stimmkontrolle, Minimalismus und physische Zurückhaltung waren keine Seiten von Rowan, die ich je zuvor gesehen hatte. Dieser Edmund war sexy, selbstsicher, verspielt, dynamisch, fidel, soigniert und charismatisch.

Es ist bekannt, dass Rowan ein öffentlichkeitsscheuer und bescheidener Mensch ist. Er hatte in Newcastle Elektrotechnik studiert, bevor er sein Masters Degree im Queen's College in Oxford erwarb. Er hat sich immer etwas vom Auftreten eines besonnenen und fleißigen Wissenschaftlers erhalten. Wenn man ihm begegnet, kann man sich schwer vorstellen, woher er die Komik schöpft. Als ich Jahre später bei seiner Hochzeit als Trauzeuge die Rede hielt, versuchte ich, das zu erklären. Ich sagte, es sei, als ob der Allmächtige plötzlich bemerkt habe, dass er Komikertalent für ein Jahrzehnt gesammelt, aber vergessen hatte, es mehr oder weniger gleichmäßig unter der Bevölkerung zu verteilen, wie es ansonsten göttliche Praxis war. Nur so zum Spaß entschied er sich, die gesamte Fülle über der scheinbar am wenigsten geeigneten

Person auszuschütten, die er finden konnte. Er betrachtete sich den Nordosten Englands von oben, sah einen zaghaften, fleißigen jungen Ingenieur von Traktoren und Transistoren träumend durch die Straßen Jesmonds wandern und ließ mit einem Blitzschlag all das komische Talent in ihn fahren. Er gab ihm nichts von dem üblichen Showbiz-Pep oder der Sehnsucht nach Ruhm, Verehrung und Gelächter, sondern einzig und allein eine verschwenderische Fülle an Talent. Manchmal wache ich noch nachts auf, geplagt von der Scham, meinen Gedanken vielleicht schlecht ausgedrückt zu haben, so dass er die Zuneigung und Bewunderung nicht so vermittelt hat, wie ich es wollte. So dass eventuell das Können, die Konzentration, das Engagement und der bewusste Einsatz eben dieses Talents unerwähnt blieben, die Rowan zu dem authentischen Komikergenie machen, das er ist. Aber außerdem ist er eine wunderbare, liebenswerte, herzensgute und weise Persönlichkeit, deren menschliche Qualitäten sich durchaus mit seinen Leistungen als Komiker messen können.

Nachdem Rik Mayall zu den Proben für seine Episode in *Blackadder II* erschienen war, zeigte sich, wie erstaunlich groß der Kontrast zwischen seinem und Rowans Stil war. Es war, als würde man einen Vermeer neben einem van Gogh betrachten: das eine Bild ausschließlich erlesene Detailgestaltung mit der subtilsten und fast völlig unsichtbaren Ausarbeitung, das andere eine wilde Orgie mit heftigen Pinselstrichen dick aufgetragener Farben. Zwei absolut verschiedene Arten von Ästhetik, beide exzellent. Bei Rik merkte man, dass die Figur, die er darstellte, aus seiner eigenen Persönlichkeit erwuchs. Flashheart war eine extrem übertriebene Version von Rik. In Rowans Fall verhielt es sich, als würde *Blackadder* aus dem Nichts heraufbeschworen. Er entsprang Rowan wie ein zusätzlicher Körperteil. Ich bin wie jeder andere Mensch zu Neid und Aversion fähig, aber wenn man sich mit zwei Menschen in einem Raum befindet, die über ein Ausmaß an Talent verfügen, von dem man nicht einmal zu träumen wagen sollte, dann ist es wahrhaft erleichternd, nichts anderes tun zu müssen, als sich zurückzulehnen und die beiden mit tränenfeuchten Augen anzuhimmeln wie ein Groupie.

Bei *Blackadder II* kümmerte sich ein himmlisch hübsches Mädchen um mein Make-up. Sie hieß Sunetra Sastry und entstammte einer indischen Familie aus der Brahmanenkaste. Sie war eine so intelligente, lustige und hinreißende junge Frau, wie ich seit Jahren keine mehr kennengelernt hatte. Ich trug mich ernsthaft mit dem Gedanken, sie zu bitten, mit mir auszugehen, als Rowan während der Proben für die zweite Episode eines Morgens schüchtern auf mich zukam und fragte, ob ich etwas dagegen hätte, die Visagistin mit ihm zu tauschen. Da er sich für die Rolle einen Bart hatte wachsen lassen, anders als ich, der sich jede Woche eine Haarwucherung mit Hautkleber aufs Gesicht pappen lassen musste, fand ich sein Ansinnen recht merkwürdig: Seine Make-up-Sessions währten nicht länger, als es dauerte, ihm die Nasenspitze zu pudern.

»Gefällt dir die nicht, die du jetzt hast?«, fragte ich.

»N-nein, das ist es nicht, sie ist großartig. Es ist nur so, dass ...« Er sah mich ungewohnt eindringlich an.

»Oh!«, sagte ich, als der Groschen gefallen war. »Mein lieber Freund. Natürlich. Ja.«

Sämtliche Gedanken daran, Sunetra zu bitten, mit mir auszugehen, vergingen, und während der folgenden fünf Wochen schaute ich zu, wie Rowan und sie sich näher und näherkamen. Sie waren seit fünf Jahren zusammen, bevor sie schließlich in New York City heirateten. Als Trauzeuge flog ich hin und hielt die Zeremonie auf Acht-Millimeter-Film fest. Inzwischen haben sie zwei Kinder und zwanzig Jahre Ehe hinter sich, aber ich frage mich noch manchmal, was wohl geschehen wäre, wenn ich kühn und flink genug gewesen wäre, Sunetra, ohne zu zögern, um ein Rendezvous zu bitten.

»Oh, das hättest du tun sollen!«, sagt Sunetra noch oft zu mir. »Ich wäre mit dir ausgegangen.« Aber ich weiß, wie glücklich sie ist und wie richtig es war, dass ich stillgeschwiegen habe.

Halt mal, Stephen, du bist doch schwul, oder? Bin ich, ja, aber wie ich ein paar Jahre später einem Zeitungsreporter sagte, bin ich nur »zu 90 Prozent schwul«, was natürlich schon verdammt schwul ist. Aber hin und wieder ist mir auf meinem Lebensweg eine Frau begegnet, die zu den »restlichen 10 Prozent« passte. Caroline Oulton in Cambridge war eine, wenn ich es ihr auch nie gestanden habe, und Sunetra war auch eine.

Der Rhythmus von Proben und Aufzeichnungen für *Blackadder* ließ die Zeit wie im Fluge vergehen. Dienstagmorgens lasen wir das Skript in Anwesenheit von Richard und manchmal auch Ben. John pflegte dabei Grimassen zu schneiden, sich an die Stirn zu fassen und den Kopf zu schütteln, um kundzutun, wie entsetzlich und unmöglich das alles sei – nicht gerade die feinfühligste Weise, sich bei Autoren und oder gar Schauspielern beliebt zu machen. Aber ihm ging es niemals darum, Missfallen zu bekunden oder Enttäuschung, sondern das ganze Getue und Gestöhne diente ihm nur dazu, sich für die Arbeit der bevorstehenden Woche auf Touren zu bringen. Als Nächstes wurde einer Szene nach der anderen sozusagen »das Laufen beigebracht«. Während die Show auf diese Weise eingerichtet wurde, machte sich Mandy ihre Notizen und konstruierte ihr Kameraskript, während John seine Grimassen schnitt und seufzte und rauchte und auf und ab tigerte und vor sich hin grummelte. Sein Perfektionismus und seine Weigerung, sich schnell zufriedenzugeben, trugen wesentlich dazu bei, dass *Blackadder* funktionierte. Jede Textzeile, jede Wendung und jede Aktion wurde von ihm herausgepickt, zwischen den Fingern gerieben, berochen und dann entweder akzeptiert, abgelehnt oder zur Wartung und Verbesserung erst mal in die Werkstatt überwiesen. Wir alle beteiligten uns daran, die Scherze auf Hochglanz zu polieren oder »aufzuschütteln«, wie John es nannte. Ich liebte es, an diesen Sitzungen teilzunehmen, die im Laufe der Jahre absolut charakteristisch für die Probenarbeit an *Blackadder* wurden. Gastschauspieler, die zu Besuch waren, saßen manchmal stundenlang da und lösten Kreuzworträtsel oder lasen ein Buch, während wir die Epitheta und die absurden Metaphern auf die Spitze schraubten.

Ich stelle mir Richard und Ben vor, wie sie das hier lesen und vor Empörung schnauben. »Moment mal, wir haben euch die Skripts geliefert, die Charaktere geschaffen und den Stil erarbeitet. Jetzt lauft nur nicht rum und tut so, als sei das alles euer Werk.« Ben und Richard kreierten in der Tat den Stil, die Storys und die meisten Witze. Wir fügten bei den Proben manches dazu und ließen auch manches fallen, aber sie waren die Autoren, daran besteht kein Zweifel. Meine Bewunderung für ihre Arbeit war und ist grenzen- und bedingungslos. Nichtsdestoweniger wird jeder, der damals und später jemals den Proben für *Blackadder* beigewohnt hat, bestätigen müssen, dass an diesen Tagen, unterstützt von hemmungslosem Kaffee- und Zigarettenkonsum, stets Schwerstarbeit im Feinabstimmen, Abändern und Verbessern geleistet wurde.

Sonntagabend präsentierten wir die Show vor einem Publikum, und sie wurde aufgezeichnet. Ben wärmte das Publikum auf, stellte die einzelnen Charaktere vor und machte mit dem Kontext der jeweiligen Folge bekannt. Das war wichtig, denn man spürte deutliche Anzeichen von Enttäuschung beim Publikum. Kein Teil der gegenwärtigen Staffel war bisher gesendet worden, so dass die Leute eine unbekannte Kulisse vor Augen hatten und unwirsch waren, weil viele der Figuren, die sie aus früheren Folgen kannten, nicht mehr auftauchten. Als sie *Blackadder II* sahen, bedauerten sie es, dass Brian Blessed nicht als König dabei war; als sie bei den Aufzeichnungen für *Blackadder the Third* zuschauten, vermissten sie Queenie; und als sie schließlich zu *Blackadder Goes Forth* ins Studio kamen, wollten sie Prince George und Mrs Miggins sehen.

Insgesamt war es eine höchst erfreuliche Erfahrung. Am Sonnabend nach der Aufzeichnung der letzten Episode von *Blackadder II* hatte Richard zu einer Party in sein Haus in Oxfordshire geladen. Es war ein herrlicher Sommertag, und da wir alle fernsehen wollten, legte Richard eine Verlängerungsschnur und stellte den Apparat auf einen Holzstuhl im Schatten des Apfelbaums. Wir saßen im Gras und schauten uns die Übertragung von *Live Aid* aus Philadelphia bis zum Schluss an.

»Wir sollten etwas Ähnliches machen«, sagte Richard

»Wie denn das?« Ich wusste nicht so recht, was er meinen könnte.

»Auch Comedians können Geld sammeln. Bedenk

nur mal, was John Cleese mit diesen Secret Policeman's Balls für Amnesty geschafft hat.«

»Du meinst so etwas wie eine Comedians' Live Aid Show?«

Richard nickte. Die Idee für Comic Relief war schon seit einiger Zeit in seinem Kopf gereift. Inzwischen, fast fünfundzwanzig Jahre später, hat er jedes zweite Jahr sechs oder sieben Monate seiner Zeit einer Organisation gewidmet, die, ob man nun die bonbonbunte und artifizielle Ausgelassenheit ihres zweijährlichen TV-Spektakels liebt oder verabscheut, hunderte Millionen Pfund gesammelt hat, um diejenigen zu unterstützen, die dringend Hilfe brauchten.

Coral Christmas, Cassidy, C4, Clapless Clapham,
Cheeky Chappies and Coltrane's Cock –
Korallen-Christmas, Cassidy, C4, klatschfaules Clapham,
freche Kerlchen und Coltranes Schwanz

Als *Blackadder II* im Kasten war, rief mich Richard Armitage an.

»Freut mich, mitteilen zu können, dass man *Me and My Girl* in Australien auf die Bühne bringen will. Mike wird Sie dort brauchen, um bei Veränderungen zu helfen, die wir für den Broadway schon mal ausprobieren können.«

Ich wollte nicht daran glauben, dass es zu einer Aufführung am Broadway kommen würde. Wie sollten die Amerikaner auf Cockney-Kapriolen und den Rhyming Slang anders reagieren als mit verständnislosen Blicken und nervösem Hüsteln? Australien hingegen schien eine wunderbare Idee zu sein, und Mike und ich flogen mit dem Stamm des Produktionsteams hinüber, um im Melbourne Arts Centre mit einem australischen Ensemble zu proben. Ich wünschte, ich erinnerte mich besser an die Produktion. Ich weiß noch, dass ich ein wenig an den Songtexten bastelte und eine oder zwei Szenen leicht änderte, aber mehr kommt mir nicht in den Sinn. Das Jahr neigte sich dem Ende zu, und Mike und ich fanden, es müsse garantiert Spaß machen, noch zu bleiben und Weihnachten in Queensland zu feiern. Er entschied sich für Hamilton, eine der Whitsunday Islands am Coral Reef. Ich verbrachte fast den gesamten Weihnachtstag im Hotelzimmer, zitternd, bibbernd und zähneklappernd vor Sonnenstich und Sonnenbrand, sehr zum Vergnügen von Billy Connolly und Pamela Stephenson, die im selben Hotel wohnten.

In England widmeten sich Hugh und ich dann der Show für Channel 4, die Paul Jackson uns gegenüber erwähnt hatte. Seamus Cassidy, der junge Beauftragte von C4, war erpicht darauf, etwas Ähnliches zu machen wie *Saturday Night Live*, das in Amerika schon lange lief. Unsere Show, beschloss er, solle *Saturday Live* heißen. Danach tauchte er in meinen Gedanken, durchaus nicht ohne Sympathie, nur noch als Shameless Cassidy auf.

Stand-up eroberte die Welt. Hugh und ich hatten den Eindruck, dass unsere Art der Sketch-Comedy Gefahr lief, von Monat zu Monat gestriger zu wirken und damit ihre Aussichten fürs Live-TV zu schwächen. Im Gegensatz zum Solokünstler steht man als Duo vor dem Problem, zueinander sprechen zu müssen und nicht zum Publikum. Wir hatten in der Vergangenheit eine ganze Anzahl von Sketchen geschrieben, zum Beispiel die Shakespeare Masterclass, in denen das Publikum direkt angesprochen wurde, aber meistens spielten wir in Minidramen verstrickte Figuren hinter der »Vierten Wand« zwischen uns und der Welt der Zuschauer. In einem Akt schierer Unbekümmertheit fassten wir den Entschluss, in einem Comedy Club zu proben, bevor wir uns in dieser neuen Show vor die Kameras stellten. Damals war das Jongleurs in Clapham einer der wichtigsten Auftrittsorte, und ebendorthin begaben wir uns für einen Abend. Man quetschte uns zwischen den jungen Julian Clary und Lenny Henry. Julian trat in jenen Tagen als »The Joan Collins Fan Club« auf und teilte sich die Bühne mit seinem kleinen Terrier »Fanny the Wonderdog«. Er machte seine Sache sehr gut, wenn ich mich recht erinnere. Als Hugh und ich nach unserer Viertelstunde die Bühne verließen und wie gewöhnlich unser »Mein Gott, wie die uns gehasst haben« (Hugh) und »So schlecht war es gar nicht« (ich) keuchten, blieben wir noch, um uns Lenny anzusehen. Ich erinnere mich daran, gedacht zu haben, wie wunderbar es sein musste, dem Publikum bekannt zu sein und von ihm geliebt zu werden. Die gesamte Arbeit ist bereits getan, bevor man auf die Bühne geht. Lenny trat zu lautem Applaus und Jubelrufen auf, und ich hatte den Eindruck, dass er nur den Mund aufzumachen brauchte, damit sich die Leute vor heller Begeisterung auf ihren Sitzen krümmten und voller Zustimmung mit den Füßen trampelten. Hugh und ich waren unbekannt, *Blackadder II* war noch nicht gesendet worden, und *The Crystal Cube* und *Alfresco* hatten sieben Zuschauer gehabt, die uns hätten erwürgen wollen. An jenem Abend im Jongleurs schwitzen wir Blut, als wir das Publikum mit unseren exquisit gedrechselten Formulierungen, ausgeklügelten Scherzen und raffinierten Parodien traktierten und mit nicht mehr als angedeutetem Kichern und höflichem, wenn auch nur sporadischem Applaus belohnt wurden. Lenny betrat die Bühne, imitierte einen Vogelruf, dröhnte sein »Hallo« heraus, und beinahe wäre das Gebäude eingestürzt. Ich will keineswegs den Beckmesser spielen. Er hatte im Laufe der Jahre ein Verhältnis zu seinem Publikum aufgebaut und besaß das Talent, in einem Comedy Club für beste Stimmung zu sorgen. Er war entspannt und entspannte sein Publikum. Hugh und ich mochten unsere Nervenanspannung so gut wie möglich kaschiert haben, aber von Anfang an bearbeiteten wir das Publikum, statt es mit Souveränität in unserer Welt willkommen zu heißen. Ein angespanntes Publikum mochte vielleicht unsere Texte und unsere Darbietung bewundern, aber es würde uns niemals mit ähnlich tosenden Liebesbekundungen überrollen wie Lenny. Später, als wir bekannt waren und mit Willkommensbeifall empfangen wurden, erinnerte ich mich manchmal an jenen Abend im »klatschfaulen Clapham«, Clapless Clapham, wie ich es in Gedanken nannte, und dankte meinem gütigen Schicksal, dass ich mich nicht mehr länger auf diese Art beweisen musste. Dabei fällt mir ein Abend ein, an dem ich einige Jahre später ganz deutlich die umgekehrte Wirkung erleben konnte. In den späten achtziger und frühen neunziger Jahren inszenierte ich eine Anzahl von »Hysteria«-Wohltätigkeitsshows für den Terrence Higgins Trust. Bei der dritten oblag mir die Pflicht, einen sehr bekannten Komiker auf der Bühne zu begrüßen. Er erschien zu donnerndem Applaus – *so* erfreut war man, ihn zu sehen. Er ging zu höchstens ... *respektablem* Beifall. Der nächste Künstler war neu. Niemand da draußen hatte die geringste Ahnung, um wen es sich handelte und was zu erwarten war. Ich tat als Conférencier mein Bestes, das Publikum auf seine Seite zu bringen.

»Liebe Damen, liebste Herren, ich hege nicht den geringsten Zweifel, dass Sie den nächsten Künstler mit Ihrem wärmsten und wildesten Applaus empfangen werden. Es handelt sich um einen brillanten jungen Komiker, und ich weiß, Sie werden ihn lieben − bitte begrüßen Sie den wunderbaren Eddie Izzard!« Sie reagierten höflich und gaben ihr Bestes, aber sie hätten so viel lieber einen John Cleese oder Billy Connolly mit Gejohle auf die Bühne geholt.

Ich stand in den Kulissen und erlebte, wie Eddie mit einem gigantischen Beifallsturm die Bühne verließ. Wie viel besser, zu höflichem Klatschen aufzutreten und in einem Beifallssturm abzugehen, als, wie es dem etablierten Komiker geschehen war, im Beifallssturm aufzutreten und zu höflichem Klatschen die Bühne zu verlassen.

Saturday Live war ein Tollhaus: Live übertragen aus dem größten der South Bank Studios von London Weekend Television, hatte es eine große, zentrale Bühne aufzuweisen, Seitenbühnen für die Bands, riesige aufblasbare Luftkissen, die ungleichmäßig verteilt unter der Decke schwebten, und eine gewaltige Arena für das Publikum: »groundlings«, Parterrebesucher vor der Shakespeare-Bühne, hauptsächlich junge, modebewusste Leute, die sich in Scharen durch das Studio schoben, vor die Kameras liefen und die Aufnahmeleiter mit einem Auftreten in Schwierigkeiten brachten, das im angesagten Jugend-TV zum Trend wurde, einem Stil, der zwischen schmollender Aversion und hysterisch gekreischter Vergötterung schwankte. Hugh war überzeugt, dass sie größeres Interesse daran hatten, wie ihre Frisur auf dem Bildschirm wirkte, als an allem, was wir sagten oder taten, um sie zu amüsieren.

Ungefähr einen Monat zuvor hatten wir den Comedy Store besucht, um uns einen neuen Comedian anzusehen, über den wir viel Lob gehört hatten. Er hieß Harry Enfield und präsentierte seine Stand-up-Nummer in der Person eines wundervoll miesepetrigen und perversen alten Gentleman, einer Figur, die er ganz bewusst an der Rolle orientiert hatte, die Gerard Hoffnung in seinen legendären Interviews mit Charles Richardson annahm. Harry arbeitete bei *Spitting Image* als Imitator und war, wie wir, für *Saturday Live* gebucht worden. Er war Paul Whitehouse und Charlie Higson, unseren Renovierern/Dekorateuren, über den Weg gelaufen und hatte sich mit ihnen angefreundet. Gemeinsam hatten Harry und Paul eine Figur entwickelt, die von Adam abgeleitet war, Pauls Cockneygriechen mit dem Kebab-Imbiss. Jetzt hieß er Stavros und funktionierte als Marionette in *Spitting Image* so gut, dass Harry mit dem Gedanken spielte, ihn aus Fleisch und Blut bei *Saturday Live* auftreten zu lassen.

Hugh und ich beneideten Harry um die Konstanz, mit der er seine Figur immer wieder präsentieren konnte. Wir hingegen mussten in jeder der zwölf Wochen, die *Saturday Live* lief, etwas Neues liefern. Jede Woche das weiße Blatt Papier und der vorwurfsvolle Schreibstift oder vielmehr der leere Schirm, der blinkende Cursor und das vorwurfsvolle Keyboard. Die Sketche, die in dem irrsinnig heißen, lauten Studio mit seiner quirligen Atmosphäre am besten anzukommen schienen, waren, wie wir vermutet hatten, diejenigen, in denen Hugh und ich ins Publikum sprachen. Wir entwickelten eine Reihe von Talkshow-Parodien, in denen Hugh eine Figur namens Peter Mostyn spielte, die mich auf zunehmend seltsame Form interviewte.

»Hallo und willkommen zu ›*Autoradios klauen mit* …‹. Ich bin Peter Mostyn, und heute Abend gehe ich ein Autoradio klauen mit Nigel Davenant, Schatteninnenminister und Parlamentsmitglied für die Staatsräson. Nigel, hallo und willkommen zu ›*Autoradios klauen mit* …‹«, und so weiter.

Ich erinnere mich besonders deutlich an diesen Mostyn-Sketch (die meisten unserer Erlebnisse bei *Saturday Live* sind zu einem Knäuel schemenhafter Erinnerungen verschwommen: Das Gehirn kann ja so freundlich sein), weil er es uns erlaubte, fern des gefürchteten Studiopublikums unten in der Tiefgarage von LWT zu drehen. Da die Show live gesendet wurde, waren wir ziemlich angespannt. Wir hatten eine Art Brecheisen mitgebracht, um damit auf unserer Seite des Wagens die Scheibe einzuschlagen und das Radio hervorzuziehen. Statt das bröckelige und sichere Zuckerglas zu benutzen, das normalerweise als Requisit bevorzugt wird, wollten wir uns an die Realität halten und benutzten ein Auto, das jemandem aus der Produktionsmannschaft gehörte.

»Gut – also, Herr Schatteninnenminister, haben Sie schon einmal Radios geklaut?«

»Oh, nicht seit meinen Tagen als junger parlamentarischer Assistent.«

»Und – trauen Sie sich's zu?«

»Werd auf jeden Fall mein Bestes geben …«

»Das ist die richtige Einstellung! Hier hätten wir ein Werkzeug, das die meisten Autodiebe benutzen. Ein fester Schlag und dann, so schnell Sie können, raus mit dem Radio. Aber während Sie sich daranmachen, lassen Sie mich eine Frage stellen. War die Politik Ihre erste Liebe?«

»Aber nein, Susanna war meine erste Liebe, es folgte ein Junge namens Tony und erst *dann* kam die Politik.«

Hugh führte dann, und darauf sollten die Sketche auch hinauslaufen, ein ernsthaftes und allgemeines Interview, als sei es das Normalste auf der Welt. Zu späteren Szenarien gehörten »*Den Großvater bekannt machen mit …*«, »*Die eigenen Genitalien fotokopieren mit …*« und »*Ein Leichtflugzeug fliegen, ohne den geringste Flugunterricht gehabt zu haben, mit …*«.

Ich erinnere mich, dass es an jenem Abend sechs harter Schläge bedurfte, um das Fenster zu zerschmettern. Über die Kopfhörer der beiden Kameraleute und des Aufnahmeleiterassistenten konnte ich jedes Mal, wenn das Werkzeug erfolglos von der Scheibe abprallte, deutlich die erregte Stimme des Regisseurs Geoff Posner hören: »Mein Gott! Scheiße! Oh, verfluchter Mist!«

Hugh improvisierte souverän. »Würden Sie sagen, Nigel, dass die neuen europäischen Laminierungsrichtlinien ihren Anteil daran haben, das Autofensterglas zu verstärken – ich meine, seit Ihren Anfangstagen als Autoradiodieb?«

»Das ist … *bäng* … richtig, Peter. Ich würde … *bäng* … absolut … *bäng* … dasselbe … sagen. Außerdem habe ich einen Großteil meiner Armkraft verloren wegen … *bäng* … *Krach! Splitter!!* … aha, das war's jetzt …«

Weswegen *ich* eine Menge Armkraft verloren hatte, brauchte ich glücklicherweise nicht zu erklären.

Der einzige andere Sketch, an den ich mich ganz deutlich erinnere, hat sich in mein Gedächtnis gebrannt, weil er einen Besuch bei einem Hypnotiseur nötig machte.

Wie ich schon angesprochen habe, kann ich nicht singen. Womit ich sagen will, dass ich wirklich nicht singen kann, genauso wie ich nicht in der Lage bin, durch die

Luft zu segeln, indem ich mit den Armen flattere. *Nicht. In der Lage.* Es geht nicht darum, dass ich etwa schlecht sänge, sondern die Sache ist die, dass ich tatsächlich nicht in der Lage bin, es zu *können.* Ich habe ja bereits erwähnt, was meine Singstimme den anmaßenden und starrköpfigen Narren antut, die durch die Gegend rennen und lauthals verkünden: »Was, das ist doch reiner Unsinn. *Jeder* kann singen …« Hugh, wie wir ja wissen, singt wunderbar, so wie er die meisten Dinge wunderbar macht, aber Stephen kann es eben nicht. Ich *denke*, ich könnte es, wenn ich allein bin, zum Beispiel unter der Dusche, aber es besteht keine Chance, das zu überprüfen. Wenn ich mir auch nur eine Sekunde lang vorstelle, dass jemand im Haus ist oder im Garten oder innerhalb einer Entfernung von hundert Metern, gefriere ich zu Eis. Und das würde auch ein Mikrofon mit einbeziehen, und deswegen ist mein Gesang wie das Quantenereignis eines Physikers: Jede Beobachtung verändert auf fatale Weise das Ereignis.

Mitten in der zweiten Staffel von *Saturday Live* musste ich feststellen, dass Hugh mich in eine grässliche Klemme gebracht hatte, oder vielleicht hatte ich es auch mir selbst zuzuschreiben. Irgendwie war eine Nummer geschrieben worden, in der ich unbedingt singen musste. Hugh erfüllte irgendeine andere entscheidende Aufgabe in dem Sketch, und ich konnte nicht ablehnen. Ich musste singen. Live. Im Fernsehen.

Drei Tage lebte ich in totaler Panik, zitterte, schwitzte, stöhnte, gähnte, musste alle zehn Minuten pinkeln – sämtlich Symptome extremer nervöser Anspannung. Schließlich konnte Hugh es nicht mehr aushalten.

»Also schön. Aber dann müssen wir eben einen anderen Sketch schreiben.«

»Nein, nein! Ich krieg das hin.« Dummerweise war es ein guter Sketch, und sosehr mir vor dem graute, was auf mich zukam, wusste ich doch, dass wir ihn bringen *mussten*. »Wirklich, ich schaffe das.«

Hugh registrierte meine weichen Knie, mein aschfahles Gesicht und meine verängstigte Miene. »Du schaffst das nicht«, sagte er. »Ich seh's dir doch an. Hör mal, das ist offenbar ein psychisches Problem. Du kannst eine Melodie auf dem Klavier klimpern, du kannst einen Song vom anderen unterscheiden. Du hast also ein musikalisches Gehör.«

»Ja«, sagte ich, »aber das Problem ist, dass meine Stimmbänder nicht darauf hören wollen.«

»Psychisch. Du solltest einen Hypnotiseur aufsuchen.«

Um 3 Uhr am nächsten Nachmittag klingelte ich in der Maddox Street an der Praxistür eines Michael Joseph, Klinischer Hypnotiseur.

Es stellte sich heraus, dass er geborener Ungar war. Der ungarische Akzent ist, und ich nehme an, das liegt an meinem Großvater, mir der liebste auf der Welt. Ich werde nicht »Vot« für »What« schreiben und »deh« für »the«, sondern Sie werden sich einfach vorstellen müssen, dass sich die Stimme von George Solti in meine Gehirnwindungen webt.

»Erzählen Sie mir den Grund, weswegen Sie hergekommen sind«, sagte er und erwartete wohl, dass ich von Rauchen oder Gewichtskontrolle oder Ähnlichem sprechen würde.

»Ich muss morgen Abend singen.«

»Entschuldigung?«

»Morgen Abend muss ich singen. Live im Fernsehen.«

Ich schilderte ihm in Umrissen mein Problem.

»Sie sagen, Sie können nicht singen, und Sie haben auch noch nie gesungen?«

»Ich denke, es handelt sich um eine mentale Blockade. Ich habe das Ohr, gewöhnlich einige Tonarten zu erkennen. Es-Dur, c-Moll und D-Dur zum Beispiel. Aber wenn ich vor jemandem anderen singen muss, hämmert es sofort in meinen Ohren, meine Kehle schnürt sich zusammen, mein Mund wird trocken, und heraus kommt der unmelodischste und arhythmischste Horror.«

»Ich verstehe, ich verstehe. Vielleicht sollten Sie Ihre Handflächen auf die Knie legen, das wird sehr angenehm sein, denke ich. Wissen Sie, wenn Sie Ihre Hände auf Ihren Beinen spüren, ist es erstaunlich, wie sie mit dem Fleisch zu verschmelzen scheinen. Nicht wahr? Schon bald lässt sich nur noch schwer sagen, was Ihre Hände sind und was Ihre Beine, stimmt es? Sie sind eins. Und während das geschieht, haben Sie jetzt das Gefühl, als würden Sie in einen Brunnen gesenkt. Ja? Hinunter in die Dunkelheit. Aber meine Stimme ist wie die Rettungsleine, die Sie darauf vertrauen lässt, dass Sie nicht verloren gehen. Meine Stimme wird Sie herausziehen können, aber im Augenblick lässt sie Sie weiter hinunter sinken und sinken, bis Sie im Warmen sind und im Dunkeln. Ja? Nein?«

»Hm …« Ich spürte, dass ich nicht in Bewusstlosigkeit glitt, denn ich blieb geistig wach und klar, sondern in einen Zustand willentlicher Entspannung und zufriedener Benommenheit. Das Licht erlosch um mich, bis ich behaglich und sicher im Brunnen der Wärme und der Dunkelheit ruhte, wie er es beschrieben hatte.

»Erzählen Sie mir, wann Sie sich entschieden haben, nicht singen zu können?«

Und jetzt, völlig unerwartet, stieg mir die klare und detailgetreue Erinnerung an *cong. prac.* vor die Augen.

»Congregational practice« wird sonnabendmorgens in der Prep School abgehalten, entweder in der Turnhalle, in der Kapelle oder in der Aula. Unser Musiklehrer, Mr Hemuss, nimmt mit uns die Kirchenlieder durch, die sonntags beim Gottesdienst gesungen werden. Ich bin in der ersten Klasse. Ich bin sieben Jahre alt und gewöhne mich gerade daran, zweihundert Meilen entfernt von zu Hause in einem Internat zu stecken. Ich stehe am Ende einer Reihe, mein Gesangbuch in den Händen, und falle in den Gesang der Schüler ein, die den ersten Vers von »Jerusalem the Golden« angestimmt hatten. Kirk, der Aufsichtsschüler, schlendert die Reihen auf und ab, um sicherzustellen, dass sich alle Schüler benehmen. Plötzlich bleibt er neben mir stehen und hebt die Hand.

»Sir, Sir … Fry singt schief!«

Es wird gekichert. Mr Hemuss gebietet Ruhe. »Dann sing mal alleine, Fry.«

Ich weiß nicht, was schief singen bedeutet, aber ich weiß, dass es etwas sehr Schlimmes sein muss.

»Also!« Hemuss greift in die Tasten, um einen Akkord erklingen zu lassen, und schmettert dann mit kräftigem Tenor die erste Zeile: »Jerusalem the golden …«

Ich versuche, an der Stelle einzustimmen. »With milk and honey blest …« Die Schüler brechen in Hohngelächter aus, als ich ein unmelodisches heiseres Krächzen hervorpresse.

»Na ja. Ich denke, es wäre besser, wenn du in Zukunft nur noch die Lippen bewegen würdest«, sagt Mr Hemuss. Kirk grinst triumphierend und geht weiter. Ich bleibe zurück, allein, erhitzt, rosa angelaufen und bebend vor Schmach, Scham und Schrecken.

Die Erinnerung schrumpft und vergeht, während Michael Josephs besänftigender magyarischer Tonfall mich tröstet. »Es war eine leidvolle Erinnerung, aber jetzt ist es zu einer geworden, die Sie schmunzeln lässt. Denn Sie verstehen jetzt, dass dieses Erlebnis all die Jahre die Musik in Ihnen verschlossen gehalten hat. Morgen Abend müssen Sie singen, richtig?«

»Ja.« Meine Stimme schien von weit her zu kommen.

»Wenn Sie singen müssen, gibt es da ... wie sagt man ... ein Stichwort? Gibt es ein Einsatzwort, damit Sie wissen, wann Sie singen sollen?«

»Ja. Mein Freund Hugh wendet sich mir zu und sagt: ›Hit it, bitch!‹«

»›Hit it, bitch?‹«

»›Hit it, bitch.‹«

»Sehr gut. ›Hit it, bitch.‹ Also, wenn Sie morgen vor Ihrem Publikum stehen, dann werden Sie Selbstvertrauen empfinden, sich glücklich fühlen und fest an Ihre Fähigkeit glauben, in diesem Moment zu triumphieren. Und wenn Sie die Wörter ›Hit it, bitch‹ hören, werden alle Spannungen und Ängste von Ihnen abfallen. Sie sind Ihr Signal, das Lied, das Sie singen müssen, auch mühelos singen zu können. Ohne Angst, ohne dass sich Ihnen die Kehle zuschnürt. Entspanntheit, Selbstvertrauen, Sicherheit. Wiederholen Sie das für mich.«

»Wenn ich die Wörter ›Hit it, bitch‹ höre, werden alle Spannungen und Ängste von mir abfallen. Sie sind mein Signal, das Lied, das ich singen muss, auch mühelos singen zu können. Ohne Angst, ohne dass sich mir die Kehle zuschnürt. Entspanntheit, Selbstvertrauen, Sicherheit.«

»Sehr gut. Und jetzt werde ich an der Leine ziehen und Sie an die Oberfläche bringen. Während ich ziehe, zähle ich von zwanzig abwärts. Wenn ich bei ›zehn‹ bin, wachen Sie langsam auf, erfrischt und glücklich, ohne Schwierigkeiten imstande, sich an unser Gespräch und dessen Einzelheiten zu erinnern. Bei ›fünf‹ öffnen sich Ihre Augen. Also. Zwanzig, neunzehn …«

Leicht benommen wankte ich davon, ziemlich verblüfft, dass diese Erinnerung an *cong. prac.* ans Licht gekommen war, und voller Vertrauen darauf, dass ich würde singen können, wenn es so weit war. Ich glaube, ich summte sogar vor mich hin, als ich von der Maddox Street zur Oxford Tube Station ging.

Am Abend darauf warnte ich Hugh, wenn er das Stichwort verpatzte und »Hit it, baby« oder Cue it, bitch« oder so was sagte, würde unser gesamtes Unternehmen scheitern. Alles ging gut, der Augenblick kam, Hugh sprach mein Stichwort fehlerlos, und aus meinem Mund kamen gewisse Töne in der mehr oder weniger richtigen Reihenfolge und in der mehr oder weniger korrekten Lage.

Sorgte das Erlebnis für die Auflösung meiner Gesangsblockade? Absolut nicht. Damit ist es hoffnungslos wie immer. Bei Hochzeiten und Beerdigungen ziehe ich es vor, zu mimen. Bei John Schlesingers Beerdigung vor ein paar Jahren in St. John's Wood, sagte der Mann, der neben mir stand, aufmunternd: »Komm schon, Stephen – du singst ja gar nicht mit. Versuch's doch mal!«

»Glaub mir, Paul, das möchtest du dir nicht antun«, sagte ich. Außerdem hatte ich viel mehr Vergnügen daran, *ihm* zuzuhören.

»Doch. Nun mach schon.«

Also schloss ich mich dem Chor an.

»Du hast recht«, gestand Paul McCartney ein. »Du kannst nicht singen.«

Ich denke, *Saturday Live* war im Hinblick auf meine Karriere eine gute Entscheidung. Ich wurde von einem großen Publikum gesehen und kam im Allgemeinen gut an. Die Sendung war besonders für Ben ein Erfolg, denn er stieg vom regelmäßigen Mitarbeiter zum ständigen Moderator auf. Seine Verabschiedung »My name's Ben Elton, good night!« wurde zum Slogan der Show, bis Harry und Paul, die den sehr erfolgreichen Stavros langsam leid wurden, eine neue Figur für Harry erfanden. Sie kreierten einen großmäuligen Stuckateur aus »Sarf« London, der dem Publikum überschwänglich sein Geldbündel aufblätterte und dazu hämisch triumphierend »Loadsamoney!« rief. Er schien den zweiten Akt des Thatcher-Stücks zu symbolisieren, eine Ära des Materialismus, der Gier und der Verachtung für diejenigen, die auf der Strecke geblieben waren. Wie schon bei Johnny Speight und Warren Mitchells Alf Garnett schien ein großer Teil des Publikums entweder taub zu sein oder entschlossen, Pauls und Harrys satirische Absicht zu ignorieren, denn es erhob Loadsamoney fast zum Volkshelden.

Ben, Harry, Hugh und ich machten es uns zur Gewohnheit, nach den Aufzeichnungen im Club Zanzibar in Covent Garden zu entspannen, und gewöhnlich brachten wir die Comedians und Musiker mit, die als Gäste der Woche aufgetreten waren.

Als wir eines Abends im Halbkreis auf einer Nischenbank saßen, hatte ich Gelegenheit, Robbie Coltranes romantische und poetische Verführungstechnik zu erleben. Er nahm die Hand der jungen Frau, die neben ihm saß.

»Was für feine und zierliche Hände Sie haben«, sagte er.

»Danke schön«, sagte sie.

»Ich liebe Frauen mit kleinen Händen.«

»Tatsächlich?«

»Ja. Sie lassen meinen Schwanz so viel größer aussehen.«

Im Zanzibar wimmelte es von Medienleuten. Jimmy Mulville war oft da. Dieser scharfsinnige, witzige und schlagfertige Liverpudlian war in Cambridge eine Art Legende gewesen und in dem Jahr abgegangen, als ich mein Studium begann. Er hatte sich eingeschrieben, um Latein und Altgriechisch zu studieren, aber einem untypischeren Altphilologen hätte man in Cambridge nicht begegnen können. Es ging das Gerücht, dass sein Vater, ein Hafenarbeiter aus Walton, eines Abends, als Jimmy siebzehn war, nach Hause gekommen war und gesagt hatte: »Du solltest dich bei deinen A-Levels lieber gehörig anstrengen, denn ich war gerade bei den Buchmachern und hab gewettet, dass du nur A-Grades bekommst und dadurch ein Stipendium für Cambridge. Sie haben mir einen guten Preis gemacht.«

»Himmel, Dad!«, soll Jimmy schockiert ausgerufen haben. »Wie viel hast du eingesetzt?«

»Alles«, kam die Antwort. »Also, sieh zu, dass du lernst.«

Es heißt, dass die Schüler von heute unter mehr Examensdruck leiden, als meine Generation je erlebt hat, und ganz allgemein bezweifle ich nicht, dass es stimmt, aber ich kann mir nicht vorstellen, dass viele den Druck haben aushalten müssen, unter dem Jimmy in jenem Jahr stand. Letztlich wartete er pflichtgemäß mit glatten A-Grades auf und bekam das Stipendium.

Es ist eine zu gute Geschichte, um nachzuhaken und die Enttäuschung zu riskieren, dass die Dinge verzerrt dargestellt wurden oder dass es sich um reine Übertreibung handelt. Auf jeden Fall stimmt aber, dass Jimmy, als er 1975 im Jesus College eintraf, eine Ehefrau mitbrachte. Es ist nicht ungewöhnlich, dass Personen aus der Arbeiterklasse heiraten, noch bevor sie zwanzig sind, aber sehr ungewöhnlich für Studenten, verheiratet zu sein, und wie die junge Mrs Mulville in Cambridge zurechtgekommen ist, weiß ich nicht. Jimmy wurde 1977 Präsident des Footlights Club, und zu der Zeit, über die ich schreibe, war er zusammen mit seinem Cambridge-Kommilitonen Rory McGrath Autor und Darsteller in der Channel-4-Comedy *Who Dares Wins*. Später gründete er dann Hat Trick, eine der ersten unabhängigen TV-Produktionsfirmen, berühmt dafür, Shows wie *Have I Got News for You* ins Fernsehen zu bringen, und etwas weniger berühmt dafür, mich in *This Is David Lander* der Öffentlichkeit zu präsentieren.

Who Dares Wins hatte sich als Kult etabliert und galt als verantwortlich dafür, dass sich Channel 4 den Sendeplatz nach Schließung der Pubs gesichert hatte. Der bierselige Stil der Show war recht weit entfernt von dem, was Hugh und ich machten, aber für mich wogen die brillanten Einfälle im Buch die kumpelhafte Macho-Atmosphäre auf. Einer meiner Lieblingswitze stammt aus *Who Dares Wins*. Pointen, die aus nur einem Wort bestehen, haben etwas sehr Angenehmes.

Die Show endete fast immer mit einer langen, verwickelten Partyszene, die mit einer Kamera und in einem einzigen Take gedreht wurde. In einer dieser Episoden gesellt sich Jimmy zu Rory und nimmt sich eine Dose Bier. Als er sie an die Lippen setzt, warnt ihn Rory: »Eh, die hab ich als Aschenbecher benutzt.« Jimmy sieht ihn unbewegt an, sagt: »Pech«, und trinkt.

Ein weiterer Stammgast im Zanzibar war der bemerkenswerte Peter Bennett-Jones, ebenfalls mit Cambridge-Abschluss und jetzt einer der mächtigsten Manager, Agenten und Produzenten im britischen Film- und Fernsehgeschäft. Ich erinnere mich, dass ich mithalf, ihn um halb drei Uhr morgens vor dem Club zu seinem dreißigsten Geburtstag hochleben zu lassen, und zu meinem Schrecken Zeuge wurde, wie er aus unseren Armen aufs Pflaster stürzte. Doch er verkündete nur ungerührt, er werde gleich dreißig Liegestütze machen.

»Du bist jetzt ein alter Mann!«, sagte ich. »Du kriegst noch einen Herzschlag.«

P-J-B, wie er allenthalben heißt, machte die dreißig und hängte noch zwanzig dran, nur so.

Ein Freund, der vor Jahren in Hongkong war, erzählt, dass er dort einmal nicht recht gewusst habe, was er mit sich anfangen solle. Der Hotelportier empfahl ihm einen Restaurantbesuch.

»Gehen Kowloonside und fragen nach Chou Lai's.«

Am Kai in Kowloon machte man ihn auf eine Dschunke aufmerksam, die gerade ablegte. Er sprang an Bord.

»Chou Lai's?«, fragte er. Alle an Bord nickten.

Nach halbstündigem Tuckern durch kabbeliges Wasser setzte man ihn auf einer Insel ab. Nichts. Er dachte, man habe ihn (buchstäblich) schanghait. Nach einer Ewigkeit legte eine weitere Dschunke an der Mole an.

»Chou Lai?«, rief der Skipper, und abermals sprang mein Freund an Bord.

Während der nächsten Stunde pflügte das Schiff weiter durchs Südchinesische Meer, und er fürchtete langsam um sein Leben. Schließlich wurde er wieder auf einer Insel abgesetzt, aber diesmal befand sich dort tatsächlich ein Restaurant, erleuchtet von Lichterketten und pulsierend von Musik. Chou Lai persönlich trat in Erscheinung, ein jovialer Bursche mit Augenklappe, die vortrefflich die Joseph-Conrad-Atmosphäre des Abenteuers meines Freundes abrundete.

»Hallo, willkommen. Sagen Sie, Sie Amerikaner?«

»Nein, ich bin Engländer, um genau zu sein.«

»Englisch! Ah! Kennen Sie P B-J?«

Man fragt sich, wie vielen verdutzten englischen Gästen, die nicht die geringste Ahnung hatten, wer oder was »P-J-B« sein mochte, diese Frage wohl gestellt worden sein mag. Mein Freund wusste es, bezweifelte aber, dass Chou Lai denselben Mann meinte. Es stellte sich jedoch heraus, dass er es tat.

»Ja! Pe'er Be'ett-Joes!«

Mein Freund wurde zu Essen und zur Rückfahrt nach Kowloon auf Chou Lais privater Barkasse eingeladen.

Da haben Sie Peter Bennett-Jones: Mit seiner hochgewachsenen, hageren Gestalt, seiner Auswahl zerknitterter Leinenanzüge und seiner vollendet altmodischen »Dear old boy«-Attitüde sieht er aus und klingt wie ein pensionierter Kolonialbeamter aus den Büchern von Somerset Maugham, und doch ist er jünger als Mick Jagger, scharfsinnig, clever und in Londons Medienwelt mächtig wie kaum ein anderer.

Ich hatte das Glück oder das Unglück, jenen Abend im Zanzibar zu verpassen, als Keith Allen, einer der Pioniere der alternativen Comedy und ein Mann, den ich noch gut kennenlernen sollte, auf die Bar kletterte und mit Flaschen um sich warf, wodurch er einen Gutteil der Lagerbestände vernichtete und den größten Teil der Spiegel und Einbauten zerstörte. Keith wurde festgenommen, und als er nach einer kurzen Haftstrafe zurückkehrte, musste er feststellen, dass man ihm permanentes Hausverbot erteilt hatte. Er war »Zanzibarred«, wie ich es gern nannte. Der Besitzer, Tony Macintosh, gab sich aber so wohlmeinend, dass er ihn nicht auch noch aus seinem neuen Lokal, dem Groucho, aussperrte, das er und Mary-Lou Sturridge in Kürze in Soho eröffnen wollten.

Die Jahre, in denen ich mich kopfüber in die Welt der Soho-Boheme stürzte, lagen noch vor mir, aber ich betrachtete Menschen wie Keith Allen mit Bewunderung und leicht ängstlich. Sie schienen das London, in dem ich mir immer noch vorkam wie ein schüchterner Besucher, ein London, das vor enormer Energie zu vibrieren schien, ihr eigen zu nennen. Ich scheute mich, schicke Nachtclubs wie das Titanic und das Limelight zu betreten. Letztlich schien es in ihnen eh um nichts anderes zu gehen, als zu tanzen und zu trinken, und an beidem hatte ich recht wenig Interesse. Auch das Zanzibar war ein Ort, den ich nicht im Traum allein aufgesucht hätte, sondern höchstens in einer Gruppe, aber ein Dämon in mir flüsterte, es sei ein Fehler, mich damit zufriedenzugeben, nichts als eine Maschine zu sein, die Wörter ausspuckte. »Du schuldest es dir, ein bisschen zu leben, Harry…«, wie Clint es sich in *Dirty Harry* zuraunt.

Wer war ich zu dieser Zeit? Ich fand immer noch, dass die Menschen sich an meinem Erscheinungsbild störten, an meiner Ungezwungenheit, der scheinbaren – ach, ich weiß nicht – Mühelosigkeit, Unverwundbarkeit, Bedürfnislosigkeit? Irgendwas an mir störte … nein störte nicht, störte vielleicht manchmal, aber faszinierte eher oder verblüffte … etwas an mir faszinierte oder verblüffte, löste gemischte Gefühle von Verärgerung und Neugier aus.

Wie konnte jemand so eingemummelt sein gegen die

grausamen Stürme der Welt, so gewappnet gegen die Raketengeschosse des Schicksals, so vollkommen in sich ruhend? Wäre doch *toll*, ihn mal betrunken zu sehen. Hinter seine Fassade zu blicken und herauszufinden, was ihn antreibt.

Ich bin überzeugt, dass es Menschen gibt, die mich besser leiden könnten und mir mehr vertrauen würden, wenn sie einmal hätten erleben dürfen, wie ich Tränen in meinen Whisky tropfen lasse, mich zum Narren mache, aggressiv werde, rührselig oder unkontrolliert betrunken. Ich habe solche Gemütszustände bei anderen immer als ermüdend empfunden, unangenehm, peinlich und grauenhaft langweilig, aber ich bin ziemlich sicher, dass so manche Menschen es zu schätzen wüssten, wenn sie mich zumindest ab und zu in einer solchen Verfassung erleben dürften. Nun ist es aber so, dass ich fast niemals die Kontrolle verliere, egal, wie viel ich trinke. Meine Gliedmaßen könnten eventuell an Koordination verlieren, aber sie besitzen ohnehin nur so wenig davon, das es schwerfallen dürfte, einen Unterschied zu bemerken. Aber ganz gewiss werde ich niemals aggressiv oder gewalttätig oder weinerlich. Das ist ganz klar ein Fehler.

Damals konnte ich wahrnehmen, dass Außenstehende, die den Stephen Fry, dem sie begegnet waren, genauer betrachteten, in ihm einen Mann sahen, der das große Lebenslos gezogen hatte. Es schien mir nicht gegeben zu sein, die Verwundbarkeit, Furcht, Unsicherheit, den Zweifel und die Unzulänglichkeit, die Verwirrung und die Lebensunfähigkeit, die ich so oft empfand, nach außen zu kehren.

Die Zeichen waren eigentlich für denjenigen, der sie zu lesen verstand, überdeutlich. Allein die Autos schrien doch zum Himmel, oder? Ein Aston Martin, ein Jaguar

XJ 12, ein Wolseley 15/50, ein Austin Healey 100/6 in fabrikneuem Zustand, ein Austin Westminster, ein MG Magnette, ein MGB Roadster …

Die Leute sahen mich in diesen mit Edelhölzern und Leder ausgestatteten Streitwagen durch die Gegend kutschieren und hielten sie für das Automobiläquivalent der Tweedjacketts und der Hosen aus Kavallerie-Twill, die ich weiterhin trug. »Der gute alte Stephen. Kommt wahrhaftig aus einer anderen Welt. Typisch englisch. Wertvorstellungen von gestern. Cricket, Kreuzworträtsel, klassische Autos, Clubs. Meine Güte.« Oder sie dachten: »Aufgeblasener, hochnäsiger Oxbridge-Arsch in seinen Spießerklamotten und Angeberautos. Was für ein Blödmann.« Ich dachte: »Was für ein Heuchler. Halbjüdischer Schwuler, der eigentlich nicht weiß, was er tut oder wer er ist, aber doch ewig derselbe durchtriebene, hasenfüßige und naschhafte Teenager bleibt, der er schon immer war. Nirgends passt er richtig rein. Zerstört durch Liebe, unfähig, Liebe zuzulassen, nicht wert, geliebt zu werden.«

Bis zu meinem Tod werden die Menschen es vorziehen, mich als robust, kommod und englisch wie einen guten ledernen Clubsessel anzusehen. Ich habe schon vor langer Zeit gelernt, mich nicht dagegen zu wehren. Außerdem, und das ist jetzt mehr als nur eine Frage guter Manieren (obwohl eigentlich gute Manieren Grund genug wären), warum sollte jemand ständig davon plärren, wie es in seinem Inneren aussieht? Das entbehrt der Würde, ist uninteressant und keinesfalls anziehend.

Jeder Amateurpsychologe erkennt, dass jemand mit meiner Lebensgeschichte von Teenager-Sturm und Adoleszenz-Drang (Zuckersucht, Entfremdung, unbändige Launen, unglückliche Sinnlichkeit, vereitelte Romanzen, Diebereien, Schulverweise, Betrügereien, Gefängnisaufenthalt[†]), dem man plötzlich einen neuen Weg ins Leben öffnet, die Chance zu arbeiten und damit absurd viel Geld zu verdienen, durchaus so reagieren kann, wie ich es tat, und eine Reihe alberner und verschüchterter Demonstrationsversuche unternimmt, sich selbst und seinen Familienangehörigen, deren Leben er zur Qual gemacht hat, endlich zu beweisen, dass er *jemand* geworden war. Jemand, der *dazugehörte*. Seht her, ich besitze Autos und Kreditkarten und Mitgliedsausweise diverser Clubs und ein Haus auf dem Lande. Ich weiß, wie der Oberkellner im Le Caprice heißt. Ich bin mit England verhaftet wie das aufgearbeitete Leder mit dem Sitz eines Aston.

Wenn Sie mich danach gefragt hätten, hätte ich geantwortet, ich sei glücklich. Ich war glücklich. Ganz sicher aber war ich zufrieden, und ich nehme an, das verhält sich zwar zu glücklich wie Pavillon Rouge zu Château Margaux, muss aber für die meisten von uns reichen.

Man krönte *Saturday Live* zum Hit, und vielleicht wegen unseres Auftritts darin wurden Hugh und ich einmal mehr in Jim Moirs Büro bestellt, damit er herausfinden konnte, ob wir unsere Schwänze in die Luft strecken und jemanden bewegen konnten, niederzuknien und daran zu lutschen, oder »eine Show auf die Beine« zu stellen vermochten, wie Comedy-Manager niederer Position es ausgedrückt hätten.

Nachdem die BBC kein Interesse an *The Crystal Cube* bekundet hatte, waren wir misstrauisch geworden, was High-Concept-TV betraf, und beschlossen, ein weiteres Mal zu versuchen, das auf den Bildschirm zu bringen, was wir am besten konnten: Sketch Comedy.

»Ausgezeichnet«, sagte Richard Armitage. »Das könnt ihr nächstes Jahr machen. Aber zuerst, Stephen ...«, er rieb sich die Hände, und seine Augen strahlten, »... Broadway.«

Clipper Class, Côte Basque and Choreography

Nach New York flogen Mike Ockrent und ich in der Clipper Class, PanAms Entsprechung der Business-Class, in der man essen, trinken und rauchen konnte, bis Augen, Leber und Lungen protestierten. Wir hatten ein paar Tage, und unser Job war es, Richards potentielle Geldgeber und Koproduzenten zu becircen. Robert Lindsay war schon an Ort und Stelle. Es war meine erste Reise in die Vereinigten Staaten, und ich konnte nicht aufhören, mich zu beglückwünschen. Als Kind hatte ich mir Amerika oft in der Phantasie ausgemalt und deswegen das Gefühl, ich würde nach der Ankunft feststellen, dass ich es bereits kannte, und es deswegen umso mehr lieben.

Ich werde Ihnen nicht allzu sehr mit meinen Gedanken zur Manhattan Skyline auf die Nerven gehen. Wenn Sie New York City noch nicht selbst besucht haben, so haben Sie es doch zumindest in Film und Fernsehen gesehen und wissen, dass sich eine Menge sehr, sehr hoher Gebäude auf einer relativ kleinen Insel zusammendrängt. Sie werden wissen, dass es lange Tunnel gibt und scheppernde Brücken. Es existiert ein zentraler rechteckiger Park, breite Avenues führen pfeilgerade von einem Ende zum anderen, gleichmäßig durchquert von nummerierten Straßen. Sie werden wissen, dass die Avenues ebenfalls Nummern haben, außer wenn sie

Madison, Park, Lexington, Amsterdam oder West End heißen. Sie werden wissen, dass es nur eine Ausnahme gibt, eine wagemutige diagonale Durchfahrtsstraße, die sich aus der oberen linken Ecke der Insel durchschlägt, die Symmetrie des Rasters ignoriert und auf ihrem Weg nach Südosten quadratische, rechteckige, kreisrunde und ungleichseitige Inseln offenen Raums schafft – den Verdi Square, den Dante Park, den Columbus Circle, den Madison Square, Herald Square und Union Square. Sie werden wissen, dass diese gesetzlose Diagonale den Namen Broadway trägt. Und Sie werden wohl auch wissen, dass an der Stelle, wo der Broadway am Times Square auf die 42nd Street trifft, das Herz von New Yorks Theater schlägt, und zwar seit mehr als hundert Jahren.

Ich ging im Theaterdistrikt spazieren, renkte mir fast den Hals aus, um die Neonbuchstaben zu lesen, verbeugte mich vor der Statue von George M. Cohan (»Grüßt mir den Broadway« steht auf dem Sockel, und bis zum heutigen Tag steigt mir ein Kloß in den Hals, wenn ich es sehe – eher aus Verehrung für James Cagneys Cohan-Verkörperung denn aus Liebe für Cohan selbst oder weil ich ihn gekannt hätte), setzte mich ins Carnegie Deli, um Postkarten zu schreiben, lieferte mich der unerhörten Unhöflichkeit der Kellner aus und versuchte herauszubekommen, womit ein echter Ruben Special belegt sein muss. Alles in New York entspricht *genau* den Erwartungen und erstaunt doch immer wieder. Wäre ich nach Manhattan gekommen und hätte festgestellt, dass die Straßen kurvig waren und sich schlängelten, die Gebäude niedrig und gedrungen und die Menschen langsam, breit in ihrer Sprechweise und freundlich, dass keine Spur von der berühmten Energie zu bemerken war, die angeblich dem Pflaster entströmte, kaum dass man einen Fuß darauf gesetzt hatte – dann hätte ich Grund gehabt, zu blinzeln und verblüfft den Kopf zu schütteln. Aber die Stadt war haargenau das, was ich von ihr erwartet hatte, was Legende, Fabel, Literatur und Tin Pan Alley mir seit langem über sie berichtet hatten, einschließlich der Dampfwolken, die aus Kanaldeckeln aufsteigen, des Schlingerns der riesigen Chequer Cabs, die ihre Reifen über die großen Eisenplatten ruckeln lassen, die aussehen, als seien sie von einem Riesen lässig auf die Straßenoberfläche geworfen worden, und des eigentümlich rauchigen Geruchshauchs an jeder Straßenecke, der, wie eine Nachfrage ergab, von frisch gebackenen Brezeln stammte. Alles so, wie ich es schon immer gewusst hatte. Und doch musste ich alle fünf Schritte stehen bleiben und schmunzeln und vor Staunen nach Luft schnappen und die Vitalität absorbieren, die auf der Bühne dieser Stadt geboten wurde, einschließlich des Lärms und aller Grobheiten. Die Bestätigung all dessen, was wir erwarten, stellt sich als größerer Schock heraus, als ihn unvermutete Andersartigkeit hervorgerufen hätte.

Richards potentielle Mitstreiter bei der Broadway-Produktion waren zwei Amerikaner, James Nederlander, dem anscheinend die Hälfte aller Theater in Amerika gehörte, und Terry Allen Kramer, die anscheinend die Hälfte aller Immobilien in Manhattan besaß. Beide waren seriöse und mit allen Wassern gewaschene Geschäftsleute. Sie hatten sich in den Kopf gesetzt, dass Briten nichts von Choreographie verstünden, und wenn ein amerikanischer Produzent sich in eine Idee verbissen hat, kann nichts und niemand daran rütteln, kein Mister Muskel, kein TNT und keine Elektroschockbehandlung.

Jimmy Nederlander war überzeugt, das Geheimnis eines guten Musicals zu kennen.

»Herz muss es haben«, sagte er mir beim Lunch im Côte Basque in der 55th Street zusammen mit Terry, Mike und Robert. »Ich habe Ihre Show in London gesehen und zu meiner Frau gesagt: ›Honey, diese Show hat verdammt noch mal Herz. Verdammt viel Herz, und wir sollten sie machen.‹ Sie hat mir zugestimmt.«

»Sie muss aber auch anständig choreographiert werden«, knurrte Terry.

Terry Allen Kramer betonte gern, dass sie zwar nicht die reichste Frau in Amerika sei, aber ganz bestimmt mehr Steuern bezahle als jede andere Frau in Amerika. Ihr hatte einmal die Aktienmehrheit an Columbia Pictures gehört, und sie besaß massenhaft Öl-Geld und Immobilien, einschließlich des Straßenblocks, in dem das Côte Basque stand, dem Truman Capote inzwischen zu Ruhm verholfen hat.

Als ich dort wie verabredet zum Mittagessen eingetroffen war, hatte mich die Hochnäsigkeit der Kellner beinahe vor Schreck erstarren lassen. New York ist eine weitaus feudalere und klassenfixiertere Stadt als London. Weißbehandschuhte, livrierte und herablassende Fahrstuhlführer, Portiers, Chauffeure und *maîtres d'* können Menschen ohne soziales Selbstwertgefühl das Leben zur Hölle machen. An fremdes Gestade geworfen, verlor ich die gelassene Ungezwungenheit, die ich mir im Laufe der Jahre angeeignet hatte, um einem Oberkellner im Ritz oder Le Caprice direkt ins Auge sehen zu können. »Abroad is bloody«, wie George VI. zu sagen pflegte. Egal, wie hoch du daheim auf der Leiter emporgeklettert bist, in der Fremde wirst du gezwungen, die Sprossen hinunterzurutschen und von vorne zu beginnen.

»Yessssss«, zischte der Kellner, der an meine Seite schwebte, als ich mich mit übertriebener Beiläufigkeit im Speisesaal umsah. Natürlich verriet gerade die Bemühung, auf lässige Weise ein besitzerstolzes Auftreten vorzugaukeln, wie unbehaglich und minderwertig ich mich fühlte.

»Oh, hm, ja. Ich bin hier mit einigen Leuten zum Lunch verabredet und wohl leider ein wenig früh … sollte ich … äh … sorry.«

»Name?«

»Stephen Fry. Sorry.«

»Lassen Sie mich nachsehen … unter dem Namen finde ich keine Reservierung.«

»Oh. Sorry! Nein, das ist *mein* Name, sorry.«

»Ah! Und unter welchem Namen wurde die Reservierung getätigt?«

»Ich denke, wahrscheinlich wohl unter dem Namen Kramer. Sorry. Ist bei Ihnen ein Tisch unter dem Namen Terry Allen Kramer reserviert?«

Es war, als sei plötzlich der Strom eingeschaltet worden. Ein Lächeln erhellte die Miene des Kellners, seine Körpersprache wechselte von schlaff-nachlässiger Verachtung zu sabbernder Selbsterniedrigung, nervös bibbernder Beflissenheit und hysterischer Ehrerbietung.

»Sir, ich bin sicher, Mrs Kramer dürfte es zu schätzen wissen, wenn Sie bereits Platz nehmen würden und ich Ihnen ein Glas Champagner oder einen Cocktail serviere. Möchten Sie vielleicht etwas Lektüre, solange Sie warten? Mrs Kramer kommt normalerweise zehn Minuten zu spät, also vielleicht ein paar Oliven? Einen Aschenbecher? Sonst noch *irgendeinen* Wunsch? Gar nichts? Danke Ihnen sehr, Sir.«

Guter Gott. Und tatsächlich war sie zehn Minuten zu spät, kam hereingerauscht und sammelte gleich Jimmy Nederlander, Mike Ockrent und Robert Lindsay mit ein, die sich inzwischen zu mir auf das unbequeme Sofa im Empfangsraum gesellt hatten.

Ein Telefon war für sie an den Tisch gebracht und an der Wand eingestöpselt worden, als wir uns setzten. Während des Essens gab sie immer mal wieder lautstark telefonische Anordnungen an ihre Büroangestellten durch.

Als die Zeit für Pudding kam, sah sie sich am Tisch um. »Wer möchte Dessert? Wollt ihr Dessert, Jungs?«

Ich nickte begeistert, und sie klatschte laut in die Hände. »André, lassen Sie doch den Dessertwagen kommen.«

Le chariot à pâtisseries, der an unseren Tisch geschoben wurde, war beladen mit exquisiten *délices*. Terry Allen Kramer zeigte auf einen außergewöhnlich verschwenderischen Turm aus Sahne, glasiertem Gebäck und kandierten Früchten. »Was soll das sein?«, bellte sie.

André verfiel sofort in seine Litanei. »Madame, es handelt sich um eine *mousseline* aus *almandine* und *nougatine*, geschlagen zu einer *sabayon* von *praline* und *souffline* ...«, und so weiter. Terry unterbrach ihn, hob die Hand über die unberührte Oberfläche der prachtvollen Kreation, grub dann mit einem Finger aus einer langen Furche ein beachtliches Stück Süßspeise heraus, saugte es sich mit einem lauten Schmatzer vom Finger, neigte den Kopf zu Seite, dachte einen Moment nach und sagte dann, sich vom Kellner demonstrativ abwendend: »Nehmen Sie das weg, es ist Scheiße.«

Robert und ich bekamen den Mund nicht zu. Mike

äußerte später die Vermutung, dass sie sich so verhalten hatte, um uns mit ihrer Schonungslosigkeit zu beeindrucken und uns spüren zu lassen, dass wir entbehrlich waren und sie keine Gnade kannte. Ich fand einfach nur, dass es das scheußlichste Verhalten eines Menschen war, das ich je erlebt hatte, und ich hatte sogar einmal gesehen, wie ein Mann in der Lobby eines 4-Sterne-Hotels am Empfang seinen Schwanz hervorgeholt, auf den Tresen gepisst und dabei den Empfangsportier sowie zwei unbeteiligte Zuschauer bespritzt hatte.

Terry spürte unsere Blicke und lächelte unwirsch. »Das Dessert war Scheiße. Scheiße ist Scheiße. Hab ich übrigens gesagt, wie wichtig die Choreographie ist?«

Wenn jener Lunch ein Test gewesen war, hatten wir ihn irgendwie bestanden, denn Terry und Jimmy sagten zu, ihr Geld beizusteuern.

Ich reiste nach England zurück, und Hugh und ich machten uns daran, Sketche für die Pilotsendung unserer Fry-and-Laurie-Fernsehshow im nächsten Jahr zu schreiben.

»Wir sollten auf Tour gehen«, sagte Hugh.

»Auf Tour?«

»Wenn wir uns auf eine Tournee durchs ganze Land einlassen, sind wir gezwungen, dafür Material zu schreiben. Mit der Shakespeare Masterclass können wir nicht mehr kommen, mit Dracula auch nicht ... nur neues Material.«

Obwohl wir nicht wirklich bekannt waren und ganz gewiss nicht so berühmt, wie Harry und Ben es langsam wurden, war anscheinend in College- und Universitätsstädten das Interesse so groß, dass eine Tournee organisiert werden konnte. Wir schrieben und starrten aus dem Fenster und gingen auf und ab und kauften uns Big

Macs und schauten aus dem Fenster und machten Spaziergänge und rauften uns die Haare und fluchten und sahen fern und kauften noch mehr Big Macs und fluchten wieder und schrieben und schrien vor Entsetzen, als die Uhr zeigte, dass ein weiterer Tag vergangen war, und wir sahen uns an, was wir geschrieben hatten, und ächzten und verabredeten uns gleich für den nächsten Morgen, und derjenige, der an der Reihe war, erklärte sich einverstanden, Kaffee mitzubringen und Big Macs.

Nachdem wir einiges Material beisammenhatten, musste ich zu den Proben von *Me and My Girl* wieder nach New York. Geplant war, dass ich gleich nach der Premiere zurückkam. Wir würden auf Tournee gehen und eine Fry-and-Laurie-Pilotshow aufzeichnen, die Weihnachten gesendet würde und der im nächsten Jahr eine ganze Staffel folgen sollte.

Me and My Girl wurde in Manhattan irgendwo unten in der Nähe des Flatiron Building geprobt. Ich hatte zur Durchführung eines Theatervorhabens noch nie so großzügige Räumlichkeiten vorgefunden und solche Ordnung erlebt. Es gab ein Tanzatelier, einen Gesangsraum und sogar einen »Buch«-Raum von riesigen Ausmaßen, der einzig und allein gedacht war, meine Anteile am Skript zu proben. Direkt damit verbunden war mein eigenes Arbeitszimmer, hervorragend ausgerüstet mit einem Schreibtisch, einer elektrischen Schreibmaschine, Schreibpapier und einer Kaffeemaschine. Mike Ockrent leitete wieder sein Produktionsteam, aber von der britischen Besetzung war nur noch Robert geblieben. In London hatte Enn Reitel für ihn übernommen, und ihm sollten während der langen Laufzeit Gary Wilmot, Karl Howman, Brian Conley, Les Dennis und viele andere folgen. Hier in New York standen Maryann Plunkett, die ich in *Sunday in the Park with George* gesehen hatte, als Sally und George S. Irving als Sir John mit Robert auf der Bühne.

Ich wohnte im Wyndham, einem altmodischen Schauspielerhotel in der 58th Street. Die Zimmer waren so geräumig wie geschmacklos und Bäder und Armaturen noch dieselben wie 1948. Neben jedem Bett stand ein Telefon ohne Wählscheibe oder Knöpfe. Nahm man den Hörer ab, wurde man automatisch mit der Rezeption verbunden. »Ich möchte jemanden anrufen«, musste man der Vermittlung auftragen. Man teilte die gewünschte Nummer mit und legte auf. Fünf Minuten oder eine halbe Stunde später, je nach Lust und Laune, läutete das Telefon, und man wurde verbunden. Fast jede Nacht gegen zwei oder drei schreckte mich das aggressive Läuten des Telefons aus dem Schlaf.

»Ja?«

»Ihre Verbindung mit Rom, Italien ...«

»Ich habe nicht gebeten, mit Rom verbunden zu werden.«

»Mein Fehler. Falsche Nummer. Danke Ihnen.«

Beim Frühstück verfiel ich in die Gewohnheit, mich mit einigen der Dauergäste zu unterhalten, fast alles Schauspieler oder Theaterleute. Einer meiner bevorzugten Gesprächspartner war Raymond Burr, von enormem Körperumfang, freundlich und fröhlich trotz seines gewohnheitsmäßig müden Bluthundblicks. Er fragte mich doch tatsächlich, ob ich ihm raten würde, wieder als *Perry Mason* im Fernsehen aufzutreten.

»Können sich denn junge Leute daran erinnern?«

»Nun, ich muss gestehen, dass es vor meiner Zeit war«, sagte ich. »Aber *Ironside* hab ich geliebt.«

»Danke. Man will *Ironside* nicht mehr fortsetzen, aber man spricht davon, eventuell *Perry Mason* weiterzumachen. Haben Sie den nie gesehen?«

»Ich bin sicher, das Fernsehen könnte eine gute Anwaltsserie gebrauchen. Er war doch Anwalt, oder?«

»Meine Güte. Das muss ich den Produzenten sagen. Ich habe einen smarten jungen Engländer kennengelernt, und der hatte noch so gut wie nichts von Perry Mason gehört. Meine Güte.«

Wenn Raymond als Gesprächspartner nicht greifbar war, stand in einer anderen Ecke des Frühstücksraums das fast schon antike royale Ehepaar des Broadways zum Plausch zur Verfügung, Hume Cronyn und Jessica Tandy. Sie sprachen mich an, indem sie über mich sprachen.

»Ach, sieh doch, Liebling, da ist wieder dieser Bursche aus England. Ich wüsste gern, wie seine Proben verlaufen.«

»Gar nicht schlecht«, erwiderte ich. »Das Ensemble finde ich großartig.«

»Er sagt, das Ensemble ist großartig! Ob er wohl darauf vertraut, dass es ein großer Erfolg wird?«

»Na ja, wissen Sie. Es liegt wohl ganz im Schoß der Götter. Womit ich wohl eher den Schoß der Kritiker im Sinn habe.«

»Er nennt die Kritiker Götter, Liebling, hast du das gehört? Götter!«

Als die Proben anfingen, lernte ich Aspekte der amerikanischen Arbeitsethik kennen. Der Konkurrenzkampf um einen Platz im Chorus war so hart, dass sich niemand je entspannte. Während der Freizeit brachten die Jungs und Mädels einander neue Schritte bei, übten Tonleitern oder wärmten sich je nach Tageszeit auf oder kühlten sich ab. Und tranken unentwegt Wasser. Wir haben uns inzwischen überall in der westlichen Welt daran gewöhnt, und man muss sich bewusst machen, dass es eine Zeit gab, als junge Amerikaner sich noch nicht nackt vorkamen ohne eine Flasche Wasser in der Hand.

Ansatzweise nahm ich auch Ausmaß und Bedeutung des Starkults wahr. Es ist ein Paradox, dass Amerika, die Republik, die uns befreit hat von den diskriminierenden Fesseln der Monarchie, der Klassenzugehörigkeit und sozialen Stellung, sich entscheidet, Stars mit Privilegien auszustatten, die weit über das hinausgehen, was einem europäischen Herzog oder Prinzen zugestanden wird. Wie unter wahren Aristokraten gelten die Prinzipien des *noblesse oblige* auch für Stars. Robert erzählte, dass sie einmal alle zusammen nach Upstate New York gefahren waren, um einen Werbespot fürs Fernsehen zu drehen. Es war ein langer und ermüdender Tag bei schwülem Sommerwetter, die Chorus-Mitglieder schleppten sich in mittelalterlichen Rüstungen, perlenbestickten Anzügen oder pelzgefütterten Umhängen durch die Gegend, und ein neuer Take nach dem anderen wurde aufgerufen. Irgendwann bemerkte Robert, dass die Freundlichkeit, mit der man ihm begegnet war, allmählich nachließ. Weil er sich den Grund dafür nicht erklären konnte, fragte er Maryann Plunkett, ob er etwas falsch gemacht habe.

»Alle sind sehr müde und schwitzen, und ich nehme an, dass sie gern aufhören würden.«

»Ja, so geht es mir auch«, sagte Robert, »aber wieso geben sie mir die Schuld?«

»Robert, du bist der Star! Du bist der Anführer der Truppe. *Du* entscheidest, wann es Zeit ist, dass alle zusammenpacken und nach Hause gehen.«

»A-aber ...« Natürlich, Robert war in der kooperativen »Wir sind doch alle Kollegen«-Atmosphäre des britischen Theaters groß geworden, in der niemand es je gewagt hätte, die anderen seinen Star-Status spüren zu lassen. Weil wir in Großbritannien ein Klassensystem haben, tun wir alles, um klarzustellen, dass alle Menschen gleichberechtigt sind. Weil Amerika keins hat, scheint man dort umso mehr dem Ruhm, Status und Prestige zu huldigen, die eine Leistung mit sich bringen kann.

Mit einem Kloß im Hals und dankbar, dass keiner seiner britischen Kollegen Zeuge dieses Augenblicks wurde, sprach er den Regisseur vor aller Augen an. »Okay, Tommy. Nur noch ein Take, und dann sollten alle ihre Kostüme ablegen und sich auf den Weg machen dürfen.«

»Sicher, Bob«, sagte der Regisseur. »Absolut. Was immer Sie sagen.«

Alle lächelten, und Robert begriff die Pflichten und die Verantwortung eines Stars.

Me and My Girl wurde in Downtown Los Angeles zur Probe aufgeführt, und zwar im Dorothy Chandler Pavilion, der bekannt ist, weil dort alljährlich die Oscar-Verleihungen stattfinden. Ich wohnte im Biltmore Hotel am Pershing Square, fast so nahe am Theater, dass ich zu Fuß gehen konnte. Wir befanden uns in Los Angeles, und wie jeder weiß, wird hier natürlich nicht zu Fuß gegangen. Außerdem: Wenn man ein hellrotes Mustang-Cabrio gemietet hat, will man es zu jeder Gelegenheit benutzen. Es gab für mich eigentlich nur sehr wenig zu tun, außer dass ich die ersten Vorstellungen zu besuchen und gelegentlich, wenn verlangt, neue Dialogzeilen beizusteuern hatte. So nett das Biltmore sein mochte, fand ich nach einer Woche, dass ich meine gesamten Spesen für ein Wochenende im Bel Air Hotel verpulvern sollte. Für den immens niedrigen Preis von 1.500 Dollar die Nacht hatte ich einen kleinen Bungalow und einen wunderschönen Garten für mich, in dem mein ganz persönlicher Kolibri allein zu meinem Ergötzen umherschwirrte. Am zweiten Abend lud ich den Chor sein, dessen sämtliche Mitglieder sich hereinzwängten, für 600 Dollar Wein und Spirituosen vertilgten und dann in Wolken von Küsschen und überschwänglicher Dankbarkeit verdufteten.

L. A. war unsere einzige Test-Stadt, und die Show war bei einem eher betagten Abonnementspublikum gut angekommen. Der Broadway war die nächste Station, und dort gab es kein Entkommen und keine zweite Chance. Es ist eine bekannte Eigenheit der New Yorker Theaterszene, dass eine Produktion allein aufgrund der Rezension in der *New York Times* steht oder fällt. Es ist die Zeitung, nicht der jeweilige Kritiker, die diese furchtbare Macht ausübt. Wie Bernard Levin einmal bemerkte, könnte selbst ein Berberaffe auf dem Kritikerstuhl der *Times* eine Show zum Untergang verurteilen. Frank Rich war gegenwärtig der Berberaffe, dem wir es recht machen mussten, und vor dem Premierenabend ließ sich absolut nicht sagen, ob er den Daumen heben oder senken würde. Wenn er ihn senkte, wäre das Ende der Produktion eingeläutet, Jimmy, Terry und Richard hätten ihr Geld verloren, und die Ensemblemitglieder würden allesamt gefeuert werden. Blamage auf der ganzen Linie.

Wir hatten bereits ein gewisses Maß an Unwillen in dieser Stadt erregt, weil wir mit unserer Show das Marriott Marquis Theatre eröffnen würden, das als Teil eines großangelegten Umbauprojekts am Times Square errichtet worden war. Um für ein riesiges Hotel Platz zu schaffen, war das heißgeliebte Helen Hayes Theatre abgerissen worden, begleitet von so vielstimmigem und leidenschaftlichem Protest, dass die Marriott-Gruppe versprach, ein neues Theater in das Bauvorhaben zu integrieren. Eben das Marquis.

Bei der Generalprobe lagen die Nerven bloß, und Jimmy Nederlander und Terry Allen Kramer, denen als Produzenten zum Abbau der Anspannung alles verwehrt blieb bis auf das Vergnügen, Leute zu feuern, hatten Blut gerochen. Ihre alte Unsicherheit in Bezug auf die Tanznummern kam wieder zum Vorschein, und da ich hinter ihnen saß, hörte ich sie über Gillian Gregory murren und meckern. Wie sie meinen konnten, dass es hilfreich wäre, sie am Tag vor Beginn der Previews zu feuern, weiß ich nicht, aber ich nehme an, dass viele Shows in noch kürzerer Zeit gerettet worden waren. Ich vermute, ihnen gefiel die Idee, Tommy Tune oder Bob Fosse oder eine andere Tanzlegende anzuheuern, sie allesamt drei Tage lang achtzehn Stunden am Tag arbeiten zu lassen, und dann der Welt mitzuteilen, wie sie Leute rausgeschmissen und damit die Show gerettet hatten. Amerikanische Tycoons in der Unterhaltungsindustrie sehen sich allzu gern in der Rolle des brettharten, kompromisslosen Widerlings zum Mythos verklärt. Theaterleute hassen Dramatik – davon haben sie bei der Arbeit genug; Nichttheaterleute dramatisieren alles um sich herum.

Ich erwischte Richard Armitage und erwähnte, dass ich Murren gehört hatte.

»Hm«, sagte er. »Darum muss ich mich wohl mal kümmern.«

Wir wurden Zeugen einer schwungvollen, aber irgendwie unbeseelten Generalprobe. Im neuen Theater roch es nach Teppichkleber und Holzlack. Als Zuschauerraumbeleuchtung dienten Neonröhren, die also nicht abgedunkelt oder aufgehellt werden konnten, sondern nur an und aus flackerten, was die gesamte Atmosphäre ruinierte. Selbst wenn sie ausgeschaltet waren, strahlten die Ausgangsleuchten so grell, dass man in ihrem Schein das Programmheft lesen konnte. Die Federn der Türen an der Rückwand des Auditoriums waren furchtbar stramm eingestellt, so dass die Türen grässlich knallten, auch wenn man versuchte, sie sanft zu schließen, und wenn Leute sie unwissentlich einfach zufallen ließen, meinte man, einen Gewehrschuss zu hören. Die Tanzeinlagen waren in meinen ungeschulten Augen spektakulär dargeboten worden, aber Terry kritzelte bei jedem in die Höhe geworfenen Bein und jeder Pirouette manisch in ihrem Notizbuch.

Als schließlich der Vorhang fiel, stand sie auf und öffnete den Mund.

»Die Choreo…«

Richards Stimme übertönte sie. »Verdammt. Ja, die Beleuchtung im Zuschauerraum ist eine Katastrophe. Und die Türen und die Ausgangsleuchten. Aber rechtzeitig bis zur ersten Preview können wir daran nichts machen. Nicht das Geringste. Da bräuchten wir ein Wunder.«

Terry lachte barsch. »Nichts? Ha! Das denken *Sie!* Eine ganze *Menge* können wir tun. Bill Marriott ist ein persönlicher Freund. Mir ist es egal, ob ich ihn aufwecken muss, er soll das hier gottverdammt noch mal regeln. Jemand bringe mir *auf der Stelle* ein Telefon.«

Sie stampfte schnaubend davon, eine Frau wie ein gepanzerter Zerstörer. Befehle wurden erteilt, erteilte ausgeführt, Bill Marriott wurde aus seinem europäischen

Schlummer gerissen, und es dauerte keine Stunde, da wurden Elektriker auf Scherenlifts unter die Saaldecke gehievt, und Männer in weißen Overalls montierten hinten im Haus Türfedern ab. In ihrer glorreichen Funktion als Kommandeuse hatte Terry die Choreographie ganz und gar vergessen.

Ich schüttelte Richard die Hand. »Meisterhaft«, sagte ich. »Trüge ich einen Hut, würde ich ihn jetzt vor Ihnen ziehen.«

Bis zur ersten Preview hatte die Show langsam wieder zu ihrer Seele gefunden. Die Türen flüsterten, die Ausgangshinweise glommen sanft, und die Beleuchtung des Zuschauerraums schimmerte warm und ließ sich sanft regulieren. Ich war aus dem Wyndham ausgezogen und bewohnte ein prachtvolles Apartment an der 59th Street, Central Park South, mit einem unvergleichlichen Ausblick über den Park und die Fifth Avenue. Es gehörte Douglas Adams, der mir in typischer Großzügigkeit angeboten hatte, frei darüber zu verfügen. Am Premierenabend gab ich dort eine leicht nervöse Party. Meine Eltern waren herübergeflogen, ebenso wie Hugh. Meine Großtante Dita, die den Nazis in Salzburg entronnen und in den vierziger Jahren nach Amerika gekommen war, schüchterte die Gäste mit ihrer formidablen Präsenz ein. Sie bot Hugh eine ihre filterlosen Pall-Mall-Zigaretten an.

»Sehr freundlich«, sagte Hugh und zog eine normal starke Marlboro Rot mit Filter aus der Schachtel. »Ich bevorzuge diese.«

»Sie sind wohl auch einer von diesen Gesundheitsaposteln, oder?«, sagte meine Tante und drängte ihm ihre Schachtel auf. »Nehmen Sie.« Höflich wie immer nahm Hugh eine ihrer Zigaretten.

Weder Mike Ockrent noch ich mochten es uns zumuten, mit dem Premierenpublikum im Saal zu sitzen. Die Gewissheit, dass Frank Rich sich unser Stück bereits angesehen und seine Besprechung, die in wenigen Stunden erscheinen würde, schon geschrieben hatte, versetzte uns in fast unerträgliche Spannung. Wir gingen nervös im Foyer auf und ab, tranken einen Gin Tonic nach dem anderen und gebärdeten uns zusehends hysterischer vor Panik, Angst und der Wahrnehmung, dass es diesem ganzen Unterfangen durchaus nicht an Absurdität mangelte. Unsere Trampelpfade kreuzten sich, und immer wieder prallten wir aufeinander, was augenblicklich Salven manischen Gelächters auslöste.

»Wir befinden uns bei der Premiere unserer eigenen Broadway-Show«, sagte Mike immer wieder und schüttelte ungläubig den Kopf. »Ich glaub es nicht. Jemand wird mich gleich aufwecken.«

Ich wiederholte die Zeilen aus *The Producers*, die jeder am Premierenabend zitiert.

Mann, dies Stück würde nicht einen Abend laufen.
Einen Abend? Machst du Witze? Dies Stück wird garantiert schon auf Seite vier abgesetzt.
Wie konnte das nur passieren? Ich war so vorsichtig. Ich hab das falsche Stück ausgesucht, den falschen Regisseur, das falsche Ensemble. Wo hab ich denn was richtig gemacht?

Und so weiter.

Jahre später sollte Mike mit Mel Brooks an der Neuerfindung von *The Producers* als Bühnenmusical zusammenarbeiten, wurde aber von unheilbarer Leukämie dahingerafft, bevor er die Chance hatte, mitzuerleben, wie das Stück zum größten Broadway-Hit seiner Tage wurde.

Während der zweiten Hälfte, gleich nachdem das Publikum aus der Pause wieder auf seine Plätze zurückgekehrt war, kam Ralph Rosen, der freundliche General Manager der Kompanie, auf seine plattfüßige Weise durch die Lobby gewatschelt, um uns die Nachricht zuzuraunen, dass ein Freund eines Freundes eine Freundin hatte, die mit jemandem von der *New York Times* ausging, und dass dieser Freund einen Vorabdruck der Kritik von Frank Rich gesehen hatte. Und dass sie gut war. Mehr als gut. Es war eine Lobeshymne. Ralph schüttelte uns feierlich die Hand. Er war der leiseste, redlichste und sachlichste Mensch, der mir in Amerika begegnet ist. Wenn er sagte, dass etwas so oder so war, dann war es so und nicht anders.

Als wir schließlich alle oben zur Party versammelt waren, hatte Richard eine Zeitung in der Hand und wieder einmal feuchte Augen.

Bei den Antoinette Perry Awards später in jenem Jahr wurde *Me and My Girl* für vierzehn Tony Awards nominiert. Zehn davon bekamen wir nicht, auch nicht in meiner Kategorie, aber Robert und Maryann gewannen jeweils für die beste schauspielerische Leistung in einem Musical, und, vielleicht am erfreulichsten: Gillian Gregory gewann für die beste Choreographie. Ich weiß nicht, ob ihr je bewusst wurde, wie geschickt Richard sie davor bewahrt hatte, völlig überflüssiger- und ungerechtfertigterweise gefeuert zu werden.

Als ich nach England zurückkam, konnte ich mein Glück immer noch nicht recht fassen. *Me and My Girl* lief im West End und am Broadway, es gab Produktionen in Tokio, Budapest, Australien, Mexiko – die anderen Örtlichkeiten habe ich vergessen. Die Show sollte die nächsten dreieinhalb Jahre am Broadway laufen und noch weitere sechs Jahre im West End. Unterdessen hieß es, sich auf *Fry and Laurie* zu freuen, auf noch ein *Blackadder* und … und … wer wusste, was noch? Es schien so, als sei ich zum Insider geworden, ein Jemand im Showbusiness.

Im August 1987 war ich daheim in Norfolk und beglückwünschte mich dazu, zehn Tage lang das Rauchen aufgegeben zu haben. Hugh, Kim und andere Freunde kamen, um mir zu helfen, meinen dreißigsten Geburtstag zu feiern, und zehn Minuten nach ihrer Ankunft rauchte ich bereits wieder.

Meine »Wilden Zwanziger« waren vorüber, und im nächsten Monat wollten Hugh und ich mit der Arbeit an unserer Pilotsendung für die BBC beginnen. Als Titel hatten wir uns inzwischen für *A Bit of Fry and Laurie* entschieden. Mein Kontostand war gut und wurde immer besser. Ich besaß Autos und Selbstsicherheit. Und ich machte mir langsam einen Namen. Ich war der größte Glückspilz, den ich kannte.

Es war noch nie meine Sache gewesen, Bilanz zu ziehen oder Inventur zu machen, aber ich erinnere mich, dass ich im Garten des Hauses in Norfolk stand, in den Sonnenuntergang schaute und das Gefühl hatte, endgültig angekommen zu sein. Ich glaube nicht, dass ich geradezu jubelte über das, was ich an Überresten meines armseligen früheren Lebens sah, aber dennoch war ich dem Frohlocken vielleicht so nah, wie es möglich ist.

Doch wenn jemand frohlockt, kräuseln sich des Schicksals grausame Lippen zu einem Lächeln.

C

Ein paar Wochen später in London fragte mich ein Freund, ob ich Lust auf eine »line« hätte. Ich wusste zwar nicht, was er meinte, aber weil er auf eine Weise fragte, die »eine line« faszinierend klingen ließ und verrucht und amüsant, bejahte ich unbekümmert. Ich dachte, er wolle mich vielleicht mit einem besonders anstößigen Witz oder Anmachspruch erfreuen. Stattdessen zog er ein kleines, zusammengefaltetes Papiertütchen aus der Tasche, schüttete ein weißes Pulver auf die Rauchglasoberfläche des Couchtisches und legte es in zwei Linien aus. Er fragte mich nach einem Zehn-Pfund-Schein. Ich reichte ihm einen Schein, den er fest zusammenrollte, bevor er ihn in ein Nasenloch schob. Er sog die Hälfte seiner »line« ein, wechselte den aufgerollten Zehn-Pfund-Schein an das andere Nasenloch und sog auch die zweite Hälfte ein. Ich gesellte mich dazu, nahm das Röhrchen und imitierte seine Handlungen, so gut ich konnte. Das Pulver brannte in der Nase und trieb mir Tränen in die Augen. Ich ging zu meinem Stuhl zurück, und wir unterhielten uns eine Weile. Nach zwanzig oder dreißig Minuten wiederholten wir die Prozedur. Dann ein drittes Mal. Da war auch ich bereits auf Touren und redselig und hellwach und glücklich.

Ich wusste es noch nicht, aber diese Situation markierte den Beginn eines neuen Akts meines Lebens. Die Tragödie und Farce dieses Dramas bieten Material für ein weiteres Buch.

Bis dahin seien Sie für Ihre Gesellschaft bedankt.

Danksagungen

Manche Personen, die in diesem Buch erwähnt werden, waren so freundlich, es zu lesen und Lücken in meinem Gedächtnis zu füllen. Besonders dankbar bin ich Kim und Ben und dem netten Mr Gardhouse, aber meine Anerkennung gilt auch vielen anderen. Es lässt sich sehr schwer sagen, ob es Menschen eher gefällt oder missfällt, auf diesen Seiten erwähnt zu werden. So randvoll das Buch bereits ist, ich hätte ein doppelt so langes verfassen müssen, wenn ich jedem Raum gegeben hätte, der in meinem jüngeren Leben von Bedeutung war.

Ich bedanke mich bei Don Boyd dafür, dass er mich dem freundlichen und hilfreichen Philip Wickham vom Bill Douglas Centre for the History of Cinema and Popular Culture der University of Exeter zugeführt hat, das ein Don-Boyd-Archiv beherbergt, in dem mir für *Gossip* Material von unschätzbarem Wert zugänglich gemacht wurde.

Auch Anthony Goff, meinem Agenten, Jo Crocker, meinem unermüdlichen und liebenden Assistenten, und Christian Hodell und Louise Moore bei Penguin gilt mein wärmster und innigster Dank, aber die zutiefst empfundene dankbare Anerkennung behalte ich dem Mann vor, dem dieses Buch gewidmet ist, dem Kollegen, ohne den ich niemals in der Lage gewesen wäre, dieses Buch zu schreiben, und ohne dessen Freundschaft mein Leben unvorstellbar viel ärmer gewesen wäre.

Unvollständiges Personenverzeichnis

Adams, Douglas (*11. 03. 1952; †11. 05. 2001) war ein englischer Schriftsteller, der vor allem durch seine Romanreihe *Per Anhalter durch die Galaxis* berühmt wurde. Das Werk basiert auf einer Science-Fiction-Radiosendung, die er 1978 für BBC Radio 4 verfasst hatte. Er studierte in Cambridge und war 1973 Mitglied der *Footlights*. Bevor er mit seiner Romanreihe Weltruhm erlangte, arbeitete er als Drehbuchautor für die BBC und schrieb unter anderem drei Abenteuer für die britische Kultserie *Doctor Who*.

Allen, Keith (*02. 06. 1953) ist ein walisischer Schauspieler, Komiker, Moderator, Schriftsteller und Musiker. Er übernahm die Rolle des »Sheriffs von Nottingham« in der BBC-Fernsehserie *Robin Hood* und war auch in Filmen wie *Trainspotting* und *The Others* zu sehen.

Anderson, Clive (*10. 12. 1952) ist ein englischer Komiker, Drehbuchautor und Moderator, der 1991 den British Comedy Award gewann. Großen Erfolg feierte er als Moderator der Hörfunkreihe und späteren Fernsehshow *Whose line is it anyway?*.

Armitage, Reginald/Noel Gay (*15. 07. 1898; †04. 03. 1954) war einer der erfolgreichsten Komponisten von Unterhaltungsmusik in den 1930er und 1940er Jahren. Während seines Studiums in Cambridge gab er sich den Künstlernamen Noel Gay. Seine berühmteste Revue ist *Me and My Girl*. Er ist der einzige Komponist neben Andrew Lloyd Webber, der gleichzeitig vier Revuen im Londoner West End präsentierte.

Ash, Leslie (*19. 02. 1960) ist eine englische Schauspielerin und ein ehemaliges Model, die vor allem durch ihre Rollen in der Sitcom *Men Behaving Badly* und in dem Film *Quadrophenia* bekannt wurde.

Atkinson, Rowan (*06. 01. 1955) ist ein englischer Komiker und Schauspieler, der durch die Comedy-Show *Not the Nine O'Clock News* und ab 1982 auch durch seine Titelrolle als Edmund Blackadder in der Fernsehserie *Blackadder* bekannt wurde. Internationalen Ruhm erlangte er mit seiner Paraderolle als *Mr Bean*.

Baddiel, David (*28. 05. 1964) ist ein englischer Komiker, Schriftsteller und Moderator. Er war ein Mitglied der *Footlights*. Er machte als Kabarettist und Moderator, aber auch durch die inoffizielle Fußballhymne *Three Lions (Football's coming home)* auf sich aufmerksam.

Baker, Tom (*20. 01. 1934) ist ein englischer Schauspieler und Komiker. Seine bekannteste Rolle ist die des vierten Doktors in *Doctor Who*. Außerdem war er in zahlreichen Nebenrollen in Serien wie *Blackadder*, *Little Britain*, *Dungeons & Dragons* und *Remington Steele* zu sehen.

Barker, Ronnie (*25. 09. 1929; †03. 10. 2005) war ein englischer Schauspieler, der vor allem durch die Gefängnissitcom *Porridge* bekannt wurde. Er war außerdem zusammen mit Ronnie Corbett in der Sketch-Show *The Two Ronnies* zu sehen.

Barton, John (*26. 11. 1928) ist ein englischer Regisseur. Zusammen mit Peter Hall gründete er die *Royal Shakespeare Company*.

Bates, Alan (*17.02.1934; †27.12.2003) war ein englischer Schauspieler, der vor allem in den 1960er Jahren durch seine Rolle in *Alexis Sorbas* berühmt wurde. Zu seinen späteren Filmen zählen *Gosford Park*, *Der Anschlag* und *Spartacus*.

Beale, Simon Russell (*12.01.1961) ist ein englischer Schauspieler, der besonders für seine Bühnendarbietungen ausgezeichnet wurde. Er ist aber auch in Literaturverfilmungen wie Virginia Woolfs *Orlando*, Oscar Wildes *Ein perfekter Ehemann* und der 1999 entstandenen Verfilmung von Carrolls *Alice im Wunderland* zu sehen.

Bennett, Alan (*09.05.1934) ist ein englischer Schriftsteller, Regisseur und Schauspieler. Er schrieb zahlreiche Erzählungen und Theaterstücke, die zum Teil verfilmt worden sind, wie *King George – Ein Königreich für mehr Verstand* mit Helen Mirren und Rupert Everett oder auch *Die History Boys – Fürs Leben lernen*.

Berkoff, Steven (*03.08.1937) ist ein englischer Schauspieler, Dramatiker und Regisseur. International bekannt wurde er durch Filme wie *Uhrwerk Orange*, *Octopussy*, *Beverly Hills Cop* und *The Tourist*.

Blessed, Brian (*09.10.1937) ist ein englischer Schauspieler, der in der ersten Staffel von *Blackadder*, aber auch in Filmen wie *Henry V*, *Robin Hood – König der Diebe* und *Alexander* zu sehen war.

Botham, Ian (*24.11.1955) war ein erfolgreicher englischer Cricketspieler, der als Sportlegende gilt. Heute kommentiert er im Radio und Fernsehen internationale Cricketmatches.

Boyd, Don (*11.08.1948) ist ein schottischer Regisseur, Produzent und Drehbuchautor. Zu seinen Filmen zählen *Der Sturm*, *The*

Last of England — Verlorene Utopien und *Twenty-One*. Seine 1977 gegründete Produktionsfirma »Boyd's Co« arbeitete mit heute international bekannten Schauspielern wie Helen Mirren, Tilda Swinton und Stephen Fry zusammen.

Brett, Jeremy (*03. 11. 1933; †12. 09. 1995) war ein englischer Schauspieler. Seine bekannteste Rolle ist die des Sherlock Holmes von 1984 – 1994 in der Fernsehserie *Die Abenteuer des Sherlock Holmes*.

Broadbent, Jim (*24. 05. 1949) ist ein englischer Schauspieler und Oscar-Preisträger in der Kategorie »Bester Nebendarsteller« für den Film *Iris*. Er war unter anderem in Filmen wie *Erik, der Wikinger*, *Fräulein Smillas Gespür für Schnee*, *Gangs of New York*, *Moulin Rouge*, in beiden *Bridget-Jones*-Filmen und als »Professor Slughorn« in den *Harry-Potter*-Verfilmungen zu sehen.

Burr, Raymond (*21. 05. 1917; †12. 09. 1993) war ein amerikanischer Schauspieler, der durch seine Titelrolle in der Fernsehserie *Perry Mason* bekannt wurde.

Callow, Simon (*13. 06. 1949) ist ein englischer Schauspieler, der in Filmen wie *Zimmer mit Aussicht*, *Wiedersehen mit Howards End*, *Vier Hochzeiten und ein Todesfall*, *Shakespeare in Love* und *Das Phantom der Oper* zu sehen war. Er ist außerdem Kolumnist der britischen Tageszeitung *The Guardian*.

Chapman, Graham (*08. 01. 1941; †04. 10. 1989) war ein englischer Schauspieler, Schriftsteller und Mitglied der Komikergruppe Monty Python. Er studierte in Cambridge und war ein Mitglied der *Footlights*.

Cleese, John (*27.10.1939) ist ein englischer Schauspieler, Komiker und Drehbuchautor, der in den 1970er Jahren als Mitglied der britischen Komikergruppe *Monty Python* international berühmt wurde. Erfolgreich war er auch mit dem Film *Ein Fisch namens Wanda* und seiner Fernsehserie *Fawlty Towers*. Neben zahlreichen Film-, Rundfunk- und Fernsehauftritten ist er außerdem in großen Filmproduktionen wie den *James-Bond-* oder *Harry-Potter-*Filmen zu sehen. Er studierte in Cambridge und war 1962 Mitglied der *Footlights*.

Coltrane, Robbie (*30.03.1950) ist ein schottischer Schauspieler, der durch sein Mitwirken in Filmen wie *James Bond – Golden Eye*, *Message in a Bottle*, *From Hell* sowie der 1999 entstandenen Verfilmung von *Alice im Wunderland* bekannt wurde. Außerdem spielt er »Hagrid« in den *Harry-Potter-*Verfilmungen.

Connolly, Billy (*24.11.1942) ist ein schottischer Komiker, Schauspieler, Moderator und Musiker, der international durch Filme wie *Ihre Majestät Mrs Brown*, *Der blutige Pfad Gottes* und *Last Samurai* bekannt wurde.

Cook, Peter (*17.11.1937; †09.01.1995) war ein englischer Schriftsteller, Autor und Komiker. Während seiner Studienzeit in Cambridge war er ein Mitglied der *Footlights*. Zusammen mit seinem Kollegen Dudley Moore trat er in vielen britischen Comedy-Programmen und Filmen auf. Er spielte außerdem 1978 Sherlock Holmes in der Komödie *Der Hund von Baskerville*.

Cooke, Alistair (*20.11.1908; †30.03.2004) war ein britisch-amerikanischer Journalist und Moderator. Nach dem Zweiten Weltkrieg begann seine Rundfunksendung *American Letter*, später *Letter from America*, die sich großer Beliebtheit erfreute und die Cooke erst 2004, nach 58 Jahren, aus gesundheitlichen Gründen beendete.

Cooper, Tommy (*19. 03. 1921; †15. 04. 1984) war ein walisischer Komiker und Zauberer, der absichtlich misslungene Zauberkunststücke präsentierte. Er erlitt während einer Live-Sendung einen Herzinfarkt.

Corbett, Ronnie (*04. 12. 1930) ist ein schottischer Schauspieler und Komiker, der zusammen mit Ronnie Barker vor allem durch die Sketch-Show *The Two Ronnies*, sowie durch weitere Film- und Fernsehauftritte bekannt wurde.

Coren, Alan (*27. 06. 1938; †18. 10. 2007) war ein englischer Schriftsteller, Journalist und Satiriker, der für die BBC Rundfunk- und Fernsehprogramme moderierte und für Zeitungen wie *Tatler*, *Punch*, *The Observer*, *The New Yorker*, *Daily Mail* und *The Times* gearbeitet hat.

Crosby, Annette (*12. 02. 1934) ist eine schottische Schauspielerin, die durch ihren Fernsehauftritt als »Catherine von Aragon« in der sechsteiligen BBC-Serie *The Sixth Wives of Henry VIII* sowie zahlreiche Theaterauftritte berühmt wurde.

Curtis, Richard (*08. 11. 1956) ist ein britischer Drehbuchautor, der sowohl die Drehbücher für Fernsehserien wie *Mr Bean* und *Blackadder* als auch für größere Filmproduktionen wie *Vier Hochzeiten und ein Todesfall*, *Notting Hill* und für die beiden *Bridget-Jones*-Filme geschrieben hat. Für *Tatsächlich ... Liebe* war er als Drehbuchautor und Regisseur tätig. Er erhielt zahlreiche Auszeichnungen, darunter einen Oscar in der Kategorie »Bestes Originaldrehbuch« für *Vier Hochzeiten und ein Todesfall*.

Dwyer, Penny (*24. 09. 1953; †04. 09. 2003) war eine britische Komikerin, die während ihrer Studienzeit in Cambridge ein Mitglied der *Footlights* war und mit Stephen Fry, Emma Thompson und Hugh Laurie in der Revue *The Cellar Tapes* mitwirkte. Später arbeitete sie als Metallurgin und war maßgeblich an der Konstruktion des Eurotunnels beteiligt.

Eddington, Paul (*18. 06. 1927; †04. 11. 1995) war ein englischer Schauspieler, der durch die Serie *Yes, Minister*, aber auch durch Filme wie *Mord im Pfarrhaus* bekannt wurde.

Edmondson, Ade (*24. 01. 1957) ist ein englischer Schauspieler, Komiker, Musiker und Regisseur, der vor allem durch die Fernsehserie *The Young Ones* berühmt wurde.

Elton, Ben (*03. 05. 1959) ist ein englischer Schriftsteller, Drehbuchautor und Komiker, der unter anderem Drehbuchautor der Serie *The Young Ones*, Co-Autor von *Blackadder* und des Musicals *We Will Rock You* ist.

Enfield, Harry (*30. 05. 1961) ist ein englischer Komiker und Schauspieler, der in vielen britischen Sketch-Comedy-Programmen mitwirkte, darunter *Harry Enfield's Television Programme*. Außerdem übernahm er eine Rolle in dem Jugenddrama *Skins – Hautnah*.

French, Dawn (*11. 10. 1957) ist eine walisische Schauspielerin, Synchronsprecherin und Komikerin, die gemeinsam mit Jennifer Saunders durch die Serie *French & Saunders* bekannt wurde. In der Sitcom *The Vicar of Dibley* spielte sie die Hauptrolle. In *Harry Potter und der Gefangene von Askaban* war sie außerdem als »Die Fette Dame« zu sehen.

Frost, Sir David (*07. 04. 1939) ist ein britischer Journalist und Komiker. Er moderierte die satirische Fernsehserie *That Was the Week that Was* (TW3) und ist außerdem bekannt für seine Interviews mit mehreren hochrangigen Politkern, darunter dem ehemaligen US-Präsidenten Richard Nixon.

Garland, Patrick (*10. 04. 1935) ist ein britischer Schauspieler, Schriftsteller und Regisseur, der lange Zeit für die BBC gearbeitet hat. Er führte bei der Literaturverfilmung von Ibsens *A Doll's House* (dt. Nora oder ein Puppenheim) Regie. Außerdem ist er vor allem Theaterregisseur und arbeitete unter anderem mit Alan Bennett zusammen.

Gray, Simon (*21. 10. 1936; †07. 08. 2008) war ein englischer Dramatiker und Akademiker. Er dozierte zwanzig Jahre an der »University of London« über englische Literatur. Zu seinen berühmtesten Theaterstücken gehören *Quartermaine's Terms* und *Butley*.

Hare, Doris (*01. 03. 1905; †30. 05. 2000) war eine walisische Schauspielerin, die neben zahlreichen Theaterauftritten auch durch ihre Rolle in der beliebten Sitcom *On the Buses* bekannt wurde. Sie war außerdem in Aufführungen der *Royal Shakespeare Company* zu sehen.

Harty, Russell (*05. 09. 1934; †08. 06. 1988) war englischer Fernsehmoderator.

Higson, Charlie (*03. 07. 1958) ist ein englischer Schauspieler und Komiker, der besonders durch die Sketch-Serie *The Fast Show* bekannt wurde. Vor seiner Fernsehkarriere arbeitete er als Stuckateur und half so beispielsweise bei der Renovierung des Hauses von Stephen Fry und Hugh Laurie.

Hordern, Sir Michael (*04.10.1911; †02.05.1995) war ein englischer Schauspieler und Synchronsprecher. Neben zahlreichen Theaterauftritten wirkte er auch in Filmen wie *Robin Hood – König der Vagabunden*, *Ivanhoe* und anderen Literaturverfilmungen mit. Er war außerdem der Erzähler in Stanley Kubricks *Barry Lyndon*.

Horovitch, David (*11.08.1945) ist ein englischer Schauspieler, der vor allem für seine Rolle als »Inspektor Slack« in *Miss Marple* bekannt wurde.

Idle, Eric (* 29.03.1943) ist ein englischer Schauspieler, Komiker, Regisseur und Komponist, der als Mitglied der britischen Komikergruppe *Monty Python* international berühmt wurde. Er schrieb und komponierte auch das berühmte *Monty-Python*-Lied »Always Look on the Bright Side of Life«. Außerdem wirkte er als Synchronsprecher bei Filmen wie *Casper*, *South Park: Der Film* und *Shrek der Dritte* mit. Während seiner Studienzeit in Cambridge war er ein Mitglied der *Footlights*.

Jones, Terry (*01.02.1942) ist ein walisischer Schauspieler, Komiker, Drehbuchautor und Regisseur, der als Mitglied der britischen Komikergruppe *Monty Python* international berühmt wurde. Außerdem schrieb er Kinderbücher und populärwissenschaftlich historische Texte, und er moderierte mehrere Dokumentationen für die BBC.

Laurie, Hugh (*11.06.1959) ist ein englischer Schauspieler, Komiker, Schriftsteller und Musiker, der zusammen mit Stephen Fry durch ihre Sketch-Comedy-Serie *A Bit of Fry and Laurie* und durch die Fernsehserie *Blackadder* (besonders als »Prince Regent« in *Blackadder, the Third*) bekannt wurde. Außerdem trat er als »Bertie Wooster« neben Stephen Fry in der Fernsehserie

Jeeves & Wooster, die auf den *Jeeves*-Romanen von P. G. Wodehouse basiert, auf. Er wirkte unter anderem in Filmen wie *Peter's
Friends*, der BBC-Verfilmung von Jane Austens *Sinn und Sinnlichkeit*, *101 Dalmatiner* und *Stuart Little* mit. Weltberühmt wurde
er aber vor allem mit der Rolle des »Dr. House« in der gleich-
namigen Fernsehserie, für die er mit zwei Golden Globe Awards
ausgezeichnet wurde. Während seiner Studienzeit in Cambridge
war er ein Mitglied der *Footlights*.

Law, Phyllida (*08. 05. 1932) ist eine schottischer Schauspielerin und Emma Thompsons Mutter. Sie war unter anderem
in Filmen wie *Peter's Friend* und *Viel Lärm um nichts* zu sehen.
Außerdem tritt sie in der Fernsehserie *Kingdom* zusammen mit
Stephen Fry auf.

Lindsay, Robert (*13. 12. 1949) ist ein englischer Schauspieler,
der vor allem durch seine Hauptrollen in den Fernsehserien *My
Family* und *Hornblower* bekannt wurde.

Lloyd, John (*30. 09. 1951) ist ein englischer Autor und Radio-
und Fernsehproduzent. Zusammen mit Douglas Adams schrieb
er die fünfte und sechste Episode des Radiohörspiels *Per Anhalter durch die Galaxis*. Außerdem produziert er die beliebte britische Quiz-Sendung *QI*, die Stephen Fry moderiert.

McInnerny, Tim (*18. 09. 1956) ist ein englischer Schauspieler,
der durch die Fernsehserie *Blackadder* bekannt wurde. Er wirkte außerdem in Filmen wie *Erik der Wikinger*, *101 Dalmatiner* und
Notting Hill mit.

McKellen, Sir Ian (*25. 05. 1939) ist ein englischer Schauspieler. Er war mehrfach in Theateraufführungen zu sehen, darunter auch als Mitglied der *Royal Shakespeare Company*. Außerdem

spielte er in zahlreichen Filmen wie *Rasputin*, *The Da Vinci Code*, *Sakrileg*, *Der Sternenwanderer*, *Der Goldene Kompass* mit und war als der Zauberer »Gandalf« in den *Herr-der-Ringe*-Verfilmungen zu sehen.

Margoyles, Miriam (*18. 05. 1941) ist eine englische Schauspielerin und Synchronsprecherin. Vor allem ist sie durch Filme wie *Zeit der Unschuld*, *Ludwig van B. – meine unsterbliche Geliebte*, *William Shakespeares Romeo + Juliet*, *Ein Hauch von Sonnenschein*, *Der Duft von Lavendel* und *Being Julia* bekannt. Außerdem spielt sie »Professor Sprout« in den *Harry-Potter*-Verfilmungen. Während ihrer Studienzeit in Cambridge war sie ein Mitglied der *Footlights*.

Massey, Anna (*11. 08. 1937) ist eine englische Schauspielerin, die in zahlreichen Filmen zu sehen war, darunter *Engel und Insekten* und *Ernst sein ist alles*.

Mayall, Rik (*07. 03. 1958) ist ein englischer Schauspieler, Komiker und Schriftsteller, der durch die Fernsehserie *The Young Ones*, sowie durch Auftritte bei *Saturday Live* bekannt wurde.

Meades, Jonathan (*21. 01. 1947) ist ein englischer Schriftsteller und Moderator. Er beschäftigt sich vor allem mit kulinarischen und kulturellen Angelegenheiten und mit Architektur.

Morecambe, Eric (*14. 05. 1926; †28. 05. 1984) war ein englischer Komiker, der besonders durch seine Arbeit mit dem Schauspielkollegen Ernie Wise in ihrer Sketch-Comedy-Show *The Morecambe and Wise Show* bekannt wurde.

Ockrent, Mike (*18. 06. 1946; †02. 12. 1999) war ein britischer Bühnenregisseur, vor allem von Broadway-Musicals.

Olivier, (Baron) Laurence (*22. 05. 1907; †11. 06. 1989) war ein englischer Schauspieler, Regisseur und Produzent. Ihm wurden zahlreiche Auszeichnungen verliehen, darunter fünf Emmy und drei Golden Globe Awards. Er gilt als einer der größten Schauspieler des 20. Jahrhunderts. Als Theaterschauspieler und Regisseur befasste er sich hauptsächlich mit Shakespeares Stücken. Als Filmschauspieler übernahm er oft Hauptrollen in Literaturverfilmungen wie Jane Austens *Stolz und Vorurteil* oder Emily Brontës *Sturmhöhe*.

Palin, Michael (*05. 05. 1943) ist ein englischer Schauspieler, Komiker und Reisejournalist, der als Mitglied der britischen Komikergruppe *Monty Python* international berühmt wurde. Zusammen mit seinem ehemaligen *Monty-Python*-Kollegen John Cleese spielte er in dem Film *Ein Fisch namens Wanda* mit.

Pinter, Harold (*10. 10. 1930; †24. 12. 2008) war ein englischer Theaterautor und Regisseur, der 2005 den Literaturnobelpreis erhielt. Seine bekanntesten Theaterstücke sind *Der Hausmeister*, *Niemandsland*, *Asche zu Asche* und *Pressekonferenz*.

Richardson, Miranda (*03. 03. 1958) ist eine englische Schauspielerin, die zweimal mit dem Golden Globe Award ausgezeichnet wurde. Neben zahlreichen Theaterauftritten wurde sie vor allem mit ihrer Rolle als »Queen Elizabeth I.« in *Blackadder II* bekannt. Außerdem hatte sie mehrere Nebenrollen in Filmen wie *Sleepy Hollow*, *The Hours*, *Paris je t'aime*, *Young Victoria* und spielt die Klatschkolumnistin »Rita Kimmkorn« in den *Harry-Potter*-Verfilmungen.

Robinson, Tony (*15.08.1946) ist ein englischer Schauspieler, Komiker, Schriftsteller, Moderator und politischer Aktivist. Am bekanntesten wurde er durch seine Rolle als »Baldrick«, Edmund Blackadders Handlanger, in der Fernsehserie *Blackadder*.

Saunders, Jennifer (*06.06.1958) ist eine englische Schauspielerin, Komikerin, Synchronsprecherin und Drehbuchautorin, die gemeinsam mit Dawn French durch die Serie *French & Saunders* und mit ihrer Hauptrolle in der britischen Sitcom *Absolutely Fabulous* bekannt wurde.

Sayle, Alexei (*07.08.1952) ist ein englischer Schauspieler, Komiker, Schriftsteller und Emmy-Preisträger. Neben seinen eigenen Comedy-Sendungen war er auch in Filmen wie *Gorky Park*, *Die Bombe fliegt*, *Indiana Jones und der letzte Kreuzzug* und *Herr der Diebe* zu sehen.

Sessions, John (*11.01.1953) ist ein schottischer Schauspieler und Komiker, der als Komiker in der Radio- und späteren Fernsehsendung *Whose Line Is It Anyway?* auftrat und der außerdem regelmäßiger Gast bei Stephen Frys Quiz-Sendung *QI* ist.

Sherrin, Ned (*18.02.1931; †01.10.2007) war ein englischer Moderator, Schriftsteller und Bühnenregisseur. Er half mit, die Fernsehserie *That Was The Week That Was* (TW3) zu realisieren und moderierte die Rundfunksendung *Loose Ends*.

Slattery, Tony (*09.11.1959) ist ein englischer Schauspieler und Komiker, der durch seine Auftritte in der Fernsehserie *Whose Line Is It Anyway?*, aber auch durch Filme wie *Peter's Friends* bekannt wurde. Er spielte in diversen Fernsehserien, darunter *Kingdom* mit Stephen Fry in der Hauptrolle, mit. Während seiner Studienzeit in Cambridge war er ein Mitglied der *Footlights*.

Sondheim, Stephen (*22.03.1930) ist ein amerikanischer Musical-Komponist, Texter und Oscar-Preisträger. Er wurde außerdem mit mehreren Tony und Grammy Awards und dem Pulitzer-Preis ausgezeichnet. Zu seinen Hauptwerken gehören *West Side Story* (Text), *Sweeny Todd* und *Into the Woods*.

Stoppard, Sir Tom (*03.07.1937) ist ein britischer Dramatiker, der mit einem Oscar und vier Tony Awards ausgezeichnet wurde. Neben zahlreichen Theaterstücken, darunter *Rosenkrantz und Güldenstern sind tot*, und Hörspielen schrieb er das Drehbuch zu *Enigma – Das Geheimnis* und arbeitete an dem Oscar-gekrönten Drehbuch für *Shakespeare in Love* mit.

Swinton, Tilda (*05.11.1960) ist eine englische Schauspielerin, die durch Filme wie *Orlando*, *The Beach*, *The Deep End – Trügerische Stille*, *Vanilla Sky*, *Constantine*, *Michael Clayton*, *Der seltsame Fall des Benjamin Button* und die Verfilmungen von C. S. Lewis' *Die Chroniken von Narnia* international berühmt wurde. Für den Film *Michael Clayton* erhielt sie einen Oscar in der Kategorie »Beste Nebendarstellerin«.

Thompson, Emma (*15.04.1959) ist eine englische Schauspielerin, Produzentin, Regisseurin, Drehbuchautorin und zweifache Oscar-Preisträgerin. Sie gewann außerdem zwei Golden Globe Awards. Sie trat in Filmen wie *Peter's Friends*, *Wiedersehen in Howards End*, *Sinn und Sinnlichkeit*, *Wiedersehen mit Brideshead*, *Tatsächlich ... Liebe* und *Eine zauberhafte Nanny* auf. Außerdem spielt sie »Professor Trelawney« in den *Harry-Potter*-Verfilmungen. Während ihrer Studienzeit in Cambridge war sie ein Mitglied der *Footlights*.

Whitehouse, Paul (*17.05.1958) ist ein walisischer Schauspieler, Komiker und Schriftsteller, der zusammen mit Harry Enfield durch ihre Sketch-Show *The Fast Show* bekannt wurde. Er übernahm auch Rollen in Filmen wie *Wenn Träume fliegen lernen*, *Corpse Bride – Hochzeit mit einer Leiche* und *Alice im Wunderland*.

Wilson, Dennis Main (*01.05.1924; †20.01.1997) war ein englischer Produzent von Rundfunk- und Fernsehprogrammen, hauptsächlich für die BBC.

Wise, Ernie (*27.11.1925; †21.03.1999) war ein englischer Komiker, der besonders durch seine Arbeit mit dem Schauspielkollegen Eric Morecambe in ihrer Sketch-Comedy-Show *The Morecambe and Wise Show* bekannt wurde.

STEPHEN FRY
Columbus war ein Engländer
Geschichte einer Jugend
Aus dem Englischen
von Georg Deggerich
448 Seiten. Mit 17 Abb.
ISBN 978-3-7466-2488-4

»Zum In-die-Hose-Machen komisch.« SÜDDEUTSCHE ZEITUNG

Als 7-Jähriger wurde Stephen Fry aufs Internat geschickt. Er überlebte Prügel, Heimweh, Liebeskummer, Entjungferung, Schulverweise und einen Selbstmordversuch. Sein Leben scheint gescheitert, als er mit 18 wegen Diebstahls und Scheckbetrugs im Gefängnis landet. – Der englische Filmstar und Kultautor erzählt seine Kindheit und Jugend wie einen Roman: bestürzend, zärtlich und rücksichtslos ehrlich.

»Fry ist ein Unterhalter im besten Sinn, ausgestattet mit einem feinen, niemals bösartigen Sinn für Humor, der die Quintessenz des Englischen augenzwinkernd zum Ausdruck bringt.«
FRANKFURTER ALLGEMEINE ZEITUNG

Mehr Informationen erhalten Sie unter www.aufbau-verlag.de
oder in Ihrer Buchhandlung

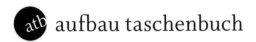

aufbau taschenbuch

STEPHEN FRY
Der Sterne Tennisbälle
Roman
Aus dem Englischen
von Ulrich Blumenbach
391 Seiten
ISBN 978-3-7466-1922-4

»Schräg, schnell und spannend«

KÖLNISCHE RUNDSCHAU

Ned Maddstone hat alles, wovon andere Jungs nur träumen. Doch ein Trio falscher Freunde spielt ihm übel mit, und so landet er in einem Irrenhaus auf einer abgelegenen Insel. Nach 18 langen Jahren gelingt ihm die abenteuerliche Flucht. Sie bildet den Auftakt zu Ned Maddstones furiosem Rachefeldzug. – Ein Feuerwerk aus Ironie, Slapstick und genialen Dialogen.

»Für alle, die an der Gegenwartsliteratur das Fehlen packender Handlung beklagen, ist Stephen Frys neuer Roman die überfällige Antwort.« F.A.Z

»Ein wunderbar phantasiewütiges und urkomisches Buch, bei dem kein Rachegelüst unbefriedigt bleibt.« BRIGITTE

Mehr Informationen erhalten Sie unter www.aufbau-verlag.de
oder in Ihrer Buchhandlung

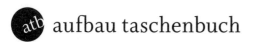